L'ENCYCLOPÉDIE DE
LA CUISINE ASIATIQUE

L'ENCYCLOPÉDIE DE
LA CUISINE
ASIATIQUE

CONSEILLÈRE ÉDITORIALE : LINDA DOESER

TRADUIT DE L'ANGLAIS PAR CHRISTINE CHAREYRE,
JEAN-LUC MULLER ET GISÈLE PIERSON

Sélection
Champagne
inc.

Édition originale 1997 et 1999 en Grande-Bretagne par Lorenz Books sous le titre : *The Ultimate Chinese and Asian Cookbook*

© 1997 et 2005, Anness Publishing Limited
© 2000 et 2004, Manise, une marque des Éditions Minerva (Genève, Suisse) pour la version française

Éditrice : Joanna Lorenz
Responsable du projet : Linda Doeser
Rédactrice : Hariette Lanzer
Styliste : Ian Sandom
Photographies : Karl Adamson, Edward Allwright, David Armstrong, Steve Baxter, James Duncan,
Michelle Garrett, Amanda Heywood, Patrick McLeave, Michael Michaels et Thomas Odulate
Mise en pages : Madeleine Brehaut, Michelle Garrett, Maria Kelly, Blake Minton et Kirsty Rawlings
Préparation des plats : Carla Capalbo, Kit Chan, Elizabeth Wolf-Cohen, Joanne Craig, Nicola Fowler, Carole Handslip,
Jane Hartshorn, Shehzad Husain, Wendy Lee, Lucy McKelvie, Annie Nichols, Jane Stevenson et Steven Wheeler
Illustrations : Madeleine David

Traduit de l'anglais par Christine Chareyre, Jean-Luc Muller et Gisèle Pierson

Distribué par Sélection Champagne Inc., Montréal, Quebec, (514) 595-3279

Cet ouvrage a déjà été publié en grand format sous le titre : *L'Encyclopédie de la cuisine asiatique*

ISBN 2-84198-223-8
Dépôt légal : juin 2004

Imprimé en Chine

Notes

Pour toutes les recettes les quantités sont indiquées en mesures métriques et impériales et, dans les cas convenables, en tasses et cuillères standard.
Suivez une version, mais pas une combinaison, car elles ne sont pas interchangeable.
1 c. à thé = 5 ml, 1 c. à soupe = 15 ml, 1 tasse = 250 ml/8 oz
Sauf indication contraire, employez des œufs de taille moyenne.
Utilisez aussi souvent que possible des ingrédients bio et choisissez toujours des farines
et du sucre non raffinés, des œufs provenant de poules élevées en plein air et des yaourts bio.

Sommaire

Introduction   *6*

Les soupes   *15*

Les entrées   *49*

Les poissons et les fruits de mer   *101*

Les viandes   *175*

Les volailles   *235*

Les légumes   *291*

Les salades   *347*

Les nouilles   *383*

Les plats de riz   *435*

Les desserts   *467*

Les sauces, les sambals et les condiments   *495*

Index   *506*

INTRODUCTION

La cuisine orientale est de plus en plus populaire en Occident et les restaurants chinois, thaïs, indonésiens, japonais et indiens se multiplient. Ce large choix de recettes permet au cuisinier occidental de recréer dans sa cuisine les parfums et les textures uniques de l'Orient.

Les pays qui ont inspiré ces recettes appétissantes possèdent chacun leurs qualités spécifiques et bien distinctes, cuisine thaï au piquant subtil, harmonieux mélange de couleurs, de textures et de parfums des poêlées chinoises, plats épicés indonésiens qui enflamment le palais ou élégance presque graphique des présentations japonaises. Toutes ces cuisines ont cependant de nombreux points communs, tels l'association soigneusement étudiée des herbes et des épices, le mélange savant des ingrédients complémentaires et bien entendu l'utilisation du wok. Cette poêle, très proche de la poêle pakistanaise ou «balti», est parfaite pour cuire à la vapeur, pocher, frire ou poêler. Les cuisiniers adeptes de la facilité d'usage et de la rapidité de cuisson au wok, pourront essayer quelques recettes associant les meilleurs éléments des cuisines orientale et occidentale.

Vous découvrirez dans ce livre tout ce qu'il faut savoir sur le wok et les autres ustensiles de cuisine, ainsi que des renseignements sur les ingrédients exotiques et les sauces, herbes et épices chinoises et asiatiques classiques. Toutes les recettes sont accompagnées d'illustrations en couleurs et d'instructions simples, étape par étape. Vous trouverez également de nombreuses idées pratiques, des variantes, et des conseils pour acheter et pour préparer certains ingrédients peu familiers.

Banquet chinois, curry pour un dîner familial, déjeuner rapide ou dessert original, réalisez et dégustez tous les plats qui vous tentent.

LES INGRÉDIENTS

Ail Comme le gingembre, l'ail est un ingrédient de base de la cuisine asiatique.

Basilic Plusieurs variétés de basilic sont utilisées dans la cuisine asiatique.

Cacahuètes Elles enrichissent les préparations au wok de leur saveur et de leur texture croquante. La fine peau rouge doit être éliminée avant la cuisson ; pour cela, ébouillantez les cacahuètes pendant quelques secondes, puis frottez la peau avec les doigts.

Cardamome Cette épice se présente sous la forme de petites capsules vertes ou de grandes capsules noires, très parfumées, renfermant des graines.

Champignons Frais ou séchés, les champignons chinois shiitake rehaussent les plats de leur texture et de leur saveur insolites. Les champignons séchés doivent tremper 20 à 30 minutes dans l'eau chaude avant emploi. Ils sont onéreux, mais une petite quantité suffit généralement.

Châtaignes d'eau Bulbes de la taille de noix, provenant d'une plante aquatique d'Asie, qui ressemblent à des châtaignes. Elles se vendent fraîches dans certaines épiceries asiatiques, mais le plus souvent en conserve.

Chou chinois Il est commercialisé sous deux variétés principales. La plus courante, de couleur vert clair, a des feuilles très serrées, allongées, et de longues côtes à texture croquante. L'autre variété présente une tête plus compacte, formée de feuilles vertes ou jaune clair, et des côtes blanches.

Ciboule Cette variété d'oignon présente un bulbe allongé et des feuilles creuses que l'on utilise comme condiment.

Cinq-épices (poudre) Condiment réunissant de l'anis étoilé, du poivre, du fenouil, des clous de girofle et de la cannelle.

Citronnelle Cette plante présente une longue tige vert pâle et une extrémité bulbeuse semblable à celle de la ciboule. On n'en utilise que la partie inférieure, sur environ 13 cm/5 po. Elle offre une texture ligneuse et un arôme prononcé de citron. On la retire généralement de la préparation avant de servir, en raison de sa consistance fibreuse, à moins de la hacher très finement.

Coriandre La coriandre fraîche se distingue par son odeur prononcée qui se marie bien avec d'autres parfums soutenus. La racine blanche peut s'utiliser seule, lorsque le vert des feuilles n'est pas indispensable. Les graines s'emploient également, entières et broyées.

Crêpes chinoises Crêpes fines, à base de farine et d'eau, sans condiments ni épices. Elles se vendent fraîches ou surgelées.

Crevettes séchées Les crevettes séchées, minuscules et salées, s'utilisent comme condiment dans les préparations au wok. Il faut les faire tremper dans de l'eau chaude pour les ramollir avant de les mixer ou de les écraser dans un mortier avec un pilon.

Cumin Vendu sous forme de graines et de poudre, le cumin offre une saveur forte, légèrement amère, et s'utilise beaucoup dans la cuisine indienne, mais également dans les préparations asiatiques.

Curcuma Ce membre de la famille du gingembre est un rhizome de couleur dorée. Pour éplucher la racine fraîche, mettez des gants de caoutchouc afin d'éviter de tacher votre peau. Le curcuma existe aussi sous forme de poudre.

Dashi Bouillon japonais léger, commercialisé sous forme de poudre qui doit sa saveur à la présence des algues. On peut le remplacer par du bouillon de légumes en cube.

Écorce de cassia Variété de cannelle, à l'arôme plus prononcé.

Farine de pois chiches À base de pois chiches écrasés, cette farine à la saveur unique se vend dans les épiceries indiennes.

Feuilles de lime Elles relèvent les mets de leur parfum citronné. Les feuilles fraîches, vendues dans les commerces asiatiques, peuvent être congelées.

Galanga Le galanga frais ou *lengkuas* ressemble au gingembre par son goût et son aspect, mis à part la teinte rosée de sa peau. Il s'utilise de la même manière. Il est également vendu séché et en poudre.

Germes de soja Pousses du haricot mungo, en vente chez les primeurs et dans les supermarchés. Ils relèvent les préparations au wok de leur texture croustillante.

Gingembre La racine de gingembre frais se distingue par sa saveur prononcée. Choisissez des morceaux fermes et charnus, à peau brillante, non ridée.

Grains de poivre du Sichuan Également dénommés *farchiew*, ces grains de poivre brun-rouge, parfumés, s'utilisent grillés et moulus. Ils sont moins forts que les grains de poivre blanc ou noir.

Haricots chinois Ressemblant aux haricots verts, ils sont trois ou quatre fois plus longs. On les coupe en petits morceaux avant de les cuisiner.

Huile au piment Huile végétale rehaussée de piments rouges séchés, d'ail, d'oignons et de sel. Elle s'utilise davantage en sauce d'accompagnement que comme ingrédient.

Huile d'arachide Cette huile, qui peut être chauffée à température élevée, est tout indiquée pour les préparations au wok ou les fritures.

Huile de sésame Elle sert plutôt à rehausser les plats qu'à les cuisiner. Très aromatique, elle doit être employée avec modération.

Lait et crème de coco Une liquide différente du jus contenu dans la noix de coco

fraîche et qui se consomme comme boisson. Le lait de coco utilisé en cuisine provient de la chair blanche de la noix. Lorsqu'on le laisse reposer, les particules solides montent à la surface, formant une sorte de crème.

Pour lui fabriquer vous-même, ouvrez une noix fraîche et ôtez la peau marron de la chair. Râpez la chair jusqu'à obtention de 400 ml/14 oz/1⅔ tasses. Mixez pendant 1 minute avec 300 ml/½ pinte/1¼ tasses d'eau. Filtrez à travers un tamis doublé d'une mousseline. Réunissez les coins de la mousseline et serrez pour en extraire le liquide. Le lait de coco est prêt à l'emploi, en prenant soin de le remuer au préalable.

Le lait de coco est commercialisé en boîte, en poudre soluble et en crème présentée sous forme de bloc compact. La poudre et la crème donnent un lait de qualité médiocre, mais elles sont tout indiquées pour la confection des sauces et des assaisonnements.

Lengkuas Voir *Galanga*.

Mirin Vin de riz japonais, doux, qui s'utilise en cuisine.

Miso Pâte de haricots fermentés qui rehausse les soupes japonaises.

Mooli Ce membre de la famille du radis se distingue par son léger goût de poivre, sa peau et sa chair blanches. Contrairement aux autres radis, il peut se consommer cuit, salé et égoutté. Il se prête à de délicates décorations et s'utilise largement dans la cuisine chinoise.

Noix de cajou Ces noix entières entrent souvent dans la composition des préparations chinoises au wok, notamment celles à base de poulet.

Nori Feuilles d'algues japonaises, très fines.

Nouilles Les nouilles cellophane sont à base de haricots mungo broyés.

Les nouilles sèches doivent tremper dans de l'eau chaude avant emploi.

Les nouilles aux œufs sont fabriquées avec de la farine de blé, des œufs et de l'eau. La pâte est aplatie avant d'être introduite dans un appareil réglé à la forme et à l'épaisseur désirées.

Les nouilles de riz sont à base de riz broyé et d'eau. Elles se présentent sous diverses formes – baguettes fines, larges rubans et feuilles. Les nouilles sèches en ruban sont généralement vendues en paquets compacts. On trouve également des nouilles de riz fraîches. Les nouilles de riz doivent être rincées sous l'eau chaude et égouttées avant emploi.

Très fins, les vermicelles de riz ressemblent à des cheveux blancs et se vendent en gros paquets compacts. Ils cuisent presque instantanément dans un liquide chaud, à condition d'avoir trempé au préalable dans l'eau chaude. Ils peuvent également être frits.

Les nouilles somen sont des nouilles japonaises séchées, blanches et délicates, à base de farine de blé. Elles sont généralement présentées maintenues par une bande de papier.

Également japonaises, les nouilles udon sont fabriquées avec de la farine de blé et de l'eau. Souvent rondes, elles peuvent aussi être plates et se vendent fraîches, précuites, ou séchées.

Pak choi Également dénommé *bok choi*, ce légume à grandes feuilles présente de longues côtes blanches, lisses, et un feuillage vert foncé.

Patate douce La saveur douce de ce tubercule rouge se marie bien avec celles, aigres-douces, de l'Asie du Sud-Est. Au Japon, la patate douce entre dans la fabrication de bonbons et autres friandises.

Pâte à pâtés impériaux Carrés de pâte très fine à base de farine de blé ou de riz et d'eau. Généralement vendus congelés, les premiers doivent être décongelés et séparés avant emploi. Ceux à base de farine de riz sont secs et doivent tremper au préalable.

Pâte à raviolis Petits carrés très minces à base de farine de blé et de pâte aux œufs.

Pâte de crevettes À base de crevettes fermentées, la pâte de crevettes ou *terasi* présente une couleur foncée et une odeur prononcée. Elle doit être consommée avec modération.

Pâte de curry La pâte de curry s'obtient traditionnellement en écrasant des herbes fraîches et des épices dans un mortier avec un pilon. Les deux variétés thaïlandaises, rouge et verte, sont confectionnées avec des piments rouges et verts. Les autres ingrédients varient en fonction des goûts de chacun.

La rouge comprend généralement du gingembre, des échalotes, de l'ail, des graines de coriandre et de cumin, du jus de citron. La verte réunit le plus souvent petits oignons, coriandre fraîche, feuilles de lime, gingembre, ail et citronnelle.

Si la fabrication de la pâte de curry est longue, le résultat en est très gratifiant et cette préparation se conserve bien.

Nouilles sèches

1 nouilles plates – 2 nouilles somen 3 nouilles udon – 4 nouilles soba 5 nouilles plates aux œufs – 6 nouilles aux œufs moyennes – 7 nouilles cellophane 8 galettes de riz – 9 vermicelles de riz 10 nouilles aux œufs – 11 nouilles de riz plates

On peut également utiliser de la pâte vendue dans le commerce, en paquet ou en tube.

Pâte de haricots rouges Pâte rouge foncé à base de purée de haricots rouges et de sucre cristallisé. Elle est vendue en boîte.

Pâte de Maïzena On l'obtient en mélangeant 4 mesures de Maïzena avec 5 mesures d'eau froide.

Pâte de soja jaune Pâte épaisse à base de germes de soja fermentés, écrasés avec de la farine et du sucre.

Piments Il existe un grand choix de piments, frais et séchés. Plus le piment est gros, moins il est fort, à quelques exceptions près toutefois. Retirez les graines pour adoucir la saveur. Prenez soin de vous laver les mains aussitôt après avoir manipulé les piments, frais ou séchés ou, mieux, portez des gants de caoutchouc, et ne vous frottez pas les yeux.

Pousses de bambou Pousses tendres, à saveur douce, des jeunes bambous, commercialisées fraîches ou en boîte – coupées en deux ou en rondelles.

Riz Il en existe différentes variétés, de diverses origines. Le riz *basmati*, qui signifie « parfumé » en hindi, est le plus prisé. Le riz thaïlandais est également parfumé et légèrement collant.

Saké Vin de riz japonais, très fort.

Sauce au piment Sauce très relevée, à base
de piments, de vinaigre, de sucre et
de sel. Commercialisée en bocaux, elle
s'utilise avec modération pour cuisiner
ou comme sauce d'accompagnement. On
peut la remplacer par le Tabasco.

Sauce de haricots noirs Pâte épaisse à base
de haricots noirs écrasés et mélangés avec
de la farine et des épices (gingembre,
ail ou piment). On la trouve en bocaux
ou en boîtes qui, une fois ouverts,
doivent être conservés au réfrigérateur.

Sauce de haricots pimentée Pâte de haricots
fermentés, relevée de piment et autres
condiments. Elle se vend en bocaux,
plus ou moins forte selon les marques.

Sauce de poisson Le condiment le plus
répandu dans la cuisine thaïe. Dénommée
nam pla, elle s'emploie comme la sauce de
soja dans les préparations chinoises.
À base d'anchois fermentés, elle offre
une forte saveur salée.

Sauce de soja L'un des principaux
condiments de la cuisine asiatique
est fabriqué avec des germes de soja
fermentés, de la levure, du sel et du sucre.
La sauce chinoise existe sous deux
formes : claire et foncée. La sauce claire
est plus parfumée ; la foncée, plus sucrée,
colore les aliments de sa teinte rougeâtre.

Sauce d'huître À base d'extrait d'huître,
cette sauce relève de nombreux plats
de poisson, de soupes et de sauces.

Sauce hoi-sin Sauce épaisse, foncée,
légèrement piquante.

Sucre de palme Sucre très parfumé,
de couleur marron, obtenu à partir
de la sève du palmier. Commercialisé
dans les épiceries asiatiques, il peut être
remplacé par du sucre roux.

Tamarin Pulpe marron et collante
de la gousse du tamarinier, en forme de
haricot. Équivalent du vinaigre ou du jus
de citron en Occident, il relève les mets

thaïs et indonésiens de sa saveur aigre.
Il se vend séché ou sous forme de pulpe.

Avant d'utiliser la pulpe pour en extraire le jus, faites-en tremper 25 g/1 oz
dans 150 ml/¼ pinte/⅔ tasse d'eau chaude
pendant 10 minutes. Filtrez ensuite à travers
un tamis pour recueillir le maximum de jus.

Terasi Voir *Pâte de crevettes.*

Tofu Cette pâte à base de farine de soja
est riche en protéines. De saveur fade,
le tofu nature s'imprègne du parfum des
aliments avec lesquels il cuit. Le tofu se
vend aussi fumé et mariné. Les blocs durs
se prêtent mieux aux préparations au wok.

Vin de riz chinois À base de riz gluant,
il est également connu sous l'appellation
« vin jaune » – *huang jin* ou *chieu* – en
raison de sa couleur ambrée. La meilleure
variété, dénommée Shao Hsing ou
Shaoxing, est originaire du sud-est
de la Chine. Il peut être remplacé par
du Xérès sec.

Étagère du haut, de gauche à droite :
*nouilles aux œufs fraîches, pâte à raviolis,
châtaignes d'eau, nouilles cellophane, farine
de pois chiches, pâte à pâtés impériaux.*
Étagère du milieu : *champignons chinois
séchés, pak choi, tofu, nouilles aux œufs sèches,
crêpes chinoises.*
En bas, à l'arrière-plan : *riz (dans le panier),
pois mange-tout, épis de maïs, champignons
shiitake, échalotes ; chou chinois, vermicelles de riz.*
En bas, au premier plan : *pousses
de bambou, germes de soja, champignons,
ciboules, haricots chinois.*

Vinaigre de riz Il existe sous deux formes
principales : le vinaigre rouge, à base de
riz fermenté, de couleur foncée et à la
saveur prononcée ; le vinaigre blanc est
plus fort car distillé à partir du riz. Le
vinaigre de cidre peut les remplacer.

Wasabi Cette racine comestible, à l'arôme
soutenu est un condiment de la cuisine
japonaise. Voisin du raifort, il se vend
frais, sous forme de poudre et de pâte.

L'ÉQUIPEMENT

Aucun équipement spécial n'est indispensable pour préparer un repas asiatique ; une simple poêle à fond épais peut le plus souvent remplacer le wok. Toutefois, les ustensiles présentés ci-dessous vous faciliteront la tâche.

Wok Il en existe de nombreux modèles. Tous ont des parois arrondies qui assurent une bonne diffusion de la chaleur. Un modèle de 35 cm/14 po de diamètre convient parfaitement aux familles moyennes, pour les différentes cuissons – friture, vapeur, braisage.

Traditionnellement fabriqués en fonte, les woks existent désormais en différents métaux. La fonte reste très prisée car c'est un excellent conducteur de chaleur ; en outre, elle se recouvre avec le temps d'une patine qui la rend antiadhésive. L'acier inoxydable a tendance à rayer. On trouve des modèles antiadhésifs, mais ils sont à déconseiller car ils ne résistent pas aux températures élevées nécessaires pour la cuisson au wok. Ils sont en outre très onéreux.

Les woks peuvent être munis d'une ou de deux courtes poignées en métal ou en bois, d'une seule longue queue, ou des deux. Les poignées en bois sont plus sûres.

Préparation du wok En dehors de ceux traités avec une matière antiadhésive, les woks neufs sont à préparer avant usage. La plupart doivent être débarrassés de leur couche d'huile protectrice avec un détergent. Posez ensuite le wok sur feu doux et versez environ 30 ml/ 2 c. à soupe d'huile végétale. Badigeonnez soigneusement l'intérieur du wok avec du papier absorbant. Faites chauffer doucement le wok pendant 10 à 15 minutes, puis retirez l'huile avec du papier absorbant. Celui-ci noircit. Continuez à huiler, chauffer et essuyer le wok jusqu'à ce que le papier reste propre. Lorsque le wok a été préparé ainsi, il n'a plus besoin d'être frotté. Après emploi, il suffit de le laver à l'eau chaude sans détergent, puis de l'essuyer soigneusement avant de le ranger.

Accessoires du wok Différents accessoires peuvent accompagner le wok, mais ils ne sont en aucun cas indispensables.

Couvercle Il est utile, notamment pour braiser et cuire les aliments à la vapeur. Généralement en aluminium, il est arrondi et assure une fermeture hermétique. Certains woks sont vendus avec un couvercle, mais n'importe quel couvercle de forme arrondie peut convenir.

Support Cet accessoire très utile assure une plus grande stabilité au wok pour la cuisson à la vapeur, la friture ou le braisage.

Trépied Indispensable dans les cuissons à la vapeur, pour surélever le plat ou le panier au-dessus du niveau d'eau, il est en bois ou en métal.

Grande cuillère Longue, métallique et munie d'un manche en bois, elle sert à remuer les ingrédients pendant la cuisson. Elle peut être remplacée par n'importe quelle cuillère à manche long.

Cuiseur à vapeur en bambou Il se pose sur les parois arrondies du wok et est de taille variée – des petits pour les beignets et les *dim sum* aux plus grands pouvant contenir un poisson entier.

Écumoire en bambou Cet ustensile large, plat, métallique, muni d'un long manche en bambou, permet de retirer facilement les aliments de la friture ou du panier à vapeur. Elle peut être remplacée par une écumoire en métal.

Autres ustensiles Toute cuisine est équipée des instruments nécessaires à la préparation des recettes de cet ouvrage. Toutefois, vous pourrez vous procurer quelques ustensiles simples et peu onéreux dans les supermarchés asiatiques.

Hachoir Les Chinois ne peuvent pas s'en passer pour cuisiner. Disponible en différents poids et tailles, il sert à couper les ingrédients, à retirer les veines des

Ustensiles de cuisine, dans le sens des aiguilles d'une montre, à partir du haut : *cuiseur à vapeur en bambou, mortier et pilon, planche à découper avec hachoir, couteau à découper et couteau éplucheur, wok avec couvercle et grille, écumoire.*

crevettes, ou à détailler très finement les légumes. Il doit être affûté régulièrement.

Mortier et pilon En terre ou en pierre, ils servent à piler les épices et à écraser les ingrédients pour préparer des pâtes.

Mixer Rapide et facile d'emploi, il remplace le mortier et le pilon pour broyer les épices et préparer les pâtes. Il sert également à hacher les légumes.

LES TECHNIQUES DE CUISSON

FAIRE SAUTER DANS LE WOK
Cette technique de cuisson rapide préserve la fraîcheur, la couleur et la texture des ingrédients. Ils doivent tous être prêts et à portée de main avant de commencer la cuisson.

1 Chauffez un wok vide à feu vif pour que les aliments ne collent pas et assurer une bonne diffusion de la chaleur. Versez l'huile et penchez le wok de manière à ce qu'elle recouvre le fond et les parois à mi-hauteur. L'huile doit être chaude lorsque vous ajoutez les ingrédients, afin qu'ils soient saisis aussitôt.

2 Incorporez les ingrédients selon l'ordre indiqué dans la recette – les condiments en premier (ail, gingembre, oignons) ; évitez que l'huile commence à fumer, car ils brûleraient et prendraient un goût amer. Remuez pendant quelques secondes avant d'ajouter les ingrédients principaux nécessitant une cuisson plus longue – légumes ou viande. Continuez avec les aliments à cuisson rapide. Remuez du centre vers les parois avec une spatule en bois, en métal, ou une cuillère à manche long.

CUIRE DANS LA FRITURE
Le wok est idéal pour la friture car il utilise beaucoup moins d'huile qu'une friteuse. Vérifiez qu'il est bien stable sur son support avant de verser l'huile et surveillez-le attentivement.

1 Posez le wok sur un support et remplissez-le d'huile à mi-hauteur. Faites chauffer à la température désirée. Vérifiez en jetant un petit morceau de nourriture ; si des bulles se forment à la surface, c'est que l'huile est chaude.

2 Plongez les ingrédients dans l'huile, avec des pinces ou des baguettes en bois, puis remuez. Retirez du wok avec une écumoire en bambou ou en métal. Égouttez sur du papier absorbant avant de servir.

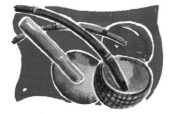

CUIRE À LA VAPEUR
Les aliments cuisent dans une douce chaleur humide qui doit circuler librement. La cuisson à la vapeur est très prisée des personnes soucieuses de diététique car elle préserve la saveur des ingrédients et leur valeur nutritionnelle. Elle est parfaite pour les légumes, la viande, la volaille et surtout le poisson. Le cuiseur à vapeur en bambou permet de cuire aisément les aliments de cette façon.

LE CUISEUR À VAPEUR EN BAMBOU

1 Placez le wok sur un support. Versez de l'eau bouillante sur 5 cm/2 po de hau- teur et laissez frémir. Posez le cuiseur à vapeur sur les parois du wok, sans qu'il touche l'eau.

2 Couvrez le cuiseur de son couvercle et laissez cuire pendant la durée indiquée dans la recette. Vérifiez le niveau d'eau de temps en temps et ajoutez si besoin de l'eau bouillante.

LE WOK COMME CUISEUR À VAPEUR
Mettez un trépied dans le wok, puis placez le wok sur un support. Versez de l'eau bouillante juste en dessous du trépied. Posez le plat contenant les aliments sur le trépied. Couvrez le wok de son couvercle, portez l'eau à ébullition, puis laissez frémir doucement. Faites cuire le temps indiqué dans la recette. Vérifiez le niveau d'eau de temps en temps et ajoutez si besoin de l'eau bouillante.

LES SOUPES

*Les délicieuses soupes de ce chapitre
peuvent être servies en entrée, comme
déjeuner léger ou avec d'autres plats
principaux, comme c'est généralement
l'usage en Chine.* Soupe au crabe
et au maïs, Soupe piquante, Soupe
aux trois délices *et* Soupe aux raviolis
wontons, *font partie des soupes classiques.
Mais vous pouvez aussi essayer
la* Soupe au porc et aux feuilles
de moutarde, *la* Soupe aux légumes
de Bali *ou la* Soupe au bœuf et
aux nouilles de Hanoi. *Vous trouverez
même pour le petit déjeuner, une soupe
japonaise originale qui mettra
en train toute la famille!*

Bouillon clair

Ce bouillon, base de la confection des soupes, peut également remplacer l'eau dans certaines préparations.

INGRÉDIENTS

Pour 2 1/4 pintes / 10½ tasses de bouillon

650 g/1½ lb de morceaux de poulet
    sans la peau
650 g/1½ lb de travers de porc
3 1/6 pintes/15 tasses d'eau froide
3 à 4 morceaux de gingembre non pelés
    et écrasés
3 à 4 ciboules enroulées en forme
    de nœuds
45 à 60 ml/3 à 4 c. à soupe de vin de riz
    chinois ou de Xérès sec

1 Retirez le gras du poulet et du porc avant de les découper en gros morceaux.

2 Réunissez le poulet, le porc et l'eau dans une grande casserole. Ajoutez le gingembre et les ciboules.

3 Portez à ébullition, puis ôtez l'écume. Baissez le feu et laissez frémir 2 à 3 heures à découvert.

4 Filtrez le bouillon en éliminant la viande, le gingembre et les ciboules, puis remettez-le dans la casserole. Ajoutez le vin de riz ou le Xérès et portez à ébullition. Laissez frémir 2 à 3 minutes. Mettez le bouillon refroidi au réfrigérateur, où il se conserve 4 à 5 jours, ou congelez-le dans de petits récipients.

Soupe aux raviolis de poulet et de crevettes

Version raffinée de la simple soupe aux raviolis, ce potage peut constituer un repas complet.

INGRÉDIENTS

Pour 4 personnes

275 g/10 oz de blancs de poulet sans la peau
200 g/7 oz de crevettes décortiquées
   crues ou cuites
5 ml/1 c. à thé de gingembre frais
   finement haché
2 ciboules finement hachées
1 œuf
10 ml/2 c. à thé de sauce d'huître (facultatif)
1 paquet de pâte à raviolis
15 ml/1 c. à soupe de pâte de Maïzena
   (voir p. 10)
900 ml/1½ pintes/3¾ tasses de bouillon
   de volaille
¼ de concombre pelé et coupé en dés
sel et poivre noir du moulin
1 ciboule grossièrement émincée,
   4 branches de coriandre fraîche
   et 1 tomate pelée, épépinée et
   coupée en dés, pour le service

1 Mixez le poulet, 150 g/5 oz de crevettes, le gingembre et les ciboules pen-dant 2 à 3 minutes dans un mixer. Ajou-tez l'œuf, la sauce d'huître et l'assaison-nement, puis mixez de nouveau. Réservez.

2 Posez 8 carrés de pâte sur un plan de travail, mouillez les bords avec la pâte de Maïzena et déposez au centre 2,5 ml/½ c. à thé de préparation. Pliez en deux et pincez les bords pour les souder. Laissez frémir 4 minutes dans l'eau salée.

3 Portez le bouillon à ébullition, ajou-tez le reste de crevettes, le concom-bre, puis laissez frémir pendant 3 à 4 minutes. Incorporez les raviolis et faites chauffer 3 à 4 minutes. Décorez de ciboule, de coriandre et de tomate, avant de servir chaud.

Soupe de poulet thaïlandaise

Une soupe consistante, dans laquelle herbes, épices et crème de coco s'allient avec subtilité.

INGRÉDIENTS

Pour 4 personnes

1 gousse d'ail finement hachée
15 ml/1 c. à soupe d'huile végétale
340 g/12 oz de blancs de poulet sans la peau,
   coupés en morceaux
2,5 ml/½ c. à thé de curcuma en poudre
1,5 ml/¼ c. à thé de poudre de piment fort
75 g/3 oz de crème de coco
900 ml/1½ pintes/3¾ tasses de bouillon
   de volaille chaud
30 ml/2 c. à soupe de jus de citron
30 ml/2 c. à soupe de beurre de cacahuètes
350 g/12 oz de nouilles fines aux œufs,
   en petits morceaux
15 ml/1 c. à soupe de ciboule hachée menu
15 ml/1 c. à soupe de coriandre fraîche ciselée
sel et poivre noir du moulin
30 ml/2 c. à soupe de noix de coco râpée
   et ½ piment rouge frais épépiné
   et finement haché, pour le service

1 Dans une sauteuse, faites blondir l'ail pendant 1 minute dans l'huile chaude. Ajoutez le poulet, le curcuma, la poudre de piment, et remuez pendant 3 à 4 minutes.

2 Émiettez la crème de coco dans le bouillon de volaille chaud et mélangez intimement. Versez sur le poulet, puis ajoutez le jus de citron, le beurre de cacahuètes et les nouilles.

3 Laissez frémir 15 minutes à couvert. Incorporez la ciboule, la coriandre, assaisonnez bien, et poursuivez la cuisson pendant 5 minutes.

4 Pendant ce temps, faites revenir la noix de coco râpée et les morceaux de piment pendant 2 à 3 minutes, en remuant, jusqu'à ce que la noix de coco soit légèrement dorée.

5 Servez la soupe dans des bols, saupoudrée de noix de coco et de piment frit.

Soupe chinoise au tofu et à la laitue

Une soupe légère, à base de légumes savoureux et nourrissants.

INGRÉDIENTS

Pour 4 personnes

30 ml/2 c. à soupe d'huile d'arachide
   ou de tournesol
200 g/7 oz de tofu fumé ou mariné, en dés
3 petits oignons émincés en diagonale
2 gousses d'ail en petits bâtonnets
1 carotte détaillée en fines rondelles
1 1/1¾ pintes/4 tasses de bouillon de légumes
30 ml/2 c. à soupe de sauce de soja
15 ml/1 c. à soupe de Xérès sec
   ou de vermouth
5 ml/1 c. à thé de sucre
115 g/4 oz de laitue romaine en chiffonnade
sel et poivre noir du moulin

1 Faites chauffer l'huile dans un wok préchauffé, puis laissez dorer le tofu en remuant. Égouttez-le et posez-le sur du papier absorbant.

2 Ajoutez les oignons, l'ail, la carotte, et faites revenir pendant 2 minutes. Incorporez ensuite le bouillon, la sauce de soja, le Xérès ou le vermouth, le sucre et la laitue. Laissez frémir 1 minute, assaisonnez et servez chaud.

Bouillon au crabe et aux nouilles

Ce bouillon nourrissant
et succulent est idéal pour
improviser un repas rapide.

INGRÉDIENTS

Pour 4 personnes

75 g/3 oz de nouilles fines aux œufs
1 petite botte de ciboules hachées
1 branche de céleri émincée
1 carotte moyenne coupée en julienne
25 g/1 oz/2 c. à soupe de beurre
1,2 1/2 pintes/5 tasses de bouillon
 de volaille
60 ml/4 c. à soupe de Xérès sec
115 g/4 oz de chair de crabe blanche
 fraîche ou congelée
1 pincée de sel de céleri
1 pincée de poivre de Cayenne
10 ml/2 c. à thé de jus de citron
1 petite botte de coriandre ou
 de persil plat grossièrement hachés,
 pour le service

1 Portez à ébullition une grande casserole d'eau salée et faites cuire les
nouilles selon les instructions du fabricant. Rincez-les sous l'eau froide, puis
laissez-les tremper jusqu'à emploi.

CONSEIL

La chair de crabe est meilleure fraîche
ou surgelée qu'en conserve.

2 Faites revenir les ciboules, le céleri
et la carotte pendant 3 à 4 minutes à
couvert, dans le beurre chaud.

3 Versez le bouillon de volaille et le
Xérès, portez à ébullition et laissez
frémir 5 minutes.

4 Émiettez le crabe sur une assiette,
en éliminant les particules dures.

5 Égouttez les nouilles et mettez-les
dans le bouillon avec le crabe.
Assaisonnez de sel de céleri et de poivre
de Cayenne. Arrosez de jus de citron et
laissez frémir.

6 Versez dans des assiettes creuses,
décorez de coriandre ou de persil
avant de servir.

Soupe aux « ailerons de requin »

Dans la version végétarienne de cette soupe, les nouilles cellophane, détaillées en petits morceaux, imitent les ailerons de requin.

INGRÉDIENTS

Pour 4 à 6 personnes

4 champignons shiitake, séchés
25 ml/1½ c. à soupe de champignons noirs séchés
115 g/4 oz de nouilles cellophane
30 ml/2 c. à soupe d'huile végétale
2 carottes coupées en julienne
115 g/4 oz de pousses de bambou en boîte, rincées, égouttées et coupées en julienne
1 l/1¾ pintes/4 tasses de bouillon de légumes
15 ml/1 c. à soupe de sauce de soja
15 ml/1 c. à soupe de fécule
30 ml/2 c. à soupe d'eau
1 blanc d'œuf battu (facultatif)
5 ml/1 c. à thé d'huile de sésame
sel et poivre noir du moulin
2 ciboules finement hachées et vinaigre rouge chinois (facultatif), pour le service

1 Laissez tremper séparément les champignons shiitake et les champignons noirs 20 secondes dans l'eau chaude. Égouttez-les. Retirez les pieds et détaillez-les en minces lamelles, en jetant les particules dures. Mettez les nouilles à ramollir dans l'eau chaude. Égouttez-les et coupez-les en petits morceaux. Réservez.

2 Faites revenir les champignons shiitake 2 minutes dans l'huile chaude. Mettez les champignons noirs, laissez cuire 2 minutes, avant d'ajouter les carottes, les pousses de bambou et les nouilles.

3 Versez le bouillon, portez à ébullition et laissez frémir 15 à 20 minutes. Assaisonnez de sel, de poivre et de sauce de soja.

4 Délayez la fécule de pommes de terre dans un peu d'eau. Ajoutez-la à la soupe, en remuant sans arrêt pour éviter la formation de grumeaux.

5 Retirez du feu avant d'incorporer le blanc d'œuf, de manière à ce qu'il forme de minces filaments. Versez l'huile de sésame, puis répartissez la soupe dans des bols individuels. Parsemez de ciboule et présentez le vinaigre séparément.

Soupe au miso

Le miso est une pâte de haricots fermentés qui rehausse nombre de soupes japonaises. Celle-ci, qui se consomme au petit déjeuner, permet de démarrer la journée d'un bon pied.

INGRÉDIENTS

Pour 4 personnes

3 champignons shiitake frais ou séchés
1,25 l/2 pintes/5 tasses de bouillon
   de légumes
60 ml/4 c. à soupe de miso
115 g/4 oz de tofu coupé en gros dés
les pousses d'une ciboule émincées,
   pour le service

1 Si vous utilisez des champignons séchés, laissez-les tremper 3 à 4 minutes dans l'eau chaude, puis égouttez-les. Détaillez finement les champignons et réservez.

2 Portez le bouillon à ébullition dans une grande casserole. Ajoutez le miso, les champignons, puis laissez frémir 5 minutes.

3 Versez le bouillon dans 4 bols à soupe et répartissez le tofu. Parsemez de pousses de ciboule avant de servir.

Soupe de nouilles au porc et aux pickles

INGRÉDIENTS

Pour 4 personnes

1 l/1¾ pintes/4 tasses de bouillon de volaille
350 g/12 oz de nouilles aux œufs
15 ml/1 c. à soupe de crevettes séchées,
   trempées dans de l'eau
30 ml/2 c. à soupe d'huile végétale
225 g/8 oz de porc maigre détaillé en lanières
15 ml/1 c. à soupe de pâte de soja jaune
15 ml/1 c. à soupe de sauce de soja
115 g/4 oz de pickles du Sichuan rincés,
   égouttés et émincés
1 pincée de sucre
sel et poivre noir du moulin
2 ciboules finement émincées,
   pour le service

1 Faites cuire les nouilles dans de l'eau bouillante jusqu'à ce qu'elles soient presque tendres. Égouttez les crevettes et rincez-les sous l'eau froide. Après les avoir égouttées de nouveau, incorporez-les au bouillon. Laissez frémir encore 2 minutes et gardez au chaud. Dans une poêle ou un wok contenant de l'huile chaude, faites rissoler le porc à feu vif pendant 3 minutes.

2 Ajoutez la pâte de soja, la sauce de soja, et remuez pendant 1 minute. Incorporez les pickles et le sucre, et mélangez pendant encore 1 minute.

3 Répartissez les nouilles et la soupe dans des bols individuels. Ajoutez la préparation au porc, parsemez de ciboule et servez aussitôt.

Soupe de nouilles au rouget et au tamarin

Le tamarin relève cette soupe légère et parfumée de sa saveur acidulée.

INGRÉDIENTS

Pour 4 personnes

2 l/3½ pintes/8 tasses d'eau
1 kg/2¼ lb de rouget
1 oignon émincé
50 g/2 oz de gousses de tamarin
15 ml/1 c. à soupe de sauce de poisson
15 ml/1 c. à soupe de sucre
2 gousses d'ail finement hachées
2 bâtons de citronnelle, très finement hachés
30 ml/2 c. à soupe d'huile végétale
4 tomates mûres grossièrement concassées
30 ml/2 c. à soupe de pâte de soja jaune
225 g/8 oz de vermicelles de riz,
   ramollis dans de l'eau chaude
115 g/4 oz de germes de soja
8 à 10 branches de basilic ou de menthe
25 g/1 oz de cacahuètes grillées et moulues
sel et poivre noir du moulin

1 Faites bouillir l'eau dans une casse- role. Ajoutez le poisson, l'oignon, 2,5 ml/½ c. à thé de sel, et laissez frémir doucement jusqu'à ce que le poisson soit cuit.

2 Retirez le poisson du bouillon et réservez. Incorporez le tamarin, la sauce de poisson et le sucre dans le bouillon. Laissez frémir 5 minutes, puis filtrez dans un grand récipient. Enlevez soigneusement toutes les arêtes du pois- son, en le séparant en gros morceaux.

3 Dans une grande poêle, faites revenir l'ail et la citronnelle quelques secondes dans l'huile chaude. Ajoutez les tomates, la pâte de soja, et laissez mijoter 5 à 7 minutes, jusqu'à ce que les tomates soient tendres. Versez le bouillon, laissez frémir et rectifiez l'assaisonnement.

4 Égouttez les vermicelles. Ébouil- lantez-les quelques minutes, puis égouttez-les de nouveau avant de les répartir dans des bols. Ajoutez les germes de soja, le poisson, le basilic ou la menthe, saupoudrez de cacahuètes. Versez la soupe dans les bols.

Soupe de nouilles au bœuf

Cette soupe aux délicates
saveurs orientales sera
la bienvenue en hiver.

INGRÉDIENTS

Pour 4 personnes

10 g/¼ oz de champignons porcini séchés
150 ml/¼ pinte/⅔ tasse d'eau bouillante
6 ciboules
1 carotte moyenne
350 g/12 oz de rumsteck
30 ml/2 c. à soupe d'huile de tournesol
1 gousse d'ail, écrasée
2,5 cm/1 po de gingembre frais pelé
    et finement haché
1,25 l/2 pintes/5 tasses de bouillon de bœuf
45 ml/3 c. à soupe de sauce de soja légère
60 ml/4 c. à soupe de vin de riz chinois
    ou de Xérès sec
75 g/3 oz de nouilles aux œufs fines
75 g/3 oz d'épinards coupés en chiffonnade
sel et poivre noir du moulin

3 Dans une sauteuse, faites rissoler le
bœuf en plusieurs fois dans l'huile
chaude. Retirez-le avec une écumoire
et posez-le sur du papier absorbant.

4 Faites revenir l'ail, le gingembre,
les ciboules et la carotte pendant
3 minutes dans la sauteuse.

5 Ajoutez le bouillon de bœuf, les
champignons avec leur liquide, la
sauce de soja, le vin de riz ou le Xérès,
et assaisonnez généreusement. Laissez
frémir 10 minutes à couvert.

6 Incorporez les nouilles grossièrement coupées, les épinards et le
bœuf. Faites chauffer 5 minutes à feu
doux, jusqu'à ce que le bœuf soit tendre.
Rectifiez l'assaisonnement.

1 Détaillez les champignons en petits
morceaux, puis laissez-les tremper
15 minutes dans l'eau bouillante.

2 Coupez les ciboules et la carotte en
sections de 5 cm/2 po de long.
Dégraissez le rumsteck et débitez-le en
tranches minces.

Consommé de porc aux nouilles et aux crevettes

Rapide et facile, cette préparation d'origine vietnamienne vous surprendra par son raffinement.

INGRÉDIENTS

Pour 4 à 6 personnes

350 g/12 oz de côtes ou de filet de porc
225 g/8 oz de crevettes décortiquées,
    crues ou cuites
150 g/5 oz de nouilles fines aux œufs
4 échalotes ou 1 oignon moyen émincés
15 ml/1 c. à soupe d'huile végétale
10 ml/2 c. à thé d'huile de sésame
15 ml/1 c. à soupe de gingembre frais
    finement émincé
1 gousse d'ail écrasée
5 ml/1 c. à thé de sucre
1,5 1/2½ pintes/6¼ tasses de bouillon
    de volaille
2 feuilles de lime
45 ml/3 c. à soupe de sauce de poisson
le jus d'½ citron vert
4 branches de coriandre fraîche
    et les pousses de 2 ciboules hachées,
    pour le service

1 Retirez le gras et les os des côtes de porc. Laissez durcir, mais non congeler, la viande pendant 30 minutes au congélateur. Détaillez finement le porc et réservez. Enlevez les veines des crevettes crues.

2 Faites cuire les nouilles dans une grande casserole d'eau bouillante salée, selon les instructions du fabricant. Égouttez-les et rafraîchissez-les sous l'eau courante, puis réservez.

3 Dans un wok, faites blondir les échalotes ou l'oignon 3 à 4 minutes dans les 2 huiles chaudes. Retirez du feu et réservez.

4 Réunissez dans le wok le gingembre, l'ail, le sucre, le bouillon de volaille, puis portez à ébullition. Ajoutez les feuilles de lime, la sauce de poisson, le jus de citron, puis le porc, et laissez frémir 15 minutes. Incorporez enfin les crevettes, les nouilles, et laissez chauffer 3 à 4 minutes. Servez dans des bols et décorez de coriandre, de pousses de ciboule et d'échalotes ou d'oignon frits.

Soupe au bœuf et aux nouilles d'Hanoi

Des millions de Vietnamiens du Nord dégustent cette soupe parfumée à leur petit déjeuner.

INGRÉDIENTS

pour 4 à 6 personnes

1 oignon
1,5 kg/3 à 3½ lb de jarret de bœuf
   non désossé
2,5 cm/1 po de gingembre frais
1 gousse d'anis étoilé
1 feuille de laurier
2 clous de girofle entiers
2,5 ml/½ c. à thé de graines de fenouil
1 morceau de cannelle
3 l/5 pintes/12½ tasses d'eau
15 ml/1 c. à soupe de sauce de poisson
le jus d'1 citron vert
150 g/5 oz de filet de bœuf
450 g/1 lb de nouilles de riz plates fraîches
sel et poivre noir du moulin

Les accompagnements

1 petit oignon rouge détaillé en anneaux
115 g/4 oz de germes de soja
2 piments rouges épépinés et émincés
2 ciboules coupées menu
1 poignée de feuilles de coriandre
quelques quartiers de citron vert

1 Coupez l'oignon en deux. Faites-le revenir à feu vif, le côté coupé sur le dessus, jusqu'à ce qu'il soit bien doré. Réservez.

2 Détaillez le jarret en gros morceaux, puis mettez-les avec les os dans une cocotte. Ajoutez l'oignon, le gingembre, l'anis étoilé, le laurier, les clous de girofle, les graines de fenouil et la cannelle.

3 Versez l'eau, portez à ébullition, puis laissez frémir 2 à 3 heures, en enlevant de temps en temps le gras et l'écume.

4 Sortez le jarret de la cocotte avec une écumoire, puis découpez-le en petits morceaux lorsqu'il est refroidi, en éliminant les os. Filtrez le bouillon et remettez-le dans la cocotte avec la viande. Portez à ébullition, ajoutez la sauce de poisson et le jus de citron.

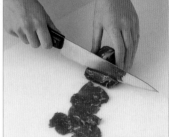

5 Détaillez finement le filet de bœuf, puis laissez-le au frais. Disposez les accompagnements dans des bols séparés.

6 Faites cuire les nouilles dans une grande casserole d'eau bouillante. Égouttez-les et répartissez-les dans des bols de service. Posez dessus les morceaux de filet, versez le bouillon, le jarret et servez avec les accompagnements.

Sayur asam

Cette soupe de légumes colorée et rafraîchissante, originaire de Jakarta, réveillera le palais.

INGRÉDIENTS

Pour 4 personnes

La pâte épicée

5 échalotes ou 1 oignon rouge
    moyen émincés
3 gousses d'ail, écrasées
2,5 cm/1 po de *lengkuas* pelé et émincé
1 piment rouge frais épépiné et émincé
25 g/1 oz de cacahuètes
1 cube de 1 cm/½ po de *terasi* préparé
1,25 l/2 pintes/5 tasses de bouillon parfumé
50 g/2 oz de cacahuètes salées
    légèrement écrasées
15 ml/1 c. à soupe de sucre roux
5 ml/1 c. à thé de pulpe de tamarin,
    ayant trempé 15 minutes dans
    75 ml/5 c. à soupe d'eau chaude
sel

Les légumes

1 chayote pelée, dénoyautée et coupée
    en tranches fines
115 g/4 oz de haricots verts épluchés et
    coupés en menus morceaux
50 g/2 oz de grains de maïs (facultatif)
1 poignée de feuilles de salade (cresson,
    roquette) en chiffonnade
1 piment vert frais émincé, pour le service

2 Mouillez avec un peu de bouillon avant de verser dans une poêle ou un wok, puis ajoutez le reste du bouillon. Laissez frémir 15 minutes avec les cacahuètes et le sucre.

5 Versez le jus de tamarin et rectifiez l'assaisonnement. Décorez de piment vert avant de servir.

3 Filtrez le tamarin, en jetant les graines, et réservez le jus.

1 Pour préparer la pâte épicée, mixez dans un mixer les échalotes ou l'oignon, l'ail, le *lengkuas*, les piments, les cacahuètes et le *terasi*, ou écrasez-les avec un mortier et un pilon.

4 Avant de servir, incorporez dans la soupe les morceaux de chayote, les haricots verts, le maïs, et faites cuire à feu vif. Ajoutez les feuilles de salade et salez à la dernière minute.

Soupe au maïs doux et au poulet

Cette recette de soupe,
un grand classique de la cuisine
chinoise, est délicieuse et très
simple à préparer dans un wok.

INGRÉDIENTS

Pour 4 à 6 personnes

1 escalope de poulet de 120 g/4 oz environ,
    sans la peau, découpée en dés
10 ml/2 c. à thé de sauce de soja légère
15 ml/1 c. à soupe de vin de riz chinois
    (ou de Xérès sec)
5 ml/1 c. à thé de Maïzena
60 ml/4 c. à soupe d'eau froide
5 ml/1 c. à thé d'huile de sésame
30 ml/2 c. à soupe d'huile d'arachide
5 ml/1 c. à thé de gingembre frais râpé
1 l/1¾ pintes/4 tasses de bouillon de volaille
420 g/15 oz de crème de maïs doux
220 g/8 oz de grains de maïs doux
2 œufs battus
sel et poivre noir du moulin
les parties vertes de 2 ou 3 ciboules coupées
    en fines rondelles, pour le service

1 Hachez le poulet dans un mixer, pas trop finement. Transférez le poulet dans un saladier contenant le mélange de sauce de soja, vin de riz (ou vin de Xérès), Maïzena, eau, huile de sésame, sel et poivre. Remuez. Couvrez et laissez reposer 15 minutes, afin que le poulet absorbe tous les arômes du mélange.

2 Préchauffez un wok à feu moyen. Versez l'huile d'arachide. Mettez le gingembre à revenir quelques secondes. Versez dessus le bouillon, la crème de maïs et le maïs en grains. Réduisez le feu avant ébullition.

3 Versez environ 90 ml/6 c. à soupe de ce liquide dans la préparation de poulet et remuez jusqu'à obtention d'une pâte lisse. Versez cette pâte dans le wok. Portez doucement à ébullition en remuant et laissez mijoter 2 à 3 minutes.

4 Versez lentement les œufs battus dans la soupe, tout en dessinant des huit à la surface, à l'aide d'une fourchette ou de baguettes. L'œuf durcira en formant des fils (à la manière d'une dentelle). Servez immédiatement après avoir garni avec les ciboules.

Soupe de poulet aux pointes d'asperges

Cette soupe au parfum délicat est facile à réussir, grâce à la simplicité de préparation du poulet et des asperges dans le wok.

INGRÉDIENTS

Pour 4 personnes

150 g/5 oz de blancs de poulet
5 ml/1 c. à thé de blanc d'œuf
5 ml/1 c. à thé de Maïzena
120 g/4 oz d'asperges fraîches ou en conserve
750 ml/1¼ pintes/3 tasses de bouillon de volaille
sel et poivre noir du moulin
feuilles de coriandre fraîche, pour le service

1 Découpez le poulet en petits morceaux. Assaisonnez d'1 pincée de sel, puis versez dessus le blanc d'œuf et la Maïzena.

2 Laissez de côté les tiges et ne gardez que les pointes d'asperges. Coupez ces pointes en diagonale.

3 Portez le bouillon de volaille à ébullition dans le wok. Ajoutez les asperges et laissez cuire pendant 2 minutes. (Cette cuisson n'est pas nécessaire avec des asperges en conserve.)

4 Ajoutez le poulet, remuez pour bien séparer les morceaux et portez de nouveau à ébullition. Assaisonnez selon votre goût. Servez chaud, garni de feuilles de coriandre.

Soupe au crabe et au maïs

Cette recette provient des
États-Unis avant d'être adoptée
par la cuisine chinoise. Pour
obtenir la consistance exacte
de ce plat, il est très important
d'employer la véritable crème
de maïs *(creamed sweetcorn)*.

INGRÉDIENTS

Pour 4 personnes

120 g/4 oz de chair de crabe (ou, à défaut,
   de blancs de poulet)
2,5 ml/½ c. à thé de gingembre
   très finement haché
2 blancs d'œufs
30 ml/2 c. à soupe de lait
15 ml/1 c. à soupe Maïzena
600 ml/1 pinte/2½ tasses de bouillon
   de volaille
220 g/8 oz de crème de maïs doux
sel et poivre noir du moulin
ciboules finement hachées, pour le service

1 Effritez grossièrement la chair de
   crabe à l'aide de baguettes, ou bien
hachez les blancs de poulet. Mélangez le
crabe (ou le poulet) avec le gingembre
finement haché.

2 Battez légèrement les blancs d'œufs.
   Ajoutez le lait et la Maïzena et fouet-
tez de nouveau pour lisser le mélange.
Incorporez au crabe (ou au poulet).

3 Faites bouillir le bouillon de volaille
   dans un wok. Ajoutez la crème de
maïs et laissez revenir à ébullition.

4 Remuez en assaisonnant à votre
   goût. Laissez mijoter doucement
jusqu'à cuisson complète. Servez avec
des ciboules finement hachées.

Soupe piquante

Voici un grand classique,
sans doute la plus connue des
soupes chinoises, que l'on trouve
dans tous les restaurants chinois
du monde. Elle est très simple
à réaliser, à condition de réunir
tous les ingrédients nécessaires.

INGRÉDIENTS

Pour 4 personnes

4 à 6 champignons chinois séchés,
  trempés dans de l'eau chaude
120 g/4 oz de porc ou de poulet
1 morceau de tofu en sachet
50 g/2 oz de pousses de bambou émincées,
  égouttées
600 ml/1 pinte/2½ tasses de bouillon
  de volaille
15 ml/1 c. à soupe de vin de riz chinois
  (ou de Xérès sec)
15 ml/1 c. à soupe de sauce de soja légère
15 ml/1 c. à soupe de vinaigre de riz
15 ml/1 c. à soupe de Maïzena
sel et poivre blanc du moulin

1 Égouttez les champignons en les
pressant et jetez les parties trop dures.
Coupez le bambou, la viande, le tofu et
les champignons en fines lanières.

2 Portez le bouillon de volaille à
ébullition dans le wok et versez les
ingrédients découpés. Faites bouillir de
nouveau, puis laissez mijoter 1 minute.

3 Ajoutez le vin, la sauce de soja, le
vinaigre, le sel et le poivre. Portez à
ébullition, puis incorporez la Maïzena.
Remuez et laissez le mélange épaissir.

Soupe aux épinards et au tofu

Lorsqu'on ne trouve pas
d'épinards frais en branches,
de la laitue ou du cresson
font l'affaire. On peut également
les remplacer par des feuilles
d'oseille, mais leur goût est
plus prononcé et légèrement
plus amer que celui des épinards.

INGRÉDIENTS

Pour 4 personnes

1 pain de tofu en sachet
120 g/4 oz d'épinards en branches
750 ml/1¼ pintes/3 tasses de bouillon
   de légumes
15 ml/1 c. à soupe de sauce de soja légère
sel et poivre noir du moulin

1 Découpez le tofu en 12 dés,
d'environ 5 mm/¼ po d'épaisseur.
Lavez les épinards et coupez-les en
petits morceaux.

2 Portez le bouillon de légumes à
ébullition dans le wok. Ajoutez le
tofu et la sauce de soja, puis faites bouillir
de nouveau. Laissez mijoter 2 minutes.

3 Ajoutez les épinards et laissez mijoter encore 1 minute. Écumez la surface pour obtenir un potage clair. Salez,
poivrez et servez immédiatement.

REMARQUE PRATIQUE
On trouve dans les épiceries chinoises et
au rayon diététique des grandes surfaces
des morceaux de tofu vendus en carrés
d'environ 8 cm/3 po. Il ne faut pas confondre
ce produit avec le tofu fermenté, au goût
beaucoup plus prononcé et assez salé, qui
s'emploie généralement comme condiment.

Soupe de poisson à la coriandre

Vous pouvez laisser la peau
sur le poisson, car elle permet
à la chair de ne pas se désagréger
lorsqu'elle est pochée dans
le wok.

INGRÉDIENTS

Pour 4 personnes

250 g/8 oz de filets de poisson blanc,
   tels que sole ou carrelet
15 ml/1 c. à soupe de blanc d'œuf
10 ml/2 c. à thé de Maïzena
750 ml/1¼ pintes/3 tasses de bouillon
   de volaille
15 ml/1 c. à soupe de sauce de soja légère
50 g/2 oz environ de feuilles de coriandre
   fraîches hachées
sel et poivre noir du moulin

1 Découpez le poisson en tranches de
la taille d'une petite boîte d'allumettes. Mélangez avec le blanc d'œuf et
la Maïzena.

2 Dans le wok, portez le bouillon de
volaille à ébullition et pochez les
morceaux de poisson 1 minute environ.

3 Ajoutez la sauce de soja et les
feuilles de coriandre, salez et poivrez. Servez immédiatement.

Soupe aux trois délices

Cette succulente préparation associe harmonieusement poulet, jambon et crevettes.

INGRÉDIENTS

Pour 4 personnes

1 escalope de poulet de 120 g/4 oz environ
120 g/4 oz de jambon cuit au miel
120 g/4 oz de crevettes décortiquées
750 ml/1¼ pintes/3 tasses de bouillon
    de volaille
sel

> ──── CONSEIL ────
>
> Les crevettes fraîches crues donnent le meilleur résultat. On peut éventuellement les remplacer par des crevettes déjà cuites, que l'on trouve plus facilement. Dans ce cas, on les ajoutera au dernier moment.

1 Découpez le poulet et le jambon en très petits morceaux. Si les crevettes sont trop grosses, vous pouvez éventuellement les couper en deux dans le sens de la longueur.

2 Dans le wok, portez le bouillon de volaille à ébullition. Ajoutez le poulet, le jambon et les crevettes. Faites bouillir de nouveau et laissez mijoter pendant 1 minute. Salez et servez chaud.

Soupe à l'agneau et au concombre

Cette variante de la soupe épicée et acide est encore plus facile à préparer.

INGRÉDIENTS

Pour 4 personnes

1 tranche d'agneau de 220 g/8 oz environ
15 ml/1 c. à soupe de sauce de soja légère
15 ml/1 c. à soupe de vin de riz chinois
    (ou de Xérès sec)
2,5 ml/½ c. à thé d'huile de sésame
1 morceau de concombre
    de 8 cm/3 po environ
750 ml/1¼ pintes/3 tasses de bouillon
    de volaille
15 ml/1 c. à soupe de vinaigre de riz
sel et poivre blanc du moulin

1 Retirez le gras de la tranche d'agneau. Coupez la viande en petits morceaux dans un plat creux. Ajoutez la sauce de soja, le vin de riz (ou le Xérès) et l'huile de sésame. Laissez mariner 30 minutes environ. Ensuite, égouttez la viande et jetez la marinade.

2 Coupez, sans le peler, le morceau de concombre en deux, dans le sens de la longueur. Détaillez ensuite en fines tranches.

3 Dans un wok, portez le bouillon de volaille à ébullition. Ajoutez la viande et remuez pour bien séparer les morceaux. Faites bouillir de nouveau et ajoutez les tranches de concombre, le vinaigre, le sel et le poivre. Portez une dernière fois à ébullition et servez.

Soupe aux raviolis wonton

En Chine, on sert la soupe aux raviolis wonton comme encas ou en *dim-sum*, mais on trouve rarement ce plat au menu d'un repas élaboré.

INGRÉDIENTS

Pour 4 personnes

175 g/6 oz de porc, pas trop maigre, grossièrement coupé
50 g/2 oz de crevettes décortiquées et hachées
5 ml/1 c. à thé de sucre roux
15 ml/1 c. à soupe de vin de riz chinois (ou de Xérès sec)
15 ml/1 c. à soupe de sauce de soja légère
5 ml/1 c. à thé de ciboules hachées
5 ml/1 c. à thé de gingembre haché
24 galettes pour wontons prêtes à l'emploi
750 ml/1¼ pintes/3 tasses de bouillon de volaille
quelques rondelles de ciboules et sauce de soja, pour le service

1 Dans un petit saladier, mélangez le porc, les crevettes, le sucre, le vin de riz (ou le Xérès), la sauce de soja, les ciboules et le gingembre haché. Laissez reposer cette farce pendant 30 minutes, afin que les saveurs se lient bien.

2 Déposez 5 ml/1 c. à thé de farce au centre des galettes pour wontons.

3 Humectez les bords de chaque wonton. Pour le fermer, pressez les bords l'un contre l'autre avec les doigts, puis repliez-les sur eux-mêmes.

4 Placez les wontons dans le bouillon de volaille en pleine ébullition et laissez cuire 4 à 5 minutes. Versez la soupe dans des bols, assaisonnez avec un peu de sauce de soja et garnissez de petites rondelles de ciboules. Servez.

Soupe aux fruits de mer Laksa

Pour une occasion spéciale, servez ces nouilles de riz onctueuses, dans une soupe à la noix de coco et couronnées de fruits de mer. La préparation est assez longue mais vous pouvez faire la soupe à l'avance.

INGRÉDIENTS

Pour 4 personnes

4 piments rouges, épépinés et
  grossièrement hachés
1 oignon grossièrement haché
1 morceau de *blacan*, gros comme un cube
  de bouillon
1 tige de citronnelle hachée
1 petit morceau de racine de gingembre
  frais, grossièrement hachée
6 noix de macadamia ou amandes
60 ml/4 c. à soupe d'huile
5 ml/1 c. à thé de paprika
5 ml/1 c. à thé de curcuma en poudre
500 ml/16 oz/2 tasses de bouillon ou d'eau
600 ml/1 pinte/2½ tasses de lait de coco
12 gambas épluchées
8 noix de Saint-Jacques
225 g/8 oz de calmars préparés, coupés
  en rondelles
350 g/12 oz de vermicelles ou de nouilles
  de riz, ramollis à l'eau chaude
sel et poivre noir du moulin
demi-citrons verts, pour le service

La garniture

¼ de concombre, détaillé en bâtonnets
2 piments rouges, épépinés et
  finement émincés
30 ml/2 c. à soupe de feuilles de menthe
30 ml/2 c. à soupe d'échalotes ou
  d'oignons sautés

1 Réduisez piments, oignon, *blacan*,
citronnelle, gingembre et noix en
purée lisse dans un mixer.

2 Chauffez 45 ml/3 c. à soupe d'huile
dans une grande casserole. Ajoutez
le mélange précédent et faites cuire
6 minutes. Incorporez le paprika et le
curcuma et faites cuire encore 2 minutes.

3 Versez le bouillon ou l'eau et le
lait de coco. Portez à ébullition puis
faites cuire 15 à 20 minutes à feu doux.

4 Salez et poivrez les fruits de mer.
Faites-les sauter 2 ou 3 minutes à la
poêle dans le reste de l'huile, jusqu'à ce
qu'ils soient cuits.

5 Mettez les nouilles dans la soupe et
réchauffez. Répartissez dans 4 bols.
Posez les fruits de mer sur les nouilles
puis garnissez avec les concombres, les
piments, la menthe et les échalotes ou
les oignons. Servez avec les citrons verts.

Soupe de poulet aux nouilles de sarrasin

Les nouilles de sarrasin ou *soba* sont très appréciées au Japon. Servez-les dans un bouillon chaud bien assaisonné. Vous pouvez leur ajouter toutes sortes de garnitures.

INGRÉDIENTS

Pour 4 personnes

225 g/8 oz de blancs de poulet désossés
    et sans peau
100 ml/4 oz/½ tasse de sauce de soja
15 ml/1 c. à soupe de saké
1 l/1¾ pintes/4 tasses de bouillon de poulet
2 blancs de poireau coupés en tronçons
    de 2 cm/1 po
200 g/6 oz de feuilles d'épinard
300 g/11 oz de nouilles de sarrasin ou soba
graines de sésame, pour le service

1 Coupez le poulet en biais, en morceaux de la taille d'une bouchée. Mélangez sauce de soja et saké dans une casserole. Faites chauffer jusqu'à frémissement, ajoutez le poulet et laissez cuire 3 minutes à feu doux. Gardez au chaud.

2 Portez le bouillon à ébullition. Ajoutez le poireau et laissez frémir 3 minutes, puis ajoutez les épinards. Retirez du feu mais gardez au chaud.

3 Faites cuire les nouilles *al dente*, dans une grande casserole d'eau bouillante, en suivant les instructions du fabricant.

4 Égouttez les nouilles et répartissez-les dans 4 bols. Arrosez de soupe brûlante et ajoutez une portion de poulet dans chaque bol. Servez aussitôt, saupoudré de graines de sésame.

CONSEIL

Pour la soupe aux nouilles, le bouillon de poulet fait maison est incomparable. Préparez une grande quantité de bouillon, utilisez la quantité nécessaire et congelez le reste. Mettez dans une grande casserole 1,5 kg/3 à 3½ lb d'os de poulet avec encore un peu de chair, ajoutez 3 l/5 pintes/ 12½ tasses d'eau et portez lentement à ébullition, en écumant plusieurs fois. Ajoutez 2 rondelles de racine de gingembre frais, 2 gousses d'ail, 2 branches de céleri, 4 ciboules, une poignée de tiges de coriandre et environ 10 grains de poivre écrasés, puis baissez le feu et laissez le bouillon mijoter 2 heures à 2h 30. Retirez du feu et laissez refroidir, à découvert. Passez le bouillon pour qu'il soit bien limpide, en laissant les résidus dans la casserole. Utilisez comme indiqué, en retirant la graisse figée sur le dessus.

Soupe au porc et aux feuilles de moutarde

INGRÉDIENTS

Pour 4 à 6 personnes

225 g/8 oz de feuilles de moutarde en
    saumure, dessalées dans de l'eau
50 g/2 oz de nouilles de soja trempées
    dans de l'eau
15 ml/1 c. à soupe d'huile
4 gousses d'ail finement émincées
1 l/1¾ pintes/4 tasses de bouillon de poulet
450 g/1 lb d'échine de porc coupées
    en gros morceaux
30 ml/2 c. à soupe de sauce de poisson
1 pincée de sucre
poivre noir du moulin
2 piments rouges, épépinés et finement
    émincés, pour le service

*3*Chauffez l'huile dans une petite
poêle, puis mettez l'ail à bien dorer.
Versez dans un bol et réservez.

*4*Mettez le bouillon dans une casserole, portez à ébullition, ajoutez
le porc et laissez cuire à feu doux 10 à
15 minutes.

*5*Ajoutez les feuilles de moutarde et
les nouilles de soja. Portez à ébullition. Assaisonnez à votre goût avec la
sauce de poisson, le sucre et le poivre
noir du moulin. Servez très chaud, cou-
ronné d'ail et de piments rouges.

*1*Coupez les feuilles de moutarde en
morceaux. Goûtez-les. Si elles sont
trop salées, faites-les tremper un peu
plus longtemps.

*2*Égouttez les nouilles de soja et coupez-les en tronçons.

Soupe aux boulettes de viande

INGRÉDIENTS

Pour 8 personnes

Les boulettes de viande

180 g/6 oz de bœuf très finement haché
1 petit oignon très finement haché
1 ou 2 gousses d'ail écrasées
15 ml/1 c. à soupe de Maïzena
un peu de blanc d'œuf légèrement battu
sel et poivre noir du moulin

La soupe

4 à 6 champignons chinois trempés
    30 minutes dans de l'eau chaude
30 ml/2 c. à soupe d'huile d'arachide
1 gros oignon finement haché
2 gousses d'ail finement écrasées
1 cm/½ po de racine de gingembre
    frais, écrasée
2 1/3½ pintes/8 tasses de bouillon de poulet
    ou de bœuf, mélangé au liquide de
    trempage des champignons
30 ml/2 c. à soupe de sauce de soja
120 g/4 oz de chou frisé, d'épinards ou de
    chou chinois, ciselé

1 Commencez par préparer les bou-lettes de viande. Mélangez le bœuf au mixer avec l'oignon, l'ail, la Maïzena et l'assaisonnement, puis liez avec assez de blanc d'œuf pour obtenir un mélange ferme. Avec vos mains mouillées, confec-tionnez de très petites boulettes, de la taille d'une bouchée. Réservez.

2 Égouttez les champignons et réservez le liquide de trempage pour le bouil-lon. Coupez et jetez les queues. Émincez finement les chapeaux et réservez.

3 Chauffez un wok ou une grande casserole et ajoutez l'huile. Faites sauter oignon, ail et gingembre sans les dorer, pour en accentuer le parfum.

4 Quand l'oignon est cuit, ajoutez le bouillon. Portez à ébullition. Incor-porez la sauce de soja et les champi-gnons, laissez frémir 10 minutes. Ajoutez les boulettes et laissez cuire 10 minutes.

5 Au moment de servir, retirez le gin-gembre. Incorporez le chou frisé, les épinards ou le chou chinois. Réchauffez 1 minute seulement, pour ne pas trop cuire les feuilles. Servez aussitôt.

Sayur oelih

Tous les légumes de saison
peuvent être utilisés dans cette
soupe originaire de Bali.

INGRÉDIENTS

Pour 8 personnes

250 g/8 oz de haricots verts
1 1/2 pintes/5 tasses d'eau bouillante
400 ml/14 oz/1⅔ cups de lait de coco
1 gousse d'ail
1 noix de macadamia ou 4 amandes
1 cube de *terasi* d'1 cm/½ po
10 ou 15 ml/2 ou 3 c. à thé de graines de
   coriandre, grillées et moulues
huile pour le wok
1 oignon finement émincé
2 *duan salam* ou feuilles de laurier
250 g/8 oz de pousses de soja
30 ml/2 c. à soupe de jus de citron
sel

1 Coupez les deux extrémités des
haricots verts puis coupez ces der-
niers en petits morceaux. Faites-les cuire
3 à 4 minutes à l'eau bouillante salée.
Égouttez et réservez l'eau de cuisson.

2 Retirez 60 ml/4 c. à soupe de la
crème se trouvant en surface du lait
de coco et réservez-la.

3 Réduisez en pâte, l'ail, les noix, le
terasi et la coriandre, au mixer ou au
pilon dans un mortier.

4 Chauffez l'huile dans un wok ou
une casserole et faites cuire l'oignon
qui doit être translucide. Retirez et
réservez. Faites cuire la pâte 2 minutes,
sans la dorer. Ajoutez l'eau des légumes
et le lait de coco. Portez à ébullition et
ajoutez *duan salam* ou laurier. Laissez
cuire 15 à 20 minutes à découvert.

5 Au moment de servir, ajoutez les
haricots, l'oignon frit, les pousses de
soja, la crème de coco et le jus de citron.
Rectifiez l'assaisonnement si nécessaire.
Servez aussitôt.

CONSEIL

Même en Orient les cuisiniers utilisent
du lait de coco en conserve. S'il en reste,
vous pouvez le garder 3 ou 4 jours
au réfrigérateur ou le congeler aussitôt.

Soupe au potiron et à la noix de coco

INGRÉDIENTS

Pour 4 à 6 personnes

2 gousses d'ail écrasées
4 échalotes finement hachées
2,5 ml/½ c. à thé de pâte de crevettes
15 ml/1 c. à soupe de crevettes séchées,
   trempées 10 minutes dans de l'eau
   et égouttées
1 tige de citronnelle hachée
2 piments verts épépinés
sel
600 ml/1 pinte/2½ tasses de bouillon
   de poulet
500 g/1 lb de potiron coupé en gros
   morceaux de 2 cm/¾ po
600 ml/1 pinte/2½ cups de crème de coco
30 ml/2 c. à soupe de sauce de poisson
5 ml/1 c. à thé de sucre en poudre
120 g/4 oz de crevettes roses
   cuites, épluchées
poivre noir du moulin
2 piments rouges, épépinés et finement
   émincés, et 10 à 12 feuilles de basilic,
   pour le service

1 Réduisez en pâte, ail, échalote, pâte de crevettes, crevettes séchées, citronnelle, piments verts et sel.

2 Dans une grande casserole, portez le bouillon de poulet à ébullition, versez le mélange précédent et remuez.

3 Ajoutez le potiron et laissez cuire 10 à 15 minutes à feu doux, jusqu'à ce qu'il soit tendre.

4 Incorporez la crème de coco et portez à frémissement. Ajoutez la sauce de poisson, le sucre et le poivre noir, à votre goût.

5 Déposez les crevettes roses et réchauffez le tout. Servez garni de rondelles de piment rouge et de feuilles de basilic.

CONSEIL

La pâte de crevette, à base de crevettes écrasées et fermentées dans la saumure, est utilisée pour relever les plats salés.

Soupe aux nouilles Chiang Mai

Spécialité de la ville de Chiang Mai, cette délicieuse soupe aux nouilles est d'origine birmane, équivalent thaïlandais de la «Laksa» malaise.

INGRÉDIENTS

Pour 4 à 6 personnes

600 ml/1 pinte/2½ tasses de lait de coco
30 ml/2 c. à soupe de pâte de curry rouge
5 ml/1 c. à thé de curcuma en poudre
500 g/1 lb de cuisses de poulet désossées,
   coupées en morceaux de la grosseur
   d'une bouchée
600 ml/1 pinte/2½ tasses de bouillon
   de poulet
60 ml/4 c. à soupe de sauce de poisson
15 ml/1 c. à soupe de sauce de soja épaisse
sel et poivre noir du moulin
le jus d'1 citron vert
500 g/1 lb de nouilles aux œufs fraîches,
   blanchies rapidement à l'eau bouillante

La garniture

3 ciboules hachées
4 piments rouges hachés
4 échalotes hachées
60 ml/4 c. à soupe de feuilles de moutarde
   en saumure, rincées et ciselées
30 ml/2 c. à soupe d'ail émincé et frit
feuilles de coriandre
4 nids de nouilles frits (facultatifs)

1 Dans une grande casserole, mettez environ ⅓ du lait de coco et portez à ébullition, en remuant souvent avec une cuillère en bois, jusqu'à ce qu'il se sépare.

2 Ajoutez la pâte de curry et le curcuma, mélangez bien et laissez cuire afin que les parfums se développent.

3 Ajoutez le poulet et faites dorer 2 minutes environ, en enrobant bien les morceaux de pâte.

4 Versez le reste de lait de coco, le bouillon de poulet, la sauce de poisson et la sauce de soja. Salez et poivrez à votre goût. Laissez cuire 7 à 10 minutes à feu doux. Retirez du feu et incorporez le jus de citron vert.

5 Réchauffez les nouilles dans l'eau bouillante, égouttez et répartissez dans des bols individuels. Répartissez le poulet dans les bols et arrosez de soupe bouillante. Décorez avec un peu de chaque garniture.

Soupe au lait de coco et au poulet

Enrichie de lait de coco, cette soupe aromatique est extraordinairement parfumée de *galanga*, citronnelle et feuilles de kaffir.

INGRÉDIENTS

Pour 4 à 6 personnes

750 ml/1¼ pintes/3 tasses de lait de coco
500 ml/16 oz/2 tasses de bouillon de poulet
4 tiges de citronnelle, écrasées et hachées
1 morceau de 2,5 cm/1 po de *galanga*, émincé finement
10 grains de poivre noir écrasés
10 feuilles de citron vert kaffir déchirées
300 g/11 oz de filet de poulet désossé, coupé en fines lanières
120 g/4 oz de champignons de Paris
50 g/2 oz de mini-épis de maïs
60 ml/4 c. à soupe de jus de citron vert
45 ml/3 c. à soupe de sauce de poisson
2 piments rouges hachés, ciboule hachée et feuilles de coriandre, pour le service

1 Portez à ébullition le lait de coco et le bouillon de poulet. Ajoutez la citronnelle, le *galanga*, le poivre et la moitié des feuilles de kaffir, baissez le feu, laissez frémir 10 minutes.

2 Passez le bouillon dans une casserole propre. Remettez sur le feu et ajoutez le poulet, les champignons et le maïs. Laissez cuire 5 à 7 minutes ou jusqu'à ce que le poulet soit cuit.

3 Incorporez le jus de citron vert, la sauce de poisson (à votre goût) et le reste des feuilles de kaffir. Servez très chaud, garni de piments rouges, de ciboule et de coriandre.

Soupe aux crevettes et à la citronnelle

Cette soupe de poisson classique, *Tom yam goong*, est sans doute la plus populaire et la plus connue des soupes thaïlandaises.

INGRÉDIENTS

Pour 4 à 6 personnes

450 g/1 lb de grosses crevettes roses
1 l/1¾ pintes/4 tasses de bouillon de poulet ou d'eau
3 tiges de citronnelle
10 feuilles de kaffir déchirées en deux
225 g/8 oz de champignons en conserve égouttés
45 ml/3 c. à soupe de sauce de poisson
60 ml/4 c. à soupe de jus de citron vert
30 ml/2 c. à soupe de ciboule hachée
15 ml/1 c. à soupe de feuilles de coriandre
4 piments rouges, épépinés et hachés
2 ciboules finement hachées

1 Épluchez les crevettes et réservez. Rincez les carapaces, mettez-les dans une grande casserole avec le bouillon ou l'eau et portez à ébullition.

2 Écrasez la citronnelle avec le dos d'un couteau à découper et ajoutez-la au bouillon avec la moitié des feuilles de kaffir. Laissez frémir 5 à 6 minutes, jusqu'à ce que les tiges changent de couleur et que le bouillon soit parfumé.

3 Passez le bouillon, réchauffez-le. Ajoutez les champignons et les crevettes, laissez cuire jusqu'à ce que les crevettes soient roses.

4 Incorporez la sauce de poisson, le jus de citron vert, les ciboules, la coriandre, les piments rouges et le reste des feuilles de kaffir. Rectifiez l'assaisonnement. La soupe doit être aigre, salée, épicée et piquante.

LES ENTRÉES ET LES AMUSE-GUEULES

Dans ce chapitre, découvrez des amuse-gueules épicés et nourrissants et des encas à la saveur délicate, fondants et appétissants. De nombreux hors-d'œuvre, rouleaux de printemps et sauces épicées, dim sum, wontons et tempura, sont depuis longtemps appréciés en Occident. D'autres sont moins connus mais tout aussi délicieux. Essayez les Nids de canard aux œufs, *de Thaïlande, les* Ailes de poulet au miel épicé, *de Chine, ou les* Boulettes de viande à la noix de coco, *d'Indonésie.*

Beignets de crevettes

Ces gourmandises, qui agrémentent nombre de préparations en Chine et en Extrême-Orient, sont également servies aux invités avant de passer à table. Il est préférable de les préparer à la maison plutôt que de les acheter toutes faites.

INGRÉDIENTS

Pour 4 à 6 personnes

300 ml/½ pinte/1¼ tasses d'huile végétale
50 g/2 oz de beignets de crevettes prêts à frire
un peu de sel fin

1 Recouvrez une plaque de cuisson de papier absorbant. Faites chauffer l'huile dans un wok jusqu'à ce qu'elle commence à fumer. Baissez le feu, puis jetez 3 ou 4 beignets dans l'huile.

2 Sortez-les de l'huile dès qu'ils gonflent, avant qu'ils ne commencent à dorer. Posez-les sur le papier absorbant. Salez et servez aussitôt.

Crevettes grillées au piment

Ces crevettes, que l'on peut préparer huit heures à l'avance, sont délicieuses cuites sur le barbecue ou sous le gril.

INGRÉDIENTS

Pour 4 à 6 personnes

1 gousse d'ail écrasée
1 cm/½ po de gingembre frais finement haché
1 petit piment frais rouge épépiné et haché
10 ml/2 c. à thé de sucre
15 ml/1 c. à soupe de sauce de soja
15 ml/1 c. à soupe d'huile végétale
5 ml/1 c. à thé d'huile de sésame
le jus d'1 citron vert
700 g/1½ lb de crevettes crues
200 g/6 oz de tomates cerise
½ concombre coupé en morceaux
sel
1 petite botte de coriandre grossièrement ciselée et quelques feuilles de laitue, pour le service

1 Écrasez finement l'ail, le gingembre, le piment et le sucre dans un mortier avec un pilon. Ajoutez la sauce de soja, les deux huiles, le jus de citron et le sel. Mettez les crevettes dans un plat, versez dessus la marinade. Laissez mariner 8 heures et faites tremper des brochettes de bambou.

2 Enfilez sur les brochettes les crevettes, les tomates et les morceaux de concombre. Faites cuire 3 à 4 minutes sur le barbecue ou sous le gril préchauffé. Dressez sur des feuilles de laitue et parsemez de coriandre.

Pâtés impériaux à la sauce pimentée

Ces pâtés impériaux peuvent être une délicieuse entrée ou de savoureux encas pour un buffet.

INGRÉDIENTS

Pour 20 à 24 pâtés

25 g/1 oz de vermicelles de riz
5 ml/1 c. à thé de gingembre frais, râpé
2 ciboules détaillées en lanières
huile d'arachide, pour la friture
50 g/2 oz de carotte coupée en julienne
50 g/2 oz de pois mange-tout
    coupés en julienne
25 g/1 oz de feuilles d'épinards
50 g/2 oz de germes de soja frais
15 ml/1 c. à soupe de menthe fraîche ciselée
15 ml/1 c. à soupe de coriandre
    fraîche ciselée
30 ml/2 c. à soupe de sauce de poisson
20 à 24 carrés de galette de riz
    de 13 cm/5 po de côté
1 blanc d'œuf légèrement battu

La sauce d'accompagnement

50 g/2 oz de sucre en poudre
45 ml/3 c. à soupe de vinaigre de riz
30 ml/2 c. à soupe d'eau
2 piments rouges frais épépinés
    et finement hachés

1 Pour préparer la sauce, faites chauffer doucement le sucre, le vinaigre et l'eau dans une petite casserole, en remuant jusqu'à dissolution du sucre. Faites bouillir ensuite rapidement jusqu'à formation d'un sirop. Ajoutez les piments, puis laissez refroidir.

2 Faites tremper les vermicelles selon les instructions du fabricant, rincez-les, puis égouttez-les. Coupez-les en petits morceaux avec des ciseaux.

3 Dans un wok, faites revenir le gingembre et les ciboules pendant 15 secondes dans 15 ml/1 c. à soupe d'huile chaude. Ajoutez la carotte, les mange-tout, et remuez 2 à 3 minutes. Incorporez les épinards, les germes de soja, la menthe, la coriandre, la sauce de poisson, les vermicelles. Mélangez pendant 1 minute, puis laissez refroidir.

4 Faites ramollir les carrés de galette de riz, en suivant les instructions du fabricant. Disposez un carré devant vous en forme de losange. Déposez une cuillerée de garniture juste en dessous du centre, puis repliez la pointe dessus.

5 Repliez les côtés et enroulez en serrant bien. Soudez l'extrémité à l'aide du blanc d'œuf. Répétez l'opération jusqu'à utilisation de toute la garniture.

6 Remplissez un wok d'huile à mi-hauteur et faites chauffer à 180 °C/350 °F. Faites frire les pâtés impériaux en plu-sieurs fois pendant 3 à 4 minutes, jusqu'à ce qu'ils soient dorés et croustillants. Posez-les sur du papier absorbant. Servez chaud avec la sauce au piment.

> CONSEIL
>
> Vous pouvez cuire les pâtés impériaux 2 à 3 heures à l'avance, puis les réchauffer 10 minutes à 200 °C/400 °F, sur une plaque recouverte de papier d'aluminium.

Pâtés impériaux au crabe

Le piment et le gingembre râpé
enrichissent ces pâtés impériaux
de leurs saveurs relevées.
Vous pouvez les servir comme
entrée ou pour composer
un plat principal, avec d'autres
préparations chinoises.

INGRÉDIENTS

Pour 4 à 6 personnes

15 ml/1 c. à soupe d'huile d'arachide
5 ml/1 c. à thé d'huile de sésame
1 gousse d'ail écrasée
1 piment rouge frais épépiné
    et finement émincé
450 g/1 lb de légumes frais frits (germes
    de soja, carottes, poivrons et pois
    mange-tout, coupés en julienne)
30 ml/2 c. à soupe de coriandre
    fraîche ciselée
2,5 cm/1 po de gingembre frais râpé
15 ml/1 c. à soupe de vin de riz chinois
    ou de Xérès sec
15 ml/1 c. à soupe de sauce de soja
350 g/12 oz de chair de crabe fraîche
    (blanche et marron)
12 carrés de galette de riz
1 petit œuf battu
huile de friture
sel et poivre noir du moulin
quelques quartiers de citron et des feuilles
    de coriandre fraîche, pour le service

La sauce d'accompagnement

1 oignon finement émincé
huile de friture
1 piment rouge frais épépiné
    et finement haché
2 gousses d'ail écrasées
60 ml/4 c. à soupe de sauce de soja foncée
20 ml/4 c. à thé de jus de citron
    ou 15 ml/1 c. à soupe de jus de tamarin

1 Pour préparer la sauce, étalez l'oignon sur du papier absorbant et
laissez-le sécher 30 minutes. Remplissez
un wok d'huile à mi-hauteur et faites
chauffer à 190 °C/375 °F. Faites dorer
l'oignon en plusieurs fois, en remuant,
puis posez-le sur du papier absorbant.

2 Mélangez dans un saladier le piment,
l'ail, la sauce de soja, le jus de citron
ou de tamarin.

3 Ajoutez l'oignon et laissez macérer
30 minutes.

4 Faites chauffer l'huile d'arachide et
l'huile de sésame dans un wok préchauffé. Faites revenir l'ail et le piment
pendant 1 minute. Ajoutez les légumes,
la coriandre, le gingembre et remuez
pendant 1 minute. Arrosez de vin de riz
ou de Xérès et de sauce de soja, puis
laissez frémir encore 1 minute.

5 Laissez refroidir les légumes dans
un saladier avant d'ajouter le crabe.
Salez et poivrez.

6 Faites ramollir les carrés de galette
de riz, en suivant les instructions du
fabricant. Déposez un peu de garniture sur un carré, repliez trois côtés et
enroulez soigneusement, en soudant
l'extrémité avec de l'œuf battu. Procédez de même avec le reste de garniture
et de carrés.

7 Faites frire les pâtés impériaux en
plusieurs fois, dans l'huile chaude,
en les retournant, jusqu'à ce qu'ils soient
dorés et croustillants. Posez-les sur du
papier absorbant et gardez-les au chaud
pendant que vous cuisez le reste. Servez
décoré de coriandre et de quartiers de
citron, avec la sauce d'accompagnement.

Petits pâtés impériaux

Ces pâtés légers et croustillants peuvent se déguster avec les doigts. Si vous aimez les saveurs épicées, saupoudrez-les de poivre de Cayenne avant de servir.

INGRÉDIENTS

Pour 20 pâtés

1 piment vert
120 ml/4 oz/½ tasse d'huile végétale
1 petit oignon finement haché
1 gousse d'ail, écrasée
75 g/3 oz de blanc de poulet cuit sans la peau
1 petite carotte coupée en julienne
1 ciboule finement émincée
1 petit poivron rouge épépiné
   et coupé en julienne
25 g/1 oz de germes de soja
5 ml/1 c. à thé d'huile de sésame
4 grandes feuilles de pâte filo
1 petit blanc d'œuf légèrement battu
un peu de ciboulette, pour le service
   (facultatif)
45 ml/3 c. à soupe de sauce de soja claire

1 Retirez les graines du piment et hachez-le finement, en protégeant éventuellement vos mains avec des gants en caoutchouc.

2 Faites chauffer 30 ml/2 c. à soupe d'huile végétale dans un wok préchauffé, puis faites revenir l'oignon, l'ail et le piment pendant 1 minute.

3 Détaillez le blanc de poulet en fines tranches, puis laissez-le dorer dans le wok à feu vif, sans cesser de remuer.

4 Ajoutez la carotte, la ciboule, le poivron rouge, et remuez encore 2 minutes. Incorporez les germes de soja, l'huile de sésame, puis laissez refroidir.

5 Découpez chaque feuille de pâte filo en 5 petites bandes. Déposez un peu de garniture à l'extrémité de chacune, puis repliez les côtés longs et enroulez. Soudez les bords en humectant de blanc d'œuf, puis laissez 15 minutes au frais, sans couvrir, avant de frire.

6 Essuyez le wok avec du papier absorbant, réchauffez-le et versez le reste d'huile végétale. Faites frire les pâtés en plusieurs fois, jusqu'à ce qu'ils soient dorés et croustillants. Posez-les sur du papier absorbant et servez avec la sauce de soja.

> CONSEIL
>
> Évitez de toucher votre visage et vos yeux lorsque vous manipulez les piments car ils peuvent brûler ou irriter la peau. Préparez-les de préférence sous l'eau courante.

Nems thaïlandais

Cette préparation des rouleaux de printemps est aussi populaire en Thaïlande qu'en Chine. Le nem thaïlandais contient du porc, de l'ail et des vermicelles.

INGRÉDIENTS

Pour 24 nems

4 à 6 champignons chinois séchés
   mis à tremper
50 g/2 oz de vermicelles chinois mis
   à tremper
30 ml/2 c. à soupe d'huile végétale
2 gousses d'ail hachées
2 petits piments rouges hachés
250 g/8 oz d'émincé de porc
50 g/2 oz de crevettes cuites et hachées
30 ml/2 c. à soupe de sauce de poisson
5 ml/1 c. à thé de sucre en poudre
1 carotte coupée en fines lanières
50 g/2 oz de pousses de bambou hachées
50 g/2 oz de germes de soja
2 ciboules hachées
15 ml/1 c. à soupe de coriandre en poudre
30 ml/2 c. à soupe de farine
galettes pour nems en rectangles
   de 25 x 15 cm/10 x 6 po environ
huile de friture
poivre noir du moulin

1 Égouttez et hachez les champignons. Égouttez les vermicelles et coupez-les en morceaux de 5 cm/2 po de long environ.

2 Chauffez l'huile végétale dans un wok ou une poêle à frire. Faites revenir l'ail et les piments 30 secondes. Mettez le porc à dorer en remuant.

3 Ajoutez vermicelles, champignons, crevettes, sauce de poisson, sucre et poivre. Transférez dans un saladier.

4 Incorporez carotte, pousses de bambou, germes de soja, ciboules et coriandre. Réservez cette farce.

5 Versez la farine dans un bol, ajoutez un peu d'eau, et travaillez le tout en pâte. Déposez 1 cuillerée de farce au centre d'une galette.

6 Enroulez la moitié de la galette autour de la farce et repliez les extrémités. Rabattez l'autre partie de la galette après l'avoir enduite avec de la pâte pour le sceller. Répétez toute l'opération pour chaque nem.

7 Chauffez l'huile dans un wok ou une friteuse. Déposez les nems par poignées, et faites-les frire jusqu'à ce qu'ils soient dorés et bien croustillants. Retirez-les de la friture à l'aide d'une écumoire et égouttez-les sur du papier absorbant. Servez les nems chauds, éventuellement accompagnés d'une sauce thaï piquante, dans laquelle ils pourront être trempés.

Nems croustillants chinois

Cette recette de nems végétariens très raffinés est parfaite en entrée ou en amuse-gueule. Pour obtenir des nems classiques, remplacez les champignons par du poulet ou du porc et les carottes par des crevettes.

INGRÉDIENTS

Pour 40 nems

230 g/8 oz de germes de soja frais
120 g/4 oz de ciboules
  (ou de poireaux tendres)
120 g/4 oz de carottes
120 g/4 oz de pousses de bambou coupées
120 g/4 oz de champignons de Paris
45 à 60 ml/3 à 4 c. à soupe d'huile végétale
5 ml/1 c. à thé de sel
5 ml/1 c. à thé de sucre roux
15 ml/1 c. à soupe de sauce de soja claire
15 ml/1 c. à soupe de vin de riz chinois
  (ou de Xérès sec)
20 galettes pour nems
15 ml/1 c. à soupe de Maïzena
un peu de farine
huile de friture
sauce de soja, pour le service (facultatif)

1 Coupez tous les légumes en julienne (en fines lanières à peu près de la même taille que les germes de soja).

CONSEIL

Pour faire vous-même une pâte
bien lisse, similaire à la Maïzena,
mélangez 4 mesures de farine de maïs
avec environ 5 mesures d'eau froide.

2 Chauffez l'huile dans un wok et faites revenir les légumes (germes de soja inclus) environ 1 minute. Ajoutez le sel, le sucre, la sauce de soja et le vin. Remuez 2 minutes. Égouttez cette farce aux légumes, puis laissez refroidir.

3 Découpez chaque galette pour nem en diagonale, puis déposez 15 ml/ 1 c. à soupe de farce aux légumes près de la base du triangle, la pointe éloignée de vous.

4 Soulevez la base du triangle et repliez-la sur la farce sans l'enrouler.

5 Repliez les deux pointes latérales, puis enroulez le nem en faisant un seul tour. Enduisez de Maïzena la partie de galette restante et enroulez complètement. Posez le nem, le rabat en dessous, sur un plat fariné. Procédez de même pour tous les nems.

6 Chauffez l'huile dans le wok, puis réduisez le feu. Faites frire les nems par poignées de 8 ou 10, environ 2 à 3 minutes, afin qu'ils soient bien dorés et croustillants. Égouttez. Servez chaud, avec une sauce de soja éventuellement.

Nems vietnamiens à la sauce nuoc cham

INGRÉDIENTS

Pour 25 nems

6 champignons chinois séchés,
   trempés dans de l'eau chaude
   pendant 30 minutes
230 g/8 oz de porc maigre haché menu
120 g/4 oz de crevettes crues décortiquées
   et hachées
120 g/4 oz de chair de crabe bien triée
1 carotte coupée en lanières
50 g/2 oz de vermicelles transparents
   trempés dans de l'eau, égouttés
   et coupés en petits morceaux
4 ciboules coupées en fines rondelles
2 gousses d'ail finement hachées
30 ml/2 c. à soupe de sauce de poisson
jus d'1 citron vert
huile de friture
feuilles de riz vietnamiennes de 25 x 10
   cm/10 x 4 po
poivre noir du moulin
feuilles de laitue, tranches de concombre
   et feuilles de coriandre, pour le service

La sauce *nuoc cham*

2 gousses d'ail finement hachées
2 petits piments rouges épépinés et hachés
30 ml/2 c. à soupe de vinaigre de vin blanc
30 ml/2 c. à soupe de sucre
jus d'1 citron vert
120 ml/4 oz/½ tasse de sauce de poisson
120 ml/4 oz/½ tasse d'eau

1 Égouttez les champignons en les pressant pour les débarrasser d'excès de moisissures. Retirez les pieds et coupez les chapeaux en fines tranches. Mélangez dans un saladier les champignons, le porc, les crevettes, la chair de crabe, la carotte, les vermicelles, les ciboules et l'ail.

2 Assaisonnez avec la sauce de poisson, le jus de citron et le poivre. Laissez reposer pendant 30 minutes pour que les saveurs se mélangent.

3 En attendant, préparez la sauce *nuoc cham*. Pour cela, mélangez l'ail, le vinaigre, le jus de citron, le sucre, la sauce de poisson, l'eau et les piments dans un petit saladier. Réservez.

4 Pour confectionner les nems, posez 1 feuille de riz sur le plan de travail et enduisez-la d'eau chaude jusqu'à ce qu'elle ramollisse. Déposez environ 10 ml/2 c. à thé de farce près du bord. Repliez les petits côtés de la feuille sur la farce, puis roulez la feuille en prenant soin de sceller les extrémités avec un peu d'eau. Procédez de même pour les autres nems.

5 Dans un wok, faites chauffer l'huile jusqu'à une température de 180 °C/ 350 °F. (Un morceau de pain sec doit pouvoir y dorer en 30 à 45 secondes.) Placez les nems dans l'huile par poignées, et faites-les frire jusqu'à ce qu'ils soient dorés et croustillants. Égouttez sur du papier absorbant. Servez les nems chauds sur un lit de laitue, garnis de tranches de concombre et de feuilles de coriandre. Présentez la sauce *nuoc cham* à part.

Beignets au crabe et au tofu

Ces succulents beignets
sont souvent servis comme
plat d'accompagnement
dans les repas japonais.

INGRÉDIENTS

Pour 4 à 6 personnes

115 g/4 oz de chair de crabe blanche
    surgelée, décongelée
115 g/4 oz de tofu
1 jaune d'œuf
30 ml/2 c. à soupe de farine de riz ou de blé
30 ml/2 c. à soupe de pousses de ciboule
    finement hachées
2 cm/¾ po de gingembre frais râpé
10 ml/2 c. à thé de sauce de soja
sel
huile végétale, pour la friture
50 g/2 oz de mooli très finement râpé,
    pour le service

La sauce d'accompagnement

120 ml/4 oz de bouillon de légumes
15 ml/1 c. à soupe de sucre
45 ml/3 c. à soupe de sauce de soja

1 Éliminez le maximum d'eau de la chair de crabe et pressez le tofu dans un tamis fin avec le dos d'une cuillère. Mélangez le tofu et le crabe dans un saladier.

2 Ajoutez le jaune d'œuf, la farine, la ciboule, le gingembre, la sauce de soja, puis salez. Malaxez soigneusement jusqu'à obtention d'une pâte.

3 Pour préparer la sauce, mélangez le bouillon, le sucre et la sauce de soja dans un bol de service.

4 Recouvrez une plaque de cuisson de papier absorbant. Faites chauffer l'huile dans un wok ou une poêle à 190 °C/375 °F. Pendant ce temps, façonnez la préparation au crabe et au tofu sous forme de petites boulettes. Faites frirepar trois pendant 1 à 2 minutes. Posez-les sur le papier absorbant, puis servez avec la sauce et le mooli.

Dim sum

Très prisés des Chinois comme encas, ces petits beignets gagnent actuellement la faveur des Occidentaux.

INGRÉDIENTS

Pour 4 personnes

La pâte

150 g/5 oz/1¼ tasses de farine
45 ml/3 c. à soupe d'eau bouillante
15 ml/1 c. à soupe et ½ d'eau froide
7,5 ml/½ c. à soupe d'huile végétale

La garniture

75 g/3 oz de porc haché
45 ml/3 c. à soupe de pousses de bambou
   en boîte, coupées en morceaux
7,5 ml/½ c. à soupe de sauce de soja claire
5 ml/1 c. à thé de Xérès sec
5 ml/1 c. à thé de sucre roux
2,5 ml/½ c. à thé d'huile de sésame
5 ml/1 c. à thé de Maïzena
quelques feuilles de laitue croquante,
   de la sauce de soja, des ciboules préparées
   de manière décorative, 1 piment rouge
   frais émincé, et des beignets de crevettes,
   pour le service

2 Divisez la pâte en 16 portions égales et façonnez-la en forme de disques.

3 Pour la garniture, mélangez le porc, les pousses de bambou, la sauce de soja, le Xérès, le sucre et l'huile.

5 Déposez un peu de garniture au centre de chaque disque. Pincez les bords et fermez en forme de bourses.

6 Posez un torchon humide à l'intérieur d'un panier à vapeur, puis faites cuire les dim sum 5 à 10 minutes à la vapeur. Disposez les feuilles de salade sur quatre assiettes, couvrez avec les dim sum et servez avec la sauce de soja, les ciboules, le piment et les beignets de crevettes.

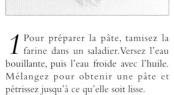

1 Pour préparer la pâte, tamisez la farine dans un saladier. Versez l'eau bouillante, puis l'eau froide avec l'huile. Mélangez pour obtenir une pâte et pétrissez jusqu'à ce qu'elle soit lisse.

4 Ajoutez la Maïzena et mélangez intimement.

VARIANTE

Vous pouvez remplacer le porc par des crevettes cuites, décortiquées. Saupoudrez éventuellement 15 ml/ 1 c. à soupe de graines de sésame sur les dim sum avant de les cuire.

Chaussons au porc en demi-lune

Cuits à la poêle, ces chaussons constituent une bonne entrée dans un menu complet. On peut également les préparer à la vapeur, pour en faire un encas très apprécié. Certains repas sont parfois composés uniquement de chaussons, servis en grande quantité.

INGRÉDIENTS

Pour 80 à 90 chaussons

450 g/1 lb de farine
500 ml/16 oz/2 tasses d'eau environ
un peu de farine
sel

La farce

450 g/1 lb de chou chinois ou de chou blanc
450 g/1 lb d'émincé de porc
15 ml/1 c. à soupe de ciboules
   finement hachées
5 ml/1 c. à thé de gingembre frais
   finement haché
10 ml/2 c. à thé de sel
5 ml/1 c. à thé de sucre roux
30 ml/2 c. à soupe de sauce de soja légère
15 ml/1 c. à soupe de vin de riz chinois
   (ou de Xérès sec)
10 ml/2 c. à thé d'huile de sésame

La sauce d'accompagnement

30 ml/2 c. à soupe d'huile au piment rouge
15 ml/1 c. à soupe de sauce de soja légère
15 ml/1 c. à soupe d'ail finement haché
15 ml/1 c. à soupe de ciboules
   finement hachées

1 Dans un saladier, malaxez la farine avec l'eau. Pétrissez la pâte obtenue sur une surface farinée jusqu'à ce qu'elle soit lisse. Couvrez d'une serviette humide et laissez reposer 25 à 30 minutes.

2 Faites blanchir les feuilles de chou. Égouttez et hachez-les. Mélangez chou, porc, ciboules, gingembre, sel, sucre, sauce de soja, vin et huile de sésame. Réservez cette farce.

3 Saupoudrez un plan de travail de farine. Pétrissez la pâte et formez une longue saucisse de 3 cm/1 po de diamètre environ. Découpez 80 à 90 petits morceaux de pâte et aplatissez-les avec la paume.

4 À l'aide d'un petit rouleau à pâtisserie, faites des crêpes très fines de 6 cm de diamètre environ.

5 Déposez 15 ml/1 c. à soupe de farce au centre de chaque crêpe, repliez les bords en formant une demi-lune.

6 Appuyez bien sur les bords pour sceller les chaussons.

7 Dans un wok, portez à ébullition environ 150 ml/¼ pinte/⅔ tasse d'eau salée. Mettez les chaussons à pocher 2 minutes. Retirez le wok du feu et laissez les chaussons tremper dans l'eau pendant 15 minutes.

8 Pour préparer la sauce d'accompagnement, mélangez bien les ingrédients prévus dans un petit saladier. Servez dans un bol avec les chaussons égouttés.

Raviolis de fruits de mer à la coriandre

Dans ces raviolis ressemblant à des tortellini, les châtaignes d'eau apportent leur croustillant.

INGRÉDIENTS

Pour 4 personnes

225 g/8 oz de crevettes crues décortiquées, sans les veines
115 g/4 oz de chair de crabe blanche
4 châtaignes d'eau en boîte, coupées en petits dés
1 ciboule finement hachée
1 petit piment vert épépiné et haché
2,5 ml/½ c. à thé de gingembre frais râpé
1 œuf
20 à 24 carrés de pâte à raviolis
sel et poivre noir du moulin
quelques feuilles de coriandre, pour le service

La sauce à la coriandre

30 ml/2 c. à soupe de vinaigre de riz
15 ml/1 c. à soupe de gingembre au vinaigre haché
90 ml/6 c. à soupe d'huile d'olive
15 ml/1 c. à soupe de sauce de soja
45 ml/3 c. à soupe de coriandre ciselée
30 ml/2 c. à soupe de poivron rouge coupé en petits dés

1 Coupez les crevettes en menus morceaux dans un saladier. Ajoutez la chair de crabe, les châtaignes d'eau, la ciboule, le piment, le gingembre et le blanc d'œuf. Salez, poivrez et mélangez.

2 Déposez environ 5 ml/1 c. à thé de garniture juste au-dessus du milieu de chaque carré de pâte. Humectez les bords de la pâte avec un peu de jaune d'œuf. Repliez la base du carré sur la garniture. Appuyez légèrement pour chasser l'air, puis fermez délicatement en forme de triangle.

3 Repliez les deux pointes opposées sur la garniture, faites-les se chevaucher, puis pincez fermement. Posez les raviolis sur une grande plaque de cuisson recouverte de papier sulfurisé, pour éviter qu'ils collent.

4 Remplissez une grande cocotte d'eau à mi-hauteur. Faites frémir. Jetez quelques raviolis et laissez-les cuire 2 à 3 minutes à feu doux (ils flottent à la surface). Lorsqu'ils sont cuits, la pâte est translucide. Sortez les raviolis avec une écumoire, égouttez-les rapidement, puis gardez-les au chaud pendant la cuisson des autres.

5 Pour préparer la sauce à la coriandre, mélangez les ingrédients dans un saladier. Dressez les raviolis sur des plats de service, arrosez-les de sauce et décorez de feuilles de coriandre.

Raviolis au porc et aux châtaignes d'eau

Le gingembre et le cinq-épices
parfument délicatement
ces raviolis cuits à la vapeur.

INGRÉDIENTS

Pour environ 36 raviolis

2 grandes feuilles de chou chinois,
   plus quelques-unes pour garnir
   le panier à vapeur
2 ciboules finement hachées
1 cm/½ po de gingembre frais haché
50 g/2 oz de châtaignes d'eau en boîte,
   rincées et finement coupées
225 g/8 oz de porc haché
2,5 ml/½ c. à thé de cinq-épices
15 ml/1 c. à soupe de Maïzena
15 ml/1 c. à soupe de sauce de soja claire
15 ml/1 c. à soupe de vin de riz chinois
   ou de Xérès sec
10 ml/2 c. à thé d'huile de sésame
1 bonne pincée de sucre en poudre
environ 36 carrés de pâte à raviolis
   de 7,5 cm/3 po de côté
sauce de soja claire et huile au piment,
   pour le service

1 Posez les feuilles de chou l'une sur l'autre. Coupez-les en quatre dans la longueur, puis en fines lanières.

2 Mettez le chou dans un saladier. Ajoutez les ciboules, le gingembre, les châtaignes d'eau, le porc, le cinq-épices, la Maïzena, la sauce de soja, le vin de riz ou le Xérès, l'huile de sésame, le sucre, et mélangez intimement.

3 Déposez 1 bonne cuillerée à café de garniture au centre de chaque morceau de pâte. Mouillez les bords avec de l'eau.

4 Repliez la pâte autour de la garniture, en forme de «bourse». Pincez la pâte au milieu et appuyez sur la base pour l'aplatir. Le haut doit rester ouvert. Posez le ravioli sur une plaque et couvrez d'un torchon humide. Répétez l'opération avec le reste de pâte et de garniture.

5 Garnissez un panier à vapeur de feuilles de chou, puis faites cuire quelques raviolis pendant 12 à 15 minutes, jusqu'à ce qu'ils soient tendres. Sortez les raviolis, couvrez-les de papier d'aluminium et gardez-les au chaud pendant la cuisson des autres. Servez chaud avec de la sauce de soja et de l'huile au piment.

Noix de Saint-Jacques croustillantes

Ces noix de Saint-Jacques aux légumes croquants et à la sauce épicée font une délicieuse entrée.

INGRÉDIENTS

Pour 4 personnes

16 noix de Saint-Jacques moyennes
    coupées en deux
8 carrés de pâte à raviolis
huile de friture
45 ml/3 c. à soupe d'huile d'olive
1 grosse carotte coupée en julienne
1 gros poireau coupé en julienne
le jus d'1 citron
le jus d'½ orange
15 ml/1 c. à soupe de sauce de soja (facultatif)
2 ciboules finement émincées
30 ml/2 c. à soupe de feuilles de coriandre
sel et poivre noir du moulin

La marinade

5 ml/1 c. à thé de pâte de curry thaïe rouge
5 ml/1 c. à thé de gingembre frais râpé
1 gousse d'ail finement hachée
15 ml/1 c. à soupe de sauce de soja
15 ml/1 c. à soupe d'huile d'olive

1 Pour préparer la marinade, mélangez tous les ingrédients dans un saladier. Ajoutez les noix de Saint-Jacques, remuez et laissez mariner 30 minutes.

2 Faites frire les carrés de pâte en plusieurs fois dans l'huile chaude, jusqu'à ce qu'ils soient dorés et croustillants.

3 Posez-les sur du papier absorbant et réservez.

4 Chauffez la moitié de l'huile d'olive dans une grande poêle. Ajoutez les noix de Saint-Jacques avec la marinade, puis faites-les dorer à feu vif pendant 1 minute, en évitant de trop les cuire (elles doivent être fermes, et non caoutchouteuses). Posez-les sur une assiette.

5 Faites chauffer le reste d'huile d'olive dans la poêle avant d'incorporer les morceaux de carotte et de poireau. Remuez jusqu'à ce que les légumes ramollissent, tout en restant croquants. Salez, poivrez, arrosez des jus de citron et d'orange, et ajoutez si besoin un peu de sauce de soja.

6 Mélangez les noix de Saint-Jacques aux légumes, dans la poêle, et faites chauffer. Mettez dans un saladier, ajoutez les ciboules et la coriandre. Pour servir, posez un quart de la préparation entre 2 carrés de pâte. Confectionnez 3 autres «feuilletés» de la même façon et servez aussitôt.

Raviolis à la sauce aigre-douce

Rapides à préparer, ces raviolis fondants peuvent se consommer en entrée ou comme encas.

INGRÉDIENTS

Pour 4 à 6 personnes

16 à 20 carrés de pâte à raviolis
huile végétale, pour la friture

La sauce

15 ml/1 c. à soupe d'huile végétale
30 ml/2 c. à soupe de sucre roux
45 ml/3 c. à soupe de vinaigre de riz
15 ml/1 c. à soupe de sauce de soja claire
15 ml/1 c. à soupe de ketchup
45 à 60 ml/3 à 4 c. à soupe d'eau
   ou de bouillon
15 ml/1 c. à soupe de pâte de Maïzena
   (voir p. 10)

1 Pincez le milieu de chaque carré de pâte à raviolis et façonnez-les en forme de fleur.

2 Faites frire les raviolis 1 à 2 minutes dans l'huile chaude, jusqu'à ce qu'ils soient croustillants. Posez-les ensuite sur du papier absorbant.

3 Pour préparer la sauce, faites chauffer l'huile dans un wok ou une poêle. Ajoutez le sucre, le vinaigre, la sauce de soja, le ketchup et l'eau ou le bouillon.

4 Incorporez la pâte de Maïzena pour épaissir la sauce. Remuez jusqu'à obtention d'une consistance lisse. Versez un peu de sauce sur les raviolis et servez aussitôt avec le reste de sauce.

Gambas panées en papillons

Vous pouvez employer pour cette recette de grosses crevettes roses, plus économiques. Les gambas, qui mesurent 8 à 10 cm/3 à 4 po de long, s'achètent étêtées. Pour un plat de 450 g/1 lb, comptez une bonne vingtaine de gambas.

INGRÉDIENTS

Pour 6 à 8 personnes

500 g/1 lb de gambas crues, étêtées
    mais non décortiquées
5 ml/1 c. à thé de grains de poivre
    du Sichuan
15 ml/1 c. à soupe de sauce de soja claire
15 ml/1 c. à soupe de vin de riz chinois
    (ou de Xérès sec)
10 ml/2 c. à thé de Maïzena
2 œufs légèrement battus
75 ml/5 c. à soupe de chapelure
huile de friture végétale
2 ou 3 ciboules, feuilles de laitue
    ou quelques « algues » *(voir p. 88)*,
    pour le service

1 Décortiquez les gambas, en laissant la queue. Taillez-les ensuite dans le sens de la longueur jusqu'à la moitié, en gardant la queue intacte.

2 À l'intérieur d'un saladier, laissez mariner les gambas dans le mélange de poivre, de sauce de soja, de vin de riz chinois (ou de Xérès) et de Maïzena pendant 15 minutes.

3 Trempez les gambas 1 par 1 dans l'œuf battu, en les tenant par la queue.

4 Roulez les gambas enduites d'œuf dans la chapelure.

5 Dans un wok, faites chauffer l'huile à température moyenne. Déposez délicatement les gambas dans l'huile.

6 Faites frire les gambas jusqu'à ce qu'elles soient bien dorées. Égouttez. Pour la garniture, utilisez des ciboules crues ou trempées pendant 30 secondes dans l'huile chaude. Au moment de servir, disposez les gambas sur un lit de salade ou sur des « algues » croustillantes.

Calmars frits aux épices sel et poivre

La recette qui suit est une spécialité cantonaise. La cuisine du sud de la Chine est réputée pour ses fruits de mer, que l'on prépare souvent avec du gingembre.

INGRÉDIENTS

Pour 4 personnes

450 g/1 lb de calmars
5 ml/1 c. à thé de jus de gingembre
  (voir Conseil)
15 ml/1 c. à soupe de vin de riz chinois
  (ou de Xérès sec)
600 ml/1 pinte/2½ tasses d'eau bouillante
huile de friture végétale
épices sel et poivre *(voir p. 82)*
feuilles de coriandre fraîche, pour le service

1 Enlevez aux calmars la tête, l'arête centrale transparente et le petit sac d'encre. Retirez la fine pellicule de peau, puis lavez-les et séchez-les avec du papier absorbant. Ouvrez les calmars et, à l'aide d'un petit couteau bien affûté, entaillez l'intérieur de la chair en dessinant des petites croix.

2 Découpez les calmars en petits morceaux. Faites-les mariner dans un mélange de jus de gingembre et de vin de riz (ou de Xérès), 30 minutes environ.

3 Faites blanchir les calmars quelques secondes dans l'eau bouillante : chaque morceau s'enroulera sur lui-même. Égouttez bien.

CONSEIL

Pour obtenir le jus de gingembre, mélangez du gingembre râpé avec un volume équivalent d'eau froide et versez le tout dans un sac de mousseline humide. Tordez le tissu pour en extraire le jus. Une autre méthode consiste à réduire le gingembre en bouillie à l'aide d'un petit pressoir à ail.

4 Chauffez de l'huile de friture dans un wok. Faites frire les calmars (pas plus de 20 secondes) et égouttez-les. Saupoudrez des épices sel et poivre et servez avec quelques feuilles de coriandre.

Crevettes à la sauce piquante

Cette recette de crevettes épicées fera une délicieuse entrée. Ne pas oublier de servir aux convives des petits bols rince-doigts.

INGRÉDIENTS

Pour 4 personnes

500 g/1 lb de grosses crevettes crues
1 morceau de gingembre
   de 3 cm/1 po environ, râpé
2 gousses d'ail écrasées
5 ml/1 c. à thé de poudre de piment
5 ml/1 c. à thé de curcuma moulu
10 ml/2 c. à thé de grains de moutarde noirs
graines de 4 gousses de cardamome vertes,
   réduites en purée
50 g/2 oz/4 c. à soupe de *ghee* ou de beurre
120 ml/4 oz/½ tasse de lait de coco
sel et poivre noir du moulin
30 à 45 ml/2 à 3 c. à soupe de coriandre
   fraîche coupée et pain naan,
   pour le service

1 Décortiquez les crevettes délicatement, en laissant la queue.

2 À l'aide d'un petit couteau bien aiguisé, faites une fente au dos de chaque crevette et enlevez la veine sombre. Rincez à l'eau froide, égouttez et séchez sur du papier absorbant.

3 Dans un saladier, mélangez gingembre, ail, poudre de piment, curcuma, grains de moutarde et graines de cardamome. Ajoutez les crevettes et remuez pour qu'elles soient bien enduites.

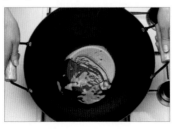

4 Chauffez le wok. Ajoutez le *ghee* ou le beurre et faites-le tourner dans le wok jusqu'à la formation d'une écume.

5 Mettez les crevettes marinées à revenir un peu plus d'1 minute, jusqu'à ce qu'elles deviennent roses.

6 Versez le lait de coco et laissez mijoter encore 3 à 4 minutes, pour que les crevettes soient entièrement cuites. Poivrez et salez. Décorez avec la coriandre et servez immédiatement, accompagné de pain naan.

Pâtés impériaux au crabe et aux champignons

Ces pâtés peuvent se préparer
à l'avance et se conserver au
réfrigérateur jusqu'à la cuisson.

INGRÉDIENTS

Pour 4 à 6 personnes

25 g/1 oz de nouilles de riz
50 g/2 oz de champignons shiitake
   frais ou séchés
4 ciboules hachées
1 petite carotte râpée
175 g/6 oz de porc haché
huile végétale, pour la friture
115 g/4 oz de chair de crabe blanche
5 ml/1 c. à thé de sauce de poisson (facultatif)
12 carrés de galette de riz
30 ml/2 c. à soupe de pâte de Maïzena
   (*voir p. 10*)
sel et poivre noir du moulin
1 laitue croquante préparée
1 botte de menthe ou de basilic frais
   grossièrement ciselés
1 botte de coriandre grossièrement ciselée
½ concombre coupé en dés

1 Faites cuire les nouilles 8 minutes
dans une grande casserole d'eau
bouillante salée, puis coupez-les en
petits morceaux. Faites tremper les
champignons séchés 10 minutes dans
l'eau bouillante, puis égouttez-les et
détaillez-les finement.

2 Préparez la garniture dans un wok.
Faites revenir les ciboules, la carotte
et le porc pendant 8 à 10 minutes dans
15 ml/1 c. à soupe d'huile chaude. Ajoutez hors du feu le crabe, la sauce de poisson et l'assaisonnement. Incorporez les
nouilles, les champignons, puis réservez.

3 Pour garnir les pâtés, humectez un
carré de galette de riz, puis déposez
dessus 5 ml/1 c. à thé de garniture.
Repliez les bords vers le milieu et
enroulez en forme de cigare. La pâte de
Maïzena permet de souder les bords.

4 Faites frire les pâtés impériaux en
plusieurs fois pendant 6 à 8 minutes
dans l'huile chaude. L'huile ne doit pas
être trop chaude pour que la garniture
cuise correctement. Dressez les feuilles
de salade, les herbes et le concombre sur
un plat, puis couvrez avec les pâtés.

Pinces de crabes épicées

Ce délicieux hors-d'œuvre de pinces de crabes sautées a pour origine une recette indonésienne appelée *Kepiting pedas*.

INGRÉDIENTS

Pour 4 personnes

12 pinces de crabes fraîches
   (ou surgelées et décongelées)
4 échalotes grossièrement détaillées
2 à 4 piments rouges frais, épépinés
   et grossièrement coupés
3 gousses d'ail grossièrement hachées
5 ml/1 c. à thé de gingembre frais râpé
2,5 ml/½ c. à thé de coriandre moulue
45 ml/3 c. à soupe d'huile d'arachide
60 ml/4 c. à soupe d'eau
10 ml/2 c. à thé de sauce de soja sucrée
   (kecap manis)
10 à 15 ml/2 à 3 c. à thé de jus de citron vert
sel
feuilles de coriandre fraîche, pour le service

1 Brisez les pinces de crabes à l'aide d'un casse-noix afin d'en extraire facilement la chair. Réservez. Dans un mortier, réduisez les échalotes en bouillie avec le pilon. Ajoutez les piments rouges, l'ail, le gingembre et la coriandre moulue. Pilez jusqu'à ce que le mélange forme une sorte de pâte assez grossière.

2 Faites chauffer un wok à feu moyen. Versez l'huile en la répandant uniformément dans le fond du wok. Incorporez le mélange pimenté et remuez 30 secondes. Augmentez le feu. Ajoutez les pinces de crabes et laissez revenir encore 3 à 4 minutes.

3 Tout en remuant, versez l'eau, la sauce de soja sucrée, le jus de citron. Salez. Laissez cuire en remuant pendant 1 à 2 minutes. Servez rapidement, garni de feuilles de coriandre. Les pinces de crabes se mangent avec les doigts : prévoyez des rince-doigts.

CONSEIL

Si vous ne trouvez pas de pinces de crabe entières, vous pouvez les acheter surgelées, déjà décortiquées hormis l'extrémité de la pince. Faites-les revenir jusqu'à cuisson complète, pendant 2 minutes environ.

Chaussons aux fruits de mer

Ces petits chaussons à la vapeur font un excellent hors-d'œuvre ou un déjeuner léger.

INGRÉDIENTS

Pour 4 personnes

225 g/8 oz de chair de crabe
50 g/2 oz de crevettes épluchées, hachées
6 châtaignes d'eau hachées
30 ml/2 c. à soupe de pousses de bambou hachées
15 ml/1 c. à soupe de ciboule hachée
5 ml/1 c. à thé de racine de gingembre hachée
15 ml/1 c. à soupe de sauce de soja
15 ml/1 c. à soupe de sauce de poisson
12 feuilles de riz
feuilles de bananier
huile pour huiler les feuilles de bananier
15 ml/1 c. à soupe de sauce de soja
2 ciboules ciselées, 2 piments rouges, épépinés et émincés, et feuilles de coriandre, pour le service

1 Dans une jatte, mélangez chair de crabe, crevettes hachées, châtaignes, pousses de bambou, ciboule et gingembre. Ajoutez la sauce de soja et la sauce de poisson. Remuez bien.

2 Trempez une feuille de riz dans l'eau chaude. Posez-la à plat et laissez-la ramollir quelques secondes.

CONSEIL

Les chaussons gonflant à la cuisson, espacez-les suffisamment pour les empêcher de se coller.

3 Mettez 1 cuillerée de farce au centre de la feuille et repliez les bords pour former un paquet carré. Répétez avec le reste des feuilles de riz et du mélange de fruits de mer.

4 Tapissez un cuit-vapeur de feuilles de bananier, enduisez-les d'huile. Posez les paquets sur les feuilles, côté plié vers le bas. Faites cuire 6 à 8 minutes à feu vif ou jusqu'à ce que la farce soit cuite. Transférez sur un plat et garnissez avec le reste des ingrédients.

Pinces de crabe croquantes

INGRÉDIENTS

Pour 4 personnes

50 g/2 oz de crème de riz
15 ml/1 c. à soupe de Maïzena
2,5 ml/½ c. à thé de sucre en poudre
1 œuf
60 ml/4 c. à soupe d'eau froide
1 tige de citronnelle finement hachée
2 gousses d'ail finement hachées
15 ml/1 c. à soupe de coriandre hachée
1 ou 2 piments rouges, épépinés et hachés
5 ml/1 c. à thé de sauce de poisson
huile pour friture
12 pinces de crabe à demi décortiquées
poivre noir du moulin

Le dip de vinaigre pimenté

45 ml/3 c. à soupe de sucre
120 ml/4 oz/½ tasse d'eau
120 ml/4 oz/½ tasse de vinaigre de vin rouge
15 ml/1 c. à soupe de sauce de poisson
2 à 4 piments rouges, épépinés et hachés

1 Préparez le dip pimenté. Portez le sucre et l'eau à ébullition dans une casserole, en mélangeant pour faire dissoudre le sucre. Baissez le feu et laissez frémir 5 à 7 minutes. Incorporez le reste des ingrédients et réservez.

2 Mélangez crème de riz, Maïzena et sucre dans une grande bassine. Battez l'œuf avec l'eau froide, puis incorporez dans le mélange précédent et mélangez bien pour obtenir une pâte légère.

3 Ajoutez la citronnelle, la coriandre, l'ail, les piments, la sauce de poisson et le poivre noir du moulin.

4 Chauffez l'huile dans un wok ou une bassine à friture. Essuyez les pinces de crabe et trempez-les une par une dans la pâte. Posez-les délicatement dans l'huile très chaude, par deux ou trois à la fois. Laissez cuire et dorer. Égouttez sur du papier absorbant. Servez chaud avec le dip de vinaigre pimenté.

Aumonières dorées

Ces aumonières croustillantes sont délicieuses en hors-d'œuvre ou pour un buffet.

INGRÉDIENTS

Pour 20 aumonières environ

120 g/4 oz de porc haché
120 g/4 oz de chair de crabe
2 ou 3 champignons noirs, trempés et hachés
15 ml/1 c. à soupe de coriandre hachée
5 ml/1 c. à thé d'ail haché
30 ml/2 c. à soupe de ciboule hachée
1 œuf
15 ml/1 c. à soupe de sauce de poisson
5 ml/1 c. à thé de sauce de soja
1 pincée de sucre en poudre
poivre noir du moulin
20 feuilles de wonton
20 brins de ciboulette ébouillantés (facultatif)
huile pour friture
sauce aux prunes ou au piment doux,
    pour le service

1 Dans une jatte, mélangez le porc, le crabe, les champignons, la coriandre, l'ail, la ciboule et l'œuf. Mélangez bien et assaisonnez avec la sauce de poisson, la sauce de soja, le sucre et le poivre.

2 Posez une feuille de wonton sur le plan de travail. Mettez 1 grosse cuillerée à café de farce au centre et rabattez les bords de la pâte sur la farce.

3 Pincez pour bien souder la pâte. Vous pouvez lier le tout avec un brin de ciboulette. Faites de même avec le reste de farce.

4 Chauffez l'huile dans un wok ou une bassine à friture. Faites frire les wontons en plusieurs fois, jusqu'à ce qu'ils soient croustillants et dorés. Égouttez sur du papier absorbant et servez aussitôt avec de la sauce aux prunes ou au piment doux.

Gâteaux de riz à la sauce épicée

Très populaires en Thaïlande, ces encas se préparent rapidement et se conservent très longtemps dans un récipient hermétique.

INGRÉDIENTS

Pour 4 à 6 personnes

175 g/6 oz/1 tasse de riz parfumé
350 ml/12 oz/1½ tassesd'eau
huile de friture

La sauce épicée

6 à 8 piments séchés
2,5 ml/½ c. à thé de sel
2 échalotes hachées
2 gousses d'ail hachées
4 racines de coriandre
10 grains de poivre blanc
250 ml/8 oz/1 tasse de lait de coco
5 ml/1 c. à thé de pâte de crevettes
115 g/4 oz de porc haché
115 g/4 oz de tomates cerise
   coupées en petits morceaux
15 ml/1 c. à soupe de sauce de poisson
15 ml/1 c. à soupe de sucre de palme
30 ml/2 c. à soupe de jus de tamarin
30 ml/2 c. à soupe de cacahuètes
   grillées hachées
2 ciboules finement hachées

1 Coupez la tige des piments et retirez les graines. Faites-les tremper 20 minutes dans l'eau chaude. Égouttez avant de les mettre dans un mortier.

2 Salez les piments, puis écrasez-les soigneusement avec un pilon. Ajoutez les échalotes, l'ail, la coriandre et les grains de poivre. Pilez jusqu'à obtention d'une pâte.

3 Faites bouillir le lait de coco dans une casserole, jusqu'à ce qu'il commence à se séparer. Ajoutez la pâte de piment et faites cuire 2 à 3 minutes. Incorporez la pâte de crevettes et poursuivez la cuisson encore 1 minute.

4 Mélangez le porc, en séparant les morceaux avec une cuillère. Faites cuire 5 à 10 minutes. Ajoutez les tomates, la sauce de poisson, le sucre de palme et le jus de tamarin. Laissez frémir jusqu'à ce que la sauce épaississe.

5 Incorporez les cacahuètes et les ciboules, puis laissez refroidir.

6 Lavez le riz dans plusieurs eaux. Mettez-le dans une casserole, versez l'eau et couvrez hermétiquement. Portez à ébullition, puis laissez frémir 15 minutes.

7 Retirez le couvercle et aérez le riz à l'aide d'une fourchette. Renversez-le sur une plaque de cuisson graissée, en l'aplatissant avec une cuillère. Laissez-le sécher et durcir toute la nuit à four très doux.

8 Retirez le riz de la plaque et cassezle en petits morceaux. Faites chauffer l'huile dans un wok.

9 Faites frire les gâteaux de riz en plusieurs fois pendant 1 minute, jusqu'à ce qu'ils se boursouflent, sans laisser dorer. Égouttez-les, avant de servir avec la sauce épicée.

Galettes de poisson au concombre confit

Ces savoureux petits gâteaux de poisson seront très appréciés en apéritif, surtout si vous les servez avec de la bière thaïlandaise.

INGRÉDIENTS

Pour environ 12 galettes de poisson

300 g/11 oz de filets de poisson
    (du cabillaud, par exemple), coupés
    en morceaux
30 ml/2 c. à soupe de pâte de curry rouge
1 œuf
30 ml/2 c. à soupe de sauce de poisson
5 ml/1 c. à thé de sucre en poudre
30 ml/2 c. à soupe de Maïzena
3 feuilles de limes coupées en lanières
15 ml/1 c. à soupe de coriandre hachée
50 g/2 oz de haricots verts très
    finement coupés
huile de friture
cresson chinois, pour le service

Le concombre confit

60 ml/4 c. à soupe de vinaigre de riz (ou de
    vinaigre de noix de coco thaïlandais)
60 ml/4 c. à soupe d'eau
50 g/2 oz de sucre en poudre
1 gousse d'ail confite
1 concombre coupé en petits morceaux
4 échalotes finement hachées
15 ml/1 c. à soupe de gingembre
    très finement haché

1 Pour préparer le concombre confit, faites bouillir l'eau, le vinaigre et le sucre. Remuez jusqu'à dissolution du sucre. Retirez du feu et réservez.

2 Dans un petit saladier, mélangez l'ail, le concombre, les échalotes et le gingembre avant de verser le tout dans le liquide vinaigré. Réservez.

3 Mixez les filets de poisson, la pâte de curry et l'œuf. Transférez le mélange dans un saladier, ajoutez le reste des ingrédients sauf l'huile et la garniture, et mélangez bien.

4 Moulez des petites portions en forme de galettes de 5 cm/2 po de diamètre environ sur 5 mm/¼ po d'épaisseur.

5 Chauffez l'huile dans un wok ou une friteuse. Faites frire les galettes, 3 ou 4 à la fois, pendant 5 minutes environ, jusqu'à ce qu'elles soient bien dorées. Égouttez sur du papier absorbant. Garnissez avec le cresson chinois et servez accompagné de concombre confit.

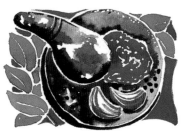

Tempura de légumes

Ces beignets s'inspirent du *Kaki-age*, spécialité japonaise à base de poisson, crevettes et légumes.

INGRÉDIENTS

Pour 4 personnes

2 courgettes moyennes
½ aubergine moyenne
1 grosse carotte
½ petit oignon
1 œuf
120 ml/4 oz/½ tasse d'eau glacée
115 g/4 oz/1 tasse de farine
huile végétale, pour la friture
sel et poivre noir du moulin
un peu de sel marin, rondelles de citron
et sauce de soja japonaise *(shoyu)*,
pour le service

3 Mettez les courgettes, l'aubergine et la carotte dans une passoire et saupoudrez généreusement de sel. Laissez dégorger 30 minutes, puis rincez sous l'eau froide. Égouttez soigneusement.

5 Préparez la pâte juste avant de faire cuire les beignets. Mélangez l'œuf et l'eau glacée dans un saladier, puis ajoutez la farine en la tamisant. Remuez grossièrement avec une fourchette ; la pâte doit rester grumeleuse. Ajoutez les légumes et mélangez.

1 Coupez des bandes de peau dans les courgettes et l'aubergine, avec un épluche-légumes, pour faire des rayures.

4 Émincez finement l'oignon et jetez le centre. Séparez les couches pour obtenir des morceaux fins et longs. Mélangez tous les légumes, salez et poivrez.

6 Remplissez un wok d'huile à mi-hauteur et faites chauffer à 180 °C/ 350 °F. Prélevez des cuillerées de préparation que vous déposez délicatement dans l'huile. Faites frire 3 minutes en plu-sieurs fois, pour obtenir des beignets dorés et croustillants. Posez-les sur du papier absorbant. Servez les beignets, accompagnés de sel, de rondelles de citron et de sauce de soja japonaise.

2 Détaillez les courgettes, l'aubergine et la carotte en bâtonnets d'environ 8 cm/3 à 4 po de long et 3 mm/⅛ po de large.

Travers de porc épicés

Cette préparation épicée, typiquement chinoise, ouvrira avec succès un repas entre amis.

INGRÉDIENTS

Pour 4 personnes

800 g/1½ à 2 lb de travers de porc
5 ml/1 c. à thé de grains de poivre
30 ml/2 c. à soupe de gros sel marin
2,5 ml/½ c. à thé de cinq-épices
25 ml/1½ c. à soupe de Maïzena
huile d'arachide, pour la friture
quelques branches de coriandre,
   pour le service

La marinade

30 ml/2 c. à soupe de sauce de soja
5 ml/1 c. à thé de sucre en poudre
15 ml/1 c. à soupe de vin de riz chinois
   ou de Xérès sec
poivre noir du moulin

2 Faites dorer les grains de poivre et le sel pendant 3 minutes dans un wok chaud, en remuant sans arrêt. Ajoutez hors du feu le cinq-épices, puis laissez refroidir.

3 Écrasez la préparation dans un mortier avec un pilon, jusqu'à obtention d'une poudre fine.

4 Saupoudrez 5 ml/1 c. à thé de cette poudre sur les travers, puis enrobez-les soigneusement avec les mains. Ajoutez tous les ingrédients de la marinade et remuez délicatement. Couvrez et laissez mariner 2 heures au réfrigérateur, en retournant de temps en temps.

5 Jetez l'excès de marinade. Saupoudrez les travers de Maïzena et mélangez pour les en enrober.

6 Remplissez un wok d'huile à mi-hauteur et faites chauffer à 180 °C/350 °F. Laissez dorer les travers 3 minutes en plusieurs fois, puis réservez. Réchauffez l'huile à la même température avant de faire frire une seconde fois pendant 1 à 2 minutes. Posez-les sur du papier absorbant. Dressez sur un plat de service chaud et saupoudrez-les avec la 2,5 ml/½ c. à thé de poudre restante. Décorez de branches de coriandre et servez aussitôt.

1 Coupez les travers de porc en morceaux de 5 cm/2 po de long avec un hachoir bien affûté, ou demandez à votre boucher de procéder à cette opération. Réservez.

CONSEIL

Vous pouvez conserver le reste de poudre d'épices plusieurs mois dans un bocal hermétique et en utiliser pour enrober la peau d'un canard, d'un poulet ou des morceaux de porc avant la cuisson.

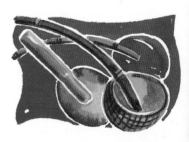

Travers de porc frits aux épices sel et poivre

INGRÉDIENTS

Pour 4 à 6 personnes

1 douzaine de travers de porc,
soit environ 700 g/1½ lb, dont on
aura coupé le gras et le cartilage
30 à 45 ml/2 à 3 c. à soupe de farine
huile de friture végétale

La marinade

1 gousse d'ail écrasée, finement hachée
15 ml/1 c. à soupe de sucre roux
15 ml/1 c. à soupe de sauce de soja claire
15 ml/1 c. à soupe de sauce de soja brune
30 ml/2 c. à soupe de vin de riz chinois
(ou de Xérès sec)
2,5 ml/½ c. à thé de sauce piquante
quelques gouttes d'huile de sésame

Les épices sel et poivre

15 ml/1 c. à soupe de sel
10 ml/2 c. à thé de grains de poivre
du Sichuan
5 ml/1 c. à thé de poudre cinq-épices

1 Découpez chaque travers de porc
en 3 ou 4 bouchées, puis mélangez-
les aux ingrédients de la marinade.
Laissez mariner au moins 2 à 3 heures.

CONSEIL

Dans l'idéal, chaque travers doit être
découpé en 3 ou 4 bouchées avant
ou après être passé à la friture dans
le wok. Néanmoins, vous pouvez
aussi les frire et les servir entiers.

2 Enduisez les travers de farine. Faites-
les frire dans un wok avec l'huile, à
température moyenne, 4 à 5 minutes, en
remuant pour les séparer. Égouttez.

3 Chauffez l'huile à température
maximum, et faites frire les travers
une seconde fois pendant 1 minute, ou
jusqu'à ce qu'ils soient marron foncé.
Égouttez.

4 Versez les épices dans le wok et
laissez-les cuire à feu doux pendant
2 minutes environ, sans cesser de remuer.
Servez avec les travers de porc.

Nids de canard aux œufs

Les Thaïlandais ont un ustensile pour préparer cette spécialité. De forme conique, il est percé de trous qui laissent couler la préparation aux œufs sous forme de filaments. Vous pouvez le remplacer par un petit entonnoir ou une poche à douille.

INGRÉDIENTS

Pour environ 12 à 15 portions

La garniture

4 racines de coriandre
2 gousses d'ail
10 grains de poivre blanc
1 pincée de sel
45 ml/3 c. à soupe d'huile
1 petit oignon finement haché
115 g/4 oz de porc maigre haché
75 g/3 oz de crevettes décortiquées
    et coupées en menus morceaux
50 g/2 oz de cacahuètes grillées moulues
5 ml/1 c. à thé de sucre de palme
15 ml/1 c. à soupe de sauce de poisson
   (nuoc-mâm)

Les filets d'œuf

6 œufs de cane
quelques feuilles de coriandre
2 ciboules taillées de manière décorative,
   et des petits piments rouges émincés,
   pour le service

1 Dans un mortier, écrasez les racines de coriandre, l'ail, le poivre et le sel pour obtenir une pâte.

2 Faites revenir cette pâte dans 30 ml/ 2 c. à soupe d'huile. Ajoutez l'oignon et laissez cuire afin qu'il soit tendre. Mettez le porc, les crevettes, et remuez jusqu'à ce que la viande soit cuite.

3 Mélangez les cacahuètes, le sucre de palme et la sauce de poisson, puis poursuivez la cuisson pour obtenir une consistance légèrement collante. Réservez dans un saladier.

4 Fouettez les œufs dans un autre saladier. Graissez une poêle anti-adhésive avec le reste d'huile et faites-la chauffer. Remplissez d'œuf un ustensile spécial ou une poche à douille et dessinez un filet au fond de la poêle, sur environ 13 cm/5 po de diamètre.

5 Lorsque le filet est ferme, retirez délicatement de la poêle. Répétez l'opération jusqu'à utilisation de tous les œufs.

6 Pour confectionner les préparations, posez un filet sur un plan de travail, couvrez avec quelques feuilles de coriandre, puis 1 cuillerée de garniture. Repliez les côtés en forme de carré. Procédez de même avec les autres filets. Dressez sur un plat de service et décorez de ciboule, de feuilles de coriandre et de piments.

Œufs du gendre

Ce nom surprenant a pour origine une vieille histoire chinoise, dans laquelle il est question d'un jeune marié qui décide d'impressionner sa belle-mère en inventant une recette à partir du seul plat qu'il sait préparer : les œufs durs ! Il suffit de frire les œufs durs et de les tremper dans une sauce de tamarin piquante et sucrée.

INGRÉDIENTS

Pour 4 à 6 personnes

75 g/3 oz de sucre de palme
75 ml/5 c. à soupe de sauce de poisson
90 ml/6 c. à soupe de jus de tamarin
huile de friture
6 échalotes finement hachées
6 gousses d'ail finement hachées
6 petits piments rouges hachés
6 œufs durs épluchés
feuilles de laitue et bouquets de coriandre,
    pour le service

1 Dans une petite casserole, mélangez le sucre de palme, la sauce de poisson et le jus de tamarin. Portez à ébullition, en remuant jusqu'à dissolution du sucre, puis laissez mijoter 5 minutes.

2 Goûtez et ajoutez du sucre, de la sauce de poisson ou du jus de tamarin à votre goût. La préparation obtenue doit être à la fois aigre-douce et légèrement salée. Transférez la sauce dans un grand bol et réservez.

3 Chauffez de l'huile dans un wok ou une friteuse. En même temps, dorez les échalotes, l'ail et les piments, avec 2 à 3 cuillerées d'huile, dans une poêle. Versez dans un bol et réservez.

4 Faites frire les œufs 3 à 5 minutes, jusqu'à ce qu'ils soient bien dorés. Égouttez sur du papier absorbant. Coupez les œufs en quartiers et disposez-les sur un lit de salade. Nappez d'un peu de sauce et ajoutez la préparation aux échalotes. Décorez de feuilles de coriandre.

Clams aux piments et à la sauce de haricots

Les fruits de mer sont l'une des spécialités thaïlandaises. Ce plat savoureux et facile à préparer est un grand classique du genre.

INGRÉDIENTS

Pour 4 à 6 personnes

1 kg/2¼ lb de clams frais
30 ml/2 c. à soupe d'huile végétale
4 gousses d'ail finement hachées
15 ml/1 c. à soupe de gingembre râpé
4 échalotes finement hachées
30 ml/2 c. à soupe de sauce de haricots
    fermentés (jaunes)
6 petits piments rouges hachés
15 ml/1 c. à soupe de sauce de poisson
1 pincée de sucre en poudre
½ botte de basilic, plus quelques feuilles
    pour le service

1 Lavez et grattez les clams. Chauffez l'huile dans un wok ou une grande poêle. Mettez l'ail et le gingembre à revenir 30 secondes. Ajoutez les échalotes et laissez cuire encore 1 minute.

2 Incorporez les clams. Retournez-les plusieurs fois pour qu'ils soient bien huilés. Ajoutez la sauce de haricots et la moitié des piments.

3 Laissez cuire environ 5 à 7 minutes en remuant souvent, jusqu'à ce que les clams s'ouvrent. Versez un peu d'eau si nécessaire. Assaisonnez avec le sucre et la sauce de poisson.

4 Ajoutez le basilic, en gardant quelques feuilles pour la garniture. Transférez dans un plat ou des bols. Garnissez avec le reste de basilic et des piments.

Concombre aigre-doux

Préparée à l'avance, cette entrée n'en sera que plus savoureuse.

INGRÉDIENTS

Pour 6 à 8 personnes

1 concombre d'environ 30 cm/12 po de long
5 ml/1 c. à thé de sel
10 ml/2 c. à thé de sucre en poudre
5 ml/1 c. à thé de vinaigre de riz
2,5 ml/½ c. à thé d'huile au piment
    rouge (facultatif)
quelques gouttes d'huile de sésame

1 Coupez le concombre non pelé en deux dans la longueur. Retirez les graines et détaillez-le en morceaux.

2 Saupoudrez de sel les morceaux de concombre et mélangez bien. Laissez dégorger au moins 20 à 30 minutes – davantage si possible –, puis jetez le liquide rendu.

3 Mélangez le concombre, le sucre, le vinaigre et l'huile au piment. Arrosez d'huile de sésame juste avant de servir.

Chou sauce aigre-douce

Originaire du Sichuan, dans l'ouest de la Chine, ce mets populaire se sert chaud ou froid.

INGRÉDIENTS

Pour 6 à 8 personnes

450 g/1 lb de chou vert ou blanc
45 à 60 ml/3 à 4 c. à soupe d'huile végétale
12 grains de poivre du Sichuan
quelques piments rouges séchés entiers
5 ml/1 c. à thé de sel
15 ml/1 c. à soupe de sucre roux
15 ml/1 c. à soupe de sauce de soja claire
30 ml/2 c. à soupe de vinaigre de riz
quelques gouttes d'huile de sésame

1 Détaillez les feuilles de chou en petits morceaux d'environ 2,5 × 1 cm/ 1 × ½ po.

2 Faites chauffer l'huile dans un wok préchauffé, jusqu'à ce qu'elle fume, avant d'ajouter les grains de poivre et les piments.

3 Incorporez le chou et faites-le revenir pendant 1 à 2 minutes. Mélangez le sel et le sucre pendant encore 1 minute, puis versez la sauce de soja, le vinaigre et l'huile de sésame. Remuez soigneusement et servez aussitôt.

«Algues» croustillantes

On est toujours surpris de constater que les fameuses «algues» servies dans les restaurants chinois, à la connotation si exotique, ne sont en fait que de simples feuilles de chou vert ou de blettes.

INGRÉDIENTS

Pour 4 personnes

450 g/1 lb de feuilles de chou vert
  (ou de feuilles de blettes)
huile de friture végétale
2,5 ml/½ c. à thé de sel
5 ml/1 c. à thé de sucre en poudre
15 ml/1 c. à soupe de poisson frit et haché menu, pour le service (facultatif)

1 Coupez les tiges des feuilles de chou ou de blettes et jetez-les au centre de chaque feuille. Empilez les feuilles et faites-en un rouleau très serré, puis détaillez-les en fines lanières. Étalez-les pour qu'elles sèchent rapidement.

2 Chauffez l'huile dans le wok. Faites frire les feuilles de chou ou de blettes par poignées, en remuant pour les séparer.

3 Retirez les feuilles avec une écumoire dès qu'elles sont croustillantes. Égouttez et saupoudrez de sel et de sucre de façon homogène. Mélangez bien et garnissez avec le poisson haché (facultatif) avant de servir.

Pains de crevettes frits au sésame

Utilisez plutôt des crevettes crues, car les crevettes précuites auront tendance à se détacher des pains pendant la friture.

INGRÉDIENTS

Pour 4 personnes

230 g/8 oz de crevettes crues décortiquées
25 g/1 oz de saindoux
1 blanc d'œuf légèrement battu
5 ml/1 c. à thé de ciboules
  finement hachées
2,5 ml/½ c. à thé de gingembre
  finement haché
15 ml/1 c. à soupe de vin de riz chinois
  (ou de Xérès sec)
15 ml/1 c. à soupe de pâte de Maïzena
  (voir p. 10)
150 g/5 oz de graines de sésame blanches
6 grandes tranches de pain de mie
huile de friture végétale
sel et poivre noir du moulin
feuilles de salade, pour le service

1 Hachez les crevettes dans le saindoux et mélangez en une pâte homogène. Incorporez tous les autres ingrédients, sauf les graines de sésame et le pain.

2 Versez les graines de sésame uniformément sur une grande assiette. Étalez de la pâte de crevettes sur une face des tranches de pain, puis pressez-les contre les graines de sésame.

3 Chauffez l'huile dans un wok à une température moyenne. Faites frire 2 ou 3 tranches de pain à la fois, la partie tartinée vers le bas. Retirez-les au bout de 2 à 3 minutes et égouttez-les. Découpez chaque tranche (en retirant la croûte) en 6 ou 8 petits rectangles. Disposez sur un lit de salade avant de servir.

Gâteaux de crevettes au potiron

Servez ces gâteaux de crevettes
chauds, accompagnés d'une
sauce de poisson.

INGRÉDIENTS

Pour 4 personnes

200 g/7 oz de farine à pain
2,5 ml/½ c. à thé de sel
2,5 ml/½ c. à thé de levure déshydratée
200 ml/6 oz/¾ tasse d'eau chaude
1 œuf battu
200 g/7 oz de crevettes fraîches décortiquées
   et finement hachées
150 g/5 oz de patates douces épluchées
   et râpées
230 g/8 oz de potiron épluché, évidé et râpé
2 ciboules grossièrement hachées
50 g/2 oz de châtaignes d'eau coupées
   et hachées
2,5 ml/½ c. à thé de sauce piquante
1 gousse d'ail écrasée
jus de ½ citron vert
30 à 45 ml/2 à 3 c. à soupe d'huile végétale
ciboules, pour le service

1 Versez la farine et le sel dans un saladier et creusez un puits au centre.
Faites dissoudre la levure dans l'eau, puis
versez au centre du puits. Ajoutez l'œuf
battu et attendez quelques minutes la
formation de petites bulles. Mélangez
jusqu'à obtenir une pâte à pain.

2 Mettez les crevettes dans une casserole et recouvrez d'eau. Portez à
ébullition et laissez mijoter 10 à 12 minutes. Égouttez, rincez à l'eau froide et
égouttez à nouveau. Coupez les crevettes grossièrement et réservez.

3 Versez les patates douces et le potiron dans la pâte à pain, puis ajoutez
les ciboules, les châtaignes d'eau, la
sauce piquante, l'ail, le jus de citron vert
et les crevettes. Faites chauffer un peu
d'huile dans un wok ou une poêle à
frire. Déposez une à une des cuillerées
de pâte, en petits tas, et faites frire jusqu'à ce que les gâteaux ainsi formés
soient bien dorés. Égouttez et servez,
garni de ciboules.

Chaussons carrés à la viande épicée

C'est en Indonésie qu'on prépare ces fameux *Martabak*. On peut utiliser des feuilles de pâte à beignet toutes prêtes, ou des galettes pour nems.

INGRÉDIENTS

Pour 16 chaussons

500 g/1 lb de bœuf maigre haché
2 petits oignons finement hachés
2 petits poireaux très finement hachés
2 gousses d'ail écrasées
10 ml/2 c. à thé de graines de coriandre, grillées et moulues
5 ml/1 c. à thé de graines de cumin, grillées et moulues
5 à 10 ml/1 à 2 c. à thé de poudre de curry doux
2 œufs battus
1 paquet de 400 g/14 oz de petites feuilles de pâte à beignet
45 à 60 ml/3 à 4 c. à soupe d'huile de tournesol
sel et poivre noir du moulin
sauce de soja claire, pour le service

1 Pour réaliser la farce, mélangez la viande, les oignons, les poireaux, l'ail, la coriandre, le cumin, la poudre de curry, le sel et le poivre. Versez dans un wok préchauffé sans huile. Remuez jusqu'à ce que la viande ait changé de couleur. Elle est cuite en 5 minutes.

2 Laissez refroidir, puis mélangez à 1 œuf battu. S'il reste de l'œuf, il servira à sceller les beignets. Dans le cas contraire, remplacez-le par du lait.

3 Badigeonnez d'huile une feuille de pâte à beignets et posez dessus une seconde feuille de pâte. Coupez le tout en deux. Procédez de même pour les autres feuilles. Déposez 1 cuillerée de farce au centre de chaque double feuille de pâte. Repliez les bords vers le centre, en les faisant se chevaucher. Enduisez d'œuf ou de lait et repliez les deux autres côtés en formant des chaussons carrés aussi plats que possible (cela accélérera leur cuisson). Disposez sur un plat fariné et réservez au réfrigérateur.

4 Chauffez le restant d'huile dans une poêle creuse et faites cuire autant de chaussons à la fois que le permet cette poêle. La cuisson doit être de 3 minutes d'un côté et de 2 minutes de l'autre. Servez les chaussons chauds, après les avoir aspergés de sauce de soja claire.

5 Vous pouvez également faire cuire les chaussons au four (à 200 °C/ 400 °F), pendant 20 minutes. Badigeonnez les chaussons d'œuf battu avant de les enfourner pour qu'ils ressortent bien dorés.

Boulettes de viande à la noix de coco

Rehaussées de noix de coco, les boulettes de viande épicées, appelées *Rempah*, figurent souvent parmi les succulentes préparations d'un buffet indonésien.

INGRÉDIENTS

Pour 22 boulettes

115 g/4 oz de noix de coco râpée, ayant trempé dans 60 à 90 ml/4 à 6 c. à soupe d'eau bouillante
350 g/12 oz de bœuf finement haché
2,5 ml/½ c. à thé de graines de coriandre et de cumin grillées
1 gousse d'ail écrasée
un peu d'œuf battu
15 à 30 ml/1 à 2 c. à soupe de farine
huile d'arachide, pour la friture
sel
quartiers de citron, pour le service

1 Mélangez la noix de coco humide et le bœuf haché.

2 Écrasez les graines de coriandre et de cumin dans un mortier avec un pilon. Incorporez-les à la préparation précédente avec l'ail. Salez et liez avec l'œuf battu.

3 Divisez la préparation en portions de la taille de noix et façonnez-les en forme de boulettes.

4 Saupoudrez de farine, puis laissez-les dorer 4 à 5 minutes de chaque côté dans l'huile chaude. Servez avec des quartiers de citron.

Beignets de maïs

Choisissez de préférence du maïs frais pour réaliser cette recette, dénommée *Perkedel jagung*. Ne salez pas l'eau pour éviter de durcir les grains de maïs.

INGRÉDIENTS

Pour 20 beignets

2 épis de maïs frais ou 350 g/12 oz de grains de maïs en boîte
4 amandes
1 gousse d'ail
1 oignon coupé en quatre
1 cm/½ po de *lengkuas* pelé et émincé
5 ml/1 c. à thé de coriandre moulue
30 à 45 ml/2 à 3 c. à soupe d'huile
3 œufs battus
30 ml/2 c. à soupe de noix de coco râpée
2 ciboules finement émincées
quelques feuilles de céleri finement hachées (facultatif)
sel

1 Faites cuire les épis de maïs 7 à 8 minutes dans de l'eau bouillante. Égouttez et laissez refroidir légèrement avant d'en détacher les grains. Si vous utilisez du maïs en boîte, égouttez-le.

2 Broyez finement les amandes, l'ail, l'oignon, le *lengkuas* et la coriandre dans un mixer ou avec un mortier et un pilon. Faites revenir la préparation dans un peu d'huile chaude jusqu'à ce qu'elle libère son arôme.

3 Incorporez les épices dans les œufs battus avec la noix de coco, les ciboules, les feuilles de céleri, les grains de maïs, puis salez.

4 Faites chauffer le reste d'huile dans une poêle. Déposez 3 ou 4 grosses cuillerées de préparation et laissez dorer 2 à 3 minutes. Retournez les beignets et poursuivez la cuisson jusqu'à ce qu'ils soient dorés et croustillants. Procédez de même avec le reste de la préparation.

Ailes de poulet au miel épicé

Vous aurez les doigts collants en mangeant ce plat, mais personne n'imaginerait le déguster autrement! Pensez aux bols rince-doigts.

INGRÉDIENTS

Pour 4 personnes

1 piment rouge finement haché
5 ml/1 c. à thé de poudre de piment
5 ml/1 c. à thé de gingembre moulu
zeste d'1 citron vert non traité,
   très finement râpé
12 ailes de poulet
60 ml/4 c. à soupe d'huile de tournesol
15 ml/1 c. à soupe de coriandre hachée
30 ml/2 c. à soupe de sauce de soja
45 à 60 ml/3 à 4 c. à soupe de miel liquide
rondelles de citron vert et feuilles
   de coriandre, pour le service

1 Mélangez le piment frais, la poudre de piment, le gingembre moulu et le zeste de citron. Frottez chaque aile de poulet avec ce mélange et laissez les saveurs imprégner la chair du poulet pendant au moins 2 heures.

2 Chauffez un wok et versez la moitié de l'huile. Mettez à revenir la moitié du poulet pendant 10 minutes, en le retournant souvent, jusqu'à ce qu'il soit bien croustillant. Égouttez sur du papier absorbant. Procédez de même avec le reste d'huile et de poulet.

3 Faites revenir la coriandre dans le wok chaud, 30 secondes, puis ajoutez les ailes de poulet et laissez cuire 1 minute.

4 Tout en remuant, ajoutez la sauce de soja et le miel et laissez cuire encore 1 minute. Servez les ailes de poulet bien chaudes et nappées de sauce. Garnissez le plat de rondelles de citron vert et de feuilles de coriandre fraîche.

Satay de porc

Originaires d'Indonésie, les satay sont des brochettes de viande marinée avec des épices et rapidement grillée sur du charbon de bois. On les achète comme des cornets de frite, préparés sur des grils portables, à chaque coin de rue ou sur les marchés. Vous pouvez faire des satay avec du poulet, du bœuf ou de l'agneau.

INGRÉDIENTS

Pour 20 brochettes environ

450 g/1 lb de porc maigre
5 ml/1 c. à thé de racine de gingembre râpée
1 tige de citronnelle finement hachée
3 gousses d'ail finement hachées
15 ml/1 c. à soupe de pâte de curry moyenne
5 ml/1 c. à thé de cumin en poudre
5 ml/1 c. à thé de curcuma en poudre
60 ml/4 c. à soupe de crème de coco
30 ml/2 c. à soupe de sauce de poisson
5 ml/1 c. à thé de sucre en poudre
20 brochettes à satay en bois
huile de cuisson

La sauce satay

200 ml/8 oz/1 tasse de lait de coco
30 ml/2 c. à soupe de pâte de curry rouge
75 g/3 oz de beurre de cacahuètes
120 ml/4 oz/½ tasse de bouillon de poulet
45 ml/3 c. à soupe de sucre roux
30 ml/2 c. à soupe de jus de tamarin
15 ml/1 c. à soupe de sauce de poisson
2,5 ml/½ c. à thé de sel

1 Coupez le porc en lanières de 5 cm/ 2 po. Mélangez le gingembre avec la citronnelle, l'ail, la pâte de curry, le cumin, le curcuma, la crème de coco, la sauce de poisson et le sucre.

2 Versez sur le porc et laissez mariner 2 heures environ.

3 Préparez la sauce. Chauffez la crème de coco à feu moyen, ajoutez la pâte de curry rouge, le beurre de cacahuètes, le bouillon de poulet et le sucre.

4 Laissez cuire 5 à 6 minutes pour obtenir un mélange lisse. Ajoutez le tamarin, la sauce de poisson, salez à votre goût.

5 Enfilez la viande sur les brochettes. Enduisez-la d'huile et faites-la griller sur du charbon de bois ou sous le gril du four préchauffé, 3 à 4 minutes de chaque côté, en la tournant plusieurs fois, pour bien la dorer. Servez avec la sauce satay.

Poulet bon-bon à la sauce au sésame

En Chine, on attendrit la viande de poulet en la frappant avec un bâton (*bon*, en chinois), d'où le nom donné à cette célèbre recette du Sichuan.

INGRÉDIENTS

Pour 6 à 8 personnes

1 petit poulet d'un peu plus d'1 kg/2¼ lb
1,25 l/2 pintes/5 tasses d'eau
15 ml/1 c. à soupe d'huile de sésame
1 morceau de concombre coupé
  en lanières, pour le service

La sauce

30 ml/2 c. à soupe de sauce de soja
5 ml/1 c. à thé de sucre
15 ml/1 c. à soupe de ciboules
  finement hachées
5 ml/1 c. à thé de sauce au piment rouge
2,5 ml/½ c. à thé de grains de poivre
  du Sichuan
5 ml/1 c. à thé de graines de sésame blanches
30 ml/2 c. à soupe de pâte de sésame (ou
  30 ml/2 c. à soupe de beurre de cacahuètes
  mélangé à de l'huile de sésame)

1 Rincez le poulet. Faites bouillir l'eau dans un wok, puis ajoutez le poulet. Réduisez le feu, couvrez le wok et laissez cuire pendant 40 à 45 minutes. Retirez le poulet du wok et plongez-le dans de l'eau froide. Laissez-le refroidir 1 heure environ.

2 Retirez le poulet de l'eau et égouttez-le bien. Séchez-le complètement avec du papier absorbant et mettez-le sur une planche en bois. Badigeonnez-le d'huile de sésame. Récupérez toute la viande du poulet en décortiquant la poitrine, les cuisses, les ailes, etc.

3 Déchiquetez la viande avec les doigts, puis pilez-la avec un rouleau à pâtisserie ou un bâton.

4 Disposez la viande dans un plat avec les lanières de concombre autour. Dans un bol, mélangez tous les ingrédients de la sauce, en gardant quelques ciboules pour la garniture. Versez la sauce sur le poulet et servez.

Brochettes de poulet laqué

Cet encas appétissant, nommé *Yakitori*, accompagne souvent l'apéritif au Japon.

INGRÉDIENTS

Pour 12 brochettes

4 cuisses de poulet sans la peau
4 ciboules blanchies et hachées menu
8 ailes de poulet
15 ml/1 c. à soupe de mooli râpé,
    pour le service (facultatif)

La sauce

60 ml/4 c. à soupe de saké
75 ml/5 c. à soupe de sauce de soja foncée
30 ml/2 c. à soupe de sauce tamari
45 ml/3 c. à soupe de Xérès doux
60 ml/4 c. à soupe de sucre

1 Désossez les cuisses de poulet et coupez la viande en gros dés. Enfilez les ciboules et le poulet sur 12 brochettes de bambou.

2 Pour préparer les ailes, coupez la pointe de la première articulation. Sectionnez la seconde articulation, en laissant apparaître les deux petits os. Prenez les os avec un torchon propre et tirez en faisant tourner la viande autour des os. Retirez le petit os et réservez la viande.

3 Réunissez les ingrédients de la sauce dans une cocotte émaillée et faites frémir jusqu'à ce qu'elle réduise des deux tiers. Laissez refroidir.

4 Faites cuire les brochettes de poulet et les ailes sous le gril préchauffé, sans les humecter d'huile. Lorsque le jus commence à sortir, arrosez généreusement de sauce. Poursuivez la cuisson des brochettes pendant 3 minutes et celle des ailes pendant 5 minutes. Servez éventuellement avec du mooli râpé.

Satay d'agneau

INGRÉDIENTS

Pour 25 à 30 brochettes

1 kg/2¼ lb de gigot d'agneau désossé

3 gousses d'ail écrasées

3 ou 4 piments frais épépinés et réduits
en poudre ou 5 à 10 ml/1 à 2 c. à thé
de piment en poudre

60 à 90 ml/4 à 6 c. à soupe de sauce
de soja épaisse

le jus d'1 citron

sel et poivre noir du moulin

huile pour enduire

petits morceaux d'oignon et tranches
de concombre, pour le service

La sauce

6 gousses d'ail écrasées

2 ou 3 piments frais épépinés et réduits
en poudre

90 ml/6 c. à soupe de sauce de soja épaisse

25 ml/1½ c. à soupe de jus de citron

30 ml/2 c. à soupe d'eau bouillante

1 Coupez l'agneau en tranches épaisses puis en dés de 1 cm/½ po. Retirez tendons ou membranes mais laissez la graisse, elle protégera les satay pendant la cuisson et rehaussera leur saveur.

VARIANTE

Le gigot peut être remplacé par du filet
ou de l'épaule d'agneau. Enduisez
la viande d'huile avant de la faire griller.

2 Réduisez en pâte au mixer ou au pilon dans un mortier, l'ail, les piments frais ou la poudre de piment, la sauce de soja, le jus de citron, sel et poivre. Versez sur l'agneau. Couvrez, laissez reposer 1 heure au frais. Faites tremper des brochettes en bois dans l'eau pour qu'elles ne brûlent pas pendant la cuisson.

3 Préparez la sauce. Mettez les gousses d'ail dans un bol. Ajoutez les piments, la sauce de soja, le jus de citron et l'eau bouillante. Mélangez bien.

4 Enfilez la viande sur les brochettes. Badigeonnez d'huile et faites cuire sous le gril en les retournant souvent. Enduisez chaque satay avec un peu de sauce et servez brûlant, avec les morceaux d'oignon et de concombre et le reste de la sauce.

Boulettes de poulet et de riz gluant

Ces boulettes peuvent être frites ou cuites à la vapeur. Frites, elles sont délicieusement croquantes et parfaites pour un apéritif.

INGRÉDIENTS

Pour 30 boulettes environ

450 g/1 lb de poulet haché
1 œuf
5 ml/1 c. à thé de farine de manioc
4 ciboules finement hachées
30 ml/2 c. à soupe de coriandre hachée
30 ml/2 c. à soupe de sauce de poisson
1 pincée de sucre en poudre
poivre noir du moulin
220 g/8 oz de riz gluant cuit
feuilles de banane
huile pour enduire
1 petite carotte coupée en lanières,
  1 poivron rouge coupé en lanières,
  ciboulette ciselée et sauce au piment
  doux, pour le service

1 Dans une jatte, mélangez le poulet haché avec l'œuf, la farine de manioc, les ciboules et la coriandre. Remuez bien et assaisonnez avec la sauce de poisson, le sucre et le poivre.

2 Étalez le riz gluant cuit sur une assiette ou un plateau.

3 Mettez 1 cuillerée à thé du mélange de poulet sur le lit de riz. Avec vos mains mouillées, roulez le mélange dans le riz pour confectionnez 1 boulette de la taille d'une noix. Faites de même avec le reste du mélange de poulet.

CONSEIL

Le riz gluant ou glutineux est très riche en gluten. Il devient collant à la cuisson, ce qui lui a donné son nom. Il se mange aussi bien en plats sucrés qu'en plats salés.

4 Tapissez un cuit-vapeur en bambou de feuilles de bananier et enduisez-les d'huile. Posez les boulettes de poulet sur les feuilles, en les espaçant pour qu'elles ne se collent pas. Faites cuire environ 10 minutes à la vapeur, à feu vif.

5 Retirez du panier et disposez sur les assiettes de service. Garnissez avec les carottes, le poivron rouge et la ciboulette. Servez avec de la sauce au piment doux.

LES POISSONS
ET LES
FRUITS DE MER

*Les nombreuses îles du Pacifique et de
la côte chinoise sont à l'origine de
savoureuses recettes de poissons et de
fruits de mer. Poissons entiers et filets,
parfumés d'herbes et de marinades,
sont cuits à la vapeur, au four ou
rapidement frits. Crevettes, moules,
coquilles Saint-Jacques, calmars et autres
fruits de mer sont proposés dans
une multitude de recettes aussi saines
que délicieuses, telles les* Moules
aux herbes thaïes, *au parfum subtil,
ou les* Crevettes aux chayotes,
sauce curcuma, *fortes en épices.*

Poisson au gingembre et aux ciboules

Des poissons fermes et délicats, comme le saumon ou le turbot, se prêtent bien à cette préparation.

INGRÉDIENTS

Pour 4 à 6 personnes

1 poisson d'environ 700 g/1½ lb vidé
   (bar, truite ou mulet)
2,5 ml/½ c. à thé de sel
15 ml/1 c. à soupe d'huile de sésame
2 à 3 ciboules coupées en deux
   dans la longueur
30 ml/2 c. à soupe de sauce de soja claire
30 ml/2 c. à soupe de vin de riz chinois
   ou de Xérès sec
15 ml/1 c. à soupe de gingembre frais
   coupé en julienne
30 ml/2 c. à soupe d'huile végétale
ciboules coupées en julienne,
   pour le service

1 Incisez la peau du poisson des deux côtés en pratiquant des entailles en diagonale à environ 2,5 cm/1 po d'intervalle, jusqu'à l'arête. Frottez l'intérieur et l'extérieur de sel et badigeonnez d'huile.

2 Répartissez les ciboules sur un plat résistant à la chaleur et posez le poisson dessus. Mélangez la sauce de soja et le vin de riz ou le Xérès avec le gingembre, puis versez sur le poisson.

3 Mettez le plat dans un panier-vapeur très chaud (ou sur une grille, dans un wok) et faites cuire 12 à 15 minutes à couvert.

4 Faites chauffer l'huile végétale à feu vif. Retirez le plat du panier-vapeur, couvrez le poisson de morceaux de ciboule, puis arrosez généreusement d'huile chaude. Servez aussitôt.

Filets de poisson épicés à la chinoise

INGRÉDIENTS

Pour 4 personnes

65 g/2½ oz/⅝ tasse de farine
5 ml/1 c. à thé de cinq-épices
8 filets de poisson sans la peau
   (plie, limande-sole), d'environ
   800 g/1¾ lb au total
1 œuf légèrement battu
40 g/1½ oz/⅞ tasse de chapelure
huile d'arachide, pour la friture
4 ciboules finement émincées
350 g/12 oz de tomates épépinées
   et détaillées en cubes
25 g/1 oz/2 c. à soupe de beurre
30 ml/2 c. à soupe de sauce de soja
sel et poivre noir du moulin
¼ de poivron rouge coupé en julienne,
   et un peu de ciboule, pour le service

1 Tamisez la farine sur une assiette avec le cinq-épices, le sel et le poivre. Farinez les filets, avant de les plonger dans l'œuf battu, et de les enrober de chapelure.

2 Versez l'huile sur 1 cm/½ po de hauteur, dans une grande poêle. Faites chauffer jusqu'à ce qu'elle commence à grésiller. Ajoutez quelques filets et laissez dorer 2 à 3 minutes de chaque côté. Évitez de remplir la poêle : la température de l'huile baisserait et les poissons en absorberaient trop.

3 Posez les filets sur du papier absorbant, puis gardez-les au chaud sur des assiettes. Videz la poêle de son huile et essuyez-la avec du papier absorbant.

4 Faites revenir les ciboules et les tomates dans le beurre pendant 1 minute, avant d'ajouter la sauce de soja.

5 Versez cette préparation sur le poisson, décorez de poivron rouge et de ciboule, puis servez.

Poisson à la sauce aigre-douce

INGRÉDIENTS

Pour 4 personnes

1 poisson entier (dorade ou carpe)
    d'environ 1 kg/2¼ lb
30 à 45 ml/2 à 3 c. à soupe de Maïzena
huile de friture
sel et poivre noir du moulin
riz cuit à l'eau, pour le service

La pâte épicée

2 gousses d'ail
2 tiges de citronnelle
2,5 cm/1 po de *lengkuas*
2,5 cm/1 po de gingembre frais
2 cm/¾ po de curcuma frais ou 2.5 ml/
    ½ c. à thé de curcuma en poudre
10 amandes

La sauce aigre-douce

15 ml/1 c. à soupe de sucre roux
45 ml/3 c. à soupe de vinaigre de cidre
environ 350 ml/12 oz/1½ tasses d'eau
2 feuilles de citron vert en morceaux
4 échalotes coupées en quatre
3 tomates pelées et concassées
3 ciboules coupées en julienne
1 piment rouge frais épépiné et coupé
    en julienne

1 Demandez au poissonnier de vider et d'écailler le poisson, en laissant la tête et la queue, ou faites-le vous-même. Lavez et essuyez le poisson avant de saupoudrer l'intérieur et l'extérieur de sel. Laissez reposer 15 minutes, pendant la préparation des autres ingrédients.

2 Pelez et écrasez les gousses d'ail. Émincez finement la partie inférieure des tiges de citronnelle. Pelez et émincez le *lengkuas*, le gingembre et le curcuma frais. Broyez finement les amandes, l'ail, la citronnelle, le *lengkuas*, le gingembre et le curcuma dans un mixer ou un mortier.

3 Mettez cette préparation dans un saladier. Incorporez le sucre roux, le vinaigre de cidre, l'eau, le sel, puis les feuilles de citron.

4 Saupoudrez le poisson de Maïzena et faites-le cuire 8 à 9 minutes des deux côtés dans l'huile. Posez le poisson sur du papier absorbant, puis mettez-le sur un plat de service. Gardez au chaud.

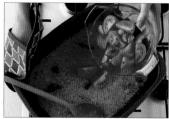

5 Jetez une partie de l'huile, avant de verser le liquide épicé et de porter à ébullition. Laissez frémir 3 à 4 minutes. Ajoutez les échalotes, les tomates, puis, 1 minute après, les ciboules et le piment. Rectifiez si besoin l'assaisonnement.

6 Nappez le poisson de sauce avant de servir avec du riz.

Poisson au sésame et au gingembre

Les supermarchés asiatiques proposent un large choix de poissons tropicaux pour réaliser ce mets originaire de Malaisie.

INGRÉDIENTS

Pour 4 à 6 personnes

2 poissons d'environ 350 g/12 oz chacun
   (dorade, poisson perroquet, queues de lotte)
3 à 4 feuilles de bananier (facultatif)

La marinade

30 ml/2 c. à soupe de graines de sésame
30 ml/2 c. à soupe d'huile végétale,
   plus quelques cuillerées pour la poêle
10 ml/2 c. à thé d'huile de sésame
2,5 cm/1 po de gingembre frais
   finement émincé
2 gousses d'ail écrasées
2 petits piments rouges frais épépinés
   et finement hachés
4 échalotes ou 1 oignon moyen émincés
30 ml/2 c. à soupe d'eau
1 cm/½ po de pâte de crevettes ou 15 ml/
   1 c. à soupe de sauce de poisson
10 ml/2 c. à thé de sucre
2,5 ml/½ c. à thé de poivre noir du moulin
le jus de 2 citrons

1 Nettoyez et essuyez le poisson soigneusement. Incisez profondément la peau des deux côtés. Si vous avez choisi un poisson perroquet, frottez-le de sel et laissez reposer 15 minutes pour éliminer la saveur du corail.

2 Dans un wok préchauffé, préparez la marinade. Faites dorer les graines de sésame dans les deux huiles. Ajoutez le gingembre, l'ail, les piments, les échalotes ou l'oignon et remuez pendant 1 à 2 minutes. Incorporez l'eau, la pâte de crevettes ou la sauce de poisson, le sucre, le poivre, le jus de citron, puis faites frémir 2 à 3 minutes. Laissez refroidir hors du feu.

CONSEIL

Les feuilles de bananier se vendent dans les épiceries asiatiques et indiennes.

---

3 Si vous utilisez les feuilles de bananier, ôtez et jetez la tige centrale. Plongez-les dans l'eau bouillante pour les ramollir. Humectez-les d'huile végétale pour éviter qu'elles sèchent. Étalez la marinade sur les poissons, puis enveloppez-les séparément dans les feuilles de bananier, en les maintenant avec une brochette, ou dans du papier d'aluminium. Laissez reposer 3 heures au frais pour qu'ils s'imprègnent des différents parfums.

4 Faites cuire 35 à 40 minutes dans le four préchauffé à 180 °C/350 °F ou sur le barbecue. Servez chaud.

Bar à la ciboule chinoise

La ciboule chinoise se vend
dans les épiceries asiatiques,
mais vous pouvez la remplacer
par la moitié d'un oignon rouge
d'Espagne, finement émincé.

INGRÉDIENTS

Pour 4 personnes

2 bars d'environ 450 g/1 lb au total
15 ml/1 c. à soupe de Maïzena
45 ml/3 c. à soupe d'huile végétale
175 g/6 oz de ciboule chinoise
15 ml/1 c. à soupe de vin de riz chinois
    ou de Xérès sec
5 ml/1 c. à thé de sucre en poudre
sel et poivre noir du moulin
ciboule chinoise avec les fleurs,
    pour le service

1 Écaillez le poisson de la queue vers
la tête, puis levez les filets.

2 Détaillez les filets en gros morceaux
et saupoudrez-les légèrement de
Maïzena, de sel et de poivre.

3 Faites chauffer 30 ml/2 c. à soupe
d'huile dans un wok préchauffé.
Saisissez le poisson, puis réservez-le.
Essuyez le wok avec du papier absorbant.

4 Coupez la ciboule en sections de
5 cm/2 po de long et jetez les fleurs.
Réchauffez le wok avant de verser
le reste d'huile, puis faites revenir la
ciboule pendant 30 secondes. Ajoutez
le poisson et le vin de riz ou le Xérès sec,
portez à ébullition, puis mélangez le
sucre. Servez chaud, décoré de ciboule
avec les fleurs.

Poisson chinois à la vapeur

Les Chinois préparent couramment le poisson à la vapeur, dans un wok. Dans cette recette, il se rehausse d'ail, de gingembre et de ciboules frites.

INGRÉDIENTS

Pour 4 personnes

4 truites arc-en-ciel
    d'environ 250 g/9 oz chacune
1,5 ml/¼ c. à thé de sel
2,5 ml/½ c. à thé de sucre
2 gousses d'ail finement hachées
15 ml/1 c. à soupe de gingembre frais
    haché menu
5 ciboules détaillées en julienne
5 ml/1 c. à thé d'huile de sésame
60 ml/4 c. à soupe d'huile d'arachide
45 ml/3 c. à soupe de sauce de soja claire
des nouilles fines aux œufs et
    des légumes frits, pour le service

1 Pratiquez trois entailles en diagonale des 2 côtés de chaque poisson avant de les poser dans un plat résistant à la chaleur. Posez une petite grille dans un wok rempli d'eau à mi-hauteur, couvrez et laissez frémir.

2 Saupoudrez le poisson de sel, sucre, ail et gingembre. Posez le plat sur la grille et couvrez. Faites cuire 10 à 12 minutes à feu doux, afin que la chair devienne rose clair, tout en restant ferme.

3 Éteignez le feu, retirez le couvercle et répartissez les ciboules sur le poisson. Couvrez de nouveau.

4 Faites chauffer l'huile de sésame et l'huile d'arachide à feu vif dans une petite casserole jusqu'à ce qu'elles commencent à fumer, puis versez-en un quart sur chaque poisson – les ciboules cuisent dans l'huile chaude. Arrosez de sauce de soja. Servez aussitôt le poisson et la sauce avec des nouilles cuites à l'eau et des légumes frits.

Saumon teriyaki

Dans cette préparation, le condiment croquant complète à merveille le délicieux saumon mariné, fondant dans la bouche.

INGRÉDIENTS

Pour 4 personnes

700 g/1½ lb de filets de saumon
30 ml/2 c. à soupe d'huile de tournesol
cresson, pour le service

La sauce teriyaki

5 ml/1 c. à thé de sucre en poudre
5 ml/1 c. à thé de vin blanc sec
5 ml/1 c. à thé de saké, de vin de riz
ou de Xérès sec
30 ml/2 c. à soupe de sauce de soja foncée

Le condiment

5 cm/2 in de gingembre frais râpé
un peu de colorant alimentaire rose
(facultatif)
50 g/2 oz de mooli râpé

1 Pour préparer la sauce, mélangez le sucre, le vin blanc, le saké, le vin de riz ou le Xérès sec et la sauce de soja, en remuant jusqu'à dissolution du sucre.

2 Retirez la peau du saumon avec un couteau bien affûté.

3 Détaillez le saumon en petits morceaux avant de le mettre dans un plat non métallique. Versez la sauce dessus et laissez mariner 10 à 15 minutes.

4 Pour préparer le condiment, mettez le gingembre dans un saladier et ajoutez éventuellement un peu de colorant. Incorporez le mooli.

5 Retirez le saumon de la sauce et égouttez-le.

6 Chauffez l'huile dans un wok préchauffé. Ajoutez le saumon en plusieurs fois et faites cuire 3 à 4 minutes, en remuant. Dressez sur les assiettes, décorez de cresson, puis servez avec le condiment.

Maquereau grillé au sel

Les Japonais frottent les poissons gras de sel avant la cuisson pour en rehausser la saveur. Le maquereau, le mérou et l'orphie se prêtent particulièrement à cette préparation, appelée *Shio-yaki* au Japon. Le sel est éliminé juste avant la cuisson.

INGRÉDIENTS

Pour 2 personnes

2 petits poissons gras ou 1 gros
   (maquereau, mérou ou orphie)
   vidés et nettoyés, avec la tête
30 ml/2 c. à soupe de sel de table
1 carotte moyenne, coupée en julienne,
   pour le service

La sauce de soja au gingembre

60 ml/4 c. à soupe de sauce de soja foncée
30 ml/2 c. à soupe de sucre
2,5 cm/1 po de gingembre frais

Le raifort japonais

45 ml/3 c. à soupe de poudre de *wasabi*
10 ml/2 c. à thé d'eau

1 Pour préparer la sauce de soja au gingembre, mélangez dans une casserole la sauce de soja, le sucre et le gingembre. Portez à ébullition, puis laissez frémir 2 à 3 minutes. Filtrez et laissez refroidir. Pour préparer le raifort, mélangez la poudre de *wasabi* et l'eau dans un bol jusqu'à obtention d'une pâte ferme. Formez une boule et réservez.

2 Rincez le poisson sous l'eau froide, puis essuyez-le avec du papier absorbant. Pratiquez plusieurs entailles des deux côtés, jusqu'à l'arête. Saupoudrez l'intérieur de sel et frottez-en l'extérieur. Laissez reposer 40 minutes.

3 Lavez le poisson dans une grande quantité d'eau froide pour éliminer toute trace de sel. Incurvez légèrement le poisson et maintenez-le en place en piquant 2 brochettes de bambou dans la longueur du corps, 1 au-dessus et 1 au-dessous de l'œil.

4 Faites cuire le poisson 10 à 12 minutes sous le gril préchauffé ou sur un barbecue, en le retournant une fois. Vous pouvez l'arroser avec un peu de sauce pendant la cuisson. Posez le poisson sur un plat de service et disposez à côté la carotte, le raifort et la sauce.

CONSEIL

Le *wasabi* est la racine broyée d'une variété orientale de raifort. Il relève de sa saveur prononcée le poisson cru et les coquillages. En Occident, il est commercialisé sous forme de poudre qui doit être délayée dans de l'eau.

Lotte aux vermicelles de riz

Aussi savoureux qu'appétissant
ces médaillons de poisson
marinés sont enrobés
de vermicelles de riz
avant d'être frits.

INGRÉDIENTS

Pour 4 personnes

450 g/1 lb de lotte
5 ml/1 c. à thé de gingembre frais râpé
1 gousse d'ail finement hachée
30 ml/2 c. à soupe de sauce de soja
175 g/6 oz de vermicelles de riz
50 g/2 oz de Maïzena
2 œufs battus
sel et poivre noir du moulin
huile de friture
quelques feuilles de bananier,
    pour le service (facultatif)

La sauce d'accompagnement

30 ml/2 c. à soupe de sauce de soja
30 ml/2 c. à soupe de vinaigre de riz
15 ml/1 c. à soupe de sucre
2 piments rouges finement émincés
1 ciboule finement émincée

1 Détaillez la lotte en morceaux d'environ 2,5 cm/1 po d'épaisseur.
Mélangez avec le gingembre, l'ail et
la sauce de soja, puis laissez mariner
10 minutes.

2 Pendant ce temps, préparez la sauce.
Mélangez la sauce de soja, le vinai-
gre et le sucre dans une petite casserole.
Portez à ébullition, salez et poivrez.
Incorporez les piments et la ciboule
hors du feu, puis réservez.

3 Coupez les vermicelles en sections
de 4 cm/1½ po de long avec des
ciseaux et séparez-les.

4 Enrobez les morceaux de poisson
de Maïzena, plongez-les dans l'œuf
battu et couvrez-les de vermicelles, en
appuyant dessus pour qu'ils adhèrent bien.

5 Faites frire 2 à 3 morceaux de poisson dans l'huile chaude, jusqu'à ce
que les vermicelles soient dorés et
croustillants. Égouttez-les, puis servez
chaud sur des feuilles de bananier, avec
la sauce d'accompagnement.

Poisson au gingembre et aux noix de cajou

La cuisson en papillote préserve la saveur délicatement épicée de ces poissons. Les délicieux parfums se révéleront dès que vous ouvrirez le papier.

INGRÉDIENTS

Pour 4 personnes

1 kg/2½ lb de bar écaillé et vidé

La marinade

150 g/5 oz/1¼ tasses de noix de cajou crues
2 échalotes ou 1 petit oignon
  finement hachés
1 cm/½ po de gingembre frais,
  finement haché
1 gousse d'ail écrasée
1 petit piment rouge frais épépiné
  et finement haché
30 ml/2 c. à soupe d'huile végétale
15 ml/1 c. à soupe de pâte de crevettes
10 ml/2 c. à thé de sucre
30 ml/2 c. à soupe de sauce de tamarin
30 ml/2 c. à soupe de ketchup
le jus de 2 citrons
sel

3 Enrobez les deux côtés des poissons de cette préparation et laissez mariner 8 heures au réfrigérateur.

4 Enveloppez les poissons dans du papier d'aluminium, puis faites cuire 30 à 35 minutes dans le four préchauffé à 180 °C/350 °F.

1 Pratiquez 3 à 4 entailles de chaque côté des poissons, puis réservez.

2 Broyez finement les noix de cajou, les échalotes ou l'oignon, le gingembre, l'ail et le piment dans un mortier ou un mixer. Ajoutez l'huile végétale, la pâte de crevettes, le sucre, puis salez. Mélangez bien et incorporez la sauce de tamarin, le ketchup et le jus de citron. Malaxez intimement.

Boulettes de poisson aux légumes verts chinois

Ces boulettes très parfumées sont cuites à la vapeur dans un wok et accompagnées de différents légumes verts, dont le *pak choi*, que l'on trouve dans les épiceries asiatiques.

INGRÉDIENTS

Pour 4 personnes

Les boulettes de poisson

500 g/1 lb de filets de poisson sans arêtes, découpés en dés
3 ciboules hachées
100 g/4 oz de petits lardons sans couenne
15 ml/1 c. à soupe de vin de riz chinois (ou de Xérès sec)
30 ml/2 c. à soupe de sauce de soja claire
1 blanc d'œuf

Les légumes

1 petite tête de *pak choi*
5 ml/1 c. à thé de Maïzena
15 ml/1 c. à soupe de sauce de soja claire
150 ml/¼ pinte/⅔ tasse de bouillon de poisson
30 ml/2 c. à soupe d'huile d'arachide
2 gousses d'ail hachées
1 morceau de gingembre frais de 2 ou 3 cm/1 po environ, coupé en fines lanières
75 g/3 oz de haricots verts
175 g/6 oz de haricots mange-tout
3 ciboules coupées en petits losanges
sel et poivre noir du moulin

1 Mixez le mélange de poisson, lardons, ciboules, vin de riz, sauce de soja et blanc d'œuf, en une pâte homogène. Confectionnez avec les mains mouillées 2 douzaines de petites boulettes.

2 Faites cuire les boulettes à la vapeur pendant 5 à 10 minutes dans une marmite en bambou légèrement huilée, calée à l'intérieur d'un wok. Retirez-les et maintenez au chaud.

3 Dans le même temps, coupez le *pak choi* et jetez les feuilles décolorées ou les tiges abîmées. Déchirez les autres en petits morceaux.

4 Mélangez la Maïzena, la sauce de soja et le bouillon de poisson dans un petit saladier et réservez.

5 Chauffez un wok, puis versez l'huile en la répartissant bien. Faites revenir l'ail et le gingembre 2 à 3 minutes. Ajoutez les haricots verts et laissez cuire pendant 2 à 3 minutes. Enfin, mettez à revenir les haricots mange-tout, les ciboules et le *pak choi* 2 à 3 minutes.

6 Versez la sauce dans le wok et faites cuire le tout, en remuant, jusqu'à ce que le mélange épaississe et que les légumes soient tendres et croustillants. Goûtez pour saler et poivrer. Servez avec les boulettes de poisson.

CONSEIL

Vous pouvez remplacer les haricots verts et les haricots mange-tout par des brocolis. Il vous suffira de les blanchir avant de les faire revenir.

Poisson frit Balti

Les Pakistanais consomment beaucoup de poisson d'eau douce ou d'eau de mer. La ville de Karachi est célèbre pour ses délicieux produits de la mer.

INGRÉDIENTS

Pour 4 à 6 personnes

680 g/1½ lb de filet de morue ou d'églefin
1 oignon émincé
15 ml/1 c. à soupe de jus de citron
5 ml/1 c. à thé de sel
5 ml/1 c. à thé de pulpe d'ail
5 ml/1 c. à thé de piment rouge séché, écrasé
7,5 ml/1½ c. à thé de *garam masala*
30 ml/2 c. à soupe de coriandre
   fraîche hachée
2 tomates
30 ml/2 c. à soupe de Maïzena
150 ml/¼ pinte/⅔ tasse d'huile de maïs
chutney à l'abricot et paratha (facultatif),
   pour le service

1 Enlevez la peau du poisson et coupez-le en petits dés. Mettez-les dans une jatte, au réfrigérateur.

2 Dans un bol, mélangez l'oignon avec le jus de citron, le sel, l'ail, le piment rouge écrasé, le *garam masala* et la coriandre. Réservez.

3 Plongez les tomates dans de l'eau bouillante quelques secondes. Retirez avec une écumoire et ôtez la peau. Hachez-les grossièrement et versez dans le mélange précédent.

4 Mettez le tout dans le bol d'un mixer et mixez 30 secondes.

5 Sortez le poisson du réfrigérateur et ajoutez-le au mélange précédent. Remuez soigneusement.

6 Intégrez la Maïzena et mélangez à nouveau pour bien enrober les dés de poisson.

7 Chauffez l'huile dans un wok préchauffé (ou une poêle préchauffée). Baissez légèrement le feu et ajoutez les morceaux de poisson, par petites quantités. Laissez cuire 5 minutes en les retournant avec une écumoire, ils doivent être bien dorés.

8 Retirez le poisson avec une écumoire et égouttez sur du papier absorbant. Gardez au chaud pendant que vous faites cuire le reste du poisson. Servez aussitôt avec du chutney à l'abricot et du paratha, si vous l'aimez.

Poisson sauté à la thaïlandaise

Voici un plat très consistant,
à servir accompagné de pain
bien croustillant pour ne pas
perdre une seule goutte de jus.

INGRÉDIENTS

Pour 4 personnes

700 g/1½ lb de poissons et de fruits de mer
(par exemple des filets de lotte et
de cabillaud avec des crevettes crues)
300 ml/½ pinte/1¼ tasses de lait de coco
15 ml/1 c. à soupe d'huile végétale
sel et poivre noir du moulin
pain croustillant, pour le service

La sauce

2 gros piments rouges frais
1 oignon grossièrement haché
1 morceau de gingembre de 5 cm/2 po,
épluché et haché
1 branche de citronnelle, sans la feuille
externe, coupée en morceaux
1 morceau de *galanga* de 5 cm/2 po,
épluché et coupé en morceaux
6 amandes blanchies et hachées
2,5 ml/½ c. à thé de curcuma
2,5 ml/½ c. à thé de sel

1 Découpez les filets de poisson en
gros morceaux. Décortiquez les
crevettes, en laissant la queue intacte.

--- REMARQUE PRATIQUE ---

Le *galanga* est un rhizome appartenant
à la même famille que la racine de
gingembre. Son goût en est très proche,
quoique moins prononcé. On l'épluche,
on le coupe, on le hache ou on le râpe
de la même façon que le gingembre.
Cette épice est très utilisée dans la cuisine
du Sud-Est asiatique, particulièrement
en Indonésie, en Malaisie et en Thaïlande.

2 Pour confectionner la sauce, épépi-
nez les piments rouges et hachez-les
grossièrement. Mettez-les avec les autres
ingrédients de la sauce dans un mixer et
ajoutez 45 ml/3 c. à soupe de lait de
coco. Mixez jusqu'à ce que le mélange
soit homogène.

3 Chauffez un wok avec l'huile. Mettez
à revenir les fruits de mer 2 à 3 minutes, puis retirez-les du wok.

4 Versez dans le wok chaud la sauce et
le reste de lait de coco, puis les fruits
de mer. Portez à ébullition. Salez, poivrez
et servez avec du pain croustillant.

Boemboe de poisson à la balinaise

L'île de Bali, petit paradis entouré d'une mer d'azur, est réputée pour ses poissons. Cette préparation de curry de poisson renferme toutes les saveurs caractéristiques de la cuisine indonésienne.

INGRÉDIENTS

Pour 4 à 6 personnes

700 g/1½ lb de filet de cabillaud
 (ou de haddock)
1 cm/½ po de *terasi* en cube
2 oignons blancs ou rouges
2 à 3 cm/1 po de gingembre frais moulu
1 cm/½ po de *lengkuas* frais, épluché et
 coupé (ou 5 ml/1 c. à thé de *lengkuas*
 en poudre)
2 gousses d'ail
1 à 2 piments rouges frais, épépinés
 (ou 5 à 10 ml/1 à 2 c. à thé de poudre
 de piment)
90 ml/6 c. à soupe d'huile de tournesol
15 ml/1 c. à soupe de sauce de soja brune
5 ml/1 c. à thé de pulpe de tamarin, trempée
 dans 30 ml/2 c. à soupe d'eau chaude
250 ml/8 oz/1 tasse d'eau
feuilles de céleri ou piments frais hachés
 menu, riz, pour le service

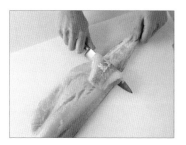

1 Rincez le poisson. Retirez toutes les arêtes et ôtez la peau, puis découpez-le en petites bouchées. Essuyez avec du papier absorbant et réservez.

2 Mixez ensemble le *terasi*, les oignons, le gingembre, le *lengkuas* frais (si vous en avez), l'ail et les piments frais (si vous en avez). En cas d'utilisation de la poudre de piment et de la poudre de *lengkuas*, ajoutez-les après avoir mixé.

3 Faites revenir les épices dans 30 ml/ 2 c. à soupe d'huile. Ajoutez la sauce de soja. Filtrez le tamarin et versez le jus obtenu, ainsi que l'eau, dans la préparation. Laissez mijoter 2 à 3 minutes.

--- VARIANTE ---
Utilisez 500 g/1 lb de grosses crevettes cuites.
Ne les ajoutez que 3 minutes avant la fin.

4 Dans une autre poêle, faites revenir le poisson dans le reste d'huile pendant 2 à 3 minutes. Ne le retournez qu'une seule fois pour éviter qu'il se désagrège. Retirez avec une écumoire et déposez-le dans la sauce.

5 Faites cuire le poisson dans la sauce pendant 3 minutes, puis servez avec le riz. Décorez avec les feuilles de céleri ou les piments.

Balti de poisson à la noix de coco

Utilisez plutôt des filets de poisson frais, car ils auront toujours plus de goût que le poisson surgelé. Le poisson surgelé doit être totalement décongelé avant la cuisson.

INGRÉDIENTS

Pour 4 personnes

30 ml/2 c. à soupe d'huile de maïs
5 ml/1 c. à thé de graines d'oignon
4 piments rouges séchés
3 gousses d'ail hachées
1 oignon coupé en rondelles
2 tomates coupées en rondelles
30 ml/2 c. à soupe de poudre
   de noix de coco séchée
5 ml/1 c. à thé de sel
5 ml/1 c. à thé de coriandre moulue
4 filets de poisson plat, sole ou carrelet,
   de 75 g/3 oz environ chacun
150 ml/¼ pinte/⅔ tasse d'eau
15 ml/1 c. à soupe de jus de citron vert
15 ml/1 c. à soupe de coriandre hachée
riz pour le service (facultatif)

1 Chauffez l'huile dans un wok. Réduisez légèrement le feu. Mettez à revenir les graines d'oignon, les piments rouges séchés, l'ail et les rondelles d'oignon, 3 à 4 minutes, en remuant.

2 Ajoutez les tomates, la noix de coco, le sel et la coriandre. Remuez bien.

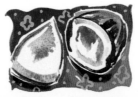

3 Coupez chaque filet de poisson en 3 morceaux. Placez-les dans le mélange et retournez-les doucement pour bien les enduire.

4 Faites cuire 5 à 7 minutes, en baissant le feu si nécessaire. Ajoutez l'eau, le jus de citron et la coriandre. Laissez cuire encore 3 à 5 minutes, afin que l'eau soit presque totalement évaporée. Servez avec, éventuellement, du riz.

REMARQUE PRATIQUE

Il existe une version balti du wok chinois, appelée *karahi*, ou poêle balti. Elle est le plus souvent à fond bombé et munie de deux poignées. Comme le wok, elle est traditionnellement en fonte pour résister aux très hautes températures et à l'huile brûlante qui sert à la cuisson. Il existe aujourd'hui des modèles de *karahis* fabriqués dans différents métaux, de différentes tailles, y compris pour portions individuelles.

Poisson braisé, sauce piquante à l'ail

Voici une recette classique du Sichuan. Les restaurants servent habituellement le poisson sans la tête ni la queue, qui sont réservées à d'autres préparations. Il est néanmoins possible de cuire le poisson entier, ce qui fait toujours plus d'impression lors d'un dîner.

INGRÉDIENTS

Pour 4 à 6 personnes

1 carpe (ou 1 bar, 1 truite, 1 mulet)
   de 700 g/1½ lb environ (vidée)
15 ml/1 c. à soupe de sauce de soja claire
15 ml/1 c. à soupe de vin de riz chinois
   (ou de Xérès sec)
huile de friture végétale

La sauce

2 gousses d'ail finement hachées
2 à 3 ciboules, les parties blanches
   et vertes hachées séparément
5 ml/1 c. à thé de gingembre frais
   finement haché
30 ml/2 c. à soupe de sauce piquante
15 ml/1 c. à soupe de purée de tomates
10 ml/2 c. à thé de sucre roux
15 ml/1 c. à soupe de vinaigre de riz
120 ml/4 oz/½ tasse de bouillon de volaille
15 ml/1 c. à soupe de Maïzena
quelques gouttes d'huile de sésame

1 Rincez et égouttez soigneusement le poisson. À l'aide d'un couteau aiguisé, entaillez-le sur ses deux faces par des fentes en diagonale, espacées de 2 cm/1 po. Badigeonnez le poisson de vin et de sauce de soja. Laissez mariner pen-dant 10 à 15 minutes.

2 Faites chauffer l'huile de friture dans un wok. Mettez à frire le poisson des deux côtés, 3 à 4 minutes, jusqu'à ce qu'il soit bien doré.

3 Pour la sauce, jetez l'huile en n'en conservant que 15 ml/1 c. à soupe environ. Poussez le poisson vers le bord du wok et ajoutez l'ail, la partie blanche des ciboules, le gingembre, la sauce piquante, la purée de tomates, le sucre, le vinaigre et le bouillon de volaille. Portez à ébullition, puis braisez le poisson dans la sauce, 4 à 5 minutes, en le retournant une fois. Ajoutez la partie verte des ciboules et la Maïzena. Servez après avoir arrosé de quelques gouttes d'huile de sésame.

Balti de fruits de mer aux légumes

Les fruits de mer aux épices sont préparés à part et mélangés aux légumes au dernier moment.

INGRÉDIENTS

Pour 4 personnes

Les fruits de mer

230 g/8 oz de cabillaud (ou un autre poisson
    blanc à chair ferme)
230 g/8 oz de crevettes décortiquées cuites
6 bâtonnets de crabe coupés en deux
    en diagonale
15 ml/1 c. à soupe de jus de citron
5 ml/1 c. à thé de coriandre moulue
5 ml/1 c. à thé de poudre de piment
5 ml/1 c. à thé de sel
5 ml/1 c. à thé de cumin moulu
60 ml/4 c. à soupe de Maïzena
150 ml/¼ pinte/⅔ tasse d'huile de maïs

Les légumes

150 ml/¼ pinte/⅔ tasse d'huile de maïs
2 oignons hachés
5 ml/1 c. à thé de graines d'oignon
½ chou-fleur coupé en bouquets
120 g/4 oz de haricots verts
    coupés en petits morceaux
175 g/6 oz de maïs doux
5 ml/1 c. à thé de racine de gingembre
    en lanières
5 ml/1 c. à thé de poudre de piment
5 ml/1 c. à thé de sel
4 piments verts frais coupés en morceaux
30 ml/2 c. à soupe de coriandre hachée
rondelles de citron, pour le service

1 Ôtez la peau du poisson avant de le découper en petits dés. Mettez-le dans un saladier avec les crevettes et les bâtonnets de crabe.

CONSEIL

Pourquoi ne pas accompagner ce plat de fruits de mer d'une délicieuse raïta ? Battez 300 ml/½ pinte/1¼ tasses de yaourt nature, puis incorporez 120 ml/4 oz/½ tasse d'eau en continuant de battre. Versez 5 ml/1 c. à thé de sel, 30 ml/2 c. à soupe de coriandre fraîche hachée et 1 piment vert finement haché. Garnissez de petites rondelles de concombre et de 1 ou 2 feuilles de menthe.

2 Dans un autre saladier, mélangez le jus de citron, la coriandre moulue, la poudre de piment, le sel et le cumin moulu. Versez ce mélange sur les fruits de mer et remuez bien avec les doigts.

3 Ajoutez la Maïzena et mélangez jusqu'à ce que les fruits de mer soient totalement enduits. Laissez reposer au réfrigérateur 1 heure, le temps que les saveurs se développent pleinement.

4 Pour la préparation des légumes, faites chauffer l'huile dans un wok préchauffé. Mettez à revenir les oignons et les graines d'oignons jusqu'à ce qu'ils dorent légèrement.

5 Ajoutez le chou-fleur, les haricots verts, le maïs doux, le gingembre, la poudre de piment, le sel, les piments verts et la coriandre fraîche. Faites revenir 7 à 10 minutes à feu moyen, sans que le chou-fleur se décompose.

6 Déposez les légumes sur les bords d'un plat creux, en ménageant l'espace central pour les fruits de mer. Gardez au chaud.

7 Lavez et séchez bien le wok pour y chauffer l'huile. Faites frire les fruits de mer par petits paquets, jusqu'à qu'ils soient bien dorés. Retirez-les de l'huile à l'aide d'une écumoire et égouttez sur du papier absorbant.

8 Déposez au fur et à mesure les fruits de mer rissolés au centre du plat, en prenant soin de le garder bien chaud pendant la cuisson du reste des fruits de mer. Décorez avec les rondelles de citron et servez immédiatement.

Poisson braisé aux champignons

Cette recette est la transposition en sauté des filets de sole bonne femme, traditionnellement préparés avec une sauce au vin blanc.

INGRÉDIENTS

Pour 4 personnes

450 g/1 lb de filets de limande-sole, de raie ou de carrelet
5 ml/1 c. à thé de sel
½ blanc d'œuf
30 ml/2 c. à soupe de Maïzena
600 ml/1 pinte/2½ tasses environ d'huile végétale
15 ml/1 c. à soupe de ciboules finement hachées
2,5 ml/½ c. à thé de gingembre frais haché
120 g/4 oz de champignons de Paris coupés en fines rondelles
5 ml/1 c. à thé de sucre roux
15 ml/1 c. à soupe de sauce de soja claire
30 ml/2 c. à soupe de vin de riz chinois (ou de Xérès sec)
15 ml/1 c. à soupe de cognac
120 ml/4 oz/⅔ tasse environ de bouillon de volaille
quelques gouttes d'huile de sésame

1 Enlevez à l'aide d'un couteau les arêtes latérales du poisson, en laissant la peau. Découpez les filets en petits morceaux et mélangez-les avec le blanc d'œuf, la moitié de la Maïzena et un peu de sel.

CONSEIL

Choisissez de préférence des champignons de paille (ou volvaires), si vous en trouvez. Cultivés sur un lit de paille de riz qui leur donne leur nom, ils ont une texture lisse très agréable et une saveur particulièrement subtile.

2 Chauffez l'huile dans un wok à une température moyenne, puis plongez les morceaux de poisson. Remuez doucement afin que les morceaux ne collent pas. Retirez-les au bout d'1 minute environ et égouttez. Videz l'huile du wok, pour n'en laisser que 30 ml/2 c. à soupe.

3 Faites revenir les ciboules, le gingembre et les champignons 1 minute. Ajoutez le sucre, la sauce de soja, le vin, le cognac et le bouillon de volaille. Portez à ébullition. Plongez les filets dans la préparation et braisez 1 minute. Ajoutez la Maïzena restante. Remuez et aspergez d'huile de sésame. Servez.

Crevettes fu-yung

Cette recette pleine de couleurs et de saveurs est facile à réaliser dans un wok. Les ingrédients peuvent être préparés longtemps à l'avance.

INGRÉDIENTS

Pour 4 personnes

3 œufs, dont 5 ml/1 c. à thé de blanc d'œuf gardée en réserve
15 ml/1 c. à soupe de ciboules finement hachées
45 à 60 ml/3 à 4 c. à soupe d'huile végétale
230 g/8 oz de crevettes crues décortiquées
10 ml/2 c. à thé de Maïzena
175 g/6 oz de petits pois
15 ml/1 c. à soupe de vin de riz chinois (ou de Xérès sec)
sel

1 Battez les œufs en y ajoutant 1 pincée de sel et quelques morceaux de ciboules. Faites chauffer un peu d'huile dans un wok déjà chaud, à feu modéré. Versez les œufs préparés et procédez comme pour des œufs brouillés. Retirez les œufs du wok et réservez.

2 Mélangez les crevettes avec du sel, le blanc d'œuf réservé et la Maïzena. Faites revenir les petits pois dans l'huile 30 secondes. Ajoutez les crevettes.

3 Incorporez le reste des ciboules et laissez revenir 1 minute, puis versez sur les œufs brouillés. Remuez en ajoutant le vin et du sel. Servez.

Gâteaux de poisson thaïlandais

Le mélange de citron vert, de piments et de citronnelle fait de ces petits gâteaux de poisson une entrée parfumée, ou un encas très apprécié.

INGRÉDIENTS

Pour 4 personnes

500 g/1 lb de filets de poisson blanc
(cabillaud ou haddock)
3 ciboules coupées en rondelles
30 ml/2 c. à soupe de coriandre hachée
30 ml/2 c. à soupe de pâte de curry
(rouge) thaïlandaise
1 piment vert frais épépiné et haché
10 ml/2 c. à thé de zeste de citron vert râpé
15 ml/1 c. à soupe de jus de citron vert
30 ml/2 c. à soupe d'huile d'arachide
sel
feuilles de laitue, ciboules coupées en
lanières, rondelles de piments rouges,
feuilles de coriandre et quartiers
de citrons verts, pour le service

1 Découpez les filets de poisson en morceaux. Versez dans un mixer.

2 Ajoutez les ciboules, la coriandre, la pâte de curry, le piment vert, le zeste et le jus de citron vert. Salez. Mixez.

3 Avec les mains légèrement farinées, façonnez 16 petits gâteaux d'un diamètre de 4 cm/1½ po environ. Déposez-les sur un plateau et placez-les au réfrigéra-teur couverts d'un film transparent, où ils refroidiront pendant 2 heures.

4 Chauffez un wok à grand feu et versez l'huile. Mettez à revenir les gâteaux de poisson, 4 ou 5 à la fois, pendant 6 à 8 minutes, en les retournant pour qu'ils soient dorés des deux côtés. Égouttez sur du papier absorbant et gardez-les au chaud pendant la cuisson des gâteaux suivants. Servez sur un lit de laitue et décorez de lanières de ciboules, de rondelles de piments rouges, de feuilles de coriandre et de quartiers de citrons.

Poisson aux tomates cerise

Lorsque le poisson est cuit de cette manière, sa peau devient croustillante tandis que sa chair reste moelleuse et bien juteuse. La sauce aigre-douce, agrémentée de tomates cerise, s'harmonise merveilleusement avec ce poisson.

INGRÉDIENTS

Pour 4 à 6 personnes

1 grand poisson (ou 2 poissons de taille
    moyenne) tel que rouget, truite, loup
    ou carrelet, sans la tête
20 ml/4 c. à thé de Maïzena
120 ml/4 oz/½ tasse d'huile végétale
15 ml/1 c. à soupe d'ail haché
15 ml/1 c. à soupe de gingembre haché
30 ml/2 c. à soupe d'échalotes hachées
250 g/8 oz de tomates cerise
30 ml/2 c. à soupe de vinaigre de vin rouge
30 ml/2 c. à soupe de sucre en poudre
30 ml/2 c. à soupe de ketchup
15 ml/1 c. à soupe de sauce de poisson
45 ml/3 c. à soupe d'eau
sel et poivre noir du moulin
feuilles de coriandre et ciboules coupées
    en lanières, pour le service

3 Chauffez l'huile dans un wok ou une grande poêle et mettez le poisson. Réduisez le feu et faites rissoler le poisson, 6 à 7 minutes de chaque côté, afin qu'il soit bien doré et croustillant.

4 Retirez le poisson à l'aide d'une spatule et posez-le sur un grand plat.

5 Jetez l'huile pour n'en conserver que 30 ml/2 c. à soupe et faites revenir l'ail, le gingembre et les échalotes.

6 Ajoutez les tomates cerise et laissez cuire jusqu'à ce qu'elles éclatent. Incorporez le vinaigre, le sucre, le ketchup et la sauce de poisson. Laissez mijoter 1 à 2 minutes. Salez et poivrez.

7 Mélangez le reste de Maïzena dans l'eau. Ajoutez à la sauce et remuez jusqu'à ce qu'elle épaississe. Versez la sauce sur le poisson, garnissez de feuilles de coriandre et de lanières de ciboules.

1 Rincez et nettoyez bien le poisson. Pratiquez des entailles en diagonale sur les deux faces du poisson.

2 Saupoudrez le poisson de Maïzena (15 ml/3 c. à thé environ). Secouez légèrement pour enlever le surplus.

Saumon sauté aux épices

Le saumon libère tous ses arômes lorsqu'il est mariné. Comme le jus de citron vert attendrit le poisson, sa cuisson demande très peu de temps. Attention donc à ne pas le cuire trop longtemps.

INGRÉDIENTS

Pour 4 personnes

4 darnes de saumon de 230 g/8 oz chacune
4 anis étoilés entiers
2 branches de citronnelle en morceaux
jus de 3 citrons verts
zestes de 3 citrons verts finement râpés
30 ml/2 c. à soupe de miel liquide
30 ml/2 c. à soupe d'huile de pépins
    de raisins
sel et poivre noir du moulin
quartiers de citrons verts, pour le service

1 À l'aide d'un couteau bien aiguisé, retirez l'arête centrale de chaque darne de saumon en la séparant en deux.

2 Saupoudrez une planche à découper d'1 pincée de sel pour éviter que le poisson ne glisse. Coupez chaque morceau de poisson en diagonale et retirez la peau en insérant le couteau à la pointe de chacun.

3 Pilez grossièrement l'anis étoilé dans un mortier. Déposez le saumon dans un plat non métallique et ajoutez l'anis, la citronnelle, le jus et les zestes de citron, ainsi que le miel. Salez et poivrez. Retournez les bandes de saumon pour bien les enduire. Couvrez et laissez mariner toute 1 nuit au réfrigérateur.

4 Égouttez le saumon et séchez-le avec du papier absorbant. Réservez la marinade.

5 Chauffez un wok et versez l'huile. Mettez à revenir le saumon en remuant constamment, jusqu'à cuisson complète. Augmentez le feu, versez la marinade sur le saumon, puis portez à ébullition. Décorez de quartiers de citrons et servez.

REMARQUE PRATIQUE

L'anis étoilé contient le même type d'huile que l'anis traditionnel provenant du bassin méditerranéen, mais son aspect est très différent. Sa forme d'étoile le rend évidemment tout indiqué pour décorer un plat, c'est pourquoi la cuisine chinoise ne manque pas de l'employer entier. Les cuisiniers occidentaux l'ont adopté à leur tour pour la même raison. Cet ingrédient très important dans nombre de recettes asiatiques se trouve également dans la composition de la poudre cinq-épices. L'anis étoilé a un goût plus prononcé et plus liquoreux que son cousin européen.

Curry de poisson malais

Ce curry de poisson préparé au wok dans du lait de coco est un plat succulent, très apprécié des connaisseurs.

INGRÉDIENTS

Pour 4 à 6 personnes

700 g/1½ lb de filet de carrelet, de daurade ou de lotte

sel

45 ml/3 c. à soupe de noix de coco séchée ou râpée

30 ml/2 c. à soupe d'huile végétale

3 cm/1 po environ de gingembre frais (ou de *galanga* finement haché)

2 petits piments rouges finement hachés

2 gousses d'ail écrasées

1 branche de citronnelle en lanières

15 ml/1 c. à soupe de sauce de poisson (ou 1 morceau de pâte de crevettes de 1,5 cm/½ po)

400 g/14 oz de lait de coco en boîte

600 ml/1 pinte/2½ tasses de bouillon de volaille

2,5 ml/½ c. à thé de curcuma

15 ml/1 c. à soupe de sucre en poudre

jus d'1 citron vert

coriandre, citron vert et riz, pour le service

1 Découpez le poisson en gros morceaux. Salez et réservez.

CONSEIL

On sert traditionnellement avec ce curry du *sambal*, un condiment très épicé. Pour le préparer, mélangez ensemble 2 tomates pelées et coupées, 1 oignon finement haché, 1 piment vert finement haché et 30 ml/2 c. à soupe de jus de citron vert. Salez, poivrez, et versez le tout sur 30 ml/ 2 c. à soupe de noix de coco séchée.

2 Faites dorer la noix de coco, à sec, dans un wok. Mettez l'huile, le gingembre, les piments, l'ail et la citronnelle, à revenir. Arrosez de sauce de poisson (ou de pâte de crevettes) et remuez. Filtrez le lait de coco au-dessus du wok. Réservez la partie épaisse du lait.

3 Versez le bouillon de volaille, le curcuma, le sucre, du sel et le jus de citron. Laissez mijoter 10 minutes. Ajoutez le poisson et faites cuire encore 6 à 8 minutes. Versez la partie épaisse du lait de coco et remuez pour épaissir. Garnissez de coriandre et de rondelles de citron vert. Servez avec du riz, par exemple.

Poisson au vinaigre

La préparation de poisson à base de piments, de gingembre et de vinaigre est une spécialité indonésienne. Elle est particulièrement adaptée à des poissons gras et forts en goût tels que le maquereau, employé dans cette recette.

INGRÉDIENTS

Pour 2 à 3 personnes

2 ou 3 filets de maquereau
2 ou 3 piments rouges épépinés
4 noix de macadam ou 8 amandes
1 oignon rouge, coupé en quartiers
2 gousses d'ail écrasées
1 cm/½ po de gingembre frais, épluché et haché
5 ml/1 c. à thé de curcuma moulu
45 ml/3 c. à soupe d'huile de noix de coco ou d'huile végétale
45 ml/3 c. à soupe de vinaigre de vin
150 ml/¼ pinte/⅔ tasse d'eau
sel
rondelles d'oignon frites *(voir p. 329)*, piments hachés, riz blanc ou riz à la noix de coco, pour le service

1 Rincez les filets de maquereau à l'eau froide et séchez bien avec du papier absorbant. Réservez.

CONSEIL

Pour préparer le riz à la noix de coco, versez 400 g/14 oz de riz long grain lavé dans une grande casserole. Ajoutez du sel, 1 feuille de citronnelle et 25 g/1 oz de crème de noix de coco. Recouvrez de 750 ml/1¼ pintes/3 tasses d'eau bouillante et remuez pour empêcher les grains de coller. Laissez mijoter à feu moyen pendant 5 minutes. Aérez le riz avec une fourchette ou des baguettes avant de servir.

2 Versez dans un mixer les piments, les noix de macadam ou les amandes, l'oignon, l'ail, le gingembre, le curcuma et 15 ml/1 c. à soupe d'huile. Mixez pour obtenir une pâte. (Vous pouvez aussi piler ensemble les ingrédients dans un mortier.) Chauffez le reste d'huile dans un wok. Versez la pâte et laissez cuire 1 à 2 minutes sans que le mélange brunisse. Tout en remuant, ajoutez le vinaigre et l'eau. Salez. Portez à ébullition, puis réduisez le feu.

3 Mettez les filets de maquereau à mijoter dans la sauce 6 à 8 minutes, pour qu'ils soient tendres et bien cuits.

4 Disposez le poisson sur un plat chaud. Portez la sauce à ébullition et laissez cuire 1 minute, le temps qu'elle réduise. Versez la sauce sur le poisson, puis garnissez de rondelles d'oignon frites et de piments hachés avant de servir, accompagné de riz, par exemple.

Espadon au gingembre et à la citronnelle

L'espadon est un poisson charnu à la texture très ferme, qui se cuit parfaitement dans un wok lorsqu'on l'a fait mariner au préalable. Il est parfois un peu sec, ce que la marinade permet de corriger. Si vous ne trouvez pas d'espadon, remplacez-le par du thon frais.

INGRÉDIENTS

Pour 4 à 6 personnes

1 feuille de lime de Cafre
45 ml/3 c. à soupe de gros sel
75 ml/5 c. à soupe de sucre roux
4 steaks d'espadon de 230 g/8 oz chacun
1 branche de citronnelle en morceaux
1 morceau de gingembre de 2 à 3 cm/1 po environ, en allumettes
1 citron vert
15 ml/1 c. à soupe d'huile de pépins de raisin
1 gros avocat bien mûr, pelé et dénoyauté
sel et poivre noir du moulin

1 Écrasez légèrement la feuille de lime entre les doigts pour qu'elle libère son arôme.

REMARQUE PRATIQUE

Les feuilles de lime de Cafre, à la forme en huit très caractéristique, sont extrêmement riches en arôme. On s'en sert beaucoup dans les cuisines indonésienne et thaïlandaise, cette dernière utilisant également l'écorce du fruit que donne cette variété de citronnier.

2 Mettez dans un mixer le gros sel, le sucre roux et la feuille de lime. Mixez bien, jusqu'à obtenir une poudre homogène.

3 Placez les steaks d'espadon dans un saladier. Versez dessus la poudre de « marinade ». Ajoutez la citronnelle et le gingembre. Laissez reposer 3 à 4 heures.

4 Rincez les steaks et séchez-les avec du papier absorbant.

5 Pelez le citron vert. Grattez le surplus de peau blanche à l'intérieur des pelures, avant de les couper en fines lanières. Pressez le jus du citron.

6 Versez l'huile dans un wok préchauffé. Mettez les lanières de citron puis les steaks d'espadon à revenir pendant 3 à 4 minutes. Ajoutez le jus de citron. Retirez le wok du feu. Coupez l'avocat en tranches et ajoutez-les au poisson. Salez et poivrez.

Crevettes Balti à la sauce piquante

Ces crevettes sont cuites dans une sauce piquante et très épicée. La sauce contient non seulement du piment en poudre, mais on lui ajoute aussi des piments verts hachés et d'autres épices.

INGRÉDIENTS

Pour 4 personnes

2 oignons grossièrement hachés
30 ml/2 c. à soupe de purée de tomates
5 ml/1 c. à thé de coriandre en poudre
3 pincées de curcuma
5 ml/1 c. à thé de piment en poudre
3 piments verts frais
45ml/3 c. à soupe de coriandre
     fraîche hachée
30 ml/2 c. à soupe de jus de citron
5 ml/1 c. à thé de sel
45ml/3 c. à soupe d'huile de maïs
16 grosses crevettes roses cuites et épluchées

1 Mettez les oignons, la purée de tomates, la coriandre en poudre, le curcuma, le piment en poudre, 2 piments verts, 30 ml/2 c. à soupe de coriandre hachée, le jus de citron et le sel dans le bol d'un mixer. Actionnez 1 minute. Si le mélange paraît trop épais, ajoutez un peu d'eau. Hachez le dernier piment et réservez-le pour la garniture.

2 Chauffez l'huile dans un wok préchauffé (ou une poêle). Baissez le feu, faites cuire 3 à 5 minutes le mélange précédent, jusqu'à ce que la sauce épaississe.

3 Ajoutez les crevettes et faites sauter à feu moyen pour les réchauffer, mais sans trop les cuire.

4 Versez dans le plat de service et garnissez avec le piment réservé et la coriandre fraîche hachée. Servez aussitôt.

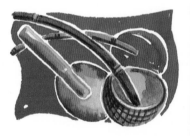

Beignets de poisson, crevettes et légumes

Voici une recette de tempura,
l'un des quelques mets japonais
d'origine occidentale. Elle a été
inventée par les missionnaires
espagnols et portugais qui se sont
installés dans le sud du Japon
à la fin du XVIᵉ siècle.

INGRÉDIENTS

Pour 4 à 6 personnes

1 feuille de nori
8 grosses crevettes crues sans la tête
175 g/6 oz de filets de lotte ou de merlan
　détaillés en bâtonnets
1 petite aubergine
4 ciboules parées
6 champignons shiitake frais
huile végétale, pour la friture
15 ml/1 c. à soupe de farine
sel fin
75 ml/5 c. à soupe de sauce de soja
　ou de tamarin, pour le service

La pâte à beignets

2 jaunes d'œufs
300 ml/½ pinte/1¼ tasses d'eau glacée
225 g/8 oz/2 tasses de farine
2,5 ml/½ c. à thé de sel

1 Détaillez la feuille de nori en bandes de 1 cm/½ po de large et 5 cm/
2 po de long. Mouillez une extrémité de
chaque bande avec de l'eau et enroulez-la
autour de la queue de chaque crevette.
Enfilez les crevettes dans leur longueur
sur des brochettes pour les maintenir
droites. Enfilez aussi les morceaux de
poisson et réservez.

2 Coupez l'aubergine en rondelles.
Saupoudrez-la de sel et disposez-
la en couches sur un plat. Appuyez
légèrement avec la main pour extraire
les sucs amers, puis laissez-la dégorger
20 à 30 minutes. Rincez soigneusement
l'aubergine sous l'eau froide, essuyez-la
bien et enfilez-la sur des brochettes.
Enfilez également les ciboules et les
champignons sur des brochettes.

3 Préparez la pâte au dernier moment. Fouettez les jaunes d'œufs
avec la moitié de l'eau glacée. Ajoutez la
farine, le sel, et remuez légèrement.
Versez le reste d'eau et mélangez grossièrement pour obtenir une pâte lisse.

4 Chauffez l'huile à 180 °C/350 °F dans
un wok équipé d'une grille pour
égoutter les aliments. Farinez les légumes
et le poisson (pas plus de 3 à la fois).
Plongez dans la pâte, puis faites frire 1 à 2
minutes, jusqu'à ce que les beignets soient
dorés et croustillants. Égouttez, salez et
posez sur du papier absorbant. Servez
avec dela sauce de soja ou de tamarin.

Curry vert de crevettes

Ce curry crémeux et fort parfumé est également très rapide à préparer. Vous pourrez l'adapter en remplaçant les crevettes par des lamelles de poulet.

INGRÉDIENTS

Pour 4 à 6 personnes

30 ml/2 c. à soupe d'huile végétale
30 ml/2 c. à soupe de pâte de curry verte
450 g/1 lb de grosses crevettes décortiquées
4 feuilles de lime torsadées
1 feuille de citronnelle hachée
250 ml/8 oz/1 tasse de lait de coco
30 ml/2 c. à soupe de sauce de poisson
½ concombre, évidé et coupé en bâtonnets
10 à 15 feuilles de basilic
4 piments verts en rondelles, pour le service

1 Chauffez l'huile dans une poêle. Mettez la pâte de curry à revenir jusqu'à ce qu'elle libère son parfum.

2 Ajoutez les crevettes, les feuilles de lime et la citronnelle. Faites revenir pendant 1 à 2 minutes.

3 Tout en remuant, versez le lait de coco et laissez mijoter 5 minutes, afin que les crevettes deviennent tendres.

4 Sans cesser de mélanger, ajoutez la sauce de poisson, le concombre et le basilic. Pour terminer, décorez de rondelles de piment et servez.

Satay de crevettes

La marinade épicée, à base
de noix de coco, rehausse
parfaitement les crevettes
de ce *Sate udang*. Elle peut
aussi se marier avec des
morceaux de lotte ou de flétan,
cuits de la même manière.

INGRÉDIENTS

Pour 4 brochettes

12 grosses crevettes crues

La marinade

1 cube de 5 mm/¼ po de *terasi*
1 gousse d'ail, écrasée
1 bâton de citronnelle émincé à la base
  sur 6 cm/2½ po (réservez le haut)
6 à 8 amandes
2,5 ml/½ c. à thé de poudre de piment
sel
huile de friture
120 ml/4 oz/½ tasse de lait de coco
2,5 ml/½ c. à thé de pulpe de tamarin,
  trempée dans 30 ml/2 c. à soupe d'eau,
  puis filtrée (réservez le jus)
sauce de cacahuètes, quelques dés de
  concombre (facultatif) et quartiers de
  citron, pour le service

1 Coupez la tête des crevettes, puis
décortiquez-les. Incisez le dessous
de chaque crevette avec un couteau
pointu, sans la séparer complètement
en deux, et ouvrez-la comme un livre.
Enfilez 3 crevettes sur chaque brochette.

2 Pour préparer la marinade, broyez le
terasi, l'ail, la citronnelle, les amandes,
la poudre de piment et un peu de sel dans
un mixer ou avec un mortier et un pilon.

3 Faites frire cette préparation dans
l'huile. Versez le lait de coco et le
jus de tamarin, laissez frémir 1 minute.
Nappez-en les crevettes et laissez 1 heure.

4 Faites cuire les crevettes 3 minutes
sous le gril chaud ou sur le barbecue. Écrasez le haut du bâton de citronnelle avec l'extrémité d'un rouleau à
pâtisserie, en forme de brosse, et utilisez-
le pour enrober les crevettes de marinade pendant la cuisson.

5 Présentez sur un plat, avec la sauce
de cacahuètes, le concombre et les
quartiers de citron.

Crevettes aux chayotes et au curcuma

Ce mets succulent et
séduisant s'appelle *Gule
udang dengan labu kuning.*

INGRÉDIENTS

Pour 4 personnes

1 à 2 chayotes ou 2 à 3 courgettes
2 piments rouges frais épépinés
1 oignon coupé en quatre
5 mm/¼ po de *lengkuas* frais pelé
1 tige de citronnelle émincée sur
  les 5 cm/2 po inférieurs (écrasez le haut)
2,5 cm/1 po de curcuma frais pelé
200 ml/7 oz/⅞ tasse d'eau
le jus d'1 citron
400 ml/14 oz de lait de coco en boîte
450 g/1 lb de crevettes cuites décortiquées
sel
quelques anneaux de piment rouge,
  (facultatif) et riz cuit à l'eau,
  pour le service

1 Pelez les chayotes, dénoyautez-les
et coupez-les en tranches. Si vous
utilisez des courgettes, détaillez-les en
lanières de 5 cm/2 po de long.

2 Broyez les piments, l'oignon, le *lengkuas*, la citronnelle et le curcuma
sous forme de pâte dans un mixer ou
avec un mortier et un pilon. Mouillez
d'eau, d'un trait de citron, et salez.

3 Versez dans une casserole. Ajoutez le
haut de la tige de citronnelle. Portez
à ébullition et cuisez 1 à 2 minutes.
Incorporez la chayote ou la courgette et
laissez cuire 2 minutes. Versez le lait de
coco et rectifiez l'assaisonnement.

4 Mélangez les crevettes et faites cuire
2 à 3 minutes à feu doux. Retirez la
citronnelle. Décorez de piment avant de
servir avec du riz.

Doedoeh de poisson

Des filets de haddock
ou de cabillaud peuvent
remplacer le maquereau.

INGRÉDIENTS

Pour 6 à 8 personnes

1 kg/2¼ lb de filets de maquereaux frais
  sans la peau
30 ml/2 c. à soupe de pulpe de tamarin,
  trempée dans 200 ml/7 oz/⅞ tasse d'eau
1 oignon
1 cm/½ po de *lengkuas* frais
2 gousses d'ail
1 à 2 piments rouges frais épépinés
  ou 5 ml/1 c. à thé de poudre de piment
5 ml/1 c. à thé de coriandre en poudre
5 ml/1 c. à thé de curcuma en poudre
2,5 ml/½ c. à thé de graines de fenouil
  en poudre
15 ml/1 c. à soupe de sucre roux
90 à 105 ml/6 à 7 c. à soupe d'huile
200 ml/7 oz/⅞ tasse de crème de coco
sel et poivre noir du moulin
lanières de piment frais, pour le service

1 Rincez les filets de poisson, puis
essuyez-les avec du papier absorbant. Mettez-les dans un plat et salez.
Filtrez le tamarin et versez le jus sur le
poisson. Laissez reposer 30 minutes.

2 Coupez l'oignon en quatre, pelez et
émincez le *lengkuas*, pelez l'ail. Broyez
l'oignon, le *lengkuas*, l'ail, les piments ou
la poudre de piment jusqu'à obtention
d'une pâte, dans un mixer ou avec un
mortier et un pilon. Ajoutez la coriandre, le curcuma, les graines de fenouil
et le sucre.

3 Faites chauffer la moitié de l'huile
dans une poêle. Égouttez le poisson
et laissez-le frire 5 minutes. Réservez.

4 Essuyez la poêle pour chauffer le
reste d'huile. Faites frire la pâte
d'épices, en remuant, jusqu'à ce qu'elle
devienne odorante, sans laisser dorer.
Ajoutez la crème de coco et laissez frémir quelques minutes. Incorporez le
poisson et faites chauffer doucement.

5 Rectifiez l'assaisonnement et servez, décoré de lanières de piment.

Crevettes rouges et blanches aux légumes verts

Ce mets s'appelle en chinois crevettes *Yuan yang*, sans doute d'après le terme qui désigne les couples de canards mandarins et qui signifie « oiseaux d'amour » parce qu'ils ne se séparent jamais. Ils symbolisent l'affection et le bonheur.

INGRÉDIENTS

Pour 4 à 6 personnes

450 g/1 lb de crevettes crues
½ blanc d'œuf
15 ml/1 c. à soupe de pâte de Maïzena
175 g/6 oz de pois mange-tout
environ 600 ml/1 pinte/2½ tasses
    d'huile végétale
5 ml/1 c. à thé de sucre roux
15 ml/1 c. à soupe de ciboule
    finement hachée
5 ml/1 c. à thé de gingembre frais
    finement haché
15 ml/1 c. à soupe de sauce de soja claire
15 ml/1 c. à soupe de vin de riz chinois
    ou de Xérès sec
5 ml/1 c. à thé de sauce de haricots pimentée
15 ml/1 c. à soupe de concentré de tomates
sel

1 Décortiquez les crevettes et ôtez les veines avant de mélanger avec le blanc d'œuf, la pâte de Maïzena et une pincée de sel. Épluchez les pois mange-tout.

2 Dans un wok préchauffé, faites revenir les mange-tout 1 minute dans 30 à 45 ml/2 à 3 c. à soupe d'huile chaude. Ajoutez le sucre, un peu de sel, puis continuez à remuer 1 minute. Disposez au centre d'un plat chaud.

3 Versez le reste d'huile dans le wok et faites cuire les crevettes pendant 1 minute. Égouttez-les.

4 Videz l'huile, à l'exception de 15 ml/1 c. à soupe. Ajoutez la ciboule et le gingembre dans le wok.

5 Faites revenir les crevettes dans le wok pendant 1 minute, puis versez la sauce de soja et le vin de riz ou le Xérès sec. Mélangez intimement. Dressez la moitié des crevettes à une extrémité du plat.

6 Incorporez la sauce de haricots et le concentré de tomates au reste de crevettes, dans le wok. Remuez bien, puis posez les crevettes « rouges » à l'autre extrémité du plat, et servez.

CONSEIL

Les crevettes crues ont un intestin situé au niveau de la courbe extérieure de la queue. Non toxique, il peut cependant avoir un goût désagréable, c'est pourquoi il est conseillé de le retirer. Cette opération s'appelle ôter les veines. Décortiquez les crevettes, en laissant la queue intacte. Incisez légèrement les crevettes sur la longueur pour laisser apparaître l'intestin. Retirez avec un petit couteau ou un hachoir chinois.

Crevettes Karahi et fenugrec

Les haricots de Lima, les crevettes et le *paneer* font de ce plat l'un des plus riches en protéines. Le mélange des saveurs du fenugrec frais et moulu lui confère un parfum très particulier.

INGRÉDIENTS

Pour 4 à 6 personnes

60 ml/4 c. à soupe d'huile de maïs
2 oignons coupés en rondelles
2 tomates moyennes coupées en rondelles
7.5 ml/1 à 2 c. à thé d'ail écrasé
5 ml/1 c. à thé de poudre de piment
5 ml/1 c. à thé de pulpe de gingembre
5 ml/1 c. à thé de cumin moulu
5 ml/1 c. à thé de coriandre moulue
5 ml/1 c. à thé de sel
150 g/5 oz de *paneer* découpé en dés
5 ml/1 c. à thé de fenugrec frais moulu
1 botte de feuilles de fenugrec fraîches
120 g/4 oz de crevettes cuites
2 piments rouges frais hachés
30 ml/2 c. à soupe de coriandre fraîche hachée menu
50 g/2 oz de haricots de Lima en boîte, égouttés
15 ml/1 c. à soupe de jus de citron

1 Faites chauffer l'huile dans un wok préchauffé, puis réduisez légèrement le feu. Mettez les oignons et les tomates à revenir pendant 3 minutes environ, en remuant de temps en temps.

2 Ajoutez l'ail, la poudre de piment, le gingembre, le cumin moulu, la coriandre moulue, le sel, le *paneer* et le fenugrec (en feuilles et moulu). Réduisez le feu et laissez revenir 2 minutes environ.

3 Incorporez les crevettes, les piments rouges, la coriandre fraîche et les haricots de Lima. Laissez cuire encore 3 à 5 minutes en remuant, jusqu'à ce que les crevettes soient cuites à cœur.

4 Aspergez de jus de citron, puis servez aussitôt.

Crevettes épicées au lait de coco

Ce plat épicé s'inspire d'une
recette traditionnelle d'Indonésie,
le *Sambal goreng udang*. Les
sambals sont des plats très relevés,
que l'on trouve dans tout le sud
de l'Inde et le Sud-Est asiatique.

INGRÉDIENTS

Pour 3 à 4 personnes

2 ou 3 piments rouges épépinés et hachés
3 échalotes hachées
1 branche de citronnelle hachée
2 gousses d'ail hachées
1 petit morceau de pâte de crevettes séchée
2,5 ml/½ c. à thé de *galanga* moulu
5 ml/1 c. à thé de curcuma moulu
5 ml/1 c. à thé de coriandre moulue
15 ml/1 c. à soupe d'huile d'arachide
20 ml/8 oz/1 tasse d'eau
2 feuilles de lime de Cafre fraîches
5 ml/1 c. à thé de sucre roux
2 tomates pelées et hachées menu
250 ml/8 oz/1 tasse de lait de coco
700 g/1½ lb de grosses crevettes crues
    décortiquées
un peu de jus de citron
sel
ciboules coupées en lanières et copeaux
    de noix de coco, pour le service

1 Dans un mortier, pilez ensemble les
piments, les échalotes, la citronnelle,
l'ail, la pâte de crevettes, le *galanga*, le
curcuma et la coriandre jusqu'à ce que
le mélange forme une pâte.

2 Chauffez un wok et versez l'huile.
Mettez la pâte d'épices à revenir
2 minutes. Incorporez l'eau, puis les
feuilles de lime, le sucre et les tomates.
Laissez mijoter pendant 8 à 10 minutes,
jusqu'à évaporation du liquide.

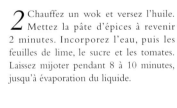

—— REMARQUE PRATIQUE ——

On trouve la pâte de crevettes séchée,
très souvent utilisée dans la cuisine
asiatique, dans les épiceries orientales.
On pourra également s'y procurer
du *galanga* moulu, qui ressemble
beaucoup au gingembre moulu.

3 Mettez le lait de coco et les crevettes
à cuire doucement en remuant,
pendant 4 minutes, jusqu'à ce que les
crevettes soient roses. Ajoutez un peu de
jus de citron et salez. Transférez dans
un plat chaud, garnissez de lanières de
ciboule et de copeaux de noix de coco.

Balti de paneer aux crevettes

Bien que le *paneer* (ou *panir*)
ne soit pas très employé dans
la cuisine pakistanaise, il remplace
parfaitement la viande rouge.
Dans cette recette, il s'harmonise
bien avec les crevettes.

INGRÉDIENTS

Pour 4 personnes

12 grosses crevettes cuites
175 g/6 oz de *paneer*
30 ml/2 c. à soupe de purée de tomates
60 ml/4 c. à soupe de yaourt grec
7,5 ml/1 à 2 c. à thé de *garam masala*
5 ml/1 c. à thé de poudre de piment
5 ml/1 c. à thé d'ail réduit en purée
5 ml/1 c. à thé de sel
10 ml/2 c. à thé de poudre de mangue
5 ml/1 c. à thé de coriandre moulue
120 g/4 oz de beurre
15 ml/1 c. à soupe d'huile de maïs
3 piments verts frais hachés
45 ml/3 c. à soupe de coriandre hachée menu
150 ml/¼ pinte/⅔ tasse de crème
    fraîche liquide

1 Décortiquez les crevettes et découpez le *paneer* en dés.

2 Mélangez dans un saladier la purée
de tomates, le yaourt, la poudre
de piment, le *garam masala*, l'ail, le sel,
la poudre de mangue et la coriandre
moulue. Réservez.

3 Dans un wok, faites fondre le beurre
avec l'huile. Mettez à revenir le
paneer et les crevettes 2 minutes environ.
Retirez du wok avec une écumoire
et égouttez sur du papier absorbant.
Réservez cette préparation aux épices.

4 Versez la préparation aux épices dans
l'huile et le beurre restés dans le
wok et faites revenir 1 minute environ.

5 Remettez le *paneer* et les crevettes
et laissez cuire le tout pendant 7 à
10 minutes en remuant de temps à autre,
jusqu'à cuisson complète des crevettes.

6 Incorporez les piments verts et la
plus grosse partie de la coriandre,
puis la crème fraîche. Laissez cuire pendant 2 minutes environ, puis garnissez
du reste de coriandre avant de servir.

CONSEIL

Pour fabriquer vous-même du *paneer*,
faites bouillir 1 1/1¾ pintes/4 tasses de lait à
feu doux. Ajoutez 30 ml/2 c. à soupe de jus
de citron en remuant doucement et sans
interruption, jusqu'à ce que le lait se mette
à épaissir et à cailler. Égouttez le lait caillé
à travers une passoire garnie d'une feuille
de mousseline. Laissez ensuite le lait caillé
reposer pendant 2 heures environ sous
un poids pour le rendre compact.
Il est conseillé de fabriquer son *paneer*
la veille du repas ; il sera plus ferme
et plus facile à utiliser en cuisson.
On pourra le couper et le conserver
une semaine au réfrigérateur.

Crevettes sautées aux brocolis

Voici une recette très colorée,
à la fois nourrissante et
délicieuse, qui présente
l'avantage d'être également
simple et rapide à préparer.

INGRÉDIENTS

Pour 4 personnes

200 g/6 à 8 oz environ
   de crevettes décortiquées
5 ml/1 c. à thé de sel
15 ml/1 c. à soupe de vin de riz chinois
   (ou de Xérès sec)
½ blanc d'œuf
15 ml/1 c. à soupe de Maïzena
250 g/8 oz de brocolis
300 ml/½ pinte/1¼ tasses environ
   d'huile végétale
1 ciboule coupée en petits morceaux
5 ml/1 c. à thé de sucre roux
30 ml/2 c. à soupe de bouillon de volaille
   (ou d'eau)
5 ml/1 c. à thé de sauce de soja claire
quelques gouttes d'huile de sésame

1 Coupez chaque crevette en deux
dans le sens de la longueur. Mélangez
avec 1 pincée de sel, 5 ml/1 c. à thé de
vin, autant de blanc d'œuf et de Maïzena.

2 Coupez le brocoli en bouquets, en
retirant l'écorce des tiges, puis taillez
les bouquets en diagonale, pour obtenir
des petits losanges.

3 Chauffez l'huile dans un wok et
faites revenir les crevettes pendant
30 secondes. Retirez-les avec une écumoire et égouttez bien.

4 Jetez le surplus d'huile, pour n'en
laisser que 30 ml/2 c. à soupe dans le
wok. Mettez à sauter les brocolis et la
ciboule pendant 2 minutes. Ajoutez le
reste de sel et le sucre, puis les crevettes
et le bouillon de volaille (ou l'eau). Versez
le vin restant et la sauce de soja. Mélangez bien. Arrosez le plat d'un peu d'huile
de sésame avant de servir.

Crevettes sautées au tamarin

Le goût légèrement acide et piquant propre à de nombreux plats thaïlandais provient du tamarin. On trouve parfois dans le commerce des gousses de tamarin fraîches, mais leur préparation en cuisine est laborieuse. Les Thaïlandais préfèrent bien souvent utiliser des blocs de pâte de tamarin compacts, que l'on trempe dans l'eau et que l'on filtre ensuite.

INGRÉDIENTS

Pour 4 à 6 personnes

50 g/2 oz de pâte de tamarin
150 ml/¼ pinte/⅔ tasse d'eau bouillante
30 ml/2 c. à soupe d'huile végétale
30 ml/2 c. à soupe d'oignon haché
30 ml/2 c. à soupe de sucre de palme
30 ml/2 c. à soupe de bouillon de volaille
   (ou d'eau)
15 ml/1 c. à soupe de sauce de poisson
6 piments rouges séchés
450 g/1 lb de crevettes crues décortiquées
15 ml/1 c. à soupe d'ail haché
30 ml/2 c. à soupe de rondelles d'échalotes
2 ciboules coupées en morceaux,
   pour le service

1 Dans un bol, versez l'eau bouillante sur la pâte de tamarin et remuez pour qu'il ne reste plus de grumeaux. Laissez reposer 30 minutes. Filtrez pour récupérer autant de jus que possible. La quantité nécessaire pour cette recette est de 90 ml/6 c. à soupe ; le reste se garde au réfrigérateur. Chauffez l'huile dans un wok et faites dorer l'oignon.

2 Ajoutez le sucre, le bouillon, la sauce de poisson, les piments séchés et le jus de tamarin. Remuez bien jusqu'à dissolution du sucre. Portez à ébullition.

3 Ajoutez les crevettes, l'ail et les échalotes. Faites revenir jusqu'à ce que les crevettes soient bien cuites, soit 3 à 4 minutes environ. Garnissez avec les rondelles de ciboules.

Crevettes sautées au beurre de cacahuètes

Une recette appétissante et pleine de saveurs, que l'on pourra accompagner de légumes verts ou de riz au jasmin.

INGRÉDIENTS

Pour 4 à 6 personnes

500 g/1 lb de grosses crevettes décortiquées, avec la queue restée intacte
½ botte de feuilles de coriandre, 4 piments rouges et quelques ciboules coupées en diagonale, pour le service

La sauce au beurre de cacahuètes

45 ml/3 c. à soupe d'huile végétale
15 ml/1 c. à soupe d'ail haché
1 petit oignon haché
3 ou 4 petits piments rouges hachés
3 feuilles de lime torsadées
1 branche de citronnelle hachée
5 ml/1 c. à thé de pâte de curry doux
250 ml/8 oz/1 tasse de lait de coco
2 cm/½ po de bâton de cannelle
75 g/3 oz de beurre de cacahuètes
45 ml/3 c. à soupe de jus de tamarin
30 ml/2 c. à soupe de sauce de poisson
30 ml/2 c. à soupe de sucre de palme
jus d'½ citron

1 Pour préparer la sauce, chauffez la moitié de l'huile dans un wok ou une grande poêle. Mettez à revenir l'ail et l'oignon 3 à 4 minutes.

2 Ajoutez les piments, les feuilles de lime, la citronnelle et la pâte de curry. Laissez revenir encore 2 à 3 minutes.

3 Incorporez lait de coco, cannelle, beurre de cacahuètes, jus de citron et de tamarin, sauce de poisson et sucre.

> —— REMARQUE PRATIQUE ——
>
> La pâte de curry à un goût infiniment supérieur et bien plus authentique que le curry en poudre. À conserver au réfrigérateur après ouverture et à consommer avant 2 mois.

4 Mélangez. Réduisez le feu et laissez mijoter doucement pendant 15 à 20 minutes pour que la sauce épaississe. Remuez de temps en temps afin qu'elle n'attache pas.

5 Faites chauffer le reste d'huile dans un wok ou une grande poêle. Mettez à revenir les crevettes pendant 3 à 4 minutes, jusqu'à ce qu'elles rosissent et deviennent fermes au toucher.

6 Mélangez les crevettes à la sauce. Servez avec de la coriandre, des piments rouges et des ciboules.

Curry de crevettes aux œufs de cailles

Cette prestigieuse recette indonésienne mêle un choix de saveurs raffinées – *galanga,* piments, curcuma, lait de coco.

INGRÉDIENTS

Pour 4 personnes

12 œufs de caille
4 échalotes ou 1 oignon moyen
    finement hachés
2,5 cm/1 po de *galanga* ou de gingembre
    frais hachés
2 gousses d'ail écrasées
30 ml/2 c. à soupe d'huile végétale
5 cm/2 po de citronnelle coupée en julienne
2 petits piments rouges frais épépinés
    et finement hachés
2,5 ml/½ c. à thé de curcuma en poudre
1 cm/½ po de pâte de crevettes ou
    15 ml/1 c. à soupe de sauce de poisson
900 g/2 lb de crevettes crues décortiquées,
    avec la queue et sans les veines
400 ml/14 oz/1⅔ tasses de lait de coco
300 ml/½ pinte/1¼ tasses de bouillon
    de volaille
115 g/4 oz de feuilles de chou chinois
    coupées en julienne
10 ml/2 c. à thé de sucre
sel
les pousses de 2 ciboules coupées en julienne,
    et 30 ml/2 c. à soupe de noix de coco
    fraîche en copeaux, pour le service

1 Mettez les œufs de caille dans une casserole, couvrez d'eau et laissez bouillir 8 minutes. Faites-les refroidir sous l'eau froide, retirez la coquille, puis réservez.

2 Dans un wok préchauffé, faites revenir les échalotes ou l'oignon, le *galanga* ou le gingembre et l'ail pendant 1 minute dans l'huile chaude, jusqu'à ce qu'ils soient tendres mais non colorés. Ajoutez la citronnelle, les piments, le curcuma, la pâte de crevettes ou la sauce de poisson, et remuez pendant 1 minute.

3 Incorporez les crevettes et mélangez encore 1 minute. Filtrez le lait de coco, puis versez le liquide dans le wok, avec le bouillon de volaille. Ajoutez le chou chinois, le sucre, salez. Portez à ébullition, puis laissez frémir 6 à 8 minutes.

4 Dressez le curry sur un plat de service. Coupez les œufs de caille en deux et mélangez-les à la sauce. Saupoudrez de ciboule et de noix de coco avant de servir.

CONSEIL

Les œufs de caille se vendent dans la plupart des grandes surfaces. Vous pouvez les remplacer par des œufs de poule – 1 œuf de poule équivalant à 4 œufs de caille.

Crevettes et légumes Baltis

Tendres crevettes, légumes croquants et sauce épaisse au curry s'associent dans un plat riche de parfums et de textures.

INGRÉDIENTS

Pour 4 personnes

45 ml/3 c. à soupe d'huile de maïs
5 ml/1 c. à thé de graines de fenugrec,
   moutarde et oignon, en mélange
5 ml/1 c. à thé de curry
½ chou-fleur moyen détaillé en bouquets
8 mini-carottes coupées en deux
   dans la longueur
6 pommes de terre nouvelles coupées
   en tranches épaisses
50 g/2 oz de petits pois surgelés
2 oignons moyens émincés
30 ml/2 c. à soupe de purée de tomates
7,5 ml/1 c. à thé et ½ de piment en poudre
5 ml/1 c. à thé de graines
   de coriandre moulues
5 ml/1 c. à thé de pulpe de gingembre
5 ml/1 c. à thé de pulpe d'ail
5 ml/1 c. à thé de sel
30 ml/2 c. à soupe de jus de citron
450 g/1 lb de crevettes roses cuites, épluchées
30 ml/2 c. à soupe de coriandre fraîche hachée
1 piment rouge frais, épépiné et émincé
120 ml/4 oz/½ tasse de crème liquide

1 Faites chauffer l'huile dans un wok préchauffé (ou une poêle). Baissez légèrement le feu et ajoutez les graines de fenugrec, de moutarde et d'oignon ainsi que le curry.

2 Ajoutez le chou-fleur, les carottes, les pommes de terre et les petits pois, augmentez le feu et faites revenir jusqu'à ce que les légumes soient cuits. Retirez du wok avec une écumoire et égouttez sur du papier absorbant.

3 Versez les oignons dans l'huile restant dans le wok ou la poêle et faites-les dorer à feu moyen.

4 Pendant ce temps, mélangez la purée de tomates avec le piment en poudre, la coriandre moulue, les pulpes de gingembre et d'ail, sel et jus de citron. Versez la pâte épicée sur les oignons cuits.

5 Baissez le feu, ajoutez les crevettes dans le wok et faites-les sauter 5 minutes environ pour les réchauffer.

6 Remettez les légumes dans le wok et mélangez soigneusement.

7 Saupoudrez la coriandre hachée et le piment rouge dans le wok et arrosez de crème. Portez à ébullition et servez aussitôt.

CONSEIL

La lotte, poisson ferme qui ne se défait pas à la cuisson, peut parfaitement remplacer les crevettes dans cette recette. Coupez-la en morceaux, ajoutez-la au mélange d'oignon épicé à l'étape 5 et faites sauter à feu doux 5 à 7 minutes ou jusqu'à ce qu'elle soit cuite.

Crevettes à la citronnelle et galette de nouilles

INGRÉDIENTS

Pour 4 personnes

300 g/11 oz de nouilles fines aux œufs
60 ml/4 c. à soupe d'huile
500 g/1¼ lb de crevettes roses moyennes,
  crues, épluchées, boyau retiré
2,5 ml/½ c. à thé de coriandre moulue
15 ml/1 c. à soupe de curcuma moulu
2 gousses d'ail finement hachées
2 rondelles de racine de gingembre frais
  finement haché
2 tiges de citronnelle finement hachées
2 échalotes finement hachées
15 ml/1 c. à soupe de purée de tomates
200 ml/8 oz/1 tasse de crème de coco
4 à 6 feuilles de kaffir (facultatif)
15 ou 30 ml/1 ou 2 c. à soupe de jus
  de citron vert
15 ou 30 ml/1 ou 2 c. à soupe de sauce
  de poisson
1 concombre pelé, épépiné et coupé
  en bâtonnets de 5 cm/2 po
1 tomate épépinée et coupée en lanières
2 piments rouges épépinés et
  finement émincés
sel et poivre noir du moulin
2 ciboules finement émincées et quelques
  brins de coriandre, pour le service

1 Faites cuire les nouilles *al dente* dans une casserole d'eau bouillante. Égouttez, passez sous l'eau froide et égouttez à nouveau.

2 Chauffez 15 ml/1 c. à soupe d'huile dans une grande poêle. Faites frire les nouilles 4 à 5 minutes pour qu'elles soient bien dorées. Retournez la galette de nouilles et faites dorer l'autre côté. Vous pouvez aussi faire 4 galettes individuelles. Gardez au chaud.

3 Dans un bol, mélangez les crevettes avec la coriandre moulue, le curcuma, l'ail, le gingembre et la citronnelle. Salez et poivrez à votre goût.

4 Chauffez le reste de l'huile dans une grande poêle. Faites dorer les échalotes 1 minute, puis ajoutez les crevettes et laissez cuire encore 2 minutes. Retirez les crevettes avec une écumoire.

5 Incorporez la purée de tomates et la crème de coco dans le mélange restant dans la poêle. Versez le jus de citron vert et la sauce de poisson. Portez la sauce à frémissement, remettez les crevettes dans la sauce puis intégrez les feuilles de kaffir (facultatif), et le concombre. Laissez frémir à feu doux jusqu'à ce que les crevettes soient cuites et la sauce sirupeuse.

6 Ajoutez la tomate, tournez pour la chauffer, puis incorporez les piments. Servez sur la galette de nouilles croquante, garni de ciboule ciselée et de brins de coriandre.

Assiette de fruits de mer au gingembre

Cette assiette, réunissant des noix
de Saint-Jacques, des crevettes
et des calmars agrémentés
d'une sauce parfumée, compose
un repas estival rafraîchissant,
avec du pain frais et un verre
de vin blanc sec. Elle peut
aussi être servie en entrée pour
quatre personnes.

INGRÉDIENTS

Pour 2 personnes

2,5 cm/1 po de gingembre frais
   finement haché
1 botte de ciboules émincées
15 ml/1 c. à soupe d'huile de tournesol
5 ml/1 c. à thé d'huile de sésame
1 poivron rouge épépiné
   et finement haché
115 g/4 oz de noix de Saint-Jacques
8 grosses crevettes décortiquées
115 g/4 oz d'anneaux de calmars
15 ml/1 c. à soupe de jus de citron vert
15 ml/1 c. à soupe de sauce de soja claire
60 ml/4 c. à soupe de lait de coco
sel et poivre noir du moulin
des feuilles de salade et quelques quartiers
   de citron, pour le service

1 Dans un wok, faites dorer le gingembre et les ciboules pendant 2 à
3 minutes dans les deux huiles chaudes.
Ajoutez le poivron et poursuivez la
cuisson pendant 3 minutes.

2 Incorporez les noix de Saint-Jacques,
les crevettes, les calmars, puis faites
chauffer pendant 3 minutes, jusqu'à ce
que les fruits de mer soient tendres.

3 Versez le jus de citron, la sauce de
soja et le lait de coco. Laissez frémir
2 minutes à découvert, jusqu'à ce que la
sauce commence à épaissir légèrement.

4 Assaisonnez généreusement. Dressez
les feuilles de salade sur les assiettes,
puis couvrez avec la préparation et la
sauce. Servez avec des quartiers de
citron pour arroser de jus.

Crevettes au piment

Cette délicate alliance épicée
constitue un plat léger.
Elle se complète parfaitement
de riz, nouilles ou pâtes
et d'une salade verte.

INGRÉDIENTS

Pour 3 à 4 personnes

2 échalotes hachées
2 gousses d'ail hachées
1 piment rouge frais haché
45 ml/3 c. à soupe d'huile d'olive
450 g/1 lb de tomates mûres pelées,
   épépinées et concassées
15 ml/1 c. à soupe de coulis de tomates
1 feuille de laurier
1 branche de thym
90 ml/6 c. à soupe de vin blanc sec
450 g/1 lb de grosses crevettes cuites
   décortiquées
sel et poivre noir du moulin
feuilles de basilic ciselées, pour le service

1 Faites revenir les échalotes, l'ail et le
piment dans l'huile chaude, jusqu'à
ce que l'ail commence à dorer.

2 Ajoutez les tomates, le coulis de
tomates, le laurier, le thym, le vin et
l'assaisonnement. Portez à ébullition,
puis laissez cuire doucement pendant
10 minutes, en remuant de temps en
temps, jusqu'à ce que la sauce épaississe.
Jetez les herbes.

3 Incorporez les crevettes dans la sauce
et laissez frémir quelques minutes.
Rectifiez l'assaisonnement. Parsemez de
feuilles de basilic et servez aussitôt.

CONSEIL

Retirez les graines du piment si
vous désirez une saveur moins épicée.

Noix de Saint-Jacques au gingembre

Les noix de Saint-Jacques
sont excellentes l'hiver, mais on
peut les acheter surgelées toute
l'année. Ce plat riche et crémeux
est exquis et très simple à réaliser.

INGRÉDIENTS

Pour 4 personnes

8 à 12 noix de Saint-Jacques
   sans les coquilles
40 g/1½ oz/3 c. à soupe de beurre
2,5 cm/1 po de gingembre frais
   finement haché
1 botte de ciboules émincées en diagonale
60 ml/4 c. à soupe de vermouth blanc
250 ml/8 oz/1 tasse de crème fraîche
sel et poivre noir du moulin
persil frais ciselé, pour le service

3 Sortez les noix avec une écumoire
et réservez-les sur un plat chaud.

4 Faites revenir le gingembre et les
ciboules pendant 2 minutes dans la
poêle. Versez le vermouth et laissez frémir jusqu'à évaporation presque totale.
Ajoutez la crème fraîche et faites chauffer
quelques minutes, jusqu'à ce que la sauce
épaississe. Rectifiez l'assaisonnement.

5 Nappez les noix de sauce, saupoudrez de persil et servez aussitôt.

1 Retirez le muscle situé en face du
corail, dans chaque noix. Détachez
le corail et coupez le blanc en deux,
horizontalement.

2 Dans une poêle, faites dorer les noix,
avec le corail, pendant 2 minutes
dans le beurre fondu. Si les noix sont
trop cuites, elles durcissent.

Noix de Saint-Jacques au concombre confit

Il est recommandé d'acheter
les noix de Saint-Jacques dans
leur coquille pour être certain de
leur fraîcheur, quitte à demander
au poissonnier de les ouvrir
au moment de l'achat.

INGRÉDIENTS

Pour 4 à 6 personnes

8 coquilles Saint-Jacques
4 anis étoilés entiers
25 g/1 oz de beurre doux
sel et poivre blanc du moulin
branches de cerfeuil et anis étoilé,
    pour le service

Le concombre confit

½ concombre épluché
sel
5 cm/2 po de gingembre frais épluché
10 ml/2 c. à thé de sucre en poudre
45 ml/3 c. à soupe de vinaigre de riz
10 ml/2 c. à thé de jus de gingembre,
    filtré à partir d'un bocal de gingembre
graines de sésame, pour le service

2 Découpez le concombre en petits
morceaux et mettez-les dans une
passoire. Saupoudrez généreusement de
sel. Laissez dégorger 30 minutes.

3 Ouvrez les coquilles Saint-Jacques
pour en détacher les noix et en retirer les autres parties comestibles. Coupez
chaque noix en 2 ou 3 tranches et réservez les coraux. Écrasez grossièrement
l'anis étoilé dans un mortier.

5 Rincez le concombre à l'eau froide.
Égouttez et séchez bien sur du papier absorbant. Coupez le gingembre en
julienne et mélangez-le avec le concombre, le sucre, le vinaigre et le jus de gingembre. Couvrez et gardez au frais.

6 Chauffez un wok et ajoutez le
beurre. Mettez les tranches de noix
de Saint-Jacques et les coraux à revenir
2 à 3 minutes. Garnissez de cerfeuil et
d'anis étoilé et servez accompagné du
concombre confit, saupoudré de graines
de sésame.

CONSEIL

Pour préparer les noix de Saint-Jacques,
tenez la coquille le côté plat vers le haut
et insérez la lame d'un couteau entre les
deux parties pour sectionner le muscle.
Séparez les deux coquilles. Faites glisser
la lame du couteau sous la noix de
la coquille inférieure et coupez ainsi le
second muscle. Retirez la noix et les parties
comestibles : le muscle blanc et le corail
ou la laitance orange. Jetez le reste.

1 Pour la préparation du concombre
confit, coupez 1 concombre moyen
en deux dans le sens de la longueur et
évidez-le à l'aide d'une petite cuillère.

4 Déposez les tranches de noix de
Saint-Jacques et leurs coraux dans
un bol. Saupoudrez d'anis étoilé. Salez
et poivrez. Laissez mariner 1 heure.

Poisson cuit sur feuilles de bananier

Le poisson préparé de cette façon est particulièrement délicieux et parfumé. Plutôt que le poisson entier on utilise ici les filets, plus faciles à manger. Un plat idéal pour le barbecue.

INGRÉDIENTS

Pour 4 personnes

250 ml/8 oz/1 tasse de lait de coco
30 ml/2 c. à soupe de pâte de curry rouge
45 ml/3 c. à soupe de sauce de poisson
30 ml/2 c. à soupe de sucre en poudre
5 feuilles de kaffir déchirées
4 filets de poisson d'environ 170 g/6 oz chacun, mérou par exemple
200 g/7 oz de légumes en mélange, carottes et poireaux par exemple, en lanières fines
4 feuilles de bananier
30 ml/2 c. à soupe de ciboule ciselée et 2 piments rouges finement émincés, pour le service

1 Mélangez dans un plat le lait de coco avec la pâte de curry, la sauce de poisson, le sucre et les feuilles de kaffir.

2 Faites mariner le poisson dans ce mélange 15 à 30 minutes. Préchauffez le four à 200 °C/400 °F.

3 Mélangez les légumes et mettez une portion sur une feuille de bananier. Posez un filet de poisson sur les légumes avec un peu de marinade.

4 Enveloppez le poisson en repliant les 4 côtés de la feuille et maintenez par des pique-olives. Procédez de même avec les feuilles et le poisson restant.

5 Mettez à four chaud 20 à 25 minutes ou jusqu'à ce que le poisson soit cuit. Vous pouvez aussi le faire cuire sous le gril ou au barbecue. Au moment de servir, garnissez avec un peu de ciboulette et des rondelles de piment rouge.

Noix de Saint-Jacques sautées aux asperges

L'asperge est très populaire en Thaïlande. Le mélange ail et poivre noir donne son piquant à ce plat. Vous pouvez remplacer les noix de Saint-Jacques par des crevettes ou du poisson ferme.

INGRÉDIENTS

Pour 4 à 6 personnes

60 ml/4 c. à soupe d'huile
1 botte d'asperges coupées en tronçons de 5 cm/2 po
4 gousses d'ail finement hachées
2 échalotes finement hachées
450 g/1 lb de noix de Saint-Jacques
30 ml/2 c. à soupe de sauce de poisson
2,5 ml/½ c. à thé de poivre noir grossièrement moulu
100 ml/4 oz/½ tasse de lait de coco
feuilles de coriandre, pour le service

1 Chauffez la moitié de l'huile dans un wok ou une grande poêle. Faites dorer les asperges 2 minutes. Mettez les asperges dans une assiette et réservez.

2 Versez le reste de l'huile, l'ail et l'échalote dans le wok et faites dorer. Ajoutez les noix de Saint-Jacques et laissez cuire 1 à 2 minutes.

3 Remettez les asperges dans le wok. Incorporez la sauce de poisson, le poivre noir et le lait de coco.

4 Remuez et laissez cuire encore 3 à 4 minutes ou jusqu'à ce que les noix de Saint-Jacques et les asperges soient cuites. Garnissez avec les feuilles de coriandre.

Noix de Saint-Jacques épicées

Les noix de Saint-Jacques sont
excellentes cuites à la vapeur.
Agrémentées de cette sauce
épicée, elles peuvent constituer
une entrée simple mais délicieuse
pour quatre personnes, ou
un déjeuner léger pour deux.

INGRÉDIENTS

Pour 2 personnes

8 noix de Saint-Jacques préparées
    (demandez au poissonnier de réserver
    la partie arrondie de 4 coquilles)
2 tranches de gingembre frais
    coupé en julienne
½ gousse d'ail écrasée
les pousses de 2 ciboules
    coupées en julienne
sel et poivre noir du moulin

La sauce épicée

1 gousse d'ail, écrasée
15 ml/1 c. à soupe de gingembre frais râpé
la partie blanche de 2 ciboules hachée
1 à 2 piments verts frais épépinés
    et finement hachés
15 ml/1 c. à soupe de sauce de soja claire
15 ml/1 c. à soupe de sauce de soja foncée
10 ml/2 c. à thé d'huile de sésame

1 Retirez le bord foncé et le muscle
des noix de Saint-Jacques.

2 Remplissez chaque coquille avec
2 noix. Salez et poivrez légèrement,
puis saupoudrez de gingembre, d'ail et
de ciboule. Posez les coquilles dans un
panier à vapeur, dans un wok, et faites-
les cuire 6 minutes, jusqu'à ce que les
noix soient opaques (procédez si besoin
en plusieurs fois).

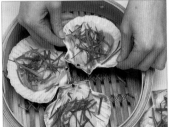

3 Pour préparer la sauce, mélangez
l'ail, le gingembre, les ciboules, les
piments, les sauces de soja et l'huile de
sésame, puis versez dans un petit saladier.

4 Sortez délicatement les coquilles
du panier, en veillant à ne pas ren-
verser le jus, et dressez sur un plat,
autour du bol de sauce. Servez aussitôt.

Moules à la citronnelle et au basilic

Des herbes de la tradition culinaire thaïe parfument harmonieusement ce plat.

INGRÉDIENTS

Pour 4 personnes

2 kg/4 à 4½ lb de moules fraîches
   dans leur coquille
2 bâtons de citronnelle
5 à 6 tiges de basilic
5 cm/2 po de gingembre frais
2 échalotes finement hachées
150 ml/¼ pinte/⅔ tasse de bouillon
   de poisson

1 Lavez les moules sous l'eau froide, en les grattant avec un couteau. Retirez le byssus. Jetez les moules à la coquille cassée et celles qui restent ouvertes quand on tape dessus.

2 Coupez les bâtons de citronnelle en deux avant de les écraser avec un rouleau à pâtisserie.

3 Séparez les feuilles de basilic des tiges, puis ciselez grossièrement la moitié. Réservez le reste.

4 Mélangez les moules, la citronnelle, le basilic, le gingembre, les échalotes et le bouillon dans un wok. Portez à ébullition, couvrez et laissez frémir 5 minutes. Jetez la citronnelle et les moules qui restent fermées, saupoudrez du reste de basilic et servez aussitôt.

Curry d'ananas aux crevettes et aux moules

Dans ce curry d'ananas,
les saveurs aigres–douces
créent une association insolite
et raffinée, à condition
de choisir des coquillages
d'une grande fraîcheur.

INGRÉDIENTS

Pour 4 à 6 personnes

600 ml/1 pinte/2½ tasses de lait de coco
30 ml/2 c. à soupe de pâte de curry rouge
30 ml/2 c. à soupe de sauce de poisson
   (nuoc-mâm)
15 ml/1 c. à soupe de sucre
225 g/8 oz de grosses crevettes décortiquées
   et sans les veines
450 g/1 lb de moules nettoyées
175 g/6 oz d'ananas frais finement écrasé
   ou haché
5 feuilles de lime ciselées
2 piments rouges hachés et quelques
   feuilles de coriandre, pour le service

1 Portez à ébullition la moitié du lait de coco dans une cocotte, puis remuez jusqu'à ce qu'il se sépare.

2 Ajoutez la pâte de curry et laissez cuire afin qu'elle devienne odorante. Incorporez la sauce de poisson, le sucre, et cuisez encore quelques secondes.

3 Versez le reste de lait de coco et portez à ébullition. Mélangez les crevettes, les moules, l'ananas et les feuilles de lime.

4 Laissez frémir 3 à 5 minutes, jusqu'à ce que les moules s'ouvrent. Jetez celles qui restent fermées. Servez, décoré de piment et de coriandre.

Curry de crevettes au lait de coco

Dans cette préparation, les crevettes cuisent dans une sauce épicée à la noix de coco.

INGRÉDIENTS

Pour 4 à 6 personnes

600 ml/1 pinte/2½ tasses de lait de coco
30 ml/2 c. à soupe de pâte de curry jaune
   (voir Conseil ci-contre)
15 ml/1 c. à soupe de sauce de poisson
2,5/1/½ c. à thé de sel
5 ml/1 c. à thé de sucre
450 g/1 lb de grosses crevettes décortiquées,
   avec la queue et sans les veines
225 g/8 oz de tomates cerise
le jus d'½ citron vert
2 piments rouges coupés en julienne,
   et quelques feuilles de coriandre,
   pour le service

1 Faites bouillir la moitié du lait de coco dans une cocotte ou un wok.

2 Mélangez la pâte de curry, puis laissez frémir 10 minutes.

3 Ajoutez la sauce de poisson, le sel, le sucre et le reste de lait. Faites chauffer 5 minutes à feu doux.

4 Incorporez les crevettes et les tomates cerise. Poursuivez la cuisson pendant 5 minutes, jusqu'à ce que les crevettes soient roses et tendres.

5 Servez arrosé de jus de citron, décoré de piment et de coriandre.

> ── CONSEIL ──
>
> Pour préparer la pâte de curry jaune,
> mixez 6 à 8 piments jaunes, 1 bâton
> de citronnelle haché, 4 échalotes pelées,
> 4 gousses d'ail, 15 ml/1 c. à soupe
> de gingembre frais, pelé et haché, 5 ml/
> 1 c. à thé de graines de coriandre,
> 5 ml/1 c. à thé de poudre de moutarde,
> 5 ml/1 c. à thé de sel, 2,5 ml/½ c. à thé
> de cannelle en poudre, 15 ml/1 c. à soupe
> de sucre roux et 30 ml/2 c. à soupe d'huile.
> Mettez la pâte dans un bocal en verre et
> gardez au réfrigérateur.

Crabe aux oignons et au gingembre

Cette recette simple en dépit des apparences sera un régal pour les yeux comme pour les papilles.

INGRÉDIENTS

Pour 4 personnes

1 gros crabe ou 2 moyens,
    d'environ 700 g/1½ lb au total
30 ml/2 c. à soupe de vin de riz chinois
    ou de Xérès sec
1 œuf légèrement battu
15 ml/1 c. à soupe de Maïzena
15 ml/1 c. à soupe de gingembre frais
    finement haché
3 à 4 ciboules détaillées en petites sections
45 à 60 ml/3 à 4 c. à soupe d'huile végétale
30 ml/2 c. à soupe de sauce de soja
5 ml/1 c. à thé de sucre roux
environ 75 ml/5 c. à soupe de bouillon clair
    (voir p. 16)
quelques gouttes d'huile de sésame

1 Sectionnez le crabe en deux par le dessous de la carapace. Détachez les grosses pinces et cassez-les avec le dos d'un hachoir. Ôtez les pattes, puis brisez la carapace en plusieurs morceaux. Jetez la poche abdominale en forme de sac et les appendices. Mettez les morceaux de crabe dans un saladier.

2 Mélangez le vin de riz ou le Xérès sec, l'œuf et la Maïzena. Versez sur le crabe et laissez mariner 10 à 15 minutes.

3 Dans un wok préchauffé, faites revenir les morceaux de crabe, le gingembre et les ciboules pendant 2 à 3 minutes dans l'huile chaude.

4 Versez la sauce de soja, le sucre, le bouillon, puis mélangez intimement. Portez à ébullition, réduisez le feu, couvrez et laissez frémir 3 à 4 minutes. Dressez sur un plat de service, arrosez d'huile de sésame et servez.

CONSEIL

Ce plat sera plus savoureux avec un crabe vivant que vous ferez cuire vous-même. Si vous préférez toutefois acheter un crabe cuit, choisissez-le lourd pour sa taille, afin d'être sûr qu'il est bien plein. Les mâles ont des pinces plus grosses et contiennent davantage de chair. Mais les femelles, identifiables par leur queue plus large, renferment du corail que certaines personnes apprécient beaucoup.

Moules aux herbes thaïes

Dans cette recette d'une grande simplicité, la citronnelle relève les moules de sa saveur rafraîchissante.

INGRÉDIENTS

Pour 4 à 6 personnes

1 kg/2¼ lb de moules nettoyées
2 bâtons de citronnelle finement hachés
4 échalotes hachées
4 feuilles de lime grossièrement ciselées
2 piments rouges émincés
15 ml/1 c. à soupe de sauce de poisson
30 ml/2 c. à soupe de jus de citron vert
2 ciboules hachées et quelques feuilles
   de coriandre, pour le service

1 Réunissez tous les ingrédients, sauf les ciboules et la coriandre, dans une cocotte, puis mélangez délicatement.

2 Couvrez et laissez frémir 5 à 7 minutes, en secouant la cocotte de temps en temps, jusqu'à ce que les moules s'ouvrent. Jetez celles qui restent fermées.

3 Dressez les moules sur un plat de service.

4 Décorez de ciboule et de coriandre avant de servir.

Crabes au piment

On trouve dans toute l'Asie de nombreuses variantes des *Kepiting pedas.* Ce plat laisse toujours un grand souvenir aux convives.

INGRÉDIENTS

Pour 4 personnes

2 crabes cuits, soit environ 700 g/1½ lb
1,5 cm/½ po de *terasi* en cube
2 gousses d'ail
2 piments rouges frais, épépinés et hachés (ou 5 ml/1 c. à thé de piment haché en bocal)
1,5 cm/½ po de gingembre frais épluché et haché
60 ml/4 c. à soupe d'huile de tournesol
300 ml/½ pinte/1¼ tasses de ketchup
15 ml/1 c. à soupe de sucre brun
150 ml/¼ pinte/⅔ tasse d'eau chaude
4 ciboules hachées, rondelles de concombre et toasts, pour le service

1 Retirez les pattes à l'un des crabes et retournez-le, la tête éloignée de vous. À l'aide du pouce, poussez la chair vers le haut de la carapace. Ôtez et jetez le sac de l'estomac, ainsi que les poumons et la matière verte. Laissez dans la carapace la chair de couleur marron. Coupez en deux la carapace à l'aide d'un couperet ou d'un gros couteau. Coupez en deux le corps et cassez les pinces à l'aide d'un casse-noix, en évitant de les faire éclater. Répétez toute l'opération avec l'autre crabe.

2 Broyez le *terasi*, l'ail, les piments et le gingembre dans un mixer ou un mortier, jusqu'à l'obtention d'une pâte.

3 Chauffez un wok et versez l'huile. Mettez à revenir la pâte d'épices en remuant et en évitant qu'elle brunisse.

4 Tout en remuant, versez le ketchup, le sucre et l'eau. Lorsque la sauce commence à bouillir, ajoutez les morceaux de crabe et enduisez-les bien de sauce. Lorsqu'ils sont cuits, disposez-les dans un grand saladier, recouvrez de sauce et agrémentez de ciboules. Vous pouvez accompagner ce plat de rondelles de concombre. Prévoyez des toasts chauds, pour la sauce.

Homard aux haricots noirs

Dans cette recette, le homard mijote doucement dans une sauce délicatement épicée.

INGRÉDIENTS

Pour 4 à 6 personnes

1 gros homard ou 2 moyens
   d'environ 800 g/1¾ lb au total
huile végétale, pour la friture
1 gousse d'ail finement hachée
5 ml/1 c. à thé de gingembre frais,
   finement haché
2 à 3 ciboules hachées
30 ml/2 c. à soupe de sauce de haricots noirs
30 ml/2 c. à soupe de vin de riz chinois
   ou de Xérès sec
120 ml/4 oz/½ tasse de bouillon clair
   (voir p. 16)
feuilles de coriandre fraîche, pour le service

1 Coupez le homard en deux dans la longueur à partir de la tête. Jetez les pattes, détachez les pinces et cassez-les avec le dos d'un hachoir. Jetez également les poumons et les intestins. Détaillez chaque moitié en 4 à 5 morceaux.

2 Dans un wok préchauffé avec de l'huile, faites revenir les morceaux de homard 2 minutes, afin que la carapace prenne une couleur orangée. Posez les morceaux sur du papier absorbant.

3 Gardez 15 ml/1 c. à soupe d'huile et jetez le reste. Ajoutez dans le wok l'ail, le gingembre, les ciboules, la sauce de haricots, puis remuez pendant 1 minute.

4 Incorporez le homard et mélangez délicatement. Versez le vin de riz ou le Xérès sec et le bouillon, portez à ébullition et laissez frémir 2 à 3 minutes à couvert. Décorez de feuilles de coriandre et servez.

CONSEIL

Achetez de préférence des homards vivants que vous ferez cuire vous-même. Sinon, ils sont généralement trop cuits et ils manquent de saveur et de texture.

Cassolette de coquillages au basilic

À base de piments verts, la pâte de curry verte constitue un ingrédient de base de la cuisine thaïe. Elle accompagne nombre de plats et se conserve trois semaines au réfrigérateur. On peut l'acheter toute prête, mais elle est toujours meilleure fabriquée à la maison.

INGRÉDIENTS

Pour 4 à 6 personnes

450 g/1 lb de moules dans leur coquille
60 ml/4 c. à soupe d'eau
225 g/8 oz de seiche ou de calmar
400 ml/14 oz/1⅔ tasses de lait de coco
300 ml/½ pinte/1¼ tasses de bouillon de
  volaille ou de légumes
375 g/12 oz de lotte ou de dorade
  sans la peau
150 g/5 oz de crevettes décortiquées,
  crues ou cuites, sans les veines
4 noix de Saint-Jacques émincées
75 g/3 oz de haricots verts épluchés et cuits
50 g/2 oz de pousses de bambou
  en boîte, égouttées
1 tomate pelée, épépinée
  et grossièrement concassée
4 branches de basilic ciselé et du riz cuit
  à l'eau, pour le service

La pâte de curry verte

10 ml/2 c. à thé de graines de coriandre
2,5 ml/½ c. à thé de graines de cumin
  ou de carvi
3 à 4 piments verts frais moyens,
  finement hachés
20 ml/4 c. à thé de sucre
10 ml/2 c. à thé de sel
7,5 cm/3 po de citronnelle
2 cm/¾ po de *galanga* ou de gingembre frais
  pelé et finement haché
3 gousses d'ail écrasées
4 échalotes ou 1 oignon moyen
  finement hachés
2 cm/¾ po de pâte de crevettes
50 g/2 oz de feuilles de coriandre fraîche
  finement ciselées
45 ml/3 c. à soupe de basilic frais
  finement ciselé
2,5 ml/½ c. à thé de noix de muscade râpée
30 ml/2 c. à soupe d'huile végétale

1 Grattez les moules sous l'eau courante et retirez le byssus. Jetez celles qui restent ouvertes lorsque vous tapez dessus. Faites cuire les moules dans une casserole d'eau à couvert, pendant 6 à 8 minutes. Éliminez celles qui restent fermées, et retirez trois quarts des moules de leur coquille. Réservez. Filtrez le liquide de cuisson et réservez.

4 Filtrez le lait de coco, puis versez le liquide dans un wok avec le bouillon de volaille ou de légumes et le jus de cuisson des moules. Réservez la partie solide du lait de coco. Ajoutez 60 à 75 ml/4 à 5 c. à soupe de pâte de curry dans le wok et portez le mélange à ébullition. Faites bouillir quelques minutes, afin que le liquide réduise complètement.

2 Coupez les tentacules et jetez les entrailles de la seiche ou du calmar. Sortez l'os de la seiche ou la plume du calmar, et détachez la peau. Ouvrez le corps, puis entaillez en forme de croisillons avec un couteau pointu. Détaillez en lanières et réservez.

3 Pour la pâte de curry verte, faites revenir les graines de coriandre et de cumin ou de carvi dans un wok non graissé. Broyez les piments avec le sucre et le sel dans un mixer. Ajoutez les graines de coriandre et de cumin ou de carvi, la citronnelle, le *galanga* ou le gingembre, l'ail et les échalotes ou l'oignon, puis écrasez. Incorporez la pâte de crevettes, la coriandre, le basilic, la noix de muscade, l'huile, et mélangez.

5 Incorporez la partie solide du lait de coco, puis la seiche ou le calmar, ainsi que le poisson. Laissez frémir 15 à 20 minutes. Mélangez ensuite les crevettes, les noix de Saint-Jacques, les moules, les haricots, les pousses de bambou et la tomate. Faites chauffer 2 à 3 minutes à feu doux. Dressez sur un plat chaud, décorez de feuilles de basilic et servez aussitôt avec le riz.

Calmars farcis à la vietnamienne

Plus les calmars seront petits,
plus ce plat sera réussi. Veillez
à ne pas trop les cuire car
ils durcissent rapidement.

INGRÉDIENTS

Pour 4 personnes

8 petits calmars
50 g/2 oz de nouilles cellophane
2 ciboules finement hachées
8 champignons shiitake
    (coupez les gros en deux)
250 g/9 oz de porc haché
1 gousse d'ail hachée
30 ml/2 c. à soupe d'huile d'arachide
30 ml/2 c. à soupe de sauce de poisson
5 ml/1 c. à thé de sucre en poudre
15 ml/1 c. à soupe de coriandre fraîche
    finement hachée
5 ml/1 c. à thé de jus de citron
sel et poivre noir du moulin

1 Coupez les tentacules des calmars juste en dessous des yeux. Retirez la plume transparente à l'intérieur du corps ainsi que la peau. Lavez les calmars soigneusement dans l'eau froide, puis réservez.

2 Plongez les nouilles dans une casserole d'eau bouillante. Retirez du feu et laissez tremper 20 minutes.

3 Dans un wok préchauffé, faites revenir les ciboules, les champignons, le porc et l'ail pendant 4 minutes dans 15 ml/1 c. à soupe d'huile chaude, jusqu'à ce que la viande soit dorée.

4 Égouttez les nouilles avant d'incorporer dans le wok, avec la sauce de poisson, le sucre, la coriandre, le jus de citron, le sel et le poivre.

5 Garnissez l'intérieur des calmars de cette préparation et maintenez avec des bâtonnets de bois. Dressez les calmars dans un plat à four, arrosez du reste d'huile et piquez plusieurs fois. Faites cuire 10 minutes dans le four préchauffé à 200 °C/400 °F. Servez chaud.

Calmars frits au cinq-épices

Les calmars sont bien préparés dans le wok car ils ne doivent pas cuire longtemps. La sauce épicée les enrichit à merveille.

INGRÉDIENTS

Pour 6 personnes

450 g/1 lb de petits calmars nettoyés
45 ml/3 c. à soupe d'huile
2,5 cm/1 po de gingembre frais râpé
1 gousse d'ail écrasée
8 ciboules coupées dans la diagonale
   en sections de 2,5 cm/1 po de long
1 poivron rouge épépiné
   et détaillé en lanières
1 piment vert frais épépiné
   et finement émincé
6 champignons émincés
5 ml/1 c. à thé de cinq-épices
30 ml/2 c. à soupe de sauce de haricots noirs
30 ml/2 c. à soupe de sauce de soja
5 ml/1 c. à thé de sucre
15 ml/1 c. à soupe de vin de riz chinois
   ou de Xérès sec

1 Rincez les calmars et retirez la peau. Posez-les sur du papier absorbant. Ouvrez-les avec un couteau aiguisé, entaillez l'intérieur en forme de croisillons, puis découpez en lanières.

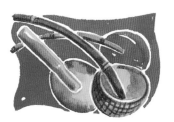

2 Dans un wok préchauffé, faites revenir rapidement les calmars dans l'huile chaude. Retirez à l'aide d'une écumoire et réservez. Ajoutez le gingembre, l'ail, les ciboules, le poivron rouge, le piment, les champignons dans le reste d'huile, et remuez 2 minutes.

3 Remettez les calmars dans le wok et ajoutez le cinq-épices. Incorporez la sauce de haricots noirs, la sauce de soja, le sucre, le vin de riz ou le Xérès sec. Portez à ébullition et remuez pendant 1 minute. Servez aussitôt.

Marmite de calmars au piment

INGRÉDIENTS

Pour 4 personnes

700 g/1½ lb de calmars frais
3 tranches de gingembre frais
  détaillé en julienne
2 gousses d'ail finement hachées
1 oignon rouge finement émincé
30 ml/2 c. à soupe d'huile végétale
1 carotte coupée en minces rondelles
1 branche de céleri émincée
  dans la diagonale
50 g/2 oz de pois gourmands épluchés
5 ml/1 c. à thé de sucre
15 ml/1 c. à soupe de pâte de haricots
  pimentée
2,5 ml/½ c. à thé de poudre de piment
75 g/3 oz de nouilles cellophane, ramollies
  après avoir trempé dans de l'eau chaude
120 ml/4 oz/½ tasse de bouillon de volaille
  ou d'eau
15 ml/1 c. à soupe de sauce de soja
15 ml/1 c. à soupe de sauce d'huître
5 ml/1 c. à thé d'huile de sésame
1 pincée de sel
des feuilles de coriandre, pour le service

1 Pour préparer les calmars, détachez la tête et les tentacules en tenant le corps d'une main et en tirant doucement. Jetez la tête et réservez les tentacules. Ôtez la plume transparente à l'intérieur du corps, retirez la peau foncée à l'extérieur. Frottez l'intérieur de sel et lavez soigneusement sous l'eau froide. Détaillez le corps en anneaux, ou bien ouvrez les calmars dans la longueur, incisez l'intérieur en forme de croisillons et coupez en morceaux de 5 × 4 cm/2 × 1½ po.

2 Dans une cocotte, faites revenir le gingembre, l'ail et l'oignon pendant 1 à 2 minutes dans l'huile chaude. Ajoutez les calmars, la carotte, le céleri, les pois gourmands, et laissez frire jusqu'à ce que les calmars se recroquevillent. Salez, incorporez le sucre, puis la pâte de haricots et la poudre de piment. Réservez la préparation dans un saladier.

3 Égouttez les nouilles avant de les mettre dans la cocotte. Versez le bouillon ou l'eau, la sauce de soja et la sauce d'huître. Couvrez et laissez cuire 10 minutes à feu moyen, jusqu'à ce que les nouilles soient tendres.

4 Incorporez les calmars et les légumes dans la cocotte. Poursuivez la cuisson pendant 5 à 6 minutes à couvert pour que les parfums se mélangent. Rectifiez l'assaisonnement.

5 Arrosez d'huile de sésame et saupoudrez de feuilles de coriandre juste avant de servir.

CONSEIL

Ces nouilles offrent une texture lisse et légère qui s'imprègne des saveurs des autres ingrédients. Vous pouvez varier le choix des légumes en fonction de ce dont vous disposez.

Calmars à la sauce de haricots noirs

Ce mets d'origine cantonaise
peut constituer un plat unique
aussi délicieux que séduisant
à l'œil.

INGRÉDIENTS

Pour 4 personnes

400 g/14 oz de calmars
1 poivron vert moyen évidé et épépiné
45 à 60 ml/3 à 4 c. à soupe d'huile végétale
1 gousse d'ail finement hachée
2,5 ml/½ c. à thé de gingembre frais
    finement haché
15 ml/1 c. à soupe de ciboule
    finement hachée
5 ml/1 c. à thé de sel
15 ml/1 c. à soupe de sauce de haricots noirs
15 ml/1 c. à soupe de vin de riz chinois
    ou de Xérès sec
quelques gouttes d'huile de sésame

1 Pour préparer les calmars, coupez
les tentacules juste en dessous des
yeux. Retirez la plume transparente à
l'intérieur du corps. Enlevez et jetez la
peau, puis lavez les calmars et essuyez-
les soigneusement. Ouvrez et incisez
l'intérieur en forme de croisillons.

2 Coupez les calmars en morceaux
rectangulaires. Ébouillantez-les quelques secondes dans une casserole, puis
égouttez-les. Essuyez-les soigneusement.

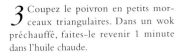

3 Coupez le poivron en petits morceaux triangulaires. Dans un wok
préchauffé, faites-le revenir 1 minute
dans l'huile chaude.

4 Ajoutez les calmars, l'ail, le gingembre, la ciboule, le sel et remuez pendant 1 minute. Incorporez la sauce de
haricots, le vin de riz ou le Xérès et
l'huile de sésame juste avant de servir.

Poisson épicé

Si vous préparez l'*Ikan kecap*
la veille, mettez-le directement
sur le plat de service, arrosez-le
de sauce, couvrez et mettez
au frais jusqu'au lendemain.

INGRÉDIENTS

Pour 3 à 4 personnes

450 g/1 lb de filets de poisson (maquereau,
  morue ou lieu)
30 ml/2 c. à soupe de farine
huile d'arachide pour friture
1 oignon grossièrement haché
1 petite gousse d'ail écrasée
1 morceau de 4 cm/1½ po de racine de
  gingembre frais, épluché et râpé
1 à 2 piments rouges frais, épépinés
  et émincés
1 dé de *terasi* d'1 cm/½ po
60 ml/4 c. à soupe d'eau
le jus d'½ citron
15 ml/1 c. à soupe de sucre roux
30 ml/2 c. à soupe de sauce de soja épaisse
sel
feuilles de laitue grossièrement ciselées,
  pour le service

1 Passez les filets sous l'eau froide et essuyez-les sur du papier absorbant. Coupez en portions individuelles et retirez les arêtes.

2 Salez la farine et farinez le poisson. Chauffez l'huile dans une poêle et faites-le dorer des deux côtés 3 à 4 minutes, ou jusqu'à ce qu'il soit cuit. Posez-le sur un plat et réservez.

3 Lavez et séchez la poêle. Chauffez un peu d'huile et faites cuire l'oignon, l'ail, gingembre et piments sans les dorer, pour développer les parfums.

4 Mélangez le *terasi* avec un peu d'eau pour le réduire en pâte. Ajoutez-le au mélange précédent, en remettant un peu d'eau si nécessaire. Faites cuire 2 minutes, puis incorporez le jus de citron, le sucre roux et la sauce de soja.

5 Versez sur le poisson et servez chaud ou froid, avec la laitue ciselée.

> **CONSEIL**
>
> Pour un buffet, détaillez le poisson
> en morceaux de la grosseur d'une noix.

Calmars de Madura

Ce plat de calmar, *Cumi cumi
Madura*, est populaire en
Indonésie. Il est courant là-bas,
d'être invité par le cuisinier du
restaurant à visiter sa cuisine.

INGRÉDIENTS

Pour 2 à 3 personnes

450 g/1 lb de calmars nettoyés et vidés,
  corps coupé en lanières et tentacules
  laissées entières
3 gousses d'ail
3 pincées de muscade râpée
1 botte de ciboules
60 ml/4 c. à soupe d'huile de tournesol
200 ml/8 oz/1 tasse d'eau
15 ml/1 c. à soupe de sauce de soja épaisse
sel et poivre noir du moulin
1 citron vert coupé en quartiers (facultatif)
riz cuit à l'eau, pour le service

1 Retirez la «plume» cornée de chaque tentacule. Chauffez un wok, versez tous les calmars et faites dorer 1 minute. Retirez les calmars.

2 Écrasez l'ail avec la muscade, du sel et du poivre. Coupez la racine des ciboules, coupez le blanc en petits morceaux, ciselez le vert et réservez.

3 Chauffez le wok, ajoutez l'huile et faites sauter le blanc de ciboule. Incorporez la pâte d'ail et les calmars.

4 Rincez le bol de l'ail avec l'eau et la sauce de soja et versez dans le wok. Couvrez à demi et laissez frémir 4 à 5 minutes. Ajoutez le vert de ciboule, tournez et servez aussitôt, avec le citron vert (facultatif) et le riz.

LES VIANDES

*Délicieux currys de bœuf, agneau
parfumé ou encore porc à l'aigre-douce,
les plats de viande orientaux peuvent
satisfaire tous les goûts et tous les budgets.
Certaines recettes, faciles à préparer,
conviennent pour un repas familial,
comme le* Balti d'agneau tikka *et
la* Fricassée de porc aux légumes,
*d'autres constituent des plats de fête
originaux comme les* Boulettes
de viande «têtes de lions» *et
les* Nouilles braisées à l'agneau.

Porc à la citronnelle

Les pimients et la citronnelle donnent sa saveur à ce sauté ; les cacahuètes ajoutent du croquant.

INGRÉDIENTS

Pour 4 personnes

700 g/1½ lb de porc dans le filet, désossé
2 branches de citronnelle coupées
4 ciboules coupées en petits morceaux
5 ml/1 c. à thé de sel
12 grains de poivre noir moulus
30 ml/2 c. à soupe d'huile d'arachide
2 gousses d'ail hachées
2 piments rouges frais épépinés et hachés
5 ml/1 c. à thé de sucre roux
30 ml/2 c. à soupe de sauce de poisson
     thaïlandaise *(nam pla)*
25 g/1 oz de cacahuètes grillées
     non salées, hachées
sel et poivre noir moulu
feuilles de coriandre et nouilles de riz
     chinoises, pour le service

1 Coupez le surplus de gras du porc. Découpez des lamelles de 5 mm/ ¼ po d'épaisseur environ. Dans un saladier, mettez les lamelles de porc, la citronnelle, les ciboules, le sel et les grains de poivre moulus. Mélangez bien le tout, puis couvrez et laissez reposer 30 minutes.

2 Chauffez un wok, versez l'huile et répartissez-la bien. Mettez le mélange de porc à revenir 3 minutes.

3 Ajoutez l'ail et les piments et faites revenir le tout 5 à 8 minutes supplémentaires à feu moyen, jusqu'à ce que le porc n'ait plus du tout l'aspect rose.

4 Incorporez le sucre, la sauce de poisson et les cacahuètes hachées, et laissez revenir en mélangeant bien. Salez et poivrez à votre goût. Servez aussitôt sur un lit de nouilles de riz, en garnissant de feuilles de coriandre torsadées.

Sauté de porc aux litchis

Le contraste entre le porc croustillant et la chair juteuse des litchis fait le charme de ce plat.

INGRÉDIENTS

Pour 4 personnes

450 g/1 lb de porc gras (de la panse, par exemple)
30 ml/2 c. à soupe de sauce *hoi-sin*
4 ciboules coupées en morceaux
175 g/6 oz de litchis pelés, dénoyautés et coupés en petites tranches
sel et poivre noir moulu
branches de persil et litchis frais, pour le service

1 Découpez le morceau de porc en petites bouchées.

2 Versez la sauce *hoi-sin* sur le porc et laissez mariner 30 minutes.

CONSEIL

Si vous ne trouvez pas de fruits frais, les litchis en conserve, bien égouttés, pourront les remplacer.

3 Chauffez le wok et faites sauter le porc pendant 5 minutes environ, le temps qu'il devienne doré et croustillant. Ajoutez les ciboules et laissez revenir encore 2 minutes.

4 Éparpillez les tranches de litchis sur le porc avant de saler et poivrer. Garnissez avec les litchis frais et les branches de persil. Servez.

Travers de porc aux haricots serpents

Voici un plat riche en saveur et bien relevé. Les haricots serpents étant difficiles à trouver, on les remplacera souvent par des haricots verts extra-fins.

INGRÉDIENTS

Pour 4 à 6 personnes

700 g/1½ lb de travers de porc
30 ml/2 c. à soupe d'huile végétale
120 ml/4 oz/½ tasse d'eau
15 ml/1 c. à soupe de sucre de palme
15 ml/1 c. à soupe de sauce de poisson
150 g/5 oz de haricots serpents (ou de haricots verts extra-fins) en morceaux de 5 cm/2 po
2 feuilles de lime de Cafre coupées
2 piments rouges en rondelles, pour le service

La pâte de piments

3 piments rouges épépinés et séchés, mis à tremper et égouttés
4 échalotes hachées
4 gousses d'ail hachées
5 ml/1 c. à thé de *galanga* haché
1 branche de citronnelle hachée
6 grains de poivre noir
5 ml/1 c. à thé de pâte de crevettes
30 ml/2 c. à soupe de crevettes séchées, rincées et égouttées

1 Placez dans un mortier tous les ingrédients de la pâte de piments et broyez-les jusqu'à ce qu'ils forment une sorte de pâte épaisse.

2 Découpez les travers de porc en morceaux d'environ 4 cm/1½ po de long.

3 Chauffez l'huile dans un wok ou une poêle. Faites légèrement dorer le porc, 5 minutes environ.

4 Ajoutez la pâte de piments et mélangez. Faites revenir encore 5 minutes, en continuant de remuer pour que la pâte n'attache pas au fond.

5 Versez l'eau, couvrez et laissez mijoter 7 à 10 minutes, jusqu'à ce que la viande soit tendre. Assaisonnez avec le sucre de palme et la sauce de poisson.

6 Ajoutez les haricots et les feuilles de lime. Laissez revenir jusqu'à ce que les haricots soient cuits. Décorez de rondelles de piments rouges avant de servir.

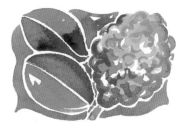

Porc thaïlandais à la sauce aigre-douce

Les plats à la sauce aigre-douce sont une spécialité culinaire chinoise, mais les Thaïlandais les réussissent très bien eux aussi. La version que nous vous proposons, accompagnée de riz, constitue un repas complet.

INGRÉDIENTS

Pour 4 personnes

350 g/12 oz de porc maigre dans le filet
30 ml/2 c. à soupe d'huile végétale
4 gousses d'ail coupées en fines rondelles
1 petit oignon rouge coupé
   en fines tranches
30 ml/2 c. à soupe de sauce de poisson
15 ml/1 c. à soupe de sucre en poudre
1 poivron rouge évidé et coupé en dés
½ concombre évidé et coupé en dés
2 grosses tomates coupées en morceaux
120 g/4 oz d'ananas coupé en petits morceaux
poivre noir fraîchement moulu
2 ciboules coupées en petits morceaux
feuilles de coriandre et ciboules coupées
   en lanières, pour le service

1 Tranchez le porc en lamelles. Chauffez l'huile dans un wok ou une poêle.

2 Mettez à dorer l'ail, puis le porc, 4 à 5 minutes. Ajoutez l'oignon.

3 Assaisonnez avec la sauce de poisson, le sucre et du poivre noir. Remuez et laissez mijoter 3 à 4 minutes, jusqu'à cuisson complète du porc.

4 Ajoutez le reste des légumes, l'ananas et les ciboules. Si nécessaire, versez un peu d'eau. Faites revenir pendant 3 à 4 minutes supplémentaires. Servez chaud, garni de feuilles de coriandre et de lanières de ciboules.

Chow mein de porc

Un plat familial, rapide à préparer, parfumé à l'huile de sésame, dans la plus pure tradition orientale.

INGRÉDIENTS

Pour 4 personnes

175 g/6 oz de nouilles moyennes aux œufs
350 g/12 oz de filet de porc
30 ml/2 c. à soupe d'huile de tournesol
15 ml/1 c. à soupe d'huile de sésame
2 gousses d'ail écrasées
8 ciboules émincées
1 poivron rouge épépiné
    et grossièrement haché
1 poivron vert épépiné
    et grossièrement haché
30 ml/2 c. à soupe de sauce de soja foncée
45 ml/3 c. à soupe de vin de riz chinois
    ou de Xérès sec
175 g/6 oz de germes de soja
45 ml/3 c. à soupe de persil frais ciselé,
    et 15 ml/1 c. à soupe de graines de sésame
    grillées, pour le service

1 Faites tremper les nouilles selon les instructions du fabricant, puis égouttez-les soigneusement.

2 Détaillez le porc en tranches minces. Faites chauffer l'huile de tournesol dans un wok préchauffé, puis laissez rissoler le porc à feu vif.

3 Ajoutez l'huile de sésame, l'ail, les ciboules et les poivrons. Faites cuire 3 à 4 minutes à feu vif, jusqu'à ce que les légumes deviennent tendres.

4 Réduisez légèrement le feu avant d'incorporer les nouilles avec la sauce de soja et le vin de riz ou le Xérès sec. Remuez pendant 2 minutes. Mélangez les germes de soja et poursuivez la cuisson pendant 1 à 2 minutes. Si les nouilles commencent à coller, mouillez avec un peu d'eau. Décorez de persil et de graines de sésame avant de servir.

Porc aux œufs et aux champignons

Cette recette de sauté se présente plus souvent comme une farce, à l'intérieur de petites crêpes très fines, mais elle peut faire un vrai plat complet, accompagné de riz.

INGRÉDIENTS

Pour 4 personnes

15 g/½ oz de champignons chinois séchés
200 à 250 g/6 à 8 oz de porc dans le filet
230 g/8 oz de chou chinois
120 g/4 oz de pousses de bambou
2 ciboules
3 œufs frais
5 ml/1 c. à thé de sel
60 ml/4 c. à soupe d'huile végétale
15 ml/1 c. à soupe de sauce de soja claire
15 ml/1 c. à soupe de vin de riz chinois
    (ou de Xérès sec)
quelques gouttes d'huile de sésame

1 Rincez abondamment les champignons à l'eau froide et laissez-les tremper dans de l'eau chaude pendant 20 à 30 minutes. Rincez à nouveau et jetez éventuellement les morceaux restés durs. Séchez et coupez en fines lanières.

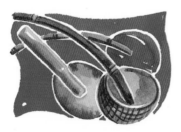

2 Coupez le porc en lanières de la longueur d'une allumette. Coupez le chou chinois, les pousses de bambou et les ciboules en fine julienne.

3 Battez les œufs avec 1 pincée de sel. Chauffez un peu d'huile dans un wok, ajoutez les œufs pour les brouiller légèrement et retirez-les aussitôt.

4 Chauffez le reste d'huile et faites revenir le porc 1 minute environ, jusqu'à ce qu'il change de couleur.

5 Ajoutez les légumes dans le wok et faites sauter pendant 1 minute. Versez le reste de sel, la sauce de soja et le vin. Laissez cuire 1 minute supplémentaire avant d'y mélanger les œufs brouillés. Arrosez de quelques gouttes d'huile de sésame et servez.

REMARQUE PRATIQUE

Les champignons fungis chinois poussent sur les arbres et sont généralement davantage appréciés pour leur texture originale que pour leur goût (il arrive qu'ils n'en aient quasiment aucun.) Les champignons parfumés, dont la cuisine chinoise fait grand usage, sont ceux que l'on trouve le plus facilement dans le commerce, notamment dans les épiceries asiatiques. Ils se présentent séchés et, avant de les consommer, il faut bien les rincer, puis les laisser tremper dans l'eau chaude pendant une vingtaine de minutes et les rincer une nouvelle fois.

Porc à la sauce aigre-douce

Ce plat savoureux, cuit au four, nécessite moins d'huile qu'une préparation dans le wok. Il sera peu calorique si vous retirez le gras du porc avant de le cuisiner.

INGRÉDIENTS

Pour 4 personnes

350 g/12 oz de filet de porc
5 ml/1 c. à thé d'huile de tournesol
2,5 cm/1 po de gingembre frais râpé
1 piment rouge frais épépiné
   et finement haché
5 ml/1 c. à thé de cinq-épices
15 ml/1 c. à soupe de vinaigre de Xérès
15 ml/1 c. à soupe de sauce de soja
225 g/8 oz de morceaux d'ananas en boîte,
   avec leur jus
200 ml/6 oz/¾ tasse de bouillon de volaille
20 ml/4 c. à thé de Maïzena
15 ml/1 c. à soupe d'eau
1 petit poivron vert épépiné et émincé
115 g/4 oz de petits épis de maïs coupés
   en deux
sel et poivre noir du moulin
persil plat et riz cuit à l'eau, pour le service

2 Faites chauffer l'huile de tournesol dans une cocotte. Laissez dorer le porc à feu moyen pendant 2 minutes de chaque côté.

3 Mélangez le gingembre, le piment, le cinq-épices, le vinaigre de Xérès et la sauce de soja.

1 Dégraissez le porc et coupez-le en tranches de 1 cm/½ po d'épaisseur avec un couteau bien affûté.

4 Égouttez les morceaux d'ananas, en réservant le jus. Mélangez le bouillon avec le jus de manière à obtenir 300 ml/½ pinte/1¼ tasses de liquide, ajoutez les épices et versez sur le porc.

5 Laissez frissonner le bouillon. Délayez la Maïzena dans l'eau avant d'incorporer au porc. Ajoutez le poivron, les épis de maïs, et assaisonnez.

6 Faites cuire 30 minutes à couvert dans le four préchauffé à 160 °C/ 325 °F, jusqu'à ce que le porc soit tendre. Incorporez l'ananas et poursuivez la cuisson pendant 5 minutes. Décorez de persil avant de servir avec du riz cuit à l'eau.

CONSEIL

La poudre cinq-épices chinoise s'achète dans les épiceries asiatiques et certains supermarchés. Vous pouvez la remplacer par un mélange d'épices en poudre, bien que la saveur soit légèrement différente.

Porc chinois aigre-doux

Le porc aigre-doux est sans doute
l'un des plats les plus prisés
des Occidentaux, mais
il est souvent dénaturé par
l'ajout de ketchup dans la sauce.
Cette recette authentique
est originaire de Canton.

INGRÉDIENTS

Pour 4 personnes

350 g/12 oz de porc maigre
1,5 ml/¼ c. à thé de sel
2,5 ml/½ c. à thé de grains de poivre
   du Sichuan moulus
15 ml/1 c. à soupe de vin de riz chinois
   ou de Xérès sec
115 g/4 oz de pousses de bambou
30 ml/2 c. à soupe de farine
1 œuf légèrement battu
huile végétale, pour la friture

La sauce

15 ml/1 c. à soupe d'huile végétale
1 gousse d'ail finement hachée
1 ciboule coupée en petites sections
1 petit poivron vert épépiné et coupé en dés
1 piment rouge frais épépiné
   et détaillé en lanières
15 ml/1 c. à soupe de sauce de soja claire
30 ml/2 c. à soupe de sucre roux
30 à 45 ml/2 à 3 c. à soupe de vinaigre de riz
15 ml/1 c. à soupe de concentré de tomates
environ 120 ml/4 oz/½ tasse de bouillon clair
   (voir p. 16) ou d'eau

3 Saupoudrez le porc de farine, plongez-le dans l'œuf battu et enrobez-le de farine. Dans un wok préchauffé, faites revenir le porc pendant 3 à 4 minutes dans l'huile chaude, en remuant pour séparer les morceaux. Égouttez-le.

4 Remettez le porc dans le wok après avoir réchauffé l'huile, puis ajoutez les pousses de bambou. Remuez pendant 1 minute, jusqu'à ce que le porc soit doré. Égouttez soigneusement.

5 Pour préparer la sauce, faites chauffer l'huile dans le wok propre, puis ajoutez l'ail, la ciboule, le poivron et le piment. Mélangez pendant 30 à 40 secondes, avant d'incorporer la sauce de soja, le sucre, le vinaigre de riz, le concentré de tomates et le bouillon ou l'eau. Portez à ébullition, ajoutez le porc et les pousses de bambou. Faites chauffer en remuant, puis servez.

1 Détaillez le porc en petits cubes et mettez-le dans un plat. Ajoutez le sel, les grains de poivre et le vin de riz ou le Xérès sec. Laissez mariner 15 à 20 minutes.

2 Égouttez les pousses de bambou en conserve et coupez-les en petits cubes de la même taille que le porc.

Fricassée de porc aux légumes

Cette préparation facile,
à base de porc et de légumes
mélangés, vous permettra
d'improviser rapidement
un excellent plat familial.

INGRÉDIENTS

Pour 4 personnes

225 g/8 oz de morceaux d'ananas en boîte
15 ml/1 c. à soupe de Maïzena
30 ml/2 c. à soupe de sauce de soja claire
15 ml/1 c. à soupe de vin de riz chinois
  ou de Xérès sec
15 ml/1 c. à soupe de sucre roux
15 ml/1 c. à soupe de vinaigre de vin blanc
5 ml/1 c. à thé de cinq-épices
10 ml/2 c. à thé d'huile d'olive
1 oignon rouge émincé
1 gousse d'ail écrasée
1 piment rouge frais épépiné et haché
2,5 cm/1 po de gingembre frais
350 g/12 oz de filet de porc
  détaillé en fines lanières
175 g/6 oz de carottes
1 poivron rouge épépiné et émincé
175 g/6 oz de pois mange-tout coupés
  en deux
115 g/4 oz de germes de soja
200 g/7 oz de grains de maïs en boîte
30 ml/2 c. à soupe de coriandre
  fraîche hachée
sel
15 ml/1 c. à soupe de graines de sésame
  grillées, pour le service

1 Égouttez l'ananas, en réservant le jus. Dans un bol, délayez la Maïzena dans le jus. Ajoutez la sauce de soja, le vin de riz ou le Xérès, le sucre, le vinaigre et le cinq-épices. Mélangez le tout et réservez.

2 Faites chauffer l'huile dans un wok préchauffé ou une grande poêle antiadhésive. Ajoutez l'oignon, l'ail, le piment, le gingembre, puis remuez pendant 30 secondes. Incorporez le porc et faites cuire pendant 2 à 3 minutes.

3 Coupez les carottes en julienne avant de les mettre dans le wok avec le poivron. Laissez chauffer 2 à 3 minutes, puis mélangez les pois mange-tout, les germes de soja et le maïs. Faites revenir pendant 1 à 2 minutes.

4 Versez la sauce, l'ananas, remuez jusqu'à ce que la sauce épaississe. Réduisez le feu et poursuivez la cuisson 1 à 2 minutes. Ajoutez la coriandre et assaisonnez. Saupoudrez de graines de sésame avant de servir.

Porc et crevettes à l'aigre-douce

Cette soupe à la saveur piquante peut constituer un plat unique.

INGRÉDIENTS

Pour 4 à 6 personnes

225 g/8 oz de crevettes crues
   ou cuites décortiquées
30 ml/2 c. à soupe de sauce de tamarin
le jus de 2 citrons
350 g/12 oz de porc maigre coupé en dés
1 petite goyave verte pelée, coupée
   et épépinée
1 petite mangue verte pelée, dénoyautée
   et hachée
1,5 l/2½ pintes/6¼ tasses de bouillon
   de volaille
15 ml/1 c. à soupe de sauce de poisson
   ou de sauce de soja
275 g/10 oz de patates douces épluchées
   et détaillées en morceaux de taille égale
225 g/8 oz de tomates vertes coupées
   en quatre
115 g/4 oz de haricots verts coupés en deux
1 carambole coupée en tranches épaisses
75 g/3 oz de chou vert détaillé en lanières
sel et poivre noir du moulin
quelques quartiers de citron vert,
   pour le service

1 Retirez les veines des crevettes et réservez. Mélangez la sauce de tamarin et le jus de citron dans une casserole.

2 Ajoutez le porc, la goyave, la mangue et le bouillon. Versez la sauce de poisson ou de soja, portez à ébullition, puis réduisez le feu et laissez frémir 30 minutes.

3 Incorporez le reste de fruits, les légumes, les crevettes, et poursuivez la cuisson à feu doux pendant 10 à 15 minutes. Assaisonnez. Dressez dans un plat de service et décorez de quartiers de citron.

Chaussons de porc

Cette recette des Philippines est un héritage des colons espagnols du XVIe siècle, teinté d'une note typiquement orientale.

INGRÉDIENTS

Pour 6 personnes

1 oignon moyen haché
1 gousse d'ail écrasée
5 ml/1 c. à thé de thym frais effeuillé
15 ml/1 c. à soupe d'huile végétale
115 g/4 oz de porc haché
5 ml/1 c. à thé de paprika
1 œuf dur haché
1 cornichon moyen haché
30 ml/2 c. à soupe de persil frais ciselé
350 g/12 oz de pâte à beignet
   surgelée, décongelée
sel et poivre noir du moulin
huile végétale, pour la friture

1 Pour préparer la garniture, faites revenir l'oignon, l'ail et le thym pendant 3 à 4 minutes dans l'huile chaude. Ajoutez le porc, le paprika, et remuez jusqu'à ce que la viande soit dorée. Assaisonnez, puis laissez refroidir dans un saladier. Incorporez l'œuf, le cornichon et le persil.

2 Pétrissez légèrement la pâte sur une surface farinée, puis étalez-la sous forme d'un carré de 37 cm/15 po de côté environ. Découpez 12 cercles de 12 cm/5 po de diamètre. Déposez 15 ml/1 c. à soupe de garniture sur chaque cercle, mouillez les bords avec de l'eau, repliez en forme de demi-lune et soudez les bords en appuyant dessus.

3 Faites chauffer l'huile à 190 °C/ 385 °F dans une bassine à friture. Faites frire les beignets trois par trois, pendant 1 à 2 minutes, jusqu'à ce qu'ils soient dorés. Posez-les sur du papier absorbant et gardez-les au chaud pendant que vous faites cuire le reste. Servez chaud.

Boulettes de viande « têtes de lions »

Le nom chinois de ce plat – *Shi zi tou* – vient de l'identification des boulettes de viande avec des têtes de lions, les feuilles de chou étant censées représenter la crinière.

INGRÉDIENTS

Pour 4 à 6 personnes

450 g/1 lb de porc haché
10 ml/2 c. à thé de ciboule hachée menu
5 ml/1 c. à thé de gingembre frais finement haché
50 g/2 oz de champignons hachés
50 g/2 oz de crevettes cuites décortiquées, ou de chair de crabe hachée menu
15 ml/1 c. à soupe de sauce de soja claire
5 ml/1 c. à thé de sucre roux
15 ml/1 c. à soupe de vin de riz chinois ou de Xérès sec
15 ml/1 c. à soupe de Maïzena

700 g/1½ lb de chou chinois
5 ml/1 c. à thé de sel
45 à 60 ml/3 à 4 c. à soupe d'huile végétale
300 ml/½ pinte/1¼ tasses de bouillon clair *(voir p. 16)* ou d'eau

1 Mélangez le porc, la ciboule, le gingembre, les champignons, les crevettes ou la chair de crabe, la sauce de soja, le sucre roux, le vin de riz ou le Xérès et la Maïzena. Façonnez 4 à 6 boulettes de viande.

2 Détaillez le chou chinois en gros morceaux de taille identique.

3 Dans un wok préchauffé, faites revenir le chou et le sel pendant 2 à 3 minutes dans l'huile chaude. Ajoutez les boulettes et le bouillon, portez à ébullition, couvrez et laissez frémir pendant 30 à 45 minutes. Servez aussitôt.

Porc aux courgettes et aux tomates

Ce mets illustre à merveille la manière dont les Chinois harmonisent avec bonheur couleurs, saveurs et textures.

INGRÉDIENTS

Pour 4 personnes

225 g/8 oz de filet de porc coupé en tranches fines
15 ml/1 c. à soupe de sauce de soja claire
5 ml/1 c. à thé de sucre roux
5 ml/1 c. à thé de vin de riz chinois ou de Xérès sec
10 ml/2 c. à thé de pâte de Maïzena
125 g/4 oz de tomates fermes pelées
175 g/6 oz de courgettes
1 ciboule
60 ml/4 c. à soupe d'huile végétale
5 ml/1 c. à thé de sel (facultatif)
bouillon clair *(voir p. 16)* ou eau, si besoin

1 Réunissez dans un saladier le porc, 5 ml/1 c. à thé de sauce de soja, le sucre, le vin de riz ou le Xérès et la pâte de Maïzena. Laissez mariner. Coupez les tomates et les courgettes en morceaux. Émincez la ciboule.

2 Dans un wok préchauffé, faites rissoler le porc pendant 1 minute dans l'huile chaude. Retirez avec une écumoire, réservez et gardez au chaud.

3 Faites revenir les légumes pendant 2 minutes dans le wok. Ajoutez le sel, le porc, un peu de bouillon ou d'eau, si besoin, puis remuez pendant 1 minute. Versez le reste de sauce de soja, mélangez délicatement et servez.

Poivrons verts farcis

Une variante des poivrons farcis : ils sont ici frits et servis avec une sauce piquante.

INGRÉDIENTS

Pour 4 personnes

250 g/8 à 10 oz d'émincé de porc
4 à 6 châtaignes d'eau finement hachées
2 ciboules finement hachées
2,5 ml/½ c. à thé de gingembre frais
   finement haché
15 ml/1 c. à soupe de sauce de soja claire
15 ml/1 c. à soupe de vin de riz chinois
   (ou de Xérès sec)
3 à 4 poivrons verts évidés
15 ml/1 c. à soupe de Maïzena
huile de friture végétale

La sauce

10 ml/2 c. à thé de sauce de soja claire
5 ml/1 c. à thé de sucre roux
1 ou 2 piments frais finement hachés
   (facultatif)
75 ml/5 c. à soupe de bouillon clair
   (voir p. 16) ou d'eau

1 Mélangez dans un saladier le porc, les châtaignes d'eau, les ciboules, le gingembre, la sauce de soja et le vin chinois (ou le Xérès).

2 Coupez les poivrons verts en deux ou en quatre. Farcissez ensuite avec le mélange précédent et saupoudrez de Maïzena.

VARIANTE

Pour cette recette, il est possible de remplacer le porc par du bœuf ou de l'agneau.

---

3 Dans un wok préchauffé, chauffez l'huile. Faites frire les poivrons farcis à l'envers pendant 2 à 3 minutes. Retirez de l'huile et égouttez.

4 Jetez le surplus d'huile, puis remettez les poivrons farcis dans le wok, à l'endroit cette fois. Ajoutez les ingrédients de la sauce, en secouant légèrement le wok afin qu'ils n'attachent pas au fond. Laissez braiser pendant 2 à 3 minutes. Retirez délicatement les poivrons farcis pour les disposer sur un plat. Arrosez de sauce avant de servir.

Porc sauté aux légumes

Voici la recette classique de viande
sautée aux légumes, adaptable
à toutes sortes de viandes
et de légumes selon les saisons.

INGRÉDIENTS

Pour 4 personnes

250 g/8 oz de porc dans le filet
15 ml/1 c. à soupe de sauce de soja claire
5 ml/1 c. à thé de sucre roux
5 ml/1 c. à thé de vin de riz chinois
   (ou de Xérès sec)
10 ml/2 c. à thé de Maïzena
120 g/4 oz de haricots mange-tout
   (ou de cocos plats)
120 g/4 oz de champignons de Paris
1 carotte
1 ciboule
60 ml/4 c. à soupe d'huile végétale
5 ml/1 c. à thé de sel
bouillon de volaille (facultatif)
quelques gouttes d'huile de sésame

1 Coupez le porc en petites lamelles.
Mélangez 5 ml/1 c. à thé de sauce
de soja, le sucre roux, le vin chinois (ou
le Xérès) et la Maïzena. Faites mariner
le porc dedans.

2 Équeutez les haricots mange-tout
(ou les cocos plats). Coupez les champignons et la carotte en tranches fines.
Découpez la ciboule en petits morceaux.

3 Faites chauffer l'huile dans un wok
préchauffé et laissez revenir le porc
pendant 1 minute, jusqu'à ce qu'il change
de couleur. Retirez de l'huile avec une
écumoire et réservez au chaud pendant
la cuisson des légumes.

4 Mettez les légumes à revenir dans le
wok pendant 2 minutes environ.
Ajoutez le sel et le porc partiellement
cuit, ainsi qu'un peu de bouillon de
volaille (ou d'eau) si nécessaire. Poursuivez la cuisson, en remuant, 1 minute
environ, puis ajoutez le reste de sauce de
soja et mélangez bien. Aspergez d'un
peu d'huile de sésame avant de servir.

Boulettes parfumées thaïlandaises

INGRÉDIENTS

Pour 4 à 6 personnes

450 g/1 lb d'émincé de porc ou de bœuf
15 ml/1 c. à soupe d'ail haché
1 branche de citronnelle finement hachée
4 ciboules finement hachées
15 ml/1 c. à soupe de coriandre
    fraîche hachée
30 ml/2 c. à soupe de pâte de curry rouge
15 ml/1 c. à soupe de jus de citron
15 ml/1 c. à soupe de sauce de poisson
1 œuf
sel et poivre noir fraîchement moulu
un peu de farine de riz
huile de friture
quelques branches de coriandre,
    pour le service

La sauce au beurre de cacahuètes

15 ml/1 c. à soupe d'huile végétale
15 ml/1 c. à soupe de pâte de curry rouge
30 ml/2 c. à soupe de beurre de cacahuètes
15 ml/1 c. à soupe de sucre de palme
15 ml/1 c. à soupe de jus de citron
250 ml/8 oz/1 tasse de lait de coco

1 Pour préparer la sauce, chauffez l'huile végétale dans une petite casserole. Faites revenir la pâte de curry 1 minute.

2 Tout en remuant, versez les autres ingrédients de la sauce et portez à ébullition. Réduisez le feu et laissez mijoter 5 minutes, jusqu'à épaississement de la sauce.

3 Pour confectionner les boulettes, mélangez tous les ingrédients, sauf la farine de riz, l'huile et la coriandre. Salez et poivrez.

4 Malaxez cette pâte de viande et façonnez-en de petites boulettes de la taille d'une noix. Saupoudrez ensuite de farine de riz.

5 Faites chauffer l'huile dans un wok préchauffé. Lorsqu'elle est suffisamment chaude, faites frire les boulettes par fournées de 4 ou 5 à la fois, jusqu'à ce qu'elles soient bien dorées. Égouttez sur du papier absorbant. Décorez avec quelques branches de coriandre et servez accompagné de la sauce au beurre de cacahuètes.

Omelette farcie à la thaïlandaise

INGRÉDIENTS

Pour 4 personnes

30 ml/2 c. à soupe d'huile végétale
2 gousses d'ail finement hachées
1 petit oignon finement haché
230 g/8 oz d'émincé de porc
30 ml/2 c. à soupe de sauce de poisson
5 ml/1 c. à thé de sucre en poudre
poivre noir fraîchement moulu
2 tomates pelées et hachées
15 ml/1 c. à soupe de coriandre
    fraîche hachée

L'omelette

5 ou 6 œufs
15 ml/1 c. à soupe de sauce de poisson
30 ml/2 c. à soupe d'huile végétale
branches de coriandre et piments rouges
    coupés en rondelles, pour le service

1 Chauffez 2 cuillerées à soupe d'huile dans un wok ou une poêle à frire. Mettez à revenir l'ail et l'oignon pendant 3 à 4 minutes. Tout en remuant, ajoutez le porc et faites-le légèrement dorer, 7 à 10 minutes.

2 Ajoutez la sauce de poisson, le sucre, le poivre moulu et les tomates. Remuez bien pour obtenir un mélange homogène et laissez mijoter jusqu'à ce que la sauce épaississe légèrement. Ajoutez la coriandre fraîche.

3 Pour l'omelette, battez ensemble les œufs et la sauce de poisson.

4 Faites chauffer 15 ml/1 c. à soupe d'huile dans une poêle ou un wok. Versez la moitié des œufs battus en les étalant bien.

5 Lorsque l'omelette commence à prendre, déposez la moitié de la farce au centre. Repliez les bords de l'omelette, d'abord le haut et le bas, puis les côtés, pour obtenir un beau carré.

6 Renversez l'omelette sur un plat chaud. Répétez toute l'opération avec le reste des œufs, de l'huile et de la sauce. Décorez de branches de coriandre et de rondelles de piments rouges.

Boulettes de bœuf épicées

INGRÉDIENTS

Pour 30 beignets

450 g/1 lb de pommes de terre, bouillies
   et égouttées
450 g/1 lb de bœuf maigre haché
1 oignon coupé en quartiers
1 botte de ciboules hachées
3 gousses d'ail écrasées
5 ml/1 c. à thé de muscade râpée
15 ml/1 c. à soupe de graines de coriandre,
   grillées et moulues
10 ml/2 c. à thé de graines de cumin, grillées
   et moulues
4 œufs battus
huile de friture
sel et poivre noir du moulin

1 Pendant que les pommes de terre sont encore chaudes, écrasez-les en purée dans la casserole. Ajoutez au bœuf haché et mélangez bien.

2 Hachez finement l'oignon, la ciboule et l'ail. Ajoutez à la viande avec la muscade, la coriandre et le cumin. Incorporez assez d'œuf battu pour obtenir une pâte souple. Assaisonnez à votre goût.

3 Chauffez l'huile dans une grande poêle. Avec une cuillère à soupe, formez 6 à 8 boulettes aplaties et posez-les dans l'huile bouillante. Laissez-les saisir, pour qu'elles gardent leur forme (envi-ron 3 minutes), puis retournez-les et laissez cuire encore 1 minute.

4 Égouttez bien sur du papier absor-bant et gardez au chaud pendant que vous faites cuire le reste du bœuf.

Travers de porc grillés

INGRÉDIENTS

Pour 4 personnes

1 kg/2¼ lb de travers de porc
1 oignon
2 gousses d'ail
1 morceau de 3 cm/1 po de racine
   de gingembre frais
60 ml/4 c. à soupe de sauce de soja épaisse
1 ou 2 piments rouges épépinés et hachés
5 ml/1 c. à thé de pulpe de tamarin trempée
   dans 60 ml/4 c. à soupe d'eau
15 ou 30 ml/1 ou 2 c. à soupe de sucre roux
30 ml/2 c. à soupe d'huile d'arachide
sel et poivre noir du moulin

1 Essuyez les travers de porc et met-tez-les dans un wok, une grande poêle ou une cocotte.

2 Hachez finement l'oignon, écrasez l'ail, pelez et émincez le gingembre. Réduisez en pâte dans un mixer ou au pilon dans un mortier, la sauce de soja, l'oignon, l'ail, le gingembre et les piments hachés. Égouttez le tamarin et réservez le jus. Ajoutez le jus de tamarin, le sucre roux, l'huile et l'assaisonnement à la préparation d'oignon et mélangez bien.

3 Versez la sauce sur les travers de porc et enrobez-les en bien. Portez à ébullition puis laissez frémir 30 minutes, à découvert, en remuant fréquemment. Ajoutez de l'eau si nécessaire.

4 Mettez les côtes sur une grille, sous le gril préchauffé, au barbecue ou au four à 200 °C/400 °F et continuez la cuisson jusqu'à ce que les travers soient tendres, environ 20 minutes, selon l'épaisseur des côtes. Arrosez les travers avec la sauce et retournez-les une ou deux fois. Servez.

Bœuf sauté à la mode de Pékin

Rapide et facile, cette délicieuse
préparation dans le wok
est tout indiquée lorsque
vous manquez de temps.

INGRÉDIENTS

Pour 4 personnes

350 g/12 oz de rumsteck détaillé en lanières
30 ml/2 c. à soupe de sauce de soja
30 ml/2 c. à soupe de Xérès
15 ml/1 c. à soupe de Maïzena
5 ml/1 c. à thé de sucre roux
15 ml/1 c. à soupe d'huile de tournesol
15 ml/1 c. à soupe d'huile de sésame
1 gousse d'ail finement hachée
15 ml/1 c. à soupe de gingembre frais râpé
1 poivron rouge épépiné et émincé
1 poivron jaune épépiné et émincé
115 g/4 oz de pois gourmands
4 ciboules coupées en sections
   de 5 cm/2 po de long
30 ml/2 c. à soupe de sauce d'huître
60 ml/4 c. à soupe d'eau
des nouilles cuites, pour le service

1 Mélangez dans un saladier le bœuf,
le Xérès, la Maïzena, la sauce de soja
et le sucre roux. Couvrez et laissez
mariner 30 minutes.

2 Faites chauffer l'huile de tournesol
et l'huile de sésame dans un wok
préchauffé. Ajoutez l'ail, le gingembre,
et remuez 30 secondes. Incorporez les
poivrons, les pois gourmands et les
ciboules, puis faites frire 3 minutes.

3 Mélangez le bœuf avec la marinade
avant de poursuivre la cuisson
pendant 3 à 4 minutes. Versez la sauce
d'huître, l'eau, et remuez jusqu'à ce que
la sauce épaississe légèrement. Servez
aussitôt avec les nouilles cuites.

Émincé de bœuf aux brocolis

Accompagné de nouilles ou de riz, ce bœuf épicé composera un repas chinois rapide et diététique.

INGRÉDIENTS

Pour 4 personnes

350 g/12 oz de rumsteck
15 ml/1 c. à soupe de Maïzena
5 ml/1 c. à thé d'huile de sésame
350 g/12 oz de brocolis en petits bouquets
4 ciboules émincées dans la diagonale
1 carotte coupée en julienne
1 gousse d'ail écrasée
2,5 cm/1 po de gingembre frais détaillé en julienne
120 ml/4 oz/½ tasse de bouillon de bœuf
30 ml/2 c. à soupe de sauce de soja
30 ml/2 c. à soupe de Xérès sec
10 ml/2 c. à thé de sucre roux
quelques ciboules préparées de manière décorative (facultatif) et nouilles ou riz, pour le service

1 Parez le bœuf et coupez-le en fines tranches que vous détaillez ensuite en lanières. Enrobez soigneusement de Maïzena.

> ——— CONSEIL ———
>
> Pour préparer les ciboules de manière décorative, jetez le bulbe, puis coupez la pousse verte de manière à ce que la ciboule mesure 7,5 cm/3 po de long. Taillez-la en fines lanières jusqu'à 2,5 cm/1 po de la base, puis laissez-la 1 heure dans l'eau glacée.

2 Faites chauffer l'huile de sésame dans un wok préchauffé ou une grande poêle antiadhésive. Ajoutez le bœuf et saisissez-le à feu vif pendant 3 minutes. Retirez-le et réservez.

3 Incorporez les brocolis, les ciboules, la carotte, l'ail, le gingembre et le bouillon. Couvrez et laissez frémir 3 minutes. Poursuivez la cuisson à découvert, en remuant, jusqu'à ce que le bouillon réduise entièrement.

4 Mélangez la sauce de soja, le Xérès, le sucre avant de les ajouter dans le wok avec le bœuf. Faites cuire 2 à 3 minutes, en remuant sans arrêt. Dressez sur un plat chaud et décorez de ciboule. Servez avec du riz ou des nouilles.

Fricassée de bœuf aux navets croustillants

Ces fines lamelles de navets croustillantes enrichissent de leur texture cette préparation insolite, à déguster avec des amis.

INGRÉDIENTS

Pour 4 personnes

350 g/12 oz de navets
450 g/1 lb de rumsteck
450 g/1 lb de poireaux parés
2 poivrons rouges épépinés
350 g/12 oz de courgettes
90 ml/6 c. à soupe d'huile végétale
2 gousses d'ail écrasées
45 ml/3 c. à soupe de sauce *hoi-sin*
sel et poivre noir du moulin

2 Débitez le bœuf en fines lanières. Taillez les poireaux en deux dans la longueur et coupez-les en gros morceaux. Hachez grossièrement les poivrons et coupez les courgettes en fines rondelles.

5 Faites revenir l'ail, les poireaux, les poivrons et les courgettes pendant 10 minutes, jusqu'à ce qu'ils commencent à ramollir, puis assaisonnez.

1 Épluchez les navets et coupez-les en deux dans la longueur. Posez la surface plate sur une planche et détaillez en fines lamelles. Rincez-les sous l'eau froide, puis égouttez-les soigneusement. Posez-les sur du papier absorbant.

3 Dans un wok préchauffé avec l'huile, faites dorer les navets jusqu'à ce qu'ils soient croustillants. Procédez si besoin en plusieurs fois, en ajoutant un peu d'huile. Retirez avec une écumoire et posez-les sur du papier absorbant.

6 Incorporez la viande dans la préparation avec la sauce *hoi-sin*, et laissez chauffer 2 à 3 minutes. Rectifiez l'assaisonnement avant de servir en disposant les navets sur le dessus.

4 Faites rissoler le bœuf dans le wok, en procédant si besoin en plusieurs fois et en ajoutant de l'huile. Posez-le sur du papier absorbant.

Bœuf cantonais à la sauce d'huître

Cette recette cantonaise traditionnelle est réalisable avec n'importe quels légumes. Les pois mange-tout peuvent être remplacés par des brocolis, les épis de maïs par des pousses de bambou, les champignons de paille par des noirs ou blancs.

INGRÉDIENTS

Pour 4 personnes

350 g/10 à 12 oz de rumsteck
5 ml/1 c. à thé de sucre roux
15 ml/1 c. à soupe de sauce de soja claire
10 ml/2 c. à thé de vin de riz chinois
    ou de Xérès sec
10 ml/2 c. à thé de pâte de Maïzena
115 g/4 oz de pois mange-tout
115 g/4 oz de petits épis de maïs
115 g/4 oz de champignons de paille
    ou de volvaires
1 ciboule
300 ml/½ pinte/1¼ tasses d'huile végétale
quelques petits morceaux de gingembre frais
2,5 ml/½ c. à thé de sel
30 ml/2 c. à soupe de sauce d'huître

1 Détaillez le bœuf en fines lanières. Mettez-le dans un saladier avec le sucre, la sauce de soja, le vin de riz ou le Xérès et la pâte de Maïzena. Mélangez bien et laissez mariner 25 à 30 minutes.

2 Épluchez les pois mange-tout et coupez les épis de maïs en deux. Si vous utilisez des champignons en boîte, égouttez-les bien. S'ils sont gros, partagez-les en deux, sinon laissez-les entiers. Détaillez la ciboule en petits morceaux.

3 Dans un wok préchauffé avec l'huile, faites revenir le bœuf jusqu'à ce qu'il change de couleur. Retirez-le avec une écumoire et égouttez-le.

4 Jetez l'huile du wok, à l'exception de 30 ml/2 c. à soupe, puis ajoutez la ciboule, le gingembre et les légumes. Remuez 2 minutes en versant le sel, avant d'incorporer le bœuf et la sauce d'huître. Mélangez bien avant de servir.

Bœuf à l'orange et au gingembre

Utilisant un minimum
de matières grasses, la cuisson
au wok est l'une des plus
diététiques. Cette recette est
idéale pour les personnes
qui veulent maigrir, celles
qui suivent un régime basses
calories ou contre le cholestérol.

INGRÉDIENTS

Pour 4 personnes

450 g/1 lb de rumsteck ou de filet de bœuf
    détaillé en fines lanières
le jus et le zeste finement râpé d'1 orange
15 ml/1 c. à soupe de sauce de soja claire
5 ml/1 c. à thé de Maïzena
2,5 cm/1 po de gingembre frais
    finement haché
10 ml/2 c. à thé d'huile de sésame
1 grosse carotte coupée en julienne
2 ciboules finement émincées
nouilles de riz ou riz cuit à l'eau,
    pour le service

1 Réunissez dans un saladier le bœuf,
le zeste et le jus d'orange. Laissez
mariner environ 30 minutes.

2 Récupérez le liquide de la marinade
et réservez. Mélangez le bœuf, la
sauce de soja, la Maïzena et le gingembre.

3 Dans un wok préchauffé ou une
poêle, faites rissoler le bœuf 1 minute
dans l'huile chaude, jusqu'à ce qu'il
change de couleur. Ajoutez la carotte et
remuez pendant 2 à 3 minutes.

4 Incorporez les ciboules et le liquide
de la marinade. Faites cuire, sans
cesser de remuer, jusqu'à ce que la sauce
bouillonne et épaississe. Servez chaud
avec des nouilles de riz ou du riz nature.

Curry de bœuf à la sauce de cacahuètes

Ce riche curry est beaucoup plus consistant que la plupart des currys thaïlandais. Vous pouvez le servir avec du riz parfumé et des œufs de cane.

INGRÉDIENTS

Pour 4 à 6 personnes

600 ml/1 pinte/2½ tasses de lait de coco
45 ml/3 c. à soupe de pâte de curry rouge
45 ml/3 c. à soupe de sauce de poisson
30 ml/2 c. à soupe de sucre de palme
2 bâtons de citronnelle écrasés
450 g/1 lb de rumsteck détaillé en lanières
75 g/3 oz de cacahuètes grillées moulues
2 piments rouges émincés
5 feuilles de lime ciselées
sel et poivre noir du moulin
10 à 15 feuilles de basilic thaï et
    2 œufs durs salés, pour le service

1 Faites chauffer la moitié du lait de coco dans une cocotte, en tournant, jusqu'à ce qu'il bouillonne et se sépare.

> ── CONSEIL ──
> Vous pouvez acheter une pâte de curry thaïlandaise toute faite si vous n'avez pas le temps de la préparer vous-même. On en trouve un large choix dans les supermarchés asiatiques.

2 Ajoutez la pâte de curry rouge et remuez, puis incorporez la sauce de poisson, le sucre de palme et la citronnelle.

3 Poursuivez la cuisson jusqu'à ce que la couleur fonce. Versez le lait de coco restant et portez de nouveau à ébullition.

4 Mélangez le bœuf et les cacahuètes, puis faites cuire 8 à 10 minutes, afin que le liquide soit en partie évaporé.

5 Ajoutez enfin les piments et les feuilles de lime. Rectifiez l'assaisonnement. Décorez de feuilles de basilic et servez avec des œufs durs salés.

Bœuf grillé à la malaise

Ce mode de cuisson malais consistant à saisir sur un gril en fonte de la viande marinée, peut tout aussi bien convenir pour du poulet ou du porc.

INGRÉDIENTS

Pour 4 à 6 personnes

4 tranches de rumsteck
   d'environ 200 g/7 oz chacune
1 gousse d'ail écrasée
2,5 cm/1 po de gingembre frais
   finement haché
10 ml/2 c. à thé de grains de poivre noir
15 ml/1 c. à soupe de sucre
30 ml/2 c. à soupe de sauce de tamarin
45 ml/3 c. à soupe de sauce de soja foncée
15 ml/1 c. à soupe de sauce d'huître
15 ml/1 c. à soupe d'huile végétale

La sauce d'accompagnement

75 ml/5 c. à soupe de bouillon de bœuf
30 ml/2 c. à soupe de ketchup
5 ml/1 c. à thé de sauce au piment
le jus d'1 citron

2 Faites chauffer un gril en fonte à feu vif. Retirez la marinade de la viande et réservez. Humectez la viande d'huile et faites griller 2 minutes de chaque côté si vous désirez des steaks saignants, 3 à 4 minutes pour obtenir une cuisson à point.

3 Pour préparer la sauce, mélangez dans une casserole la marinade, le bouillon, le ketchup, la sauce au piment et le jus de citron. Laissez frémir à feu doux. Servez les steaks et présentez la sauce séparément.

1 Broyez l'ail, le gingembre, les grains de poivre, le sucre et la sauce de tamarin dans un mortier avec un pilon. Versez la sauce de soja et la sauce d'huître, puis nappez les steaks de cette préparation. Laissez mariner 8 heures dans le réfrigérateur.

Bœuf au sésame

Les graines de sésame grillées
relèvent de leur arôme fumé
cette délicate marinade orientale.

INGRÉDIENTS

Pour 4 personnes

450 g/1 lb de rumsteck
30 ml/2 c. à soupe de graines de sésame
15 ml/1 c. à soupe d'huile de sésame
30 ml/2 c. à soupe d'huile végétale
115 g/4 oz de petits champignons
   coupés en quatre
1 gros poivron vert épépiné
   et détaillé en lanières
4 ciboules coupées dans la diagonale
riz cuit à l'eau, pour le service

La marinade

10 ml/2 c. à thé de Maïzena
30 ml/2 c. à soupe de vin de riz chinois
   ou de Xérès sec
15 ml/1 c. à soupe de jus de citron
15 ml/1 c. à soupe de sauce de soja
quelques gouttes de Tabasco
2,5 cm/1 po de gingembre frais râpé
1 gousse d'ail écrasée

1 Parez le steak et détaillez-le en fines lanières de 1 × 5 cm/½ × 2 po.

2 Pour préparer la marinade, mélangez la Maïzena dans un saladier avec le vin de riz ou le Xérès, puis ajoutez le jus de citron, la sauce de soja, le Tabasco, le gingembre et l'ail. Mélangez à la viande, couvrez et laissez 3 à 4 heures dans un endroit frais.

3 Faites griller les graines de sésame à feu moyen dans une poêle non graissée, en les secouant. Réservez.

4 Faites chauffer les deux huiles dans la poêle. Égouttez la viande, en réservant la marinade, et laissez rissoler quelques morceaux à la fois. Retirez-la avec une écumoire.

5 Faites revenir les champignons et le poivron vert pendant 2 à 3 minutes. Ajoutez les ciboules et remuez pendant encore 1 minute.

6 Remettez le steak dans la poêle, avec la marinade réservée, et poursuivez la cuisson pendant 2 minutes à feu moyen, jusqu'à ce que les ingrédients soient enrobés de sauce. Saupoudrez de graines de sésame et servez aussitôt avec du riz cuit à l'eau.

CONSEIL

Cette marinade peut également
se marier avec du porc ou du poulet.

Émincé de bœuf aux pois mange-tout

Le croustillant et la fraîcheur
des pois mange-tout s'accorde
bien au moelleux de la viande
dans cette préparation relevée
d'une sauce aromatique.

INGRÉDIENTS

Pour 4 personnes

450 g/1 lb de rumsteck
45 ml/3 c. à soupe de sauce de soja
30 ml/2 c. à soupe de vin de riz chinois
   ou de Xérès sec
15 ml/1 c. à soupe de sucre roux
2,5 ml/½ c. à thé de Maïzena
15 ml/1 c. à soupe de gingembre frais
   finement haché
15 ml/1 c. à soupe d'ail finement haché
15 ml/1 c. à soupe d'huile végétale
225 g/8 oz de pois mange-tout

1 Coupez le bœuf en tranches minces
de taille égale.

2 Mélangez la sauce de soja, le vin de
riz ou le Xérès, le sucre roux et la
Maïzena. Réservez cette sauce.

3 Dans un wok préchauffé, faites
revenir le gingembre et l'ail pendant 30 secondes dans l'huile chaude.
Ajoutez le bœuf et laissez rissoler encore
2 minutes.

4 Incorporez les mange-tout et faites
chauffer pendant 3 minutes.

5 Remuez la sauce avant de verser
dans le wok. Portez à ébullition,
sans cesser de tourner. Baissez le feu,
puis laissez frémir pour obtenir une
sauce lisse et épaisse. Servez aussitôt.

Bœuf braisé à la sauce de cacahuètes

Comme nombre de plats importés aux Philippines par les Espagnols, ce ragoût rebaptisé *Kari kari* allie son charme d'origine à une tonalité typiquement orientale. Le riz et les cacahuètes enrichissent merveilleusement la sauce.

INGRÉDIENTS

Pour 4 à 6 personnes

900 g/2 lb de bœuf à braiser
30 ml/2 c. à soupe d'huile végétale
15 ml/1 c. à soupe de graines d'annatto
2 oignons moyens hachés
2 gousses d'ail, écrasées
275 g/10 oz de céleri-rave ou de rutabaga
  grossièrement hachés
480 ml/16 oz/2 tasses de bouillon de bœuf
375 g/12 oz de pommes de terre épluchées
  et détaillées en gros cubes
15 ml/1 c. à soupe de sauce de poisson
  ou d'anchois
30 ml/2 c. à soupe de sauce de tamarin
10 ml/2 c. à thé de sucre
1 feuille de laurier
1 branche de thym frais
45 ml/3 c. à soupe de riz à grains longs
50 g/2 oz/½ tasse de cacahuètes ou
  30 ml/2 c. à soupe de beurre de cacahuètes
15 ml/1 c. à soupe de vinaigre de vin blanc
sel et poivre noir du moulin

1 Détaillez le bœuf en cubes de 2,5 cm/1 po et réservez. Faites chauffer l'huile dans une cocotte, ajoutez les graines d'annatto et remuez jusqu'à ce que l'huile devienne rouge foncé. Jetez les graines.

2 Faites revenir les oignons, l'ail, le céleri-rave ou le rutabaga dans la cocotte pendant 3 à 5 minutes, sans qu'ils changent de couleur. Ajoutez le bœuf et laissez dorer. Incorporez ensuite le bouillon, les pommes de terre, la sauce de poisson ou d'anchois, la sauce de tamarin, le sucre, le laurier et le thym. Couvrez et laissez frémir 2 heures.

3 Pendant ce temps, versez le riz dans un saladier, couvrez d'eau froide et laissez tremper 30 minutes. Faites griller les cacahuètes pendant 2 minutes sous le gril préchauffé. Retirez la peau en frottant avec un torchon propre. Égouttez le riz et broyez avec les cacahuètes ou le beurre de cacahuètes dans un mixer ou avec un mortier et un pilon.

4 Lorsque le bœuf est tendre, mouillez la préparation au riz avec 60 ml/ 4 c. à soupe de liquide de cuisson. Mélangez soigneusement, puis versez dans la cocotte. Laissez frémir à découvert, pendant 15 à 20 minutes, jusqu'à ce que la sauce épaississe. Ajoutez le vinaigre de riz et assaisonnez.

CONSEIL

Les graines d'annatto, comestibles, ont peu de goût. Elles colorent l'huile ou le saindoux d'une riche teinte rouge orangé. Elles peuvent être remplacées par 5 ml/1 c. à thé de paprika et 1 pincée de curcuma que l'on ajoute dans la cocotte avec le bœuf.

Fondue japonaise au bœuf et aux légumes

Le nom japonais de ce mets, *Shabu shabu*, vient du grésillement produit par les tranches de bœuf, le tofu et les légumes lorsqu'on les plonge dans le bouillon. Une idée originale de plat unique pour un dîner.

INGRÉDIENTS

Pour 4 à 6 personnes

450 g/1 lb de filet de bœuf paré
1,75 l/3 pintes/7½ tasses d'eau
½ sachet de poudre de *dashi* instantané
    ou ½ cube de bouillon de légumes
150 g/5 oz de carottes
6 ciboules émincées
150 g/5 oz de chou chinois
    grossièrement haché
225 g/8 oz de mooli détaillé en lanières
115 g/4 oz de pousses de bambou égouttées
    et coupées en rondelles
175 g/6 oz de tofu détaillé en gros cubes
10 champignons shiitake frais ou séchés
sel
275 g/10 oz de nouilles *udon* cuites,
    pour le service

La sauce au sésame

50 g/2 oz de graines de sésame
    ou 30 ml/2 c. à soupe de tahini
120 ml/4 oz/½ tasse de bouillon de *dashi*
    ou de légumes
60 ml/4 c. à soupe de sauce de soja foncée
10 ml/2 c. à thé de sucre
30 ml/2 c. à soupe de saké (facultatif)
10 ml/2 c. à thé de poudre
    de *wasabi* (facultatif)

La sauce ponzu

45 ml/3 c. à soupe de jus de citron
15 ml/1 c. à soupe de vinaigre de riz
    ou de vinaigre de vin blanc
45 ml/3 c. à soupe de sauce de soja foncée
15 ml/1 c. à soupe de sauce de tamarin
15 ml/1 c. à soupe de mirin
    ou 5 ml/1 c. à thé de sucre
1,5 ml/¼ de c. à thé de poudre de *dashi*
    ou ¼ de cube de bouillon de légumes

1 Laissez durcir, mais non congeler, le bœuf, 30 minutes au congélateur. Détaillez-le en tranches très fines avec un hachoir ou un grand couteau bien affûté. Dressez la viande de manière décorative sur une assiette, couvrez et réservez. Portez l'eau à ébullition dans un *donabe* japonais, un appareil à fondue ou une cocotte aux parois extérieures non émaillées. Ajoutez la poudre de *dashi* ou le cube de bouillon, couvrez et laissez frémir 8 à 10 minutes. Posez le récipient sur un réchaud, sur la table.

2 Pendant ce temps, préparez les légumes. Faites bouillir une casserole d'eau légèrement salée. Entaillez les carottes sur la longueur, puis émincez-les finement. Blanchissez séparément les carottes, les ciboules, le chou chinois et le mooli pendant 2 à 3 minutes, puis égouttez-les soigneusement. Disposez les légumes sur des plats, avec les pousses de bambou et le tofu. Si vous utilisez des champignons séchés, laissez-les tremper 3 à 4 minutes dans l'eau chaude, puis égouttez-les. Détaillez les champignons shiitake.

3 Pour préparer la sauce au sésame, faites griller les graines de sésame dans une poêle non graissée, sur feu moyen. Broyez dans un mixer ou avec un mortier et un pilon.

4 Mélangez intimement les graines de sésame ou le tahini, le bouillon, la sauce de soja, le sucre, le saké et la poudre de *wasabi*, puis versez dans un bol de service.

5 Pour préparer la sauce ponzu, réunissez tous les ingrédients dans un bocal à fermeture hermétique et secouez vigoureusement. Versez ensuite dans un bol de service.

6 Pour servir, présentez les legumes et les sauces autour du bouillon. Donnez aux convives des baguettes et des bols pour qu'ils choisissent les ingrédients à leur gré et les plongent dans le bouillon. Chacun pourra terminer son repas par une portion de nouilles arrosée de bouillon.

CONSEIL

Le tahini est une purée de graines de sésame grillées qui se consomme principalement en Grèce, en Turquie et au Moyen-Orient. Utiliser du tahini évite d'avoir à broyer des graines de sésame. Il se vend dans les épiceries orientales et dans les supermarchés.

Bœuf sukiyaki

Ce plat japonais, à base de
viande, légumes, nouilles et tofu,
compose un repas complet.
Dans la tradition du pays, il se
consomme avec des baguettes
et une cuillère pour le bouillon.

INGRÉDIENTS

Pour 4 personnes

450 g/1 lb de rumsteck épais
200 g/7 oz de nouilles de riz japonaises
15 ml/1 c. à soupe de saindoux
  coupé en petits morceaux
200 g/7 oz de tofu ferme détaillé en cubes
8 champignons shiitake sans les queues
2 poireaux moyens détaillés en sections
  de 2,5 cm/1 po
90 g/3½ oz d'épinards, pour le service

Le bouillon

15 ml/1 c. à soupe de sucre en poudre
90 ml/6 c. à soupe de saké, de vin de riz
  chinois ou de Xérès sec
45 ml/3 c. à soupe de sauce de soja foncée
120 ml/4 oz/½ tasse d'eau

3 Pour préparer le bouillon, mélangez
le sucre, le saké, le vin de riz ou le
Xérès, la sauce de soja et l'eau.

4 Faites fondre le saindoux dans un
wok préchauffé, puis faites revenir
le bœuf pendant 2 à 3 minutes, jusqu'à
ce qu'il soit cuit mais encore rose.

5 Versez le bouillon sur le bœuf.
Ajoutez le tofu, les champignons,
les poireaux, et faites cuire 4 minutes,
jusqu'à ce que les poireaux soient tendres.

6 Présentez à chaque personne un peu
de tous les ingrédients, y compris
des épinards.

1 Coupez le bœuf en fines tranches
avec un hachoir ou un couteau bien
affûté.

2 Ébouillantez les nouilles pendant
2 minutes. Égouttez-les soigneusement et réservez.

Satay de bœuf, sauce à la mangue

Le bœuf parfumé est relevé d'une sauce à la mangue épicée. Une salade verte et du riz nature compléteront la subtile harmonie de saveurs et de textures.

INGRÉDIENTS

Pour 4 personnes

450 g/1 lb de filet de bœuf
15 ml/1 c. à soupe de graines de coriandre
5 ml/1 c. à thé de graines de cumin
50 g/2 oz/½ tasse de noix de cajou crues
15 ml/1 c. à soupe d'huile végétale
2 échalotes ou 1 petit oignon
  finement hachés
1 cm/½ po de gingembre frais
  finement haché
1 gousse d'ail écrasée
30 ml/2 c. à soupe de sauce de tamarin
30 ml/2 c. à soupe de sauce de soja foncée
10 ml/2 c. à thé de sucre
5 ml/1 c. à thé de vinaigre de riz
  ou de vinaigre de vin blanc
quelques feuilles de salade, pour le service

La sauce à la mangue

1 mangue mûre
1 à 2 petits piments rouges frais épépinés
  et finement hachés
15 ml/1 c. à soupe de sauce de poisson
le jus d'1 citron vert
10 ml/2 c. à thé de sucre
30 ml/2 c. à soupe de coriandre
  fraîche ciselée
sel

1 Détaillez le bœuf en longues bandes étroites, puis enfilez en zigzag sur 12 brochettes de bambou. Réservez sur une assiette.

2 Faites dorer les graines de coriandre, de cumin et les noix de cajou dans un wok préchauffé et non graissé. Broyez finement dans un mixer ou avec un mortier et un pilon. Mélangez la préparation avec l'huile, les échalotes ou l'oignon, le gingembre, l'ail, la sauce de tamarin, la sauce de soja, le sucre et le vinaigre. Versez sur le bœuf et laissez mariner 8 heures.

3 Faites cuire les brochettes pendant 6 à 8 minutes sous le gril préchauffé, en les retournant pour qu'elles dorent régulièrement.

4 Dans le même temps, préparez la sauce à la mangue. Pelez la mangue et détachez la chair du noyau. Mettez-la dans un mixer avec les piments, la sauce de poisson, le jus de citron, le sucre, puis hachez finement. Ajoutez la coriandre et salez. Dressez les brochettes sur des feuilles de salade et présentez la sauce à la mangue séparément.

Curry de bœuf aux aubergines thaï

INGRÉDIENTS

Pour 4 à 6 personnes

450 g/1 lb de faux-filet de bœuf
15 ml/1 c. à soupe d'huile
45 ml/3 c. à soupe de pâte de curry verte
600 ml/1 pinte/2½ tasses de lait de coco
4 feuilles de kaffir déchirées
15 à 30 ml/1 à 2 c. à soupe de sauce
    de poisson
5 ml/1 c. à thé de sucre
150 g/5 oz de petites aubergines thaïes,
    coupées en deux
1 petite poignée de basilic thaï
2 piments verts pour le service

La pâte de curry verte

15 piments verts forts
2 tiges de citronnelle hachées
3 échalotes émincées
2 gousses d'ail
15 ml/1 c. à soupe de *galanga* haché
4 feuilles de kaffir hachées
2,5 ml/½ c. à thé de zeste de citron
    de kaffir râpé
5 ml/1 c. à thé de racine de coriandre hachée
6 grains de poivre noir
5 ml/1 c. à thé de graines
    de coriandre grillées
5 ml/1 c. à thé de graines de cumin grillées
15 ml/1 c. à soupe de sucre
5 ml/1 c. à thé de sel
5 ml/1 c. à thé de pâte de crevette (facultatif)
30 ml/2 c. à soupe d'huile

1 Confectionnez la pâte de curry verte. Mélangez tous les ingrédients sauf l'huile. Réduisez en pâte lisse au pilon dans un mortier ou un mixer. Ajoutez l'huile peu à peu et remuez bien à chaque fois. Conservez dans un bocal en verre au réfrigérateur.

2 Chauffez l'huile dans une casserole. Ajoutez 45 ml/3 c. à soupe de pâte de cari et faites cuire 3 minutes.

3 Incorporez peu à peu la moitié du lait de coco. Laissez cuire 5 à 6 minutes, jusqu'à ce que le mélange prenne une consistance huileuse.

4 Coupez le bœuf en longues tranches fines, ajoutez-le dans la casserole avec les feuilles de kaffir, la sauce de poisson, le sucre et les aubergines. Laissez cuire 2 à 3 minutes puis incorporez le reste du lait de coco.

5 Portez à nouveau à frémissement et laissez cuire jusqu'à ce que la viande et les aubergines soient tendres. Au moment de servir, incorporez le basilic. Ciselez finement les piments verts pour en garnir le curry.

Bœuf oriental

Ce somptueux bœuf sauté fond littéralement dans la bouche. Les concombres et radis confits le complètent à merveille.

INGRÉDIENTS

Pour 4 personnes

450 g/1 lb de rumsteck
15 ml/1 c. à soupe d'huile de tournesol
4 radis entiers, pour le service

La marinade

2 gousses d'ail écrasées
60 ml/4 c. à soupe de sauce de soja brune
30 ml/2 c. à soupe de vin de Xérès sec
10 ml/2 c. à thé de sucre brun

Le confit

6 radis
1 morceau de concombre de 10 cm/4 po
1 morceau de gingembre confit

1 Découpez le rumsteck en fines lamelles dans un saladier.

2 Pour la marinade, mélangez dans un bol l'ail, la sauce de soja, le vin de Xérès et le sucre. Versez le tout sur le bœuf et laissez mariner 1 nuit.

REMARQUE PRATIQUE

La sauce de soja brune (épaisse) a un goût plus fort et plus âpre que la sauce de soja claire, qui est plus légère. Elle sert souvent à relever des plats de viande.

3 Pour le confit, découpez en allumettes les radis et le concombre ; découpez le gingembre confit en allumettes de plus petite taille. Mélangez bien le tout dans un saladier.

4 Chauffez un wok, puis versez l'huile. Lorsqu'elle est chaude, mettez la viande et la marinade à revenir pendant 3 à 4 minutes. Servez accompagné du confit et décorez chaque assiette d'1 radis.

Bœuf piquant au basilic

Voici un plat qui contentera les amateurs de cuisine pimentée! Il est très simple à préparer.

INGRÉDIENTS

Pour 2 personnes

90 ml/6 c. à soupe d'huile d'arachide
16 à 20 feuilles de basilic frais
275 g/10 oz de rumsteck
30 ml/2 c. à soupe de sauce de poisson thaïlandaise *(nam pla)*
5 ml/1 c. à thé de sucre brun
1 à 2 piments rouges frais, en rondelles
3 gousses d'ail hachées
5 ml/1 c. à thé de gingembre frais haché
1 échalote coupée en fines rondelles
30 ml/2 c. à soupe de basilic frais haché, plus quelques feuilles pour décorer
un peu de jus de citron
sel et poivre noir moulu
riz au jasmin, pour le service

1 Chauffez l'huile dans un wok. Lorsqu'elle est chaude, faites rissoler les feuilles de basilic entières, 1 minute environ, afin qu'elles soient dorées et croustillantes. Égouttez sur du papier absorbant. Retirez le wok du feu et laissez-y l'équivalent de 30 ml/2 c. à soupe d'huile.

— REMARQUE PRATIQUE —

La sauce de poisson thaïlandaise, quasiment inconnue en Occident, est employée dans la cuisine thaïlandaise aussi fréquemment que l'est la sauce de soja dans la cuisine chinoise (qui la remplace d'ailleurs lorsqu'on ne trouve pas la sauce de poisson). Elles sont très proches d'aspect et de goût. On trouve la sauce de poisson thaïlandaise dans la plupart des épiceries asiatiques.

2 Coupez le rumsteck en fines lamelles. Dans un bol, mélangez la sauce de poisson et le sucre. Incorporez le bœuf au mélange. Remuez bien et laissez mariner pendant 30 minutes.

3 Réchauffez le wok. Mettez à revenir les piments, l'ail, le gingembre et l'échalote 30 secondes. Ajoutez le bœuf et le basilic haché et laissez cuire le tout 3 minutes environ. Assaisonnez avec du jus de citron, du sel et du poivre.

4 Transférez le contenu du wok dans un plat chaud. Décorez de quelques feuilles de basilic et servez accompagné de riz thaïlandais au jasmin.

Boulettes de viande épicées

On servira ces *Pergedel djawa* avec du *sambal* ou une sauce épicée.

INGRÉDIENTS

Pour 24 boulettes

1 gros oignon grossièrement haché
1 ou 2 piments rouges frais,
    épépinés et hachés
2 gousses d'ail réduites en purée
1,5 cm/½ po de *terasi* en cube, préparé
15 ml/1 c. à soupe de graines de coriandre
5 ml/1 c. à thé de graines de cumin
450 g/1 lb de bœuf maigre haché
10 ml/2 c. à thé de sauce de soja foncée
5 ml/1 c. à thé de sucre brun
le jus d'½ citron
un peu d'œuf battu
huile pour friture légère
sel et poivre noir fraîchement moulu
feuilles de coriandre, pour le service

1 Dans un mixer, hachez grossièrement l'oignon, les piments, l'ail et le *terasi*. Ne mixez pas trop longtemps, car l'oignon deviendrait juteux et nuirait à la consistance des boulettes. Faites sauter la coriandre et le cumin à sec dans une poêle, pendant 1 minute environ, pour en libérer l'arôme. Ne les laissez pas brunir. Pilez ensuite dans un mortier.

2 Dans un saladier, mélangez la viande et la préparation à base d'oignon. Ajoutez la coriandre et le cumin pilés, la sauce de soja, du sel et du poivre, le sucre et le jus de citron. Liez avec un peu d'œuf battu et façonnez des petites boulettes.

3 Si nécessaire, laissez refroidir les boulettes pour les raffermir. Dans un wok chauffé avec l'huile, faites rissoler les boulettes, en les retournant souvent, 4 à 5 minutes.

4 Égouttez les boulettes sur du papier absorbant. Garnissez de feuilles de coriandre et servez.

Bœuf grésillant et julienne de céleri

Le céleri-rave découpé en fine julienne ressemble à un petit fagot de paille. La cuisson en sauté le rend délicieusement croustillant.

INGRÉDIENTS

Pour 4 personnes

450 g/1 lb de céleri-rave
150 ml/¼ pinte/⅔ tasse d'huile végétale
1 poivron rouge
6 ciboules
450 g/1 lb de rumsteck
60 ml/4 c. à soupe de bouillon de bœuf
30 ml/2 c. à soupe de vinaigre de Xérès
10 ml/2 c. à thé de sauce Worcester
10 ml/2 c. à thé de purée de tomates
sel et poivre noir moulu

1 Épluchez le céleri et coupez-le en allumettes à l'aide d'un couperet.

2 Chauffez le wok avec 100 ml/3½ oz/ 7 c. à soupe d'huile. Mettez à sauter les allumettes de céleri par poignées, pour les rendre croustillantes et dorées. Séchez bien sur du papier absorbant.

3 Coupez le poivron en deux pour l'évider. Détaillez-le, à l'aide d'un couperet, en lanières de 3 cm/1 po de long environ. Découpez les ciboules en allumettes de la même longueur.

4 Tranchez le rumsteck en très fines lamelles.

5 Réchauffez le wok et versez le reste d'huile. Lorsqu'elle est chaude, faites revenir le poivron rouge et les ciboules pendant 2 à 3 minutes.

6 Ajoutez la viande et laissez revenir pendant 3 à 4 minutes supplémentaires. Versez ensuite le bouillon de bœuf, le vinaigre, la sauce Worcester et la purée de tomates. Salez, poivrez et servez avec la julienne de céleri.

CONSEIL

Évitez d'acheter de trop gros céleris, car ils ont tendance à être durs ou bien de texture parfois désagréable. Il est plus facile d'éplucher correctement un céleri-rave – légume noueux et peu maniable par nature – en le détaillant au préalable en rondelles. Épluchez chaque rondelle avec un couteau bien aiguisé. Il sera ensuite facile de trancher ces rondelles en fines lamelles.

Bœuf sauté à la sauce d'huître

Une recette délicieuse et simple à réaliser. En Thaïlande, on trouve facilement des champignons de paille frais. Pour rendre ce plat plus attrayant, employez autant de champignons différents que vous trouverez.

INGRÉDIENTS

Pour 4 à 6 personnes

450 g/1 lb de rumsteck
30 ml/2 c. à soupe de sauce de soja
15 ml/1 c. à soupe de Maïzena
45 ml/3 c. à soupe d'huile végétale
15 ml/1 c. à soupe d'ail haché
15 ml/1 c. à soupe de gingembre haché
250 g/8 oz de champignons (champignons de paille, bolets, pleurotes, cèpes, etc.)
30 ml/2 c. à soupe de sauce d'huître
5 ml/1 c. à thé de sucre en poudre
4 ciboules coupées en petits morceaux
poivre noir fraîchement moulu
2 piments rouges en lanières, pour le service

1 Tranchez le rumsteck en diagonale, en longues et fines lamelles. Mélangez la sauce de soja et la Maïzena dans un grand saladier. Ajoutez la viande de bœuf, remuez, puis laissez mariner 1 à 2 heures.

─── REMARQUE PRATIQUE ───

La sauce d'huître, en fait une préparation à base d'extraits d'huîtres, a un aspect onctueux et un goût qui rappelle un peu celui de la viande. Il en existe plusieurs sortes ; n'hésitez pas à choisir la meilleure disponible.

2 Chauffez la moitié de l'huile dans un wok ou une poêle. Mettez l'ail et le gingembre à revenir quelques instants. Ajoutez le bœuf et remuez. Laissez cuire et prendre des couleurs pendant 1 à 2 minutes. Retirez du wok et réservez.

3 Chauffez le reste d'huile dans le wok. Faites revenir les différents champignons jusqu'à ce qu'ils soient tendres.

4 Remettez le bœuf dans le wok avec les champignons. Versez la sauce d'huître et le sucre. Poivrez à votre goût. Remuez bien.

5 Ajoutez les ciboules. Mélangez le tout et décorez avec des lanières de piments rouges avant de servir.

Lanières de bœuf sautées à sec

Cette méthode de cuisson
est une spécialité du Sichuan.
Elle consiste à laisser revenir
un aliment lentement, à feu
doux, jusqu'à ce qu'il soit devenu
sec, puis à le faire sauter à grand
feu avec les autres ingrédients.

INGRÉDIENTS

Pour 4 personnes

350 à 400 g/12 à 14 oz de bifteck
1 grande carotte (ou 2 petites)
2 ou 3 branches de céleri
30 ml/2 c. à soupe d'huile de sésame
15 ml/1 c. à soupe de vin de riz chinois
    (ou de Xérès sec)
15 ml/1 c. à soupe de sauce piquante
15 ml/1 c. à soupe de sauce de soja claire
1 gousse d'ail finement hachée
5 ml/1 c. à thé de sucre roux
2 ou 3 ciboules finement hachées
2,5 ml/½ c. à thé de gingembre
    finement haché
poivre du Sichuan moulu

1 Découpez le bifteck en lanières de
la longueur d'une allumette. Détaillez la carotte et le céleri en lanières très
fines, de la même longueur.

2 Faites chauffer l'huile de sésame
dans un wok préchauffé (elle se
mettra rapidement à fumer). Réduisez
le feu et mettez à revenir les lanières de
bœuf avec le vin chinois (ou le Xérès),
jusqu'à ce qu'elles changent de couleur.

3 Versez le surplus de jus dans un autre
récipient et réservez. Laissez cuire
en remuant jusqu'à ce que la viande soit
totalement sèche.

4 Incorporez la sauce piquante, la
sauce de soja, l'ail et le sucre. Mélangez bien, puis ajoutez la carotte et le
céleri. Augmentez le feu au maximum,
puis incorporez les ciboules, le gingembre et le jus réservé. Continuez à
remuer. Attendez que tout le jus se soit
évaporé pour poivrer et servir.

Curry de bœuf et d'aubergine

INGRÉDIENTS

Pour 6 personnes

100 ml/4 oz/½ tasse d'huile de tournesol
2 oignons finement émincés
1 morceau de 3 cm/1 po de racine
    de gingembre frais, émincé et coupé
    en bâtonnets
1 gousse d'ail écrasée
2 piments rouges frais, épépinés et très
    finement émincés
3 cm/1 po de curcuma frais, pelé et écrasé
    ou 5 ml/1 c. à thé de curcuma en poudre
1 tige de citronnelle, la partie inférieure
    émincée finement, le haut écrasé
700 g/1½ lb de bœuf à braiser, coupé en
    lanières d'égale grosseur
400 ml/14 oz de lait de coco en boîte
300 ml/½ pinte/1¼ tasses d'eau
1 aubergine émincée et séchée
    au papier absorbant
5 ml/1 c. à thé de pulpe de tamarin trempée
    dans 60 ml/4 c. à soupe d'eau chaude
sel et poivre noir du moulin
piment finement émincé (facultatif),
    oignons frits et riz, pour le service

1 Chauffez la moitié de l'huile et faites dorer les oignons, le gingembre et l'ail pour en développer l'arôme. Ajoutez les piments, le curcuma et la partie inférieure de la citronnelle. Poussez sur le côté, montez le feu et ajoutez le bœuf, remuez pour bien le saisir.

CONSEIL

Si vous voulez réaliser ce *Gulai terung dengan daging*, à l'avance, préparez-le jusqu'à l'étape 2 et cerminez plus tard.

---

2 Ajoutez le lait de coco, l'eau, le reste de la citronnelle, assaisonnez. Couvrez et laissez frémir 1 heure 30, jusqu'à ce que la viande soit tendre.

3 Vers la fin de la cuisson, chauffez le reste de l'huile dans une poêle. Faites dorer les rondelles d'aubergine des deux côtés.

4 Ajoutez les aubergines au curry de bœuf et laissez cuire encore 15 minutes. Remuez délicatement de temps à autre. Égouttez le tamarin et incorporez le jus dans le curry. Goûtez et rectifiez l'assaisonnement. Transvasez dans un plat de service chaud. Garnissez avec le piment émincé (facultatif) et les oignons frits et servez avec du riz cuit à l'eau.

Nouilles braisées à l'agneau

Symbole de continuité et de fertilité, l'œuf figure souvent au menu des repas d'anniversaires. À cette occasion également, les nouilles sont servies longues ; si on les coupe, elles peuvent être un signe de mauvais présage, augurant une vie courte.

INGRÉDIENTS

Pour 4 personnes

350 g/12 oz de nouilles aux œufs épaisses
1 kg/2¼ lb de filet d'agneau
30 ml/2 c. à soupe d'huile végétale
115 g/4 oz de haricots verts fins épluchés et blanchis
sel et poivre noir du moulin
2 œufs durs coupés en deux, et 2 ciboules finement hachées, pour le service

La marinade

2 gousses d'ail écrasées
10 ml/2 c. à thé de gingembre frais râpé
30 ml/2 c. à soupe de sauce de soja
30 ml/2 c. à soupe de vin de riz
1 à 2 piments rouges séchés
30 ml/2 c. à soupe d'huile végétale

La sauce

15 ml/1 c. à soupe de Maïzena
30 ml/2 c. à soupe de sauce de soja
30 ml/2 c. à soupe de vin de riz
le jus et le zeste râpé d'½ orange
15 ml/1 c. à soupe de sauce *hoi-sin*
15 ml/1 c. à soupe de vinaigre de vin
5 ml/1 c. à thé de sucre roux

1 Portez à ébullition une grande casserole d'eau. Plongez les nouilles et faites-les cuire 2 minutes. Égouttez-les, rincez-les sous l'eau froide, puis égouttez-les de nouveau. Réservez.

2 Détaillez l'agneau en médaillons de 5 cm/2 po d'épaisseur. Mélangez les ingrédients de la marinade dans un grand plat. Ajoutez l'agneau et laissez mariner au moins 4 heures, ou 1 nuit.

3 Faites chauffer l'huile dans une cocotte, puis laissez dorer l'agneau pendant 5 minutes. Couvrez d'eau. Portez à ébullition, retirez l'écume, baissez le feu et laissez frémir 40 minutes, jusqu'à ce que la viande soit tendre, en mouillant si besoin avec de l'eau.

4 Pour préparer la sauce, mélangez la Maïzena avec le reste des ingrédients dans un saladier. Incorporez à l'agneau et remuez délicatement, sans séparer les morceaux de viande.

5 Ajoutez les nouilles dans la cocotte avec les haricots. Laissez frémir doucement jusqu'à ce que les nouilles et les haricots soient cuits. Salez et poivrez. Répartissez les nouilles, l'agneau et les haricots dans quatre grands bols, décorez chaque portion d'½ œuf dur et de morceaux de ciboule, puis servez.

Agneau épicé aux épinards

INGRÉDIENTS

Pour 3 à 4 personnes

45 ml/3 c. à soupe d'huile végétale
500 g/1¼ lb d'agneau maigre désossé,
   découpé en dés de 2,5 cm/1 po
1 oignon haché
3 gousses d'ail finement hachées
1 racine de gingembre de 1,5 cm/½ po
   de long, finement hachée
6 grains de poivre noir
4 clous de girofle
1 feuille de laurier
3 gousses de cardamome verte écrasées
5 ml/1 c. à thé de cumin moulu
5 ml/1 c. à thé de coriandre moulue
1 grosse pincée de poivre de Cayenne
150 ml/¼ pinte/⅔ tasse d'eau
2 tomates pelées, évidées et hachées
5 ml/1 c. à thé de sel
400 g/14 oz d'épinards frais finement hachés
5 ml/1 c. à thé de *garam masala*
rondelles d'oignon frites *(voir p. 329)*,
   branches de coriandre fraîches, et pain
   naan ou riz basmati épicé, pour le service

1 Chauffez un wok avec 30 ml/2 c. à soupe d'huile. Mettez à revenir la viande en plusieurs fois, afin qu'elle dore uniformément, puis réservez. Faites revenir l'oignon, l'ail et le gingembre en utilisant l'huile restante (15 ml/1 c. à soupe) pendant 2 à 3 minutes.

2 Ajoutez les grains de poivre, les clous de girofle, le laurier, les gousses de cardamome, le cumin, la coriandre et le poivre de Cayenne. Faites revenir 30 à 45 secondes. Remettez la viande dans le wok et ajoutez l'eau, les tomates et le sel. Portez à ébullition. Couvrez et laissez mijoter à feu très doux, 1 heure environ, en remuant de temps à autre.

3 Augmentez le feu, puis ajoutez progressivement les épinards en mélangeant bien. Continuez à remuer jusqu'à ce que les épinards se fanent complètement et que presque tout le liquide se soit transformé en une sauce verte épaisse. Incorporez le *garam masala* tout en remuant. Décorez avec des rondelles d'oignon frites et des branches de coriandre. Servez accompagné de pain naan ou de riz basmati épicé.

Agneau caramélisé

Dans les plats sautés sucrés,
le citron et le miel sont souvent
combinés. Cette recette prouve
qu'une telle association convient
également très bien aux plats
salés. Accompagnez l'agneau
d'un mélange de salades fraîches.

INGRÉDIENTS

Pour 4 personnes

450 g/1 lb d'agneau désossé
15 ml/1 c. à soupe d'huile de pépins de raisin
200 g/6 oz de haricots mange-tout
(ou de cocos plats)
3 ciboules coupées en rondelles
30 ml/2 c. à soupe de miel liquide
jus de ½ citron
30 ml/2 c. à soupe de coriandre hachée
15 ml/1 c. à soupe de graines de sésame
sel et poivre noir moulu

1 Découpez l'agneau en fines lamelles
à l'aide d'un couperet.

VARIANTE

Cette recette fonctionne très bien
avec du porc ou du poulet à la place de
l'agneau. Dans le cas du poulet, remplacez
la coriandre par du basilic frais haché.

2 Chauffez le wok et versez l'huile.
Lorsqu'elle est chaude, faites dorer
la viande uniformément. Retirez du wok
et réservez au chaud.

3 Versez les haricots mange-tout (ou
les cocos plats) et les ciboules dans
le wok chaud, et faites sauter 30 secondes.

4 Remettez la viande dans le wok,
puis ajoutez le miel, le jus de citron,
la coriandre hachée et les graines de
sésame. Salez et poivrez en quantité assez
importante. Remuez bien le tout. Portez
à ébullition et laissez l'agneau se caraméliser 1 minute. Servez immédiatement.

Balti d'agneau tikka

L'une des meilleures méthodes pour attendrir la viande consiste à la faire mariner dans de la papaye. Celle-ci ne doit pas être trop mûre afin de ne pas sucrer le plat. On trouve de la papaye fraîche dans de nombreuses grandes surfaces.

INGRÉDIENTS

Pour 4 personnes

700 g/1½ lb d'agneau désossé
1 papaye pas trop mûre
45 ml/3 c. à soupe de yaourt nature
5 ml/1 c. à thé de pulpe de gingembre
5 ml/1 c. à thé de poudre de piment
5 ml/1 c. à thé de purée d'ail
1 pincée de curcuma
10 ml/2 c. à thé de coriandre moulue
5 ml/1 c. à thé de cumin moulu
30 ml/2 c. à soupe de jus de citron
15 ml/1 c. à soupe de coriandre
    fraîche hachée
1 pincée de colorant alimentaire rouge
300 ml/½ pinte/1¼ tasses d'huile de maïs
sel
quartiers de citron, rondelles d'oignons,
    feuilles de coriandre, raïta et pain naan,
    pour le service

2 Versez 30 ml/2 bonnes c. à soupe de pulpe de papaye sur les dés d'agneau. Imprégnez bien les morceaux et laissez mariner au moins 3 heures.

4 Versez la préparation au yaourt sur la viande et remuez bien.

3 Mélangez le yaourt, le gingembre, la poudre de piment, l'ail, le curcuma, les deux types de coriandre, le cumin, le jus de citron et le colorant avec 30 ml/ 2 c. à soupe d'huile. Salez et réservez.

5 Chauffez l'huile restante dans un wok. Lorsqu'elle est chaude, réduisez légèrement le feu et faites frire les dés d'agneau par paquets de 3 ou 4 à la fois, pendant 5 à 7 minutes, jusqu'à ce que la viande soit tendre et bien cuite. Transférez au fur et à mesure sur un plat qui doit rester chaud pendant que le reste de la viande cuit.

1 Détaillez l'agneau en dés dans un grand saladier. Épluchez la papaye, coupez-la en deux et retirez les pépins. Découpez la chair du fruit en dés et passez-la au mixer pour la réduire en pulpe. Ajoutez 15 ml/1 c. à soupe d'eau si nécessaire.

6 Lorsque toute la viande est cuite, décorez le plat avec des quartiers de citron, des rondelles d'oignon et de la coriandre fraîche. Accompagnez de pain naan et de raïta.

VARIANTE

Vous pouvez remplacer la papaye par une marinade toute prête, que vous trouverez en supermarché. Elle est généralement de bonne qualité, mais l'attendrissement de la viande prend plus de temps : il faudra la laisser mariner toute 1 nuit.

Émincé d'agneau aux ciboules

Les ciboules s'accordent
parfaitement avec l'agneau
dans cette préparation simple.

INGRÉDIENTS

Pour 3 à 4 personnes

450 g/1 lb de filet d'agneau
30 ml/2 c. à soupe de vin de riz chinois
   ou de Xérès sec
10 ml/2 c. à thé de sauce de soja claire
2,5 ml/½ c. à thé de grains de poivre
   du Sichuan grillés et moulus
2,5 ml/½ c. à thé de sel
2,5 ml/½ c. à thé de sucre roux
20 ml/4 c. à thé de sauce de soja foncée
15 ml/1 c. à soupe d'huile de sésame
30 ml/2 c. à soupe d'huile d'arachide
2 gousses d'ail finement émincées
2 bottes de ciboules coupées en sections
   de 7,5 cm/3 po, puis détaillées en lanières
30 ml/2 c. à soupe de coriandre
   fraîche ciselée

1 Enveloppez l'agneau et laissez-le
durcir 1 heure au congélateur. Coupez-le en tranches très fines. Mettez-le
dans un saladier, ajoutez 10 ml/2 c. à thé
de vin de riz ou de Xérès, la sauce de
soja claire et les grains de poivre.
Mélangez délicatement et laissez mariner 20 à 30 minutes.

2 Pour préparer la sauce, réunissez
dans un saladier le reste de vin de
riz ou de Xérès, le sel, le sucre roux,
la sauce de soja foncée et 10 ml/2 c. à thé
d'huile de sésame. Réservez.

3 Faites chauffer l'huile d'arachide
dans un wok préchauffé. Ajoutez
l'ail et laissez blondir quelques secondes,
avant d'incorporer l'agneau. Remuez
1 minute, jusqu'à ce qu'il change de
couleur. Versez la sauce et mélangez.

4 Ajoutez les ciboules, la coriandre,
et faites revenir 15 à 20 minutes. Le
plat doit présenter un aspect légèrement
sec. Servez aussitôt, arrosé avec le reste
d'huile de sésame.

CONSEIL

Certains supermarchés vendent de
l'agneau déjà coupé en tranches très fines.
Votre boucher peut aussi le préparer ainsi.
Ce plat en sera d'autant plus vite réalisé.

Agneau à la menthe

L'accord bien connu de l'agneau et de la menthe se révèle particulièrement réussi dans ce mets très parfumé.

INGRÉDIENTS

Pour 2 personnes

275 g/10 oz de filet d'agneau
30 ml/2 c. à soupe d'huile de tournesol
10 ml/2 c. à thé d'huile de sésame
1 oignon grossièrement haché
2 gousses d'ail écrasées
1 piment rouge frais épépiné
    et finement haché
75 g/3 oz de haricots verts coupés en deux
225 g/8 oz d'épinards frais
30 ml/2 c. à soupe de sauce d'huître
30 ml/2 c. à soupe de sauce de poisson
15 ml/1 c. à soupe de jus de citron
5 ml/1 c. à thé de sucre en poudre
45 ml/3 c. à soupe de menthe fraîche ciselée
sel et poivre noir moulu
branches de menthe fraîche et pain frais,
    pour le service

1 Parez l'agneau et détaillez-le en fines tranches. Faites chauffer l'huile de tournesol et l'huile de sésame dans un wok préchauffé, puis laissez rissoler l'agneau à feu vif. Retirez avec une écumoire et posez sur du papier absorbant.

2 Faites revenir l'oignon, l'ail et le piment dans le wok 2 à 3 minutes. Ajoutez les haricots et remuez pendant 3 minutes.

3 Incorporez les épinards, l'agneau, la sauce d'huître, la sauce de poisson, le jus de citron et le sucre. Poursuivez la cuisson pendant 3 à 4 minutes, jusqu'à ce que l'agneau soit à point.

4 Saupoudrez de menthe ciselée, rectifiez l'assaisonnement et décorez de feuilles de menthe. Servez très chaud, avec du pain pour la sauce.

Agneau sauté aux ciboules

Dans cette recette pékinoise traditionnelle à base de viande et de légumes, l'agneau peut être remplacé par du bœuf ou du porc, les ciboules par des poireaux.

INGRÉDIENTS

Pour 4 personnes

400 g/12 à 14 oz de gigot d'agneau
5 ml/1 c. à thé de sucre roux
15 ml/1 c. à soupe de sauce de soja claire
15 ml/1 c. à soupe de vin de riz chinois
    ou de Xérès sec
10 ml/2 c. à thé de pâte de Maïzena
15 g/½ oz de champignons séchés
6 à 8 ciboules
300 ml/½ pinte/1¼ tasses d'huile végétale
quelques petits morceaux de gingembre frais
30 ml/2 c. à soupe de pâte de soja jaune
quelques gouttes d'huile de sésame

2 Dans un wok préchauffé, faites rissoler l'agneau pendant 1 minute dans l'huile chaude. Retirez-le avec une écumoire, égouttez-le et réservez.

3 Jetez l'huile du wok, sauf 15 ml/ 1 c. à soupe, puis ajoutez les ciboules, le gingembre, les champignons et la pâte de soja jaune. Mélangez avant d'incorporer la viande. Remuez 1 minute, arrosez d'huile de sésame et servez.

1 Détaillez l'agneau en tranches fines et mettez-le dans un plat. Mélangez le sucre, la sauce de soja, le vin de riz ou le Xérès sec et la pâte de Maïzena, versez sur l'agneau et laissez mariner 30 à 45 minutes. Faites tremper les champignons 25 à 30 minutes dans l'eau, puis égouttez-les et coupez-les en petits morceaux. Hachez finement les ciboules.

Agneau au cinq-épices

Ce plat d'agneau parfumé et appétissant sera le bienvenu à l'occasion d'un repas simple.

INGRÉDIENTS

Pour 4 personnes

30 ml/2 c. à soupe d'huile
1,5 kg/3 à 3½ lb de gigot d'agneau désossé
  et coupé en cubes
1 oignon haché
10 ml/2 c. à thé de gingembre frais râpé
1 gousse d'ail écrasée
5 ml/1 c. à thé de cinq-épices
30 ml/2 c. à soupe de sauce *hoi-sin*
15 ml/1 c. à soupe de sauce de soja claire
300 ml/½ pinte/1¼ tasses de coulis
  de tomates
250 ml/8 oz/1 tasse de bouillon d'agneau
1 poivron rouge épépiné et coupé en dés
1 poivron jaune épépiné et coupé en dés
30 ml/2 c. à soupe de coriandre fraîche ciselée
15 ml/1 c. à soupe de graines
  de sésame grillées
sel et poivre noir du moulin
riz cuit à l'eau, pour le service

1 Faites chauffer 30 ml/2 c. à soupe d'huile dans une cocotte et dorez l'agneau en plusieurs fois à feu vif. Retirez-le et réservez.

2 Mettez dans la cocotte l'oignon, le gingembre et l'ail, en rajoutant un peu d'huile si besoin, et faites cuire 5 minutes.

3 Remettez l'agneau dans la cocotte. Ajoutez le cinq-épices, les sauces *hoi-sin* et de soja, le coulis de tomates, le bouillon et l'assaisonnement. Portez à ébullition, couvrez et laissez mijoter 15 minutes dans le four préchauffé à 160 °C/325 °F.

4 Sortez la cocotte du feu, incorporez les poivrons, couvrez et poursuivez la cuisson au four pendant 15 minutes, jusqu'à ce que l'agneau soit tendre.

5 Saupoudrez de coriandre et de graines de sésame. Servez chaud avec du riz.

Keftas d'agneau haché

Ces keftas sont très appétissants servis sur leur lit de légumes frais, surtout si vous faites de toutes petites boulettes.

INGRÉDIENTS

Pour 4 personnes

450 g/1 lb d'agneau maigre haché
5 ml/1 c. à thé de *garam masala*
5 ml/1 c. à thé de cumin en poudre
5 ml/1 c. à thé de coriandre en poudre
5 ml/1 c. à thé de pulpe d'ail
5 ml/1 c. à thé de piment en poudre
5 ml/1 c. à thé de sel
15 ml/1 c. à soupe de coriandre
   fraîche hachée
1 petit oignon coupé en petits dés
150 ml/¼ pinte/⅔ tasse d'huile de maïs

Les légumes

45 ml/3 c. à soupe d'huile de maïs
1 botte de ciboules grossièrement hachées
½ gros poivron rouge épépiné et haché
½ gros poivron vert épépiné et haché
180 g/6 oz de maïs en grain
230 g/8 oz de haricots blancs
   en boîte, égouttés
½ petit chou-fleur détaillé en petits bouquets
4 piments verts frais hachés

La garniture

5 ml/1 c. à thé de menthe fraîche hachée
brins de coriandre fraîche
15 ml/1 c. à soupe de racine de gingembre
   frais en lanières
½ citron vert finement émincé
15 ml/1 c. à soupe de jus de citron

1 Mettez l'agneau haché dans un mixer et actionnez 1 minute environ.

2 Versez l'agneau dans une jatte et ajoutez le *garam masala*, le cumin et la coriandre en poudre, la pulpe d'ail, le piment en poudre, le sel, la coriandre fraîche et l'oignon. Mélangez intimement avec les mains. Couvrez la jatte et réservez au réfrigérateur.

3 Chauffez l'huile pour les légumes dans un wok préchauffé (ou une poêle). Versez les ciboules et faites dorer 2 minutes environ.

4 Ajoutez les poivrons rouge et vert, le maïs, les haricots, le chou-fleur et les piments verts et faites dorer à feu vif 2 minutes environ. Réservez le wok (ou la poêle).

5 Retirez le mélange de kefta du réfrigérateur. Formez des portions de la taille d'une balle de golf, en roulant un peu du mélange entre vos mains. Vous devez obtenir 12 à 16 keftas.

6 Chauffez l'huile pour les keftas dans une poêle. Baissez le feu et ajoutez les keftas par petites quantités. Faites-les cuire en les retournant, jusqu'à ce qu'ils soient bien dorés. Retirez avec une écumoire et égouttez sur du papier absorbant.

7 Remettez le wok ou la poêle avec les légumes sur feu moyen et ajoutez les keftas cuits. Tournez délicatement le mélange pendant 5 minutes, jusqu'à ce qu'il soit bien chaud.

8 Transférez sur un plat de service et garnissez avec la menthe, la coriandre, le gingembre et les rondelles de citron vert. Au moment de servir, arrosez avec le jus de citron.

LES VOLAILLES

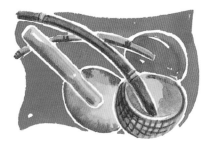

Ce chapitre offre toutes sortes
de délicieuses recettes pour cuisiner
le poulet sous les formes les plus variées :
poêlé avec du gingembre, cuit au four
avec des épices, braisé dans le lait de coco
et même cuit au barbecue à la façon thaï.
À côté de plats réputés, tel le Satay de
poulet à l'indonésienne, *figurent des*
mets aux associations d'ingrédients
originales, comme le Canard laqué à la
pékinoise, *le* Chop Suey de canard
au gingembre, *le* Canard à l'aigre-
douce aux mangues, *ou le* Balti
de poulet Khara Masala.

Curry de poulet aux vermicelles de riz

La citronnelle donne son arôme et sa saveur citronnés à ce curry du Sud-Est asiatique.

INGRÉDIENTS

Pour 4 personnes

1 poulet d'environ 1,5 kg/3 à 3½ lb
225 g/8 oz de patates douces
3 gousses d'ail écrasées
1 oignon finement émincé
60 ml/4 c. à soupe d'huile végétale
30 à 45 ml/2 à 3 c. à soupe de poudre de curry
5 ml/1 c. à thé de sel
5 ml/1 c. à thé de sucre
10 ml/2 c. à thé de sauce de poisson
600 ml/1 pinte/2½ tasses de lait de coco
1 tige de citronnelle coupée en deux
350 g/12 oz de vermicelles de riz, ramollis après avoir trempé dans de l'eau chaude
125 g/4 oz de germes de soja, 2 ciboules finement émincées dans la diagonale, 2 piments rouges épépinés et finement émincés, 8 à 10 feuilles de menthe et 1 citron coupé en quartiers, pour le service

1 Retirez la peau du poulet. Détaillez la chair en petits morceaux et réservez. Pelez les patates douces, puis coupez-les en gros dés de la taille des morceaux de poulet.

2 Dans une grande casserole avec l'huile chaude, faites revenir l'ail et l'oignon jusqu'à ce que l'oignon ramollisse.

3 Ajoutez le poulet et laissez-le dorer. Incorporez la poudre de curry, le sel, le sucre, et mélangez intimement, avant de verser la sauce de poisson.

4 Ajoutez le lait de coco, puis la citronnelle. Laissez frémir 15 minutes.

5 Pendant ce temps, dans une poêle, faites rissoler les patates douces avec le reste d'huile chaude. Incorporez au poulet avec une écumoire, puis laissez cuire 10 à 15 minutes, afin que le poulet et les patates douces soient tendres.

6 Égouttez les vermicelles de riz et cuisez-les 3 à 5 minutes dans de l'eau bouillante. Égouttez-les. Répartissez-les dans des assiettes, avec le curry de poulet. Décorez de piments, de ciboule, de germes de soja, de feuilles de menthe, et accompagnez des quartiers de citron.

Poulet au gingembre et aux nouilles

Une harmonieuse alliance de gingembre, d'épices et de lait de coco parfume cette préparation, réalisable en quelques minutes. Quelques gouttes de sauce de poisson juste avant de servir lui donneront sa tonalité orientale.

INGRÉDIENTS

Pour 4 personnes

350 g/12 oz de blancs de poulet sans la peau
225 g/8 oz de courgettes
1 aubergine
30 ml/2 c. à soupe d'huile végétale
5 cm/2 po de gingembre frais haché menu
6 ciboules émincées
10 ml/2 c. à thé de pâte de curry verte thaïe
400 ml/14 oz/1⅔ tasses de lait de coco
500 ml/16 oz/2 tasses de bouillon de volaille
125 g/4 oz de nouilles moyennes aux œufs
45 ml/3 c. à soupe de coriandre
    fraîche ciselée
15 ml/1 c. à soupe de jus de citron
sel et poivre noir du moulin
feuilles de coriandre fraîche ciselée,
    pour le service

1 Détaillez le poulet en petits morceaux. Partagez les courgettes en deux dans la longueur et coupez-les grossièrement. Débitez l'aubergine en gros morceaux.

2 Faites chauffer l'huile dans une grande casserole et laissez dorer le poulet. Retirez-le avec une écumoire, puis posez-le sur du papier absorbant.

3 Ajoutez si besoin un peu d'huile avant de faire revenir le gingembre et les ciboules 3 minutes. Incorporez les courgettes et laissez-les dorer pendant 2 à 3 minutes. Mélangez la pâte de curry pendant 1 minute.

4 Versez le lait de coco, le bouillon, ajoutez l'aubergine, le poulet, et laissez frémir 10 minutes. Incorporez les nouilles, puis poursuivez la cuisson pendant 5 minutes, jusqu'à ce que le poulet soit cuit et les nouilles tendres. Mélangez la coriandre, le jus de citron, rectifiez l'assaisonnement. Servez aussitôt, décoré de coriandre ciselée.

Poulet sauté aux épices

Ce poulet mariné dans un mélange d'épices est ensuite sauté à la poêle avec des légumes. Vous pourrez adoucir sa saveur avec un peu de crème fraîche ou de yaourt, et le servir chaud ou froid.

INGRÉDIENTS

Pour 4 personnes

2,5 ml/½ c. à thé de curcuma en poudre
2,5 ml/½ c. à thé de gingembre en poudre
5 ml/1 c. à thé de sel
5 ml/1 c. à thé de poivre noir du moulin
10 ml/2 c. à thé de cumin en poudre
15 ml/1 c. à soupe de coriandre en poudre
15 ml/1 c. à soupe de sucre en poudre
450 g/1 lb de blancs de poulet sans la peau
1 botte de ciboules
4 bâtons de céleri
2 poivrons rouges épépinés
1 poivron jaune épépiné
175 g/6 oz de courgettes
175 g/6 oz de pois mange-tout
  ou de pois gourmands
huile de tournesol, pour la friture
15 ml/1 c. à soupe de miel
15 ml/1 c. à soupe de jus de citron vert

1 Mélangez intimement le curcuma, le gingembre, le sel, le poivre, le cumin, la coriandre et le sucre dans un saladier.

2 Détaillez le poulet en petits morceaux. Ajoutez-le dans la préparation aux épices et enrobez-le soigneusement. Réservez.

3 Préparez les légumes. Débitez les ciboules, le céleri et les poivrons en fins bâtonnets de 5 cm/2 po de long. Coupez les courgettes en rondelles, en diagonale, épluchez les pois mange-tout ou les pois gourmands.

4 Faites chauffer 30 ml/2 c. à soupe d'huile dans un wok préchauffé ou une grande sauteuse. Faites rissoler le poulet en plusieurs fois, en ajoutant si besoin de l'huile. Retirez-le de la poêle et gardez-le au chaud.

5 Versez un peu d'huile dans la poêle. Faites chauffer les ciboules, le céleri, les poivrons et les courgettes à feu moyen 8 à 10 minutes, jusqu'à ce qu'ils commencent à ramollir et à dorer. Ajoutez les mange-tout ou les pois gourmands et poursuivez la cuisson 2 minutes.

6 Remettez le poulet dans la poêle, avec le miel et le jus de citron. Remuez 2 minutes, servez aussitôt.

Poulet épicé en cocotte

Traditionnellement, ce mode de cuisson s'effectuait dans une cocotte en terre émaillée, sur les braises, permettant au liquide de frémir sous l'action de la chaleur.

INGRÉDIENTS

Pour 4 à 6 personnes

1 poulet d'1,5 kg/3 à 3½ lb
45 ml/3 c. à soupe de noix de coco
    fraîchement râpée
30 ml/2 c. à soupe d'huile végétale
2 échalotes ou 1 petit oignon hachés menu
2 gousses d'ail écrasées
5 cm/2 po de citronnelle
2,5 cm/1 po de gingembre frais ou de *galanga*
    finement émincés
2 petits piments verts frais épépinés
    et finement hachés
1 cm/½ po de pâte de crevettes ou 15 ml/
    1 c. à soupe de sauce de poisson *(nuoc-mâm)*
400 ml/14 oz/1⅔ tasses de lait de coco
    en conserve
300 ml/½ pinte/1¼ tasses de bouillon
    de volaille
2 feuilles de lime (facultatif)
15 ml/1 c. à soupe de sucre
15 ml/1 c. à soupe de vinaigre de riz
    ou de vinaigre de vin blanc
2 tomates bien mûres et 30 ml/2 c. à soupe
    de feuilles de coriandre fraîche ciselées,
    pour le service

1 Pour couper le poulet, sectionnez les cuisses et les ailes avec un couteau tranchant. Retirez la peau des morceaux et séparez les pilons des hauts-de-cuisses. Détachez la partie inférieure de la carcasse avec des ciseaux de cuisine. Désossez le plus possible, pour faciliter la consommation du plat. Détaillez le blanc en quatre et réservez.

2 Faites dorer la noix de coco dans un wok non graissé. Ajoutez l'huile végétale, les échalotes ou l'oignon, l'ail, la citronnelle, le gingembre ou le *galanga*, les piments et la pâte de crevettes ou la sauce de poisson. Remuez doucement pour libérer les parfums. Incorporez les morceaux de poulet dans le wok et laissez dorer 2 à 3 minutes avec les épices.

3 Filtrez le lait de coco et réservez la partie solide. Ajoutez le liquide dans le wok, avec le bouillon de volaille, les feuilles de lime, le sucre et le vinaigre. Mettez le tout dans une cocotte en terre émaillée, couvrez et faites cuire 50 à 55 minutes dans le four préchauffé à 180 °C/350 °F, jusqu'à ce que le poulet soit tendre. Incorporez la partie solide du lait de coco, puis enfournez de nouveau. Laissez frémir et épaissir pendant 5 à 10 minutes.

4 Mettez les tomates dans un saladier, couvrez-les d'eau bouillante, puis pelez-les. Coupez les tomates en deux, épépinez-les et détaillez-les en gros cubes. Ajoutez les tomates dans la préparation et saupoudrez de coriandre avant de servir.

Poulet au curry vert et au lait de coco

La préparation de la pâte
de curry verte selon la recette
ci-dessous est longue. Du porc,
des crevettes et du poisson
peuvent remplacer le poulet,
en ajustant les temps de cuisson.

INGRÉDIENTS

Pour 4 à 6 personnes

1 poulet d'1 kg/2½ lb environ
600 ml/1 pinte/2½ tasses de lait de coco
   en boîte
450 ml/¾ pinte/1¾ tasses de bouillon
   de volaille
2 feuilles de lime
350 g/12 oz de patates douces
   grossièrement hachées
350 g/12 oz de potiron débarrassé de ses
   graines et grossièrement coupé
115 g/4 oz de haricots verts coupés en deux
1 petit bouquet de coriandre fraîche
   ciselée, pour le service

La pâte de curry verte

10 ml/2 c. à thé de graines de coriandre
2, 5 ml/½ c. à thé de graines de cumin
   ou de carvi
3 à 4 piments verts frais moyens
   hachés menu
20 ml/4 c. à thé de sucre
10 ml/2 c. à thé de sel
7,5 cm/3 po de citronnelle
2 cm/¾ po de *galanga* ou de gingembre frais
   hachés menu
3 gousses d'ail écrasées
4 échalotes ou 1 oignon moyen
   finement hachés
2 cm/¾ po de pâte de crevettes
45 ml/3 c. à soupe de coriandre fraîche,
   finement ciselée
45 ml/3 c. à soupe de menthe fraîche
   finement ciselée
2,5 ml/½ c. à thé de noix de muscade
   en poudre
30 ml/2 c. à soupe d'huile végétale

1 Pour préparer le poulet, coupez les
cuisses, puis séparez les pilons des
hauts-de-cuisses. Détachez la partie
inférieure de la carcasse en sectionnant
au niveau des côtes avec des ciseaux de
cuisine. Partagez le blanc en deux, puis
encore en deux. Retirez la peau des
morceaux et jetez-la.

2 Filtrez le lait de coco dans un saladier, en réservant la partie solide.
Mettez le poulet dans une cocotte
en émail ou en inox, versez la partie
liquide du lait de coco et le bouillon.
Ajoutez les feuilles de lime, puis laissez
frémir 40 minutes à découvert. Sortez le
poulet et laissez-le refroidir. Réservez
le jus de cuisson. Séparez la chair des os
et réservez.

3 Pour préparer la pâte de curry, faites
griller les graines de coriandre et
de cumin ou de carvi dans un wok non
graissé. Broyez les piments, le sucre et
le sel dans un mortier avec un pilon.
Écrasez sous forme de pâte lisse les
graines du wok avec la pâte de piment,
la citronnelle, le *galanga* ou le gingembre, l'ail, les échalotes ou l'oignon. Incorporez la pâte de crevettes, les feuilles de
coriandre, la menthe, la noix de muscade et l'huile.

4 Versez dans un wok 250 ml/8 oz/
1 tasse du jus de cuisson réservé.
Ajoutez 60 à 75 ml/4 à 5 c. à soupe de
pâte de curry. Faites bouillir rapidement
jusqu'à absorption complète du liquide.
Incorporez le reste du jus de cuisson, la
chair du poulet, les patates douces, le
potiron et les haricots. Laissez frémir 10 à
15 minutes, jusqu'à ce que les patates
soient cuites. Mélan-gez la partie solide
du lait de coco et laissez épaissir à feu
doux. Servez décoré de coriandre.

Poulet au lait de coco

Dans la recette traditionnelle, on fait d'abord rissoler le poulet à la poêle, mais il est préférable de le faire rôtir au four. Contrairement à de nombreuses spécialités indonésiennes, la sauce *ayam opor* est blanche car elle ne contient ni piments ni curcuma. Ce mets se sert accompagné d'oignons frits.

INGRÉDIENTS

Pour 4 personnes

1 poulet d'1,5 kg/3 à 3½ lb ou 4 quarts
   de poulet
4 gousses d'ail
1 oignon émincé
8 amandes
15 ml/1 c. à soupe de graines de coriandre
   grillées, ou 5 ml/1 c. à thé de coriandre
   en poudre
45 ml/3 c. à soupe d'huile
2,5 cm/1 po de *lengkuas* frais pelé et écrasé
2 bâtons de citronnelle (avec la partie
   inférieure écrasée)
3 feuilles de lime
2 feuilles de laurier
5 ml/1 c. à thé de sucre
600 ml/1 pinte/2½ tasses de lait de coco
sel
riz cuit à l'eau et oignons frits,
   pour le service

1 Préchauffez le four à 190 °C/375 °F. Coupez le poulet en 4 ou 8 morceaux, salez-le. Faites-le cuire 25 à 30 minutes au four, dans un plat huilé. Pendant ce temps, préparez la sauce.

2 Écrasez l'ail, l'oignon, les amandes et la coriandre sous forme de pâte fine dans un mixer. Faites revenir dans un wok avec de l'huile chaude, sans laisser dorer.

3 Ajoutez les morceaux de poulet avec le *lengkuas*, la citronnelle, les feuilles de lime et de laurier, le sucre, le lait de coco et le sel. Mélangez soigneusement pour enrober le poulet de sauce.

4 Portez à ébullition, puis laissez frémir 30 à 40 minutes, à découvert, jusqu'à ce que le poulet soit tendre et que le lait de coco réduise et épaississe. Remuez de temps en temps.

5 Retirez le *lengkuas* et la citronnelle avant de servir avec du riz nature, parsemé d'oignons frits.

Poulet teriyaki

Un simple bol de riz nature complétera à merveille ce délicat plat de poulet japonais.

INGRÉDIENTS

Pour 4 personnes

450 g/1 lb de blancs de poulet sans la peau
morceaux d'orange et quelques feuilles
    de cresson, pour le service

La marinade

5 ml/1 c. à thé de sucre
15 ml/1 c. à soupe de saké
15 ml/1 c. à soupe de Xérès sec
30 ml/2 c. à soupe de sauce de soja foncée
le zeste râpé d'1 orange

1 Émincez le poulet en longues lamelles avec un couteau bien affûté.

2 Pour préparer la marinade, mélangez dans un bol le sucre, le saké, le Xérès, la sauce de soja et le zeste d'orange râpé.

3 Versez la préparation sur le poulet, dans un saladier, et laissez mariner 15 minutes.

4 Mettez le poulet et la marinade dans un wok préchauffé, puis faites revenir pendant 4 à 5 minutes. Servez décoré de morceaux d'orange et de feuilles de cresson.

Émincé de poulet au céleri

Le moelleux du poulet contraste
avec la texture croustillante
du céleri dans ce mets que les
piments rouges enrichissent de
leur couleur et de leur saveur.

INGRÉDIENTS

Pour 4 personnes

275 g/10 oz de blancs de poulet sans la peau
5 ml/1 c. à thé de sel
½ blanc d'œuf légèrement battu
10 ml/2 c. à thé de pâte de Maïzena
500 ml/16 oz/2 tasses d'huile végétale
1 cœur de céleri coupé en julienne
1 à 2 piments rouges frais épépinés
  et coupés en julienne
1 ciboule hachée menu
un peu de gingembre frais
  coupé en julienne
5 ml/1 c. à thé de sucre roux
15 ml/1 c. à soupe de vin de riz chinois
  ou de Xérès sec
quelques gouttes d'huile de sésame

1 Émincez finement le poulet avec
un couteau bien affûté. Mélangez
dans un saladier 1 pincée de sel, le blanc
d'œuf et la pâte de Maïzena. Ajoutez
le poulet.

2 Faites chauffer l'huile dans un wok
préchauffé, versez la préparation et
remuez pour séparer les morceaux de
poulet. Lorsqu'ils blanchissent, retirez-
les avec une écumoire et égouttez-les.
Gardez-les au chaud.

3 Jetez l'huile du wok, à l'exception
de 30 ml/2 c. à soupe. Faites reve-nir
le céleri, les piments, la ciboule et le
gingembre pendant 1 minute. Ajoutez
le poulet, le reste de sel, le sucre, le
vin de riz ou le Xérès. Laissez chauffer
1 minute avant de verser l'huile de
sésame. Servez chaud.

Poulet aux légumes chinois

Cette spécialité peut constituer
un excellent plat familial,
accompagné de riz ou
de nouilles, ou être servi
avec d'autres préparations
à l'occasion d'un dîner.

INGRÉDIENTS

Pour 4 personnes

275 g/8 à 10 oz de blancs de poulet
  sans la peau
5 ml/1 c. à thé de sel
½ blanc d'œuf légèrement battu
10 ml/2 c. à thé de pâte de Maïzena
60 ml/4 c. à soupe d'huile végétale
6 à 8 petits champignons shiitake séchés,
  ayant trempé dans de l'eau chaude
115 g/4 oz de pousses de bambou en boîte,
  émincées et égouttées
115 g/4 oz de pois mange-tout

1 ciboule hachée menu
quelques petits morceaux de gingembre frais
5 ml/1 c. à thé de sucre roux
15 ml/1 c. à soupe de sauce de soja claire
15 ml/1 c. à soupe de vin de riz chinois
  ou de Xérès sec
quelques gouttes d'huile de sésame

1 Détaillez le poulet en petits morceaux. Mettez-le dans un saladier
et mélangez-le avec 1 pincée de sel, le
blanc d'œuf et la pâte de Maïzena.

2 Faites chauffer l'huile dans un wok
préchauffé, ajoutez le poulet et faites
revenir pendant 30 secondes à feu moyen,
puis retirez-le avec une écumoire et gardez-le au chaud.

3 Incorporez les légumes dans le wok
et remuez à feu vif 1 minute. Mélangez le reste de sel, le sucre, le poulet.
Versez ensuite la sauce de soja, le vin de
riz ou le Xérès sec, et laissez chauffer
pendant 1 minute. Arrosez d'huile de
sésame avant de servir.

Poulet Fu-yung

Certains cuisiniers surnomment cette recette la «friture de lait», car on y frit un mélange de lait et de blancs d'œufs.

INGRÉDIENTS

Pour 4 personnes

150 g/6 oz d'escalope de poulet sans la peau
5 ml/1 c. à thé de sel
4 blancs d'œufs légèrement battus
15 ml/1 c. à soupe de pâte de Maïzena
   (voir p. 10)
30 ml/2 c. à soupe de lait
huile de friture végétale
1 cœur de laitue séparé en feuilles
120 ml/4 oz/½ tasse environ de bouillon
   de volaille
15 ml/1 c. à soupe de vin de riz chinois
   (ou de Xérès sec)
15 ml/1 c. à soupe de petits pois
quelques gouttes d'huile de sésame
5 ml/1 c. à thé de jambon haché,
   pour le service

1 Hachez finement la viande de poulet, puis ajoutez 1 pincée de sel, les blancs d'œufs, la pâte de Maïzena et le lait. Mélangez bien, pour obtenir une sorte de pâte lisse et homogène.

2 Chauffez l'huile dans un wok très chaud. Avant qu'elle soit trop chaude, plongez de grandes cuillerées de la préparation au poulet. Ne remuez pas afin d'éviter que les blocs se désagrègent. Dès qu'ils sont devenus très blancs, faites-les remonter en remuant l'huile au fond du wok et retirez-les. Égouttez.

3 Jetez le surplus d'huile, pour n'en laisser que 15 ml/1 c. à soupe dans le wok. Faites revenir les feuilles de laitue 1 minute. Salez légèrement, puis ajoutez le bouillon et portez à ébullition.

4 Remettez le poulet dans le wok, puis ajoutez le vin et les petits pois. Mélangez bien. Arrosez de quelques gouttes d'huile de sésame. Garnissez de jambon haché avant de servir.

Poulet à la sichuanaise

Le wok est l'ustensile idéal
pour cette recette. Les saveurs
se mélangent admirablement
et le poulet est bien croustillant.

INGRÉDIENTS

Pour 4 personnes

350 g/12 oz de cuisses de poulet désossées,
   sans la peau
un peu de sel
½ blanc d'œuf légèrement battu
10 ml/2 c. à thé de pâte de Maïzena
   (voir p. 10)
1 poivron vert évidé
60 ml/4 c. à soupe d'huile végétale
3 ou 4 piments rouges séchés, trempés
   pendant 10 minutes et égouttés
1 ciboule coupée en petits morceaux
quelques morceaux de gingembre épluché
15 ml/1 c. à soupe de pâte de haricots sucrée
   (ou de sauce *hoi-sin*)
5 ml/1 c. à thé de pâte de haricots pimentée
15 ml/1 c. à soupe de vin de riz chinois
   (ou de Xérès sec)
120 g/4 oz de noix de cajou grillées
un peu d'huile de sésame

1 Découpez le poulet en petits dés, de
la taille d'un sucre. Dans un saladier,
mélangez le poulet, le sel, le 1/2 blanc
d'œuf et la pâte de Maïzena.

2 Coupez le poivron vert en dés de la
même taille que les dés de poulet.

3 Chauffez l'huile dans un wok préchauffé. Faites sauter les dés de poulet pendant 1 minute environ, jusqu'à ce
qu'ils changent de couleur. Retirez-les
du wok avec une écumoire et réservez
au chaud.

4 Mettez le poivron vert, les piments,
la ciboule et le gingembre à revenir
1 minute. Ajoutez le poulet, la pâte de
haricots sucrée ou la sauce *hoi-sin*, la
pâte de haricots pimentée et le vin chinois (ou le Xérès). Mélangez et laissez
cuire encore 1 minute. Incorporez les
noix de cajou et l'huile de sésame.

Satay de poulet à l'indonésienne

Traditionnellement, le satay fait partie d'un grand festin qui réunit près de 40 plats différents servis avec un grand bol de riz blanc. Il est également possible de préparer un satay moins important, telle cette succulente préparation de poulet à la crème de coco qui peut se déguster à tout moment.

INGRÉDIENTS

Pour 4 personnes

50 g/2 oz de cacahuètes fraîches
45 ml/3 c. à soupe d'huile végétale
1 petit oignon finement haché
2,5 cm/1 po de racine de gingembre, épluchée et finement hachée
1 gousse d'ail écrasée
700 g/1½ lb de cuisses de poulet, sans la peau, découpées en dés
90 g/3½ oz de crème de coco solide, grossièrement coupée
15 ml/1 c. à soupe de sauce piquante
60 ml/4 c. à soupe de beurre de cacahuètes
5 ml/1 c. à thé de sucre brun
150 ml/¼ pinte/⅔ tasse de lait
1 grosse pincée de sel

2 Dans un wok préchauffé avec 5 ml/1 c. à thé d'huile, faites dorer les cacahuètes 1 minute, pour les rendre croustillantes. Égouttez sur du papier absorbant.

4 Faites dorer les morceaux de poulet dans le wok, 3 à 4 minutes, jusqu'à ce qu'ils soient croustillants. Enfilez-les sur des brochettes en bambou humides et gardez au chaud dans le four.

5 Faites fondre les morceaux de crème de coco dans le wok encore chaud. Ajoutez la sauce piquante, le beurre de cacahuètes et la préparation au gingembre. Laissez mijoter 2 minutes. Tout en remuant, ajoutez le sucre, le lait et le sel, puis faites cuire encore 3 minutes. Servez les brochettes chaudes, accompagnées d'un bol de sauce pimentée saupoudrée d'éclats de cacahuètes grillées.

3 Versez l'huile restante dans le wok chaud. Lorsqu'elle est chaude, faites revenir l'oignon, le gingembre et l'ail 2 à 3 minutes. Retirez-les à l'aide d'une écumoire avant qu'ils ne brunissent et égouttez sur du papier absorbant.

1 Écossez les cacahuètes et frottez-les entre les doigts pour en retirer la peau. Mettez-les dans un bol et recouvrez d'eau. Laissez tremper 1 minute, puis égouttez-les et coupez-les en petits éclats.

CONSEIL

Laissez tremper les brochettes en bambou pendant au moins 2 heures – ou, mieux, toute 1 nuit – dans l'eau froide. De cette manière, elles ne carboniseront pas lorsque vous garderez le poulet au chaud dans le four.

Poulet à la sauce piquante

Cette recette de poulet tire sa saveur d'une préparation à base de citronnelle et de gingembre. Les ingrédients mijotés dans un wok donnent un résultat délicieux.

INGRÉDIENTS

Pour 4 à 6 personnes

3 cuisses, 3 pieds et 3 pilons de poulet
15 ml/1 c. à soupe d'huile végétale
1 racine de gingembre de 2 cm/¾ po
  de long, épluchée et finement hachée
1 gousse d'ail écrasée
1 petit piment rouge épépiné et haché
1 tige de citronnelle de 5 cm/2 po de long,
  coupée en lanières
150 ml/¼ pinte/⅔ tasse de bouillon
  de volaille
15 ml/1 c. à soupe de sauce
  de poisson (facultatif)
10 ml/2 c. à thé de sucre
2,5 ml/½ c. à thé de sel
jus de ½ citron
50 g/2 oz de cacahuètes fraîches
30 ml/2 c. à soupe de menthe fraîche,
  2 ciboules coupées en lanières et écorce
  d'1 mandarine (ou d'1 clémentine)
  coupée en lanières, et riz ou nouilles
  de riz, pour le service

1 Avec le talon de la lame d'un couteau, cassez la partie étroite des pilons de poulet. Retirez l'articulation des pilons et des os de cuisses avant d'ôter la peau.

2 Chauffez l'huile dans un grand wok préchauffé. Mettez à cuire le poulet, le gingembre, l'ail, le piment et la citronnelle, pendant 3 à 4 minutes. Ajoutez le bouillon de volaille, la sauce de poisson (facultatif), le sucre, le sel et le jus de citron. Réduisez le feu, couvrez et laissez mijoter 30 à 35 minutes.

3 Faites griller les cacahuètes uniformément à feu moyen, environ 2 à 3 minutes. Versez-les sur une serviette, refermez-la et frottez énergiquement, afin de détacher la peau des cacahuètes.

4 Servez le poulet garni des cacahuètes grillées, des lanières de ciboules, d'écorce de mandarine (ou de clémentine) et de menthe hachée. Accompagnez de riz ou de nouilles de riz.

VARIANTE

Cette recette fonctionne très bien avec du canard. N'oubliez pas d'ôter l'articulation des pilons et de l'os des cuisses, ce qui facilitera la dégustation avec des baguettes.

Poulet sauté aux piments et au basilic

Cette recette de poulet, rapide et simple d'exécution, constitue une excellente introduction à la cuisine thaïlandaise. Le basilic thaïlandais a une saveur piquante et épicée très caractéristique. La friture lui apporte encore une autre dimension. Les feuilles abîmées se reconnaissent à leurs bords dentelés.

INGRÉDIENTS

Pour 4 à 6 personnes

45 ml/3 c. à soupe d'huile végétale
4 gousses d'ail coupées en rondelles
2 à 4 piments rouges épépinés et hachés
450 g/1 lb de blancs de poulet coupés
   en petits morceaux
30 à 45 ml/2 à 3 c. à soupe de sauce
   de poisson
30 ml/2 c. à soupe de sauce de soja brune
5 ml/1 c. à thé de sucre
10 à 12 feuilles de basilic thaïlandais
2 piments rouges coupés en fines rondelles
   et 20 feuilles de basilic thaïlandais frites
   (facultatif), pour le service

1 Faites chauffer l'huile dans un grand wok, en l'étalant bien.

2 Faites sauter l'ail et les piments jusqu'à ce qu'ils soient dorés.

3 Mettez le poulet à revenir jusqu'à ce qu'il change de couleur.

4 Assaisonnez avec la sauce de poisson, la sauce de soja et le sucre. Laissez revenir encore 3 à 4 minutes, jusqu'à cuisson complète du poulet. Incorporez les feuilles de basilic. Décorez de rondelles de piment et de basilic frit.

CONSEIL

Pour réussir la friture des feuilles de basilic thaïlandais, il faut qu'elles soient bien sèches. Faites-les frire pendant 30 à 40 secondes dans le wok, avant de les sécher sur du papier absorbant.

Poulet sauté aux noix de cajou

La sauce *hoi-sin* ajoute au poulet sauté une note légèrement sucrée, et les noix de cajou un agréable contraste de texture.

INGRÉDIENTS

Pour 4 personnes

75 g/3 oz de noix de cajou
1 poivron rouge
450 g/1 lb d'escalopes de poulet sans la peau
45 ml/3 c. à soupe d'huile d'arachide
4 gousses d'ail finement hachées
30 ml/2 c. à soupe de vin de riz chinois
  (ou de Xérès sec)
45 ml/3 c. à soupe de sauce *hoi-sin*
30 ml/2 c. à soupe d'huile de sésame
parties vertes de 5 à 6 ciboules, coupées
  en morceaux de 2 à 3 cm/1 po

2 Coupez le poivron rouge en deux et le vider. Tranchez-le ensuite en fines lamelles. Découpez le poulet en lamelles de la taille d'un doigt.

4 Ajoutez le vin et la sauce *hoi-sin*. Poursuivez la cuisson jusqu'à ce que le poulet soit tendre et tous les ingrédients bien enduits.

1 Chauffez un wok, puis faites sauter les noix de cajou à sec, à feu doux ou moyen, pendant 1 à 2 minutes, jusqu'à ce qu'elles soient dorées. Retirez du wok et réservez.

3 Réchauffez le wok. Lorsqu'il est suffisamment chaud, versez l'huile en l'étalant bien. Mettez l'ail à grésiller dans l'huile pendant quelques secondes. Ajoutez le poivron et les lamelles de poulet. Faites revenir le tout 2 minutes.

5 En fin de cuisson, en remuant, versez l'huile de sésame, les noix de cajou grillées et les pointes de ciboules. Servez.

VARIANTE

Vous pouvez remplacer les noix de cajou par des amandes blanchies. Pour donner au plat un goût légèrement moins sucré, une sauce de soja légère (claire) peut se substituer à la sauce *hoi-sin*.

Poulet, jambon et brocolis sautés

Les Chinois donnent à ce plat coloré et savoureux un nom très poétique : « fleur dorée et poulet de l'arbre de jade » *(Jin hua yi shu ji).* Cette merveilleuse recette se présente comme un buffet froid à servir en toutes occasions.

INGRÉDIENTS

Pour 6 à 8 personnes

1 poulet d'environ 1,2 kg/2¼ à 3 lb
2 ciboules
2 ou 3 morceaux de gingembre frais
15 ml/1 c. à soupe de sel
275 g/8 oz de jambon cuit au miel
300 g/10 oz de brocolis
45 ml/3 c. à soupe d'huile végétale
5 ml/1 c. à thé de sucre roux
10 ml/2 c. à thé de Maïzena

1 Déposez le poulet dans une grande casserole et recouvrez d'eau froide. Ajoutez les ciboules, le gingembre et environ 10 ml/2 c. à thé de sel. Portez à ébullition, puis réduisez le feu et couvrez hermétiquement pour laisser mijoter pendant 10 à 15 minutes. Éteignez le feu et laissez cuire le poulet dans l'eau encore 4 ou 5 minutes ; n'ôtez pas le couvercle au cours de cette étape.

2 Retirez le poulet de la casserole et réservez le jus de cuisson. Séparez la viande des os, en gardant la peau. Découpez ensuite le poulet et le jambon en morceaux de la taille d'une petite boîte d'allumettes. Disposez sur un plat en alternant jambon et poulet.

3 Découpez les brocolis en petits bouquets et faites-les frire dans l'huile chaude avec le sucre et le reste de sel pendant 2 à 3 minutes. Disposez les bouquets de brocolis entre les rangées de jambon et de poulet et tout autour.

4 Chauffez 30 ml/2 c. à soupe du jus de cuisson du poulet, puis épaississez avec la Maïzena. Remuez, puis versez uniformément sur le poulet et le jambon, afin de former une pellicule transparente. Laissez refroidir avant de servir.

Poulet sauté à l'aigre-douce

Cette recette est un repas complet, influencé par la cuisine du Sud-Est asiatique. Elle conviendra parfaitement aux cuisiniers qui disposent de peu de temps.

INGRÉDIENTS

Pour 4 personnes

275 g/10 oz de nouilles chinoises aux œufs
30 ml/2 c. à soupe d'huile végétale
3 ciboules hachées
1 gousse d'ail écrasée
2 à 3 cm/1 po de racine de gingembre
    épluchée et râpée
5 ml/1 c. à thé de paprika fort
5 ml/1 c. à thé de coriandre moulue
3 escalopes de poulet en petites tranches
120 g/4 oz de pois gourmands équeutés
120 g/4 oz de mini-épis de maïs coupés
    en deux
230 g/8 oz de germes de soja frais
15 ml/1 c. à soupe de Maïzena
45 ml/3 c. à soupe de sauce de soja
45 ml/3 c. à soupe de jus de citron
15 ml/1 c. à soupe de sucre
sel
45 ml/3 c. à soupe de coriandre moulue ou
    de pointes de ciboules, pour le service

1 Remplissez une grande casserole d'eau salée et portez à ébullition. Versez les nouilles dedans. S'il s'agit de nouilles en sachet, reportez-vous au temps de cuisson conseillé. Dans le cas de nouilles fraîches, quelques minutes suffisent. Remuez bien pour les séparer. Égouttez après cuisson et couvrez pour qu'elles restent chaudes.

2 Chauffez l'huile dans un wok préchauffé. Mettez à revenir les ciboules à feu doux. Ajoutez l'ail, le gingembre, le paprika, la coriandre et le poulet. Faites sauter 3 à 4 minutes.

3 Ajoutez les pois gourmands, les épis de maïs et les germes de soja. Couvrez et laissez cuire 1 à 2 minutes. Incorporez les nouilles.

4 Dans un bol, mélangez la Maïzena, la sauce de soja, le jus de citron et le sucre. Versez dans le wok et laissez mijoter jusqu'à épaississement. Servez rapidement, décoré de coriandre moulue ou de pointes de ciboules.

REMARQUE PRATIQUE

Les grands couvercles de wok sont encombrants, surtout dans une petite cuisine. On peut les remplacer, le cas échéant, par un disque de papier sulfurisé posé sur les aliments pour conserver leur jus au cours de la cuisson.

Balti de poulet aux lentilles

Le mélange des saveurs peut sembler étonnant, mais vaut la peine d'être essayé. La poudre de mangue confère à ce plat une saveur délicieusement piquante.

INGRÉDIENTS

Pour 4 à 6 personnes

75 g/3 oz de lentilles jaunes concassées
60 ml/4 c. à soupe d'huile de maïs
2 poireaux moyens hachés
6 gros piments rouges séchés
4 feuilles de curry
5 ml/1 c. à thé de graines de moutarde
10 ml/2 c. à thé de poudre de mangue
2 tomates moyennes hachées
2,5 ml/½ c. à thé de poudre de piment
5 ml/1 c. à thé de coriandre moulue
450 g/1 lb de poulet désossé,
   sans la peau et découpé en dés
sel
15 ml/1 c. à soupe de coriandre
   fraîche hachée et paratha,
   pour le service

3 Chauffez l'huile dans un wok préchauffé. Réduisez le feu et mettez les poireaux, les piments rouges séchés, les feuilles de curry et les graines de moutarde à revenir, 2 à 3 minutes.

5 Ajoutez les lentilles cuites et laissez revenir encore 2 minutes, jusqu'à cuisson complète du poulet.

6 Décorez de coriandre fraîche et servez accompagné de paratha.

1 Dans une passoire, rincez abondamment les lentilles à l'eau froide.

4 Ajoutez la poudre de mangue, les tomates, la poudre de piment, la coriandre moulue et le poulet. Salez et laissez cuire 7 à 10 minutes.

2 Versez les lentilles dans une casserole et recouvrez d'eau. Portez à ébullition, puis laissez cuire 10 minutes, jusqu'à ce qu'elles commencent à ramollir. Rincez abondamment, puis transférez dans un saladier et réservez.

CONSEIL

Les lentilles jaunes concassées *(chana dhal)* s'achètent dans les épiceries asiatiques. Si vous n'en trouvez pas, des pois cassés verts clairs feront très bien l'affaire.

Poulet aromatique de Madura

Le *Magadip* se prépare longtemps à l'avance, afin que toutes les saveurs imprègnent bien la chair du poulet, ce qui le rend encore meilleur. On l'accompagne d'une salade de concombre.

INGRÉDIENTS

Pour 4 personnes

1 poulet de 1,5 kg/3 à 3½ lb découpé
   en quartiers
5 ml/1 c. à thé de sucre
30 ml/2 c. à soupe de graines de coriandre
10 ml/2 c. à thé de graines de cumin
6 gousses d'ail entières
2,5 ml/½ c. à thé de noix
   de muscade moulue
2,5 ml/½ c. à thé de curcuma moulu
1 petit oignon
1 racine de gingembre frais de 2 à 3 cm/1 po
   de long, épluchée et coupée en morceaux
300 ml/½ pinte/1¼ tasses de bouillon
   de volaille (ou d'eau)
sel et poivre noir fraîchement moulu
riz blanc et rondelles d'oignon frites
   (voir p. 329), pour le service

1 Découpez chaque quartier de poulet en deux pour obtenir 8 morceaux. Disposez-les dans une casserole. Saupoudrez de sucre et de sel, et remuez bien. Cette préparation permet de mieux libérer les sucs du poulet. Avec la carcasse du poulet, vous pouvez faire un bouillon qui servira dans d'autres recettes.

CONSEIL

Ajoutez un peu de gingembre et
1 petit oignon au bouillon de volaille,
pour lui donner une plus grande saveur.

2 Faites sauter la coriandre, le cumin et les gousses d'ail à sec. Ajoutez la muscade et le curcuma moulus et laissez cuire un bref moment. Broyez le tout au pilon ou dans un mixer.

3 Mixez très finement l'oignon et le gingembre, ou hachez-les et réduisez-les en purée dans un mortier. Ajoutez la préparation aux épices et le bouillon de volaille (ou l'eau) et mélangez bien.

4 Versez la préparation sur le poulet. Couvrez la casserole et laissez cuire à feu doux jusqu'à ce que le poulet soit bien tendre, environ 45 à 50 minutes.

5 Servez le poulet en portions, nappé de sa sauce, sur le riz. Garnissez de rondelles d'oignon frites croustillantes.

Poulet au curcuma

INGRÉDIENTS

Pour 4 personnes

1 poulet de 1,5 kg/3 à 3½ lb coupé
   en 8 morceaux

15 ml/1 c. à soupe de sucre

3 noix de macadam (ou 6 amandes)

2 gousses d'ail écrasées

1 gros oignon coupé en quartiers

2 à 3 cm/1 po de *lengkuas* frais, épluché
   et coupé en rondelles (ou 5 ml/1 c. à thé
   de poudre de *lengkuas*)

1 ou 2 tiges de citronnelle (la base en
   rondelles et le reste simplement froissé)

1 cm/½ po de *terasi* en cube

4 cm/1½ po de curcuma frais haché
   (ou 15 ml/1 c. à soupe de curcuma
   en poudre)

15 ml/1 c. à soupe de pulpe de tamarin,
   trempée dans ½ verre d'eau chaude

60 à 90 ml/4 à 6 c. à soupe d'huile

400 ml/14 oz/1⅔ tasses de lait de coco

sel et poivre noir fraîchement moulu

rondelles d'oignon frites *(voir p. 329)*,
   pour le service

1 Enduisez les morceaux de poulet
d'un peu de sucre et réservez.

2 Mixez ensemble les noix (ou les
amandes), l'ail, l'oignon, le *lengkuas*,
la citronnelle, le *terasi* et le curcuma.
Vous pouvez également réduire en purée
ces ingrédients dans un mortier. Filtrez
la pulpe de tamarin et gardez le jus.

3 Chauffez l'huile dans un wok et faites
cuire la purée aux noix, sans qu'elle
brunisse, jusqu'à ce qu'elle libère un arôme
épicé. Ajoutez les morceaux de poulet
en les enduisant bien d'épices. Arrosez
du jus filtré du tamarin. Ôtez à la cuillère
le dépôt de crème sur le lait de coco.

4 Versez le lait de coco dans la casserole.
Couvrez et laissez cuire 45 minutes,
afin que le poulet soit bien tendre.

5 En fin de cuisson, portez à ébullition
et ajoutez la crème du lait de coco.
Salez, poivrez. Garnissez de rondelles
d'oignon frites et servez sans attendre.

Poulet sauté au piment

INGRÉDIENTS

Pour 4 personnes

1 poulet de 1,5 kg/3 à 3½ lb découpé
   en 8 morceaux
5 ml/1 c. à thé de sel
5 ml/1 c. à thé de poivre noir moulu
2 gousses d'ail écrasées
150 ml/¼ pinte/⅔ tasse d'huile de tournesol

La sauce

25 g/1 oz de beurre
30 ml/2 c. à soupe d'huile de tournesol
1 oignon coupé en rondelles
4 gousses d'ail écrasées
400 g/14 oz de tomates au piment,
   en boîte, égouttées
600 ml/1 pinte/2½ tasses d'eau
45 à 60 ml/3 à 4 c. à soupe de sauce
   de soja brune
sel et poivre noir fraîchement moulu
piment rouge frais coupé en tranches,
   rondelles d'oignon frites (facultatif,
   voir p. 329) et riz blanc, pour le service

1 Préchauffez le four à 190 °C/375 °F. Pratiquez 2 entailles dans chaque morceau de poulet. Enduisez de sel, de poivre et d'ail. Saisissez dans un peu d'huile, puis mettez au four 30 minutes, ou faites revenir 12 à 15 minutes dans l'huile, jusqu'à ce que le poulet soit doré.

2 Pour la sauce, chauffez le beurre et l'huile dans un wok, puis mettez à revenir l'oignon et l'ail. Ajoutez les tomates, l'eau, la sauce de soja, le sel et le poivre. Portez à ébullition. Laissez bouillir 5 minutes pour réduire la sauce.

3 Déposez les morceaux de poulet dans la sauce. Retournez-les plusieurs fois pour qu'ils soient bien enduits. Laissez cuire doucement 20 minutes, jusqu'à ce qu'ils soient devenus très tendres. Remuez de temps en temps.

4 Disposez les morceaux de poulet sur un plat tenu au chaud et garnissez de tranches de piments et, éventuellement, de rondelles d'oignon frites. Servez accompagné de riz.

Poulet sauté à l'ananas

INGRÉDIENTS

Pour 4 à 6 personnes

500 g/1¼ lb d'escalopes de poulet,
   sans la peau, coupées en fines
   tranches triangulaires
30 ml/2 c. à soupe de Maïzena
60 ml/4 c. à soupe d'huile de tournesol
1 gousse d'ail écrasée
5 cm/2 po de racine de gingembre fraîche,
   épluchée et coupée en allumettes
1 petit oignon coupé en fines rondelles
1 ananas frais, pelé, découpé en dés, ou
   une boîte de 475 g/15 oz d'ananas
   en morceaux dans son jus (au naturel
   et sans sucre)
30 ml/2 c. à soupe de sauce de soja brune
   (ou 15 ml/1 c. à soupe de *kecap manis*)
quelques ciboules, le bulbe blanc gardé
   entier et les pointes vertes coupées
   en rondelles
sel et poivre noir fraîchement moulu

1 Mélangez le poulet et la Maïzena. Salez et poivrez. Faites revenir les morceaux de poulet dans un wok ou une poêle, avec l'huile, jusqu'à ce qu'ils soient tendres. Réservez au chaud.

2 Réchauffez l'huile dans le wok, puis faites revenir l'ail, le gingembre et l'oignon sans les brunir. Ajoutez l'ananas frais avec 120 ml/4 oz/½ c. à tasse verre d'eau, ou l'ananas en boîte avec son jus.

3 Tout en remuant, ajoutez la sauce de soja (ou le *kecap manis*). Remettez le poulet dans le wok pour cuire le tout.

4 Salez et poivrez à votre goût. Ajoutez les bulbes de ciboules et la moitié des rondelles de pointes vertes. Mélangez bien l'ensemble et disposez le poulet sur un plat. Décorez avec le reste des rondelles de pointes de ciboules et servez.

Poulet braisé au soja

Braisé dans le wok, le poulet s'imprègne de tous les arômes de la sauce piquante au gingembre. Il peut se déguster chaud ou froid.

INGRÉDIENTS

Pour 4 personnes

1 poulet de 1,5 kg/3 à 3½ lb environ
15 ml/1 c. à soupe de grains de poivre
    du Sichuan fraîchement moulus
30 ml/2 c. à soupe de gingembre frais haché
45 ml/3 c. à soupe de sauce de soja claire
30 ml/2 c. à soupe de sauce de soja foncée
45 ml/3 c. à soupe de vin de riz chinois
    (ou de Xérès sec)
15 ml/1 c. à soupe de sucre roux
huile de friture végétale
600 ml/1 pinte/2½ tasses environ de bouillon
    de volaille (ou d'eau)
10 ml/2 c. à thé de sel
25 g/1 oz de sucre candi
feuilles de laitue, pour le service

1 Enduisez l'extérieur et l'intérieur du poulet avec le poivre moulu et le gingembre frais. Laissez mariner au moins 3 heures dans le mélange de sauces de soja, de vin chinois (ou de Xérès) et de sucre. Retournez-le de temps à autre.

CONSEIL

Le reste de sauce se conservera facilement au réfrigérateur, à condition d'être couvert. Vous pourrez le réutiliser sans problème.

2 Chauffez l'huile dans un wok préchauffé. Retirez le poulet de la marinade et faites-le revenir 5 à 6 minutes, pour lui donner une couleur dorée uniforme. Sortez-le et égouttez.

3 Jetez le surplus d'huile. Versez la marinade et le bouillon de volaille (ou l'eau) dans le wok. Ajoutez le sel et le sucre candi, et portez à ébullition. Braisez le poulet à couvert dans la sauce, 35 à 40 minutes, en le retournant.

4 Retirez le poulet du wok et laissez-le refroidir un peu. Découpez-le en une trentaine de bouchées environ. Disposez-les sur un lit de laitue et arrosez d'un peu de sauce avant de servir.

Poulet aux épices et à la sauce de soja

Ce plat très simple, appelé *Ayam kecap*, se trouve souvent à la carte des restaurants de Padang. Même réchauffé le lendemain, il ne perd rien de sa saveur.

INGRÉDIENTS

Pour 4 personnes

1 poulet de 1,5 kg/3 à 3½ lb découpé en
    16 morceaux (aux articulations)
3 oignons coupés en rondelles
1 l/1¾ pintes/4 tasses d'eau environ
3 gousses d'ail écrasées
3 ou 4 piments rouges frais hachés
    (ou 15 ml/1 c. à soupe de poudre
    de piment)
45 à 60 ml/3 à 4 c. à soupe d'huile
2,5 ml/½ c. à thé de noix
    de muscade moulue
6 clous de girofle
5 ml/1 c. à thé de pulpe de tamarin, trempée
    dans 45 ml/3 c. à soupe d'eau chaude
30 à 45 ml/2 à 3 c. à soupe de sauce de soja
    claire ou foncée
sel
lanières de piments rouges et riz,
    pour le service

1 Disposez les morceaux de poulet dans une grande poêle assez profonde et ajoutez 1 oignon. Recouvrez d'eau. Portez à ébullition, puis réduisez le feu et laissez mijoter doucement pendant 20 minutes.

2 Broyez le reste des oignons, l'ail et les piments dans un mixer ou à l'aide d'un pilon et d'un mortier, jusqu'à obtention d'une fine purée. Faites chauffer un peu d'huile dans un wok ou une poêle et mettez à revenir cette purée, sans la laisser brunir, pour en libérer les arômes.

3 Laissez cuire le poulet 20 minutes, puis sortez-le du bouillon à l'aide d'une grande écumoire. Réservez environ 300 ml/½ pinte/1¼ tasses du bouillon. Mettez le poulet à réchauffer, à feu doux, dans le mélange d'épices, en remuant bien tous les mor-ceaux, afin de les imprégner des diffé-rentes épices.

4 En remuant, ajoutez la muscade et les clous de girofle. Filtrez le tamarin et versez son jus sur le poulet, ainsi que la sauce de soja. Laissez cuire encore 2 à 3 minutes, puis ajoutez le bouillon réservé.

5 Salez et poivrez à votre goût, puis laissez cuire encore 25 à 35 minutes, à découvert, jusqu'à ce que les morceaux de poulet soient devenus bien tendres.

6 Servez le poulet dans un grand saladier, garni de lanières de piments et accompagné de riz.

REMARQUE PRATIQUE

La sauce de soja brune (épaisse) est plus salée que la sauce claire (légère). La première donne au poulet une saveur plus prononcée.

Curry de poulet thaïlandais

Le poulet et les pommes de terre sont mijotés dans un wok rempli de lait de coco, ingrédient indispensable de la cuisine thaïlandaise. Il en résulte un curry à la saveur extraordinaire.

INGRÉDIENTS

Pour 4 personnes

1 oignon
15 ml/1 c. à soupe d'huile d'arachide
400 ml/14 oz/1⅔ tasses de lait de coco
30 ml/2 c. à soupe de pâte de curry rouge
30 ml/2 c. à soupe de sauce de poisson
    thaïlandaise *(nam pla)*
15 ml/1 c. à soupe de sucre roux
250 g/8 oz de petites pommes
    de terre nouvelles
450 g/1 lb d'escalopes de poulet en morceaux
15 ml/1 c. à soupe de jus de citron vert
30 ml/2 c. à soupe de menthe fraîche hachée
15 ml/1 c. à soupe de basilic frais haché
sel et poivre noir moulu
2 feuilles de lime de Cafre et 1 ou 2 piments
    rouges en lanières, pour le service

1 À l'aide d'un couteau bien aiguisé, découpez les oignons en tranches.

--- VARIANTE ---
Vous pouvez remplacer les escalopes
de poulet par des cuisses désossées.
Il suffit d'en ôter la peau et de découper
la chair en morceaux, avant de les
ajouter aux pommes de terre.

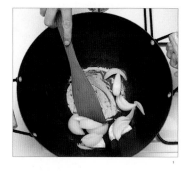

2 Chauffez un wok, puis versez l'huile en l'étalant bien au fond. Mettez à revenir les oignons 3 à 4 minutes.

3 Versez le lait de coco et portez à ébullition. Incorporez la pâte de curry, la sauce de poisson et le sucre.

4 Ajoutez les pommes de terre, le sel et le poivre. Couvrez et laissez mijoter à feu doux pendant 20 minutes.

5 Ajoutez les morceaux de poulet et laissez cuire encore 10 à 15 minutes, à couvert et à feu doux, afin que poulet et pommes de terre soient tendres.

6 En fin de cuisson, tout en remuant, ajoutez le jus de citron vert, la menthe et le basilic. Servez aussitôt, garni de lanières de feuilles de lime et de piments.

Balti de poulet Khara Masala

Les saveurs généreuses de ce plat proviennent des épices entières *(khara)* employées pour le réaliser. On le sert accompagné de raïta.

INGRÉDIENTS

Pour 4 personnes

3 feuilles de curry
1 pincée de graines de moutarde
1 pincée de graines de fenouil
1 pincée de graines d'oignon
2,5 ml/½ c. à thé de piments rouges séchés
    et écrasés
2,5 ml/½ c. à thé de graines de cumin blanc
1 pincée de graines de fenugrec
2,5 ml/½ c. à thé de pépins
    de grenade écrasés
5 ml/1 c. à thé de sel
5 ml/1 c. à thé de gingembre en lanières
3 gousses d'ail coupées en rondelles
60 ml/4 c. à soupe d'huile de maïs
4 piments verts frais fendus
1 gros oignon coupé en rondelles
1 tomate moyenne coupée en morceaux
700 g/1½ lb de blancs de poulet, sans la peau,
    coupés en dés
15 ml/1 c. à soupe de coriandre fraîche
    hachée et paratha, pour le service

2 Ajoutez les lanières de gingembre et les rondelles d'ail.

3 Faites chauffer l'huile dans un wok préchauffé. Versez dedans le mélange d'épices, puis les piments verts.

4 Incorporez l'oignon et faites revenir le tout à feu moyen, pendant 5 à 7 minutes.

1 Dans un grand saladier, mélangez les feuilles de curry, les graines de moutarde, les graines de fenouil, les graines d'oignon, les piments rouges écrasés, les graines de cumin, les graines de fenugrec et les pépins de grenade écrasés. Salez.

5 Ajoutez la tomate et les dés de poulet. Laissez cuire à feu moyen pendant 7 minutes environ, jusqu'à ce que le poulet soit bien cuit et que la sauce ait légèrement réduit.

6 Remuez le mélange en poursuivant la cuisson 3 à 5 minutes. Décorez ensuite avec la coriandre fraîche hachée et servez accompagné de paratha.

Marmite de poulet

Cette recette est un repas complet qui associe viande et haricots dans une sauce épicée.

INGRÉDIENTS

Pour 4 à 6 personnes

175 g/6 oz de haricots secs
3 cuisses de poulet
15 ml/1 c. à soupe d'huile végétale
350 g/12 oz de porc maigre découpé en dés
1 chorizo coupé en rondelles (facultatif)
1 petite carotte épluchée et hachée
1 oignon grossièrement haché
1,75 l/3 pintes/7½ tasses d'eau
1 gousse d'ail écrasée
30 ml/2 c. à soupe de purée de tomates
1 feuille de laurier
2 cubes de bouillon de volaille
350 g/12 oz de patates douces
   (ou de pommes de terre nouvelles)
   épluchées et coupées en dés
10 ml/2 c. à thé de sauce piquante
30 ml/2 c. à soupe de vinaigre de vin blanc
3 tomates fermes pelées, évidées
   et coupées en morceaux
230 g/8 oz de chou chinois coupé en lanières
sel et poivre noir moulu
3 ciboules coupées en lanières et riz,
   pour le service

1 Mettez les haricots secs dans un petit saladier et recouvrez d'eau froide. Laissez tremper pendant 8 heures, de préférence toute 1 nuit.

2 Séparez les pilons des cuisses de poulet. Retirez l'extrémité étroite de chaque pilon et jetez-la.

3 Dans un wok préchauffé avec l'huile, dorez le poulet, le porc, le chorizo (facultatif), la carotte et l'oignon, de façon homogène.

4 Égouttez les haricots secs et ajoutez-les au wok avec de l'eau fraîche. Incorporez l'ail, la purée de tomates et la feuille de laurier. Mélangez bien. Portez à ébullition, puis réduisez le feu et laissez mijoter pendant 2 heures.

5 Émiettez les cubes de bouillon de volaille dans le wok, puis ajoutez les pommes de terre et la sauce piquante. Laissez mijoter 15 à 20 minutes, jusqu'à cuisson complète des pommes de terre.

6 Ajoutez le vinaigre, les tomates et le chou chinois, puis laissez mijoter encore 1 à 2 minutes. Salez et poivrez à votre goût. Décorez avec les ciboules et servez accompagné de riz.

CONSEIL

Ce plat est conçu comme un pot-au-feu, dont l'abondance de jus permet d'en servir la majeure partie en potage à l'entrée. Dans ce cas, on le fera suivre du plat principal – viande et légumes – servi avec le riz.

Balti de coquelets à la sauce au tamarin

Le tamarin confère à ce balti très relevé une saveur aigre-douce.

INGRÉDIENTS

Pour 4 à 6 personnes

60 ml/4 c. à soupe de ketchup
15 ml/1 c. à soupe de pâte de tamarin
60 ml/4 c. à soupe d'eau
7,5 ml/½ c. à soupe de poudre de piment
7,5 ml/½ c. à soupe de sel
15 ml/1 c. à soupe de sucre
7,5 ml/½ c. à soupe de pulpe de gingembre
7,5 ml/½ c. à soupe d'ail réduit en purée
30 ml/2 c. à soupe de noix de coco séchée
   en poudre
30 ml/2 c. à soupe de graines de sésame
5 ml/1 c. à thé de graines de pavot
5 ml/1 c. à thé de cumin moulu
7,5 ml/½ c. à soupe de coriandre moulue
2 coquelets de 450 g/1 lb chacun, sans
   la peau, découpés en 6 à 8 morceaux
75 ml/5 c. à soupe d'huile de maïs
120 ml/8 c. à soupe de feuilles de curry
2,5 ml/½ c. à thé de graines d'oignon
3 gros piments rouges séchés
2,5 ml/½ c. à thé de graines de fenugrec
10 à 12 tomates cerise
45 ml/3 c. à soupe de coriandre hachée
2 piments verts frais hachés

2 Ajoutez la poudre de piment, le sel, le sucre, le gingembre, l'ail, la noix de coco, les graines de pavot et de sésame, le cumin et la coriandre.

3 Déposez les morceaux de coquelet dans le mélange et retournez-les pour les en imprégner. Réservez.

1 Dans un grand saladier, versez le ketchup, la pâte de tamarin et l'eau, puis mélangez le tout à l'aide d'une fourchette.

4 Faites chauffer l'huile dans un wok préchauffé. Mettez à revenir les feuilles de curry, les graines d'oignon, les piments rouges séchés et les graines de fenugrec, 1 minute, en remuant.

5 Réduisez le feu, puis versez dans le wok les morceaux de coquelet (2 ou 3 à la fois) et la sauce. Mélangez bien l'ensemble.

6 Laissez mijoter à feu moyen pendant 12 à 15 minutes, jusqu'à cuisson complète du coquelet.

7 Incorporez les tomates cerise, la coriandre fraîche et les piments verts. Servez immédiatement.

Foies de poulet à la thaïe

Riche en fer, le foie de poulet est très prisé en Thaïlande, notamment dans le nord-est. Ce mets peut être servi en entrée avec une salade, ou comme plat principal avec du riz parfumé.

INGRÉDIENTS

Pour 4 à 6 personnes

45 ml/3 c. à soupe d'huile végétale
450 g/1 lb de foies de poulet parés
4 échalotes hachées
2 gousses d'ail hachées
15 ml/1 c. à soupe de riz grillé moulu
45 ml/3 c. à soupe de sauce de poisson
45 ml/3 c. à soupe de jus de citron vert
5 ml/1 c. à thé de sucre
2 tiges de citronnelle écrasées
    et finement hachées
30 ml/2 c. à soupe de coriandre hachée
10 à 12 feuilles de menthe et 2 piments
    rouges hachés, pour le service

1 Faites chauffer l'huile dans un wok ou une grande poêle. Posez les foies et laissez-les rissoler pendant 4 minutes à feu vif, jusqu'à ce qu'ils soient dorés et cuits, mais encore roses à l'intérieur.

2 Mettez les foies dans un coin de la poêle pour ajouter les échalotes et l'ail. Faites blondir pendant 1 à 2 minutes.

3 Ajoutez le riz, la sauce de poisson, le jus de citron, le sucre, la citronnelle et la coriandre. Mélangez soigneusement. Retirez du feu et servez décoré de feuilles de menthe et de piments.

Poulet grillé

Le poulet grillé se vend partout en Thaïlande, sur les étals des marchands ambulants comme sur les stades et les plages.

INGRÉDIENTS

Pour 4 à 6 personnes

1 poulet d'environ 1,5 kg/3 à 3½ lb détaillé
    en 8 à 10 morceaux
2 citrons verts coupés en morceaux,
    et 2 piments rouges finement émincés,
    pour le service

La marinade

2 tiges de citronnelle hachées
2,5 cm/1 po de gingembre frais
6 gousses d'ail
4 échalotes
½ botte de coriandre avec les racines
15 ml/1 c. à soupe de sucre de palme
120 ml/4 oz/½ tasse de lait de coco
30 ml/2 c. à soupe de sauce de poisson
30 ml/2 c. à soupe de sauce de soja

1 Mixez tous les ingrédients de la marinade dans un mixer, jusqu'à obtention d'une consistance lisse.

2 Posez les morceaux de poulet dans un plat et versez la marinade dessus. Laissez mariner au moins 4 heures, ou toute la nuit, dans un endroit frais.

3 Faites griller le poulet sur des braises rouges, ou posez-le sur une grille, dans la lèchefrite, et cuisez-le au four, 20 à 30 minutes, à 200 °C/400 °F, jusqu'à ce qu'il soit doré. Retournez-le de temps en temps et badigeonnez-le de marinade.

4 Décorez de quartiers de citron et piments rouges, finement émincés.

Chop Suey de canard au gingembre

Vous pouvez également
utiliser du poulet dans cette
recette, mais le canard apporte
une saveur plus contrastée.

INGRÉDIENTS

Pour 4 personnes

2 magrets de canard d'environ
    175 g/6 oz chacun
45 ml/3 c. à soupe d'huile de tournesol
1 petit œuf légèrement battu
1 gousse d'ail
175 g/6 oz de germes de soja
2 tranches de gingembre frais
    coupé en julienne
10 ml/2 c. à thé de sauce d'huître
2 ciboules coupées en julienne
sel et poivre noir du moulin

La marinade
15 ml/1 c. à soupe de miel liquide
10 ml/2 c. à thé de vin de riz chinois
    ou de Xérès sec
10 ml/2 c. à thé de sauce de soja claire
10 ml/2 c. à thé de sauce de soja foncée

1 Retirez le gras et la peau des magrets,
coupez-les en fines tranches et mettez-les dans un saladier. Mélangez les
ingrédients de la marinade, versez sur le
canard, couvrez et laissez mariner toute
la nuit au réfrigérateur.

2 Le lendemain, préparez une omelette. Chauffez 15 ml/1 c. à soupe
d'huile dans une petite poêle chaude.
Versez l'œuf et faites-le cuire en omelette. Laissez-la refroidir avant de la
découper en lamelles. Mettez le canard à
égoutter et jetez la marinade.

3 Écrasez l'ail avec un couteau. Faites
chauffer 10 ml/2 c. à thé d'huile
dans un wok préchauffé. Faites revenir
l'ail pendant 30 secondes, en appuyant
dessus pour libérer l'arôme, puis jetez-
le. Ajoutez les germes de soja, ainsi que
l'assaisonnement, et remuez 30 secondes.
Posez-les sur un plat chaud, après les
avoir égouttés.

4 Faites chauffer le reste d'huile dans
un wok préchauffé et laissez rissoler
le canard pendant 3 minutes. Ajoutez le
gingembre et la sauce d'huître avant de
poursuivre la cuisson 2 minutes. Incorporez les germes de soja, l'œuf, les ciboules,
faites chauffer rapidement, puis servez.

Canard au sésame et à la mandarine

Le canard est une viande grasse, mais ce mode de cuisson permet de remédier à cet inconvénient. Si vous retirez toute la peau, vous obtiendrez une viande trop sèche. Pour réaliser cette recette, vous avez le choix entre les cuisses et les magrets, plus onéreux.

INGRÉDIENTS

Pour 4 personnes

4 cuisses ou magrets de canard désossés
30 ml/2 c. à soupe de sauce de soja claire
45 ml/3 c. à soupe de miel liquide
15 ml/1 c. à soupe de graines de sésame
4 mandarines
5 ml/1 c. à thé de Maïzena
sel et poivre noir du moulin
quelques légumes variés, pour le service

1 Piquez la peau du canard avec une fourchette. Si vous avez choisi des magrets, incisez la peau en diagonale avec un petit couteau pointu.

2 Posez le canard sur une grille, dans la lèchefrite, et faites cuire 1 heure dans le four préchauffé à 180 °C/350 °F. Mélangez 15 ml/1 c. à soupe de sauce de soja avec 30 ml/2 c. à soupe de miel, puis badigeonnez-en le canard. Saupoudrez de graines de sésame. Pour-suivez la cuisson pendant 15 à 20 minutes, jusqu'à ce que le canard soit doré.

3 Pendant ce temps, râpez le zeste d'1 mandarine et pressez le jus de 2. Mélangez le zeste, le jus, la Maïzena, puis ajoutez le reste de sauce de soja et de miel. Faites chauffer, en remuant, jusqu'à ce que la sauce épaississe. Assaisonnez. Pelez et coupez en tranches les autres mandarines. Servez le canard avec les tranches de mandarine et la sauce, le tout accompagné de légumes variés.

Canard laqué à la pékinoise

Ce mets constitue la pièce maîtresse de tout festin chinois. Il n'est pas difficile à réussir – le secret consistant à choisir un jeune canard, pas trop gras. Vérifiez également que la peau est totalement sèche avant de commencer à cuisiner, de manière à ce qu'elle devienne bien croustillante.

INGRÉDIENTS

Pour 6 à 8 personnes

2 kg/5 à 5¼ lb de jeune canard prêt à cuire
30 ml/2 c. à soupe de miel ou de sucre de malt, dilués dans 150 ml/¼ pinte/⅔ tasse d'eau chaude

La sauce à canard

30 ml/2 c. à soupe d'huile de sésame
90 à 120 ml/6 à 8 c. à soupe de pâte de soja jaune écrasée
30 à 45 ml/2 à 3 c. à soupe de sucre roux
20 à 24 crêpes fines, 6 à 8 ciboules détaillées en fines lanières, et ½ concombre coupé en petits bâtonnets, pour le service

---

CONSEIL

Vous pouvez remplacer la sauce à canard par de la sauce aux prunes, en vente dans les épiceries asiatiques et les grands supermarchés. La sauce à canard s'achète également toute prête.

1 Retirez éventuellement les restes de plumes et boules de graisse à l'intérieur du canard. Ébouillantez la volaille pendant 2 à 3 minutes pour refermer les pores. Cette opération évite que la graisse sorte par la peau durant la cuisson. Égouttez, puis essuyez soigneusement le canard.

2 Badigeonnez entièrement le canard de miel ou de sucre de malt, puis suspendez-le dans un endroit frais et laissez-le 4 à 5 heures.

3 Posez le canard, la poitrine sur le dessus, sur une grille, dans la lèchefrite, et faites cuire environ 1 heure et 30 minutes dans le four préchauffé à 200 °C/400 °F, sans arroser ni retourner.

4 Pendant ce temps, préparez la sauce. Faites chauffer l'huile de sésame dans une petite casserole. Ajoutez la pâte de soja jaune et le sucre roux. Remuez, puis laissez refroidir.

5 Pour servir, retirez la peau par petits morceaux avec un couteau affûté, puis détaillez la viande en tranches minces. Dressez la peau et la viande sur des assiettes séparées.

6 Ouvrez 1 crêpe sur chaque assiette, déposez 5 ml/1 c. à thé de sauce au milieu, avec un peu de ciboule et de concombre. Couvrez avec 2 à 3 morceaux de peau et de viande. Enroulez pour déguster.

Canard croustillant aux aromates

Comme le *Canard laqué à la pékinoise*, ce plat se sert souvent avec des crêpes, des ciboules, du concombre et de la sauce à canard, mais le mode de cuisson est différent. Si le résultat est tout aussi croustillant, les parfums délicieux donnent à ce mets une note particulièrement raffinée. La sauce aux prunes peut remplacer la sauce à canard.

INGRÉDIENTS

Pour 6 à 8 personnes

2 kg/4 à 5¼ lb de jeune canard prêt à cuire
10 ml/2 c. à thé de sel
5 gousses entières d'anis étoilé
15 ml/1 c. à soupe de grains de poivre du Sichuan
5 ml/1 c. à thé de clous de girofle
2 bâtons de cannelle
3 ciboules
3 tranches de gingembre frais non pelé
75 à 90 ml/5 à 6 c. à soupe de vin de riz chinois ou de Xérès sec
huile végétale, pour la friture
quelques feuilles de laitue, 20 à 24 crêpes fines, 120 ml/4 oz/½ tasse de sauce à canard, 6 à 8 ciboules coupées en fines lanières, ½ concombre coupé en petits bâtonnets, pour le service

1 Coupez les ailes du canard. Sectionnez le corps en deux par la colonne vertébrale.

2 Frottez les deux moitiés de sel, en le faisant pénétrer à l'intérieur.

3 Posez le canard sur un plat avec l'anis étoilé, le poivre, les clous de girofle, la cannelle, les ciboules, le gingembre, le vin de riz ou le Xérès, puis laissez mariner au moins 4 à 6 heures.

4 Mettez le canard et la marinade dans un cuiseur à vapeur posé sur un wok rempli à moitié d'eau bouillante, et faites cuire à feu vif pendant 3 à 4 heures (davantage, si possible). Laissez refroidir le canard au moins 5 à 6 heures hors du cuiseur. Il doit être suffisamment froid et sec pour que la peau devienne croustillante.

5 Faites chauffer l'huile dans un wok préchauffé, jusqu'à ce qu'elle fume. Posez les morceaux de canard, la peau sur le dessous, puis laissez dorer pendant 5 à 6 minutes, en les retournant une seule fois au dernier moment.

6 Sortez du wok, égouttez, séparez la viande des os, puis dressez sur des feuilles de laitue. Pour servir, enroulez un morceau de canard dans chaque crêpe avec un peu de sauce, de ciboule et de concombre. Dégustez avec les doigts.

Canard au crabe et aux noix de cajou

Ce plat épicé s'accompagnera
à merveille de riz thaïlandais,
légèrement parfumé.

INGRÉDIENTS

Pour 4 à 6 personnes

3 kg/6 lb de canard
1,25 l/2 pintes/5 tasses d'eau
2 feuilles de lime
7,5 ml/1½ c. à thé de sel
2 à 3 petits piments rouges frais épépinés
   et hachés menu
25 ml/5 c. à thé de sucre
30 ml/2 c. à soupe de graines de coriandre
5 ml/1 c. à thé de graines de carvi
115 g/4 oz/1 tasse de noix de cajou
   crues hachées
7,5 cm/3 po de citronnelle
2,5 cm/1 po de *galanga* ou de gingembre frais
   finement hachés
2 gousses d'ail écrasées
4 échalotes ou 1 oignon moyen
   hachés menu
2 cm/¾ po de pâte de crevettes
25 g/1 oz de racine ou de tige de coriandre
   finement hachée
175 g/6 oz de chair de crabe blanche
   surgelée, décongelée
50 g/2 oz de crème de coco
1 petit bouquet de coriandre fraîche ciselée
   et riz cuit à l'eau, pour le service

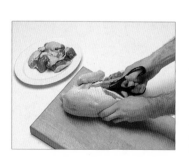

1 Détachez les cuisses du canard, séparez les pilons des hauts-de-cuisses,
puis sectionnez chaque morceau en deux.
Coupez la moitié inférieure du canard
avec des ciseaux de cuisine. Partagez
la poitrine en deux par le milieu, puis
chaque moitié en 4 morceaux.

2 Réunissez la chair et les os dans un
faitout et couvrez d'eau. Ajoutez les
feuilles de lime et 5 ml/1 c. à thé de sel,
portez à ébullition, puis laissez frémir 30 à 45 minutes, jusqu'à ce que la
viande soit tendre. Jetez les os. Dégraissez le bouillon et réservez.

3 Broyez les piments, le sucre et le
reste de sel avec un mixer ou un
mortier et un pilon. Faites griller les
graines de coriandre, de carvi et les noix
de cajou pendant 1 à 2 minutes dans un
wok préchauffé, non graissé, pour libérer les parfums. Ajoutez les graines et les
noix dans la préparation aux piments,
avec la citronnelle, le *galanga* ou le gingembre, l'ail et les échalotes ou l'oignon.
Réduisez sous forme de pâte lisse. Incorporez la pâte de crevettes, la racine ou la
tige de coriandre, et mixez.

4 Mouillez avec 250 ml/8 oz/1 tasse
de bouillon pour obtenir une
pâte lisse.

5 Ajoutez la préparation au canard,
dans le faitout, et mélangez délicatement. Portez à ébullition, puis laissez
frissonner 20 à 25 minutes.

6 Incorporez la chair de crabe, la
crème de coco, et faites chauffer à
feu doux. Dressez sur un plat chaud,
décorez de coriandre ciselée et servez
avec du riz nature.

Canard épicé à la balinaise

Nous nous sommes laissé dire que le meilleur canard épicé se déguste dans un petit restaurant sur la plage de Sanur…

INGRÉDIENTS

Pour 4 personnes

8 portions de canard, dont le gras
   a été retiré et réservé
50 g/2 oz de noix de coco râpée
180 ml/6 oz/¾ tasse de lait de coco
sel et poivre noir fraîchement moulu
rondelles d'oignon frites *(voir p. 329)* et salade
   ou herbes aromatiques, pour le service

La pâte d'épices

1 petit oignon (ou 4 à 6 échalotes)
   coupé(es) en morceaux
2 gousses d'ail coupées en rondelles
1 racine de gingembre de 2 à 3 cm/1 po
   de long, épluchée et hachée
1,5 cm/½ po de *lengkuas* frais, épluché
   et haché
2 à 3 cm/1 po de curcuma frais (ou 2,5 ml/
   ½ c. à thé de curcuma moulu)
1 ou 2 piments rouges en morceaux
4 noix de macadam (ou 8 amandes)
5 ml/1 c. à thé de graines de coriandre
   grillées à sec

1 Dans une poêle préchauffée, faites fondre les morceaux de gras du canard à sec. Réservez.

2 Dans une autre poêle chaude, faites sauter la noix de coco à sec, afin qu'elle soit dorée et croustillante.

3 Pour confectionner la pâte d'épices, broyez l'oignon (ou les échalotes) avec l'ail, le gingembre, le *lengkuas*, le curcuma frais (ou moulu), les piments, les noix (ou les amandes) et les graines de coriandre, de préférence dans un mixer.

4 Étalez la pâte d'épices obtenue sur les portions de canard et laissez mariner au frais 3 à 4 heures. Préchauffez le four à 160 °C/325 °F. Frottez le surplus de pâte d'épices et réservez-le, avant de disposer les morceaux de canard sur un plat à rôtir huilé. Recouvrez de papier d'aluminium et faites cuire au four pendant 2 heures.

5 Sortez le canard et amenez la température du four à 190 °C/375 °F. Réchauffez le gras du canard dans une poêle et ajoutez la pâte d'épices réservée. Faites revenir 1 à 2 minutes. En remuant, versez le lait de coco et laissez mijoter 2 minutes. Arrosez du jus de cuisson du canard et couvrez du mélange d'épices. Saupoudrez de noix de coco grillée. Cuisez au four 20 à 30 minutes.

6 Disposez les morceaux de canard sur un plat chaud. Salez et poivrez. Garnissez de rondelles d'oignon frites et de salade ou de quelques herbes aromatiques.

Canard aux champignons et au gingembre

L'importante population chinoise d'Indonésie est très friande de viande de canard. Les succulents ingrédients de cette recette lui apportent une vraie saveur orientale.

INGRÉDIENTS

Pour 4 personnes

1 canard de 2,5 kg/5½ lb environ
5 ml/1 c. à thé de sucre
45 ml/3 c. à soupe de sauce de soja claire
2 gousses d'ail écrasées
8 champignons chinois séchés et trempés
    dans 400 ml/12 oz/1½ tasses d'eau chaude
    pendant 15 minutes
1 oignon coupé en rondelles
1 racine de gingembre frais de 5 cm/2 po
    de long, découpée en allumettes
200 g/7 oz de mini-épis de maïs doux
½ botte de ciboules, les bulbes blancs
    gardés entiers et les pointes vertes
    coupées en rondelles
15 à 30 ml/1 à 2 c. à soupe de Maïzena,
    mélangée à 60 ml/4 c. à soupe d'eau
    pour obtenir une pâte
sel et poivre noir fraîchement moulu
riz, pour le service

2 Égouttez les champignons et réservez le liquide obtenu. Coupez et jetez les pieds.

3 Dans une poêle, faites revenir l'oignon et le gingembre, avec la graisse du canard. Retirez les morceaux de canard de la marinade et faites-les dorer dans la graisse. Ajoutez les champignons et le liquide réservé.

1 Découpez le canard dans le sens de la longueur, ouvrez-le et tranchez de chaque côté de l'épine dorsale. Préparez un bouillon avec la colonne vertébrale, les ailes et les abattis. Réservez. Faites fondre le surplus de gras dans une poêle et réservez-le. Coupez en deux la chair et les ailes et placez ces morceaux dans un saladier. Enduisez-les de sucre, de sauce de soja et d'ail.

4 Versez sur les morceaux de canard 600 ml/1 pinte/2½ tasses du bouillon réservé ou, à défaut, 600 ml/1 pinte/2½ tasses d'eau. Salez, poivrez et couvrez. Laissez cuire à feu doux 1 heure environ.

5 Ajoutez les épis de maïs et la partie blanche des ciboules. Laissez cuire encore 10 minutes. Retirez du feu et incorporez la pâte de Maïzena. Remettez sur le feu et portez à ébullition en remuant. Laissez cuire 1 minute, jusqu'à obtenir un aspect laqué. Décorez de pointes de ciboules et servez avec du riz.

VARIANTE

Remplacez le maïs par du céleri haché et des rondelles de châtaignes d'eau en boîte.

Canard à l'aigre-douce aux mangues

Ce plat sauté, très coloré, est adouci par la mangue. Des nouilles frites bien croustillantes le complètent parfaitement.

INGRÉDIENTS

Pour 4 personnes

250 à 350 g/8 à 12 oz de magrets de canard
45 ml/3 c. à soupe de sauce de soja épaisse
15 ml/1 c. à soupe de vin de riz chinois
   (ou de Xérès sec)
5 ml/1 c. à thé d'huile de sésame
5 ml/1 c. à thé de poudre
   cinq-épices chinoise
15 ml/1 c. à soupe de sucre roux
10 ml/2 c. à thé de Maïzena
45 ml/3 c. à soupe de vinaigre de riz chinois
15 ml/1 c. à soupe de ketchup
1 mangue pas trop mûre
3 mini-aubergines
1 oignon rouge
1 carotte
60 ml/4 c. à soupe d'huile d'arachide
1 gousse d'ail coupée en rondelles
1 racine de gingembre fraîche de 2 à 3 cm/
   1 po de long, coupée en lanières
75 g/3 oz de pois gourmands doux

1 Coupez les magrets en tranches fines dans un saladier. Dans un bol, mélangez 15 ml/1 c. à soupe de sauce de soja avec le vin de riz (ou le Xérès), l'huile de sésame et la poudre cinq-épices. Versez le mélange sur le canard. Couvrez et laissez mariner 1 à 2 heures. Dans un autre bol, mélangez le sucre, la Maïzena, le vinaigre de riz et le ketchup avec le reste de sauce de soja. Réservez.

2 Épluchez la mangue et détaillez sa chair en lamelles. Découpez ensuite les aubergines, l'oignon et la carotte en fines tranches.

3 Faites chauffer un wok avec 30 ml/ 2 c. à soupe d'huile. Égouttez le canard et réservez la marinade. Faites sauter les morceaux de canard à grand feu, jusqu'à ce que leur gras devienne doré et croustillant. Retirez du feu et gardez au chaud. Ajoutez 15 ml/1 c. à soupe d'huile dans le wok et faites dorer les aubergines 3 minutes.

4 Dans l'huile restante, mettez à revenir l'oignon, l'ail, la carotte et le gingembre 2 à 3 minutes. Ajoutez les pois gourmands et laissez cuire encore 2 minutes.

5 Incorporez la mangue, puis le canard, la sauce et la marinade. Laissez cuire, tout en remuant, jusqu'à ce que la sauce épaississe. Servez rapidement.

CONSEIL

Si vous ne trouvez pas de mini-aubergines, employez les plus petites aubergines possibles. Après les avoir coupées en rondelles et saupoudrées de sel, laissez-les dégorger dans une passoire, pour que leur jus acide s'en échappe. Rincez-les abondamment et séchez-les bien avant cuisson.

Dinde sautée aux brocolis et aux champignons

Une recette facile et idéale pour un dîner. Vous pouvez très bien remplacer la dinde par du poulet.

INGRÉDIENTS

Pour 4 personnes

120 g/4 oz de bouquets de brocolis
4 ciboules
5 ml/1 c. à thé de Maïzena
45 ml/3 c. à soupe de sauce d'huître
15 ml/1 c. à soupe de sauce de soja épaisse
120 ml/4 oz/½ tasse de bouillon de volaille
10 ml/2 c. à thé de jus de citron
45 ml/3 c. à soupe d'huile d'arachide
450 g/1 lb d'escalopes de dinde découpées
   en lamelles de 5 cm/2 po environ
1 petit oignon haché
2 gousses d'ail écrasées
10 ml/2 c. à thé de racine
   de gingembre râpée
120 g/4 oz de champignons exotiques frais
   (shiitake, par exemple), en tranches
75 g/3 oz de mini-épis de maïs doux,
   coupés en deux dans la longueur
15 ml/1 c. à soupe d'huile de sésame
sel et poivre noir moulu
nouilles chinoises aux œufs, pour le service

1 Divisez les bouquets de brocolis en petits rameaux et coupez les pieds en fines rondelles.

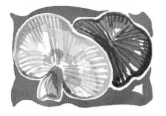

2 Hachez les bulbes blancs des ciboules et coupez la partie verte en fines lanières.

3 Mélangez la Maïzena, la sauce de soja, la sauce d'huître, le jus de citron et le bouillon de volaille. Réservez.

4 Dans un wok préchauffé avec 30 ml/ 2 c. à soupe d'huile d'arachide, mettez à revenir la dinde 2 minutes, afin qu'elle soit dorée et légèrement croustillante. Réservez au chaud.

5 Versez le reste d'huile d'arachide dans le wok, et faites revenir l'oignon, l'ail et le gingembre à feu moyen, pendant 1 minute environ. Augmentez le feu avant d'ajouter les brocolis, les champignons et le maïs doux. Laissez cuire 2 minutes.

6 Remettez les morceaux de dinde dans le wok, avec la sauce, les oignons hachés, le sel et le poivre. Laissez cuire 1 minute en remuant, pour que la sauce épaississe. Sans cesser de remuer, arrosez d'huile de sésame. Couvrez des lanières de ciboules et servez rapidement sur un lit de nouilles chinoises aux œufs.

> ── CONSEIL ──
>
> Les nouilles chinoises aux œufs se cuisent comme les nouilles occidentales : dans l'eau salée bouillante, en remuant afin qu'elles ne collent pas. Pour les nouilles séchées, reportez-vous aux indications sur le sachet.

Dinde sautée aux pois mange-tout

Généralement fade, la dinde
s'enrichit ici d'une délicieuse
marinade, tandis que les noix
de cajou apportent leur
texture contrastée.

INGRÉDIENTS

Pour 4 personnes

30 ml/2 c. à soupe d'huile de sésame
90 ml/6 c. à soupe de jus de citron
1 gousse d'ail écrasée
1 cm/½ po de gingembre frais râpé
5 ml/1 c. à thé de miel liquide
450 g/1 lb de filets de dinde sans la peau
   et détaillés en lamelles
115 g/4 oz de pois mange-tout
30 ml/2 c. à soupe d'huile d'arachide
50 g/2 oz de noix de cajou
6 ciboules détaillées en longues sections
225 g/8 oz de châtaignes d'eau en boîte,
   égouttées et finement émincées
sel
riz au safran, pour le service

3 Égouttez les morceaux de dinde,
en réservant la marinade. Faites
chauffer l'huile d'arachide dans un wok
préchauffé ou une grande poêle, puis
laissez dorer les noix de cajou pendant
1 à 2 minutes. Retirez-les avec une écumoire et réservez.

4 Ajoutez la dinde dans le wok et
faites rissoler 3 à 4 minutes. Incorporez les ciboules, les pois mange-tout,
les châtaignes d'eau et la marinade.
Laissez chauffer quelques minutes, jusqu'à ce que la dinde soit tendre et que la
sauce frissonne. Mélangez avec les noix
de cajou, avant de servir accompagné
de riz au safran.

1 Mélangez l'huile de sésame, le jus
de citron, l'ail, le gingembre et le
miel dans un plat non métallique. Ajoutez la dinde et remuez. Couvrez, puis
laissez mariner 3 à 4 heures.

2 Faites blanchir les pois mange-tout
pendant 1 minute dans l'eau bouillante salée. Égouttez-les, refroidissez-les
sous l'eau courante et réservez.

Cailles laquées au miel et aux épices

Malgré sa petite taille, la caille est très charnue. Comptez environ un oiseau par personne.

INGRÉDIENTS

Pour 4 personnes

4 cailles prêtes à rôtir
2 gousses d'anis étoilé
10 ml/2 c. à thé de cannelle en poudre
10 ml/2 c. à thé de graines de fenouil
10 ml/2 c. à thé de poivre du Sichuan
  en poudre
1 pincée de clous de girofle en poudre
1 petit oignon haché menu
1 gousse d'ail écrasée
60 ml/4 c. à soupe de miel liquide
30 ml/2 c. à soupe de sauce de soja foncée
2 ciboules hachées grossièrement, le zeste
  d'1 mandarine détaillé en lanières,
  des radis et des carottes sculptés en forme
  de fleurs et quelques feuilles de bananier,
  pour le service

1 Retirez la colonne vertébrale des cailles en coupant de part et d'autre avec des ciseaux.

2 Aplatissez les oiseaux avec la paume de la main et maintenez-les par deux brochettes de bambou.

3 Broyez l'anis étoilé, la cannelle, les graines de fenouil, le poivre et les clous de girofle dans un mortier, avec un pilon. Ajoutez l'oignon, l'ail, le miel, la sauce de soja, puis mélangez.

4 Posez les cailles sur un plat, couvrez de préparation aux épices et laissez mariner au moins 8 heures.

5 Faites cuire les cailles 7 à 8 minutes de chaque côté sous le gril préchauffé ou sur un barbecue, en arrosant de marinade.

6 Dressez les cailles sur les feuilles de bananier et décorez de ciboule, de zeste de mandarine, de radis et de carottes sculptés en forme de fleurs.

LES LÉGUMES

*Préparer les légumes de façon originale
et les associer à des ingrédients exotiques
agrémentera grillades et rôtis de nos pays
ou constituera un repas oriental complet.
La poêlée, qui garde aux légumes
leurs saveur, texture, couleur et
vitamines, est une bonne méthode de
cuisson. Vous trouverez des recettes
pour tous les goûts : un délicieux*
Pak choi au citron vert, *un* Gado-
Gado de légumes *aux ingrédients
colorés et croustillants, des* Aubergines
à la sichuanaise *appréciées des
végétariens et même des* Choux
de Bruxelles à la chinoise!

Chou chinois sauté aux champignons

Il est possible, pour cette recette, de remplacer les champignons de paille par des champignons de Paris.

INGRÉDIENTS

Pour 4 personnes

230 g/8 oz de champignons de paille frais
   ou en conserve (ou des champignons
   de Paris)
60 ml/4 c. à soupe d'huile végétale
400 g/14 oz de chou chinois
   coupé en bandelettes
5 ml/1 c. à thé de sel
5 ml/1 c. à thé de sucre roux
15 ml/1 c. à soupe de pâte de Maïzena
   (voir p. 10)
120 ml/4 oz/½ tasse de lait

1 Coupez les champignons en deux dans la longueur. Chauffez la moitié de l'huile et faites sauter le chou chinois 2 minutes. Ajoutez la moitié du sel et du sucre, et laissez revenir encore 1 minute.

2 Disposez le chou sur un plat tenu au chaud. Faites sauter les champignons 1 minute dans le wok. Ajoutez le restant d'huile, de sel et de sucre et laissez revenir encore 1 minute. Épaississez en ajoutant la pâte de Maïzena et le lait. Servez les champignons avec le chou.

REMARQUE PRATIQUE

La manière dont les Chinois envisagent la cuisine est un reflet de leur ancienne philosophie, caractérisée par la recherche d'harmonie et d'équilibre en toute chose. C'est pourquoi les recettes de légumes sautés, loin d'être une combinaison arbitraire d'ingrédients, résultent au contraire d'une complémentarité de couleurs et de textures : ainsi, la consistance délicieusement glissante des champignons de paille complète parfaitement la texture croquante du chou chinois. (Ne cuisez pas trop les champignons si vous les achetez en conserve, afin de respecter cet équilibre.)

Germes de soja sautés

Voici une manière simple de cuire les germes de soja dans un wok. Il n'est pas nécessaire de les équeuter ; il suffit de les tremper dans de l'eau froide et de retirer les résidus qui flottent à la surface.

INGRÉDIENTS

Pour 4 personnes

2 ou 3 ciboules
230 g/8 oz de germes de soja frais
45 ml/3 c. à soupe d'huile végétale
5 ml/1 c. à thé de sel
2,5 ml/½ c. à thé de sucre roux
un peu d'huile de sésame (facultatif)

1 Découpez les ciboules en petits morceaux de la même longueur que les germes de soja.

2 Chauffez l'huile dans un wok et faites revenir les germes de soja et les ciboules, 1 minute environ. Ajoutez le sel et le sucre, puis laissez cuire encore 1 minute, tout en remuant. Aspergez éventuellement de quelques gouttes d'huile de sésame et servez.

CONSEIL

On trouve facilement dans le commerce des germes de soja frais ou en conserve. Il est facile d'en faire pousser chez soi : dans une assiette, éparpillez des graines de soja sur plusieurs couches de papier absorbant humidifié. Gardez-les humides dans un endroit chaud. Les germes apparaîtront quelques jours plus tard.

Légumes chinois braisés

La recette originale comptait 18 ingrédients différents, qui représentaient les 18 bouddhas *(Lo Han).* Ce nombre fut ensuite réduit à 8, mais on considère aujourd'hui que 4 à 6 ingrédients sont tout à fait suffisants.

INGRÉDIENTS

Pour 4 personnes

10 g/¼ oz de champignons parfumés séchés
75 g/3 oz de champignons de paille
75 g/3 oz de pousses de bambou
   coupées en rondelles et égouttées
50 g/2 oz de haricots mange-tout
1 paquet de tofu
175 g/6 oz de chou chinois
45 à 60 ml/3 à 4 c. à soupe d'huile végétale
5 ml/1 c. à thé de sel
2,5 ml/½ c. à thé de sucre roux
15 ml/1 c. à soupe de sauce de soja claire
quelques gouttes d'huile de sésame

1 Faites tremper les champignons séchés dans de l'eau froide pendant 20 à 25 minutes. Rincez-les et jetez les morceaux durs, si nécessaire. Coupez les champignons de paille en deux dans la longueur, s'ils sont grands. Rincez et égouttez les rondelles de pousses de bambou. Équeutez les haricots. Détaillez le tofu en 12 petits morceaux. Coupez le chou en morceaux de la même taille que les haricots.

2 Faites durcir les morceaux de tofu en les trempant dans un wok d'eau bouillante pendant 2 minutes. Égouttez.

3 Jetez l'eau et chauffez l'huile dans le wok ou dans une poêle. Dorez légèrement le tofu de chaque côté et retirez-le avec une écumoire. Réservez au chaud.

4 Faites sauter tous les légumes dans le wok ou la poêle 1 à 2 minutes. Ajoutez le tofu, le sel, le sucre et la sauce de soja. Laissez cuire 1 minute en remuant, puis couvrez et braisez 2 à 3 minutes. Aspergez d'huile de sésame et servez.

Aubergines à la sauce piquante

Les aubergines de cette recette sont préparées en sauté et assaisonnées de la même manière qu'un plat de poisson.

INGRÉDIENTS

Pour 4 personnes

450 g/1 lb d'aubergines
3 ou 4 piments rouges séchés entiers
   et trempés dans de l'eau pendant
   10 minutes
huile de friture végétale
1 gousse d'ail finement hachée
5 ml/1 c. à thé de gingembre frais
   finement haché
5 ml/1 c. à thé de blancs de ciboules
   finement hachés
120 g/4 oz de viande de porc maigre coupée
   en fines lamelles (facultatif)
15 ml/1 c. à soupe de sauce de soja claire
15 ml/1 c. à soupe de sucre roux
15 ml/1 c. à soupe de sauce de piment
15 ml/1 c. à soupe de vin de riz chinois
   (ou de Xérès)
15 ml/1 c. à soupe de vinaigre de riz
10 ml/2 c. à thé de pâte de Maïzena
   (voir p. 10)
5 ml/1 c. à thé de pointes de ciboules
   finement hachées, un peu d'huile
   de sésame, pour le service

1 Selon votre goût, épluchez ou non les aubergines. Découpez-les en bâtonnets de la taille de pommes frites. Coupez les piments rouges non égouttés en 2 ou 3 morceaux et épépinez-les.

2 Chauffez l'huile dans un wok préchauffé et faites frire les bâtonnets d'aubergines pendant 3 à 4 minutes, jusqu'à ce qu'ils ramollissent.

3 Jetez le surplus d'huile, pour n'en laisser que l'équivalent de 15 ml/1 c. à soupe dans le wok. Versez l'ail, le gingembre, les blancs de ciboules et les piments. Remuez quelques instants puis ajoutez le porc (facultatif). Dans ce cas, faites revenir la viande 1 minute, jusqu'à ce qu'elle devienne presque blanche. Ajoutez les sauces de soja et de piment, le sucre et le vinaigre, puis augmentez le feu et portez à ébullition.

4 Incorporez les aubergines et mélangez. Braisez 30 à 40 secondes, puis épaississez avec la pâte de Maïzena, en remuant pour lisser la préparation. Décorez avec des pointes de ciboules et aspergez d'huile de sésame.

CONSEIL
En trempant les piments séchés dans l'eau, on atténue leur goût piquant. Il suffit de les laisser tremper plus longtemps pour obtenir une saveur plus douce.

Tofu épicé à la sichuanaise

Il est possible de se passer de viande pour réaliser cette recette très populaire et en faire un plat végétarien.

INGRÉDIENTS

Pour 4 personnes

3 paquets de tofu
1 poireau
45 ml/3 c. à soupe d'huile végétale
120 g/4 oz de bœuf haché
15 ml/1 c. à soupe de sauce de haricots noirs
15 ml/1 c. à soupe de sauce de soja claire
5 ml/1 c. à thé de sauce piquante
15 ml/1 c. à soupe de vin de riz chinois
   (ou de Xérès)
45 à 60 ml/3 à 4 c. à soupe de bouillon
   (ou d'eau)
10 ml/2 c. à thé de pâte de Maïzena
   (voir p. 10)
grains de poivre du Sichuan
quelques gouttes d'huile de sésame

1 Découpez le tofu en dés de 1 cm/ ½ po de côté. Remplissez un wok d'eau et faites-la bouillir. Mettez les dés de tofu dedans et portez de nouveau à ébullition. Laissez cuire 2 à 3 minutes, jusqu'à ce que le tofu durcisse. Retirez-le de l'eau et égouttez-le. Découpez le poireau en petits morceaux.

2 Videz le wok. Versez l'huile dedans et chauffez. Faites revenir la viande de bœuf jusqu'à ce qu'elle change de couleur. Ajoutez le poireau et la sauce de haricots noirs, puis le tofu, la sauce de soja, la sauce piquante et le vin. Remuez délicatement pendant 1 minute.

3 Versez le bouillon (ou l'eau). Portez à ébullition, puis braisez 2 à 3 minutes.

4 Incorporez la pâte de Maïzena et laissez cuire, en remuant, afin que le bouillon épaississe. Saupoudrez de poivre du Sichuan. Arrosez de quelques gouttes d'huile de sésame et servez rapidement.

Lanières de chou karahi au cumin

Cette préparation de chou
est peu épicée et convient très
bien en accompagnement de
la plupart des recettes de baltis.

INGRÉDIENTS

Pour 4 personnes

15 ml/1 c. à soupe d'huile de maïs
50 g/2 oz de beurre
2,5 ml/½ c. à thé de graines de coriandre pilées
2,5 ml/½ c. à thé de graines de cumin blanc
6 piments rouges séchés
1 petit chou frisé coupé en lanières
12 haricots mange-tout (ou 12 cocos plats)
3 piments rouges coupés en rondelles
12 mini-épis de maïs doux
sel
25 g/1 oz d'amandes effilées et grillées et
    15 ml/1 c. à soupe de coriandre fraîche
    hachée, pour le service

1 Faites chauffer l'huile et le beurre
dans un wok préchauffé. Lorsque le
beurre a fondu, ajoutez les graines de
coriandre pilées, les graines de cumin et
les piments rouges séchés.

2 Mettez à revenir le chou et les haricots mange-tout (ou les cocos) dans
le wok, pendant 5 minutes.

3 Ajoutez les rondelles de piments
rouges, les mini-épis de maïs et le sel.
Faites revenir le tout encore 3 minutes.

4 Saupoudrez le chou d'amandes
grillées et de coriandre fraîche.
Servez chaud.

REMARQUE PRATIQUE

Le Pakistan, d'où proviennent les recettes
de baltis, est par tradition un pays
d'amateurs de viande. Pour cette raison,
les légumes s'y présentent le plus souvent
en accompagnement, à l'occidentale,
et non comme des plats à part entière.
C'est pourquoi cette délicieuse préparation
de chou se marie aussi bien avec une
viande grillée ou rôtie occidentale qu'avec
un sauté ou un curry asiatiques.

Balti de pommes de terre épicées

Les pommes de terre sont souvent intégrées au balti. Le riz vient compléter un repas où les pommes de terre ne sont pas un aliment de base, mais font jeu égal avec les autres légumes.

INGRÉDIENTS

Pour 4 personnes

45 ml/3 c. à soupe d'huile de maïs
2,5 ml/½ c. à thé de graines de cumin blanc
3 feuilles de curry
5 ml/1 c. à thé de piments rouges
    séchés, écrasés
2,5 ml/½ c. à thé de mélange de graines
    d'oignon, de moutarde et de fenugrec
2,5 ml/½ c. à thé de graines de fenouil
3 gousses d'ail coupées en fines rondelles
2,5 ml/½ c. à thé de gingembre frais haché
2 oignons moyens coupés en rondelles
6 pommes de terre nouvelles coupées
    en rondelles de 5 mm/¼ po d'épaisseur
15 ml/1 c. à soupe de coriandre hachée
1 piment rouge frais coupé en rondelles
1 piment vert frais coupé en rondelles

1 Faites chauffer l'huile dans un wok préchauffé. Lorsqu'elle est suffisamment chaude, réduisez le feu et versez dans le wok les graines de cumin, les feuilles de curry, les piments rouges séchés, les graines d'oignon, de moutarde et de fenugrec, les graines de fenouil, l'ail et le gingembre. Faites sauter le tout 1 minute, puis ajoutez les oignons et laissez revenir encore 5 minutes, jusqu'à ce qu'ils soient bien dorés.

2 Incorporez les rondelles de pommes de terre, la coriandre et les piments. Mélangez bien. Couvrez le wok (à l'aide d'un couvercle ou de papier d'aluminium, à condition qu'il ne touche pas les aliments). Cuisez à feu très doux pendant 7 minutes environ, jusqu'à ce que les pommes de terre soient tendres.

3 Ôtez le couvercle ou le papier d'aluminium et servez directement dans le wok, selon l'usage traditionnel.

Okra à la mangue verte et aux lentilles

Les amateurs d'okra se délecteront de cette recette piquante.

INGRÉDIENTS

Pour 4 personnes

450 g/1 lb d'okra haché
120 g/4 oz de lentilles jaunes
45 ml/3 c. à soupe d'huile de maïs
2,5 ml/½ c. à thé de graines d'oignon
2 oignons moyens coupés en rondelles
2,5 ml/½ c. à thé de fenugrec moulu
5 ml/1 c. à thé de pulpe de gingembre
5 ml/1 c. à thé de pulpe d'ail
7,5 ml/½ c. à soupe de poudre de piment
1 pincée de curcuma moulu
5 ml/1 c. à thé de coriandre moulu
1 mangue verte épluchée et dénoyautée
2 piments rouges frais coupés en rondelles
30 ml/2 c. à soupe de coriandre hachée
1 tomate coupée en rondelles

1 Lavez minutieusement les lentilles avant de les verser dans une casserole et de les recouvrir d'eau. Portez à ébullition et laissez cuire jusqu'à ce que les lentilles aient ramolli, en évitant qu'elles se transforment en purée. Égouttez et réservez.

2 Chauffez l'huile dans un wok préchauffé. Ajoutez les graines d'oignon et faites-les revenir jusqu'à ce qu'elles commencent à éclater. Mettez à dorer les oignons. Réduisez le feu, puis ajoutez le fenugrec moulu, le gingembre, l'ail, la poudre de piment, le curcuma moulu et la coriandre moulue.

3 Coupez la mangue en tranches, puis incorporez-la à la préparation, ainsi que l'okra. Remuez bien avant d'ajouter les piments rouges et la coriandre fraîche. Faites revenir 3 minutes environ, jusqu'à ce que l'okra soit bien cuit. En fin de cuisson, incorporez les lentilles cuites et les rondelles de tomates. Laissez cuire encore 3 minutes. Servez rapidement.

Chou croustillant

Voici un accompagnement idéal
pour tous les plats de viande
ou de poisson, auxquels il
ajoutera une texture croquante.
Convient très bien aux mets
à base de crevettes.

INGRÉDIENTS

Pour 4 personnes

4 baies de genièvre
1 gros chou frisé
60 ml/4 c. à soupe d'huile végétale
1 gousse d'ail écrasée
5 ml/1 c. à thé de sucre en poudre
5 ml/1 c. à thé de sel

1 Pilez très finement les baies de
genièvre dans un mortier.

2 Détaillez le chou en très fines
lanières.

3 Chauffez l'huile dans un wok préchauffé et faites revenir l'ail pendant
1 minute. Ajoutez le chou et laissez-le
frire 3 à 4 minutes, en remuant, jusqu'à
ce qu'il soit croustillant. Retirez-le du
wok et séchez-le sur du papier absorbant.

4 Faites de nouveau chauffer le wok
et remettez le chou. Incorporez le
sucre, le sel et les baies de genièvre pilées.
Retournez plusieurs fois le chou pour
qu'il soit bien imprégné. Vous pouvez
servir ce plat froid ou chaud.

Légumes verts sautés

Les œufs de caille font un bel effet dans ce *Chah kang kung*, mais rien n'empêche de les remplacer par de petits épis de maïs doux coupés en deux.

INGRÉDIENTS

Pour 4 personnes

2 bottes d'épinards (ou 1 cœur de chou chinois, ou 450 g/1 lb de chou frisé)
3 gousses d'ail écrasées
1 racine de gingembre de 5 cm/2 po de long, épluchée et coupée en allumettes
45 à 60 ml/3 à 4 c. à soupe d'huile d'arachide
120 g/4 oz d'escalope de poulet (ou de porc, ou un mélange des deux) coupée en tranches très fines
12 œufs de caille durs et épluchés
1 piment rouge frais, épépiné et haché
30 à 45 ml/2 à 3 c. à soupe de sauce d'huître
15 ml/1 c. à soupe de sucre roux
10 ml/2 c. à thé de Maïzena mélangée à 50 ml/2 oz/¼ tasse d'eau
sel

CONSEIL

Ne commencez jamais la cuisson d'un plat sauté tant que tous les ingrédients n'ont pas été préparés et placés à portée de main. Ils doivent être coupés en tout petits morceaux de même taille, afin d'assurer une cuisson rapide sans perte de saveur.

1 Triez et lavez les feuilles d'épinards (ou de chou), puis essorez-les. Pour les épinards, détachez les feuilles de leur tige et coupez-les en morceaux. Jetez la partie inférieure des tiges, plus dure, et détaillez le reste en petits morceaux.

2 Faites revenir l'ail et le gingembre dans l'huile chaude, 1 minute, sans les laisser brunir. Mettez à dorer le poulet et/ou le porc. Ajoutez d'abord les morceaux de tiges d'épinards, qui cuiront plus longtemps, puis les feuilles (d'épinards ou de chou), les œufs de caille et le piment. Versez la sauce d'huître et éventuellement un peu d'eau bouillante. Couvrez et laissez cuire 1 à 2 minutes maximum.

3 Ôtez le couvercle, remuez, puis ajoutez le sucre et du sel à votre goût. En remuant, versez dans le wok le mélange de Maïzena et d'eau. Laissez cuire en mélangeant jusqu'à ce que les légumes et la viande soient bien enduits.

4 Servez immédiatement, pendant que le plat est encore très chaud et qu'il brille de toutes ses couleurs.

Épinards d'eau à la sauce de haricots bruns

L'épinard d'eau, connu également sous le nom de «cresson siamois», est un légume vert aux feuilles en pointes de flèches. Il est facile de le remplacer par du cresson de fontaine, de l'épinard ou du brocoli, en adaptant le temps de cuisson. Il existe d'excellentes variantes de cette recette : à la sauce de haricots noirs, à la pâte de crevettes ou au jus de haricots fermentés.

INGRÉDIENTS

Pour 4 à 6 personnes

1 botte d'épinards d'eau d'environ
    1 kg/2¼ lb
45 ml/3 c. à soupe d'huile végétale
15 ml/1 c. à soupe d'ail haché
15 ml/1 c. à soupe de sauce de haricots bruns
30 ml/2 c. à soupe de sauce de poisson
15 ml/1 c. à soupe de sucre en poudre
poivre noir fraîchement moulu

1 Coupez et jetez la partie inférieure, dure, des épinards d'eau. Découpez le reste en morceaux de 5 cm/2 po de longueur environ, en prenant soin de séparer les tiges des feuilles.

2 Faites chauffer l'huile dans un wok ou une grande poêle. Lorsqu'elle commence à fumer, mettez à revenir l'ail haché pendant 10 secondes.

3 Ajoutez les tiges d'épinards d'eau, et laissez-les cuire et grésiller pendant 1 minute avant d'ajouter les feuilles.

4 En remuant, versez la sauce de haricots bruns, la sauce de poisson, le sucre et le poivre. Faites sauter pendant 3 à 4 minutes, jusqu'à ce que les épinards commencent à se faner. Disposez-les sur un plat et servez immédiatement.

Légumes au lait de coco

Voici une manière délicieuse de cuire des légumes. Ceux qui n'aiment pas la cuisine trop épicée réduiront le nombre de piments.

INGRÉDIENTS

Pour 4 à 6 personnes

450 g/1 lb de légumes variés : aubergines, mini-épis de maïs doux, carottes, haricots verts, mini-courgettes, asperges vertes
8 piments rouges épépinés
2 tiges de citronnelle hachées
4 feuilles de lime de Cafre coupées
30 ml/2 c. à soupe d'huile végétale
250 ml/8 oz/1 tasse de lait de coco
30 ml/2 c. à soupe de sauce de poisson
sel
15 à 20 feuilles de basilic thaïlandais, pour le service

3 Chauffez l'huile dans un wok. Faites revenir la préparation aux piments pendant 2 à 3 minutes.

1 Détaillez les légumes en petits morceaux, comme pour une julienne.

2 Mettez les piments rouges, la citronnelle et les feuilles de lime dans un mortier et pilez-les finement.

4 En remuant, versez le lait de coco et portez à ébullition. Ajoutez les légumes et laissez cuire 5 minutes environ. Aspergez de sauce de poisson, salez et garnissez de feuilles de basilic.

Aubergines à la sichuanaise

INGRÉDIENTS

Pour 4 personnes

2 petites aubergines
5 ml/1 c. à thé de sel
3 piments rouges séchés
huile d'arachide pour friture
3 ou 4 gousses d'ail finement hachées
1 racine de gingembre fraîche
  de 1 cm/½ po de long, finement hachée
4 ciboules hachées, parties blanches
  et vertes séparées
15 ml/1 c. à soupe de vin de riz chinois
  (ou de Xérès sec)
15 ml/1 c. à soupe de sauce de soja claire
5 ml/1 c. à thé de sucre
1 pincée de grains de poivre du Sichuan
  grillés et moulus
15 ml/1 c. à soupe de vinaigre de riz chinois
5 ml/1 c. à thé d'huile de sésame

1 Taillez les aubergines et découpez-les en lamelles de 4 cm/1½ po de large sur 7 cm/3 po de long environ. Placez-les dans une passoire et saupoudrez de sel. Laissez dégorger 30 minutes avant de les rincer abondamment à l'eau froide. Égouttez et séchez sur du papier absorbant.

2 Faites tremper les piments dans de l'eau chaude pendant 15 minutes. Égouttez et coupez chaque piment en 3 ou 4 morceaux. Jetez les pépins.

3 Versez l'huile dans le wok jusqu'à mi-hauteur et chauffez à 180 °C/350 °F. Faites frire les aubergines. Égouttez sur du papier absorbant. Jetez la plus grande partie de l'huile et réchauffez le reste, puis mettez à revenir l'ail, le gingembre et le blanc des ciboules 30 secondes.

4 Remettez les aubergines. Remuez, ajoutez le vin, la sauce de soja, le sucre, les grains de poivre moulus et le vinaigre de riz. Laissez revenir 1 à 2 minutes. Aspergez d'huile de sésame et garnissez du vert des ciboules.

Chips de légumes au sel pimenté

Tous les légumes à tubercule permettent d'obtenir de délicieuses «chips» lorsqu'ils sont coupés très finement. Ils accompagnent parfaitement un repas oriental ou constituent un encas des plus savoureux.

INGRÉDIENTS

Pour 4 à 6 personnes

1 carotte
2 panais
2 betteraves crues
1 patate douce
huile d'arachide pour friture
1 pincée de poudre de piment
5 ml/1 c. à thé de gros sel

1 Épluchez la carotte, les panais et la patate. Coupez la carotte et les panais en rubans très fins. Tranchez ensuite les betteraves et la patate en fines rondelles. Séchez bien sur du papier absorbant.

2 Remplissez un wok d'huile à mi-hauteur et chauffez à 180 °C/350 °F. Faites frire les légumes par petites quantités, jusqu'à ce qu'ils soient bien dorés et croustillants, soit 2 à 3 minutes. Égouttez sur du papier absorbant.

3 Pilez ensemble le gros sel et la poudre de piment dans un mortier, jusqu'à obtenir une poudre grossière.

4 Empilez les chips de légumes sur une grande assiette et saupoudrez de poudre de sel pimenté.

CONSEIL

Pour gagner du temps, coupez
les légumes en rondelles dans un mixer.

Chou-fleur braisé aux épices

Le *Sambal kol kembang* est l'équivalent d'une marmite de légumes, associant épices et lait de coco. Il convient parfaitement en plat principal, dans un repas végétarien.

INGRÉDIENTS

Pour 4 personnes

1 chou-fleur
1 grosse tomate (ou 2 tomates moyennes)
1 oignon haché
2 gousses d'ail écrasées
1 piment vert frais épépiné
2,5 ml/½ c. à thé de curcuma moulu
1,5 cm/½ po de *terasi* en cube
30 ml/2 c. à soupe d'huile de tournesol
400 ml/14 oz de lait de coco
250 ml/8 oz/1 tasse d'eau
5 ml/1 c. à thé de sucre
5 ml/1 c. à thé de pulpe de tamarin, trempée
   dans 45 ml/3 c. à soupe d'eau chaude
sel

1 Coupez le pied du chou-fleur et détaillez le reste en petits bouquets. Pelez éventuellement la (ou les) tomate(s) et coupez la chair en petits morceaux.

2 Pilez ensemble l'oignon haché, l'ail, le piment vert, le curcuma et le *terasi*, ou broyez le tout au mixer jusqu'à obtention d'une pâte. Faites chauffer l'huile dans un wok ou une grande poêle et mettez à revenir la pâte d'épices. Ne la laissez pas brunir.

3 Ajoutez les bouquets de chou-fleur et imprégnez-les d'épices. Incorporez le lait de coco, l'eau, le sucre et du sel. Laissez mijoter 5 minutes. Filtrez le tamarin et gardez le jus.

4 Ajoutez le jus de tamarin et les morceaux de tomate. Laissez cuire encore 2 à 3 minutes maximum. Goûtez pour vérifier si le plat est bien assaisonné. Servez.

Œufs brouillés aux épices

Voici une manière très agréable d'égayer vos œufs brouillés. Pour bien réussir cet *Orak arik* et afin que les légumes conservent leur croquant, préparez vos ingrédients à l'avance.

INGRÉDIENTS

Pour 4 personnes

30 ml/2 c. à soupe d'huile de tournesol
1 oignon coupé en fines rondelles
230 g/8 oz de chou chinois coupé en lanières
200 g/7 oz de maïs doux en boîte
1 petit piment rouge frais épépiné
   et coupé en fines rondelles (facultatif)
30 ml/2 c. à soupe d'eau
2 œufs battus
sel et poivre noir moulu
rondelles d'oignon frites *(voir p. 329)*,
   pour le service

1 Chauffez l'huile dans un wok préchauffé. Mettez à revenir l'oignon sans le dorer.

2 Ajoutez le chou chinois et faites-le sauter en mélangeant bien. Versez le maïs doux, le piment et l'eau. Mélangez. Couvrez et laissez cuire 2 minutes.

3 Ôtez le couvercle et, en remuant, incorporez les œufs battus, du sel et du poivre. Continuez à remuer jusqu'à ce que les œufs commencent à prendre, tout en restant crémeux. Servez sur des assiettes chaudes, garnies de rondelles d'oignon frites bien croustillantes.

Champignons à la noix de coco

Nous vous proposons ici une manière simple et délicieuse de préparer des champignons. Vous pourrez les servir avec n'importe quel repas oriental, mais également en accompagnement de viandes ou de volailles grillées ou rôties à l'occidentale.

INGRÉDIENTS

Pour 4 personnes

30 ml/2 c. à soupe d'huile d'arachide
2 gousses d'ail finement hachées
2 piments rouges frais, épépinés
   et coupés en rondelles
3 échalotes finement hachées
230 g/8 oz de champignons de Paris
   coupés en grosses tranches
150 ml/¼ pinte/⅔ tasse de lait de coco
30 ml/2 c. à soupe de coriandre hachée
sel et poivre noir moulu

1 Faites chauffer un wok et versez l'huile, en l'étalant uniformément. Mettez à revenir l'ail et les piments pendant quelques secondes.

— VARIANTE —

Vous pouvez remplacer la coriandre fraîche par de la ciboulette coupée très finement.

2 Faites revenir les échalotes 2 à 3 minutes. Ajoutez les champignons et laissez cuire 3 minutes, en remuant.

3 Arrosez de lait de coco et portez à ébullition. Faites cuire à grand feu jusqu'à ce que le liquide ait réduit de moitié et forme une pellicule sur les champignons. Salez et poivrez.

4 Saupoudrez de coriandre fraîche hachée et faites sauter les champignons à feu doux, pour bien mélanger. Servez sans attendre.

Condiment de légumes

L'utilisation de curcuma frais apporte une note et un aspect inimitables à cette préparation d'*Acar campur*. Pratiquement tous les légumes peuvent entrer dans sa composition, caractérisée par l'équilibre des textures, des saveurs et des couleurs.

INGRÉDIENTS

Pour 4 à 6 personnes
Pour 2 à 3 bocaux de 300 g/11 oz

1 piment rouge frais, épépiné et haché
1 oignon coupé en quartiers
2 gousses d'ail écrasées
1,5 cm/½ po de *terasi* en cube
4 noix de macadam (ou 8 amandes)
2 à 3 cm/1 po de curcuma frais haché (ou
 5 ml/1 c. à thé de curcuma en poudre)
50 ml/2 oz/¼ tasse d'huile de tournesol
450 ml/16 oz/2 tasses de vinaigre blanc
250 ml/8 oz/1 tasse d'eau
25 à 50 g/1 à 2 oz de sucre en poudre
3 carottes
230 g/8 oz de haricots verts
1 petit chou-fleur
1 concombre
230 g/8 oz de chou blanc
120 g/4 oz de cacahuètes grillées à sec,
 grossièrement hachées
sel

1 Broyez ensemble le piment, l'oignon, l'ail, le *terasi*, les noix (ou les amandes) et le curcuma dans un mixer ou un mortier pour les réduire en purée.

2 Chauffez l'huile et mettez à revenir cette purée. Ajoutez le vinaigre, l'eau, le sucre et du sel. Portez à ébullition, puis laissez mijoter 10 minutes.

3 Coupez les carottes en forme de petites fleurs et les haricots en bâtonnets de même longueur. Séparez le chou-fleur en petits bouquets. Épluchez et videz le concombre, puis détaillez-le en petits morceaux. Découpez le chou blanc en fines bouchées.

4 Faites blanchir chaque légume séparément dans une grande casserole d'eau bouillante. Versez-les ensuite dans une passoire et rincez abondamment à l'eau froide. Égouttez bien.

— CONSEIL —

Ce condiment est encore meilleur s'il a été préparé quelques jours à l'avance.

5 Versez tous les légumes dans la sauce. Portez progressivement à ébullition et laissez cuire 5 à 10 minutes. Attention à ne pas trop cuire les légumes, qui doivent rester croquants.

6 Ajoutez les cacahuètes, puis laissez refroidir. Versez dans des bocaux.

Légumes sautés à la sauce de haricots noirs

Le secret d'un plat sauté réside dans la préparation préalable de tous les ingrédients. Il est très important de les verser dans le wok dans l'ordre, de sorte que les gros morceaux puissent cuire plus longtemps que les petits : quelques secondes et quelques millimètres font parfois toute la différence !

INGRÉDIENTS

Pour 4 personnes

8 ciboules
230 g/8 oz de champignons de Paris
1 poivron vert
1 poivron rouge
2 grosses carottes
60 ml/4 c. à soupe d'huile de sésame
2 gousses d'ail écrasées
60 ml/4 c. à soupe de sauce de haricots noirs
90 ml/6 c. à soupe d'eau chaude
230 g/8 oz de germes de soja
sel et poivre noir moulu

1 Coupez les ciboules et les champignons en tranches fines.

2 Coupez les poivrons en deux, videz-les et détaillez-les en julienne.

3 Tranchez les carottes en deux, puis découpez chaque moitié en lamelles. Rassemblez les lamelles pour les détailler en allumettes.

4 Chauffez l'huile dans un wok préchauffé. Lorsqu'elle est très chaude, mettez à revenir les ciboules et l'ail pendant 30 secondes.

5 Ajoutez les champignons, les poivrons et les carottes. Faites sauter les légumes à grand feu jusqu'à ce qu'ils commencent à ramollir.

6 Mélangez la sauce de haricots à l'eau. Incorporez ce mélange aux légumes et laissez cuire 3 à 4 minutes. Ajoutez les germes de soja et laissez cuire encore 1 minute. Salez, poivrez et servez bien chaud.

REMARQUE PRATIQUE

La sauce de haricots noirs est préparée avec des haricots noirs salés, au goût caractéristique, que l'on broie pour les mélanger à toutes sortes d'épices, telles que gingembre et piment. Elle se présente sous la forme d'une épaisse purée qui se vend en bocaux, en bouteilles ou en boîtes, et se conserve au réfrigérateur après ouverture.

Épinards sautés à l'ail et au sésame

Les graines de sésame ajoutent une texture croquante, qui contraste bien avec celle des feuilles d'épinards. Un plat facile à préparer.

INGRÉDIENTS

Pour 2 personnes

230 g/8 oz d'épinards frais
15 à 30 ml/1 à 2 c. à soupe de graines de sésame
30 ml/2 c. à soupe d'huile d'arachide
1 bonne pincée de gros sel marin
2 ou 3 gousses d'ail hachées

─── REMARQUE PRATIQUE ───
Faites attention en mettant les épinards dans l'huile chaude, car ils crépiteront très fort.

1 Essorez légèrement les épinards puis coupez et jetez les tiges, ainsi que les feuilles abîmées ou jaunies. Empilez plusieurs feuilles et enroulez-les, très serrées, pour les couper en larges bandes, en diagonale. Procédez de même avec les feuilles restantes.

2 Chauffez un wok à feu moyen et faites sauter les graines de sésame sans matière grasse, 1 à 2 minutes, en remuant, jusqu'à ce qu'elles dorent. Réservez-les dans un bol.

3 Dans le wok préchauffé avec l'huile, faites revenir les épinards, l'ail et le gros sel 2 minutes, jusqu'à ce que les feuilles d'épinards soient bien enduites et commencent à se faner.

4 Versez les graines de sésame grillées sur les épinards et mélangez bien. Servez immédiatement.

Chou chinois à la sauce d'huître

Très facile et rapide à réaliser, cette préparation cantonaise forme un excellent accompagnement à des plats de poisson orientaux ou occidentaux. Pour en faire un véritable plat végétarien, la sauce d'huître sera remplacée par une sauce *hoi-sin* ou une sauce de soja claire.

INGRÉDIENTS

Pour 3 à 4 personnes

450 g/1 lb de chou chinois
30 ml/2 c. à soupe d'huile d'arachide
15 à 30 ml/1 à 2 c. à soupe de sauce d'huître

1 Jetez les feuilles et les tiges abîmées du chou. Coupez-le en petits morceaux.

2 Faites chauffer un wok avant d'y verser l'huile en prenant soin de bien l'étaler.

3 Mettez les feuilles de chou chinois à sauter dans l'huile jusqu'à ce qu'elles commencent à se faner.

4 Versez la sauce d'huître et laissez revenir quelques secondes, afin que les feuilles soient cuites et encore croustillantes. Servez chaud.

CONSEIL

Il est possible de remplacer le chou chinois par un autre légume, appelé *choi sam*, sorte de chou-fleur cantonais que l'on reconnaît à ses feuilles bien vertes et ses petits bouquets jaunes. Toutes les parties du légume sont comestibles. Il se vend dans les épiceries asiatiques.

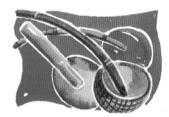

Tofu sauté

Le tofu se caractérise par
son moelleux, qui forme un
délicieux contraste avec la texture
croquante des légumes sautés.
On achètera le tofu sous
sa forme compacte et bien ferme,
pour le découper facilement.

INGRÉDIENTS

Pour 2 à 4 personnes

120 g/4 oz de chou blanc
2 piments verts
230 g/8 oz de tofu compact et bien ferme
45 ml/3 c. à soupe d'huile végétale
2 gousses d'ail écrasées
3 ciboules hachées
175 g/6 oz de haricots verts équeutés
175 g/6 oz de mini-épis de maïs
   coupés en deux
120 g/4 oz de germes de soja
45 ml/3 c. à soupe de beurre de cacahuètes
15 à 30 ml/1 à 2 c. à soupe de sauce
   de soja brune
300 ml/½ pinte/1¼ tasses de lait de coco

1 Coupez le chou en lanières. Épépi-
nez les piments avant de les hacher
menu. Enfilez des gants de caoutchouc
pour vous protéger les mains, si nécessaire.

2 Découpez le tofu en lamelles de
taille identique aux lanières de chou.

3 Faites chauffer le wok avant d'y
verser 30 ml/2 c. à soupe d'huile.
Lorsqu'elle est suffisamment chaude,
mettez à revenir le tofu 3 minutes, puis
réservez-le. Essuyez le wok.

4 Versez l'huile restante dans le wok.
Lorsqu'elle est chaude, faites revenir l'ail, les ciboules et les piments pendant 1 minute. Ajoutez les haricots verts,
les mini-épis de maïs et les germes de
soja. Laissez revenir encore 2 minutes.

5 Incorporez le beurre de cacahuètes
et la sauce de soja. Remuez bien
pour enduire totalement les légumes.
Remettez le tofu.

6 Versez le lait de coco sur les légumes
et laissez mijoter 3 minutes. Servez
rapidement.

REMARQUE PRATIQUE

Il existe des centaines de variétés différentes
de piments. On sait, d'une manière
générale, que les piments vert foncé sont
plus forts que les piments vert clair.
D'autre part, les piments verts sont en
principe plus piquants que les rouges.
Mais cela n'est pas une règle absolue et on
peut toujours se faire surprendre par une
variété nouvelle. On mesure le «piquant»
des piments en unités Scoville : les piments
doux sont à 0 et les piments habanero
mexicains «explosent» à 300 000, tout
en haut de l'échelle ! Quelques plats
indonésiens sont extrêmement pimentés,
tandis que la cuisine chinoise reste,
dans l'ensemble, moins relevée.

Gado-Gado de légumes

Cette préparation peut être servie en portions individuelles, plutôt que présentée sur un grand plat. Elle constitue un repas léger idéal pour les réunions entre amis.

INGRÉDIENTS

Pour 6 personnes

230 g/8 oz de pommes de terre fermes cuites
450 g/1 lb de mélange de chou, d'épinards
    et de germes de soja lavés et coupés
    en lanières, dans des proportions égales
½ concombre coupé en dés et salé
2 ou 3 œufs durs épluchés
120 g/4 oz de tofu frais
huile de friture
6 à 8 grandes chips de crevettes
jus de citron
rondelles d'oignon frites *(voir p. 329)*,
    sauce aux cacahuètes *(voir p. 371)*,
    pour le service

1 Taillez les pommes de terre en dés et réservez-les. Portez à ébullition une grande casserole d'eau salée. Faites blanchir séparément chaque sorte de légume (sauf le concombre), en les plongeant quelques secondes dans l'eau bouillante. Retirez-les à l'aide d'une grande écumoire ou égouttez-les dans une passoire, puis rincez-les à l'eau froide. Égouttez bien. Rincez les dés de concombre et égouttez-les bien.

2 Coupez les œufs durs en quartiers et le tofu en dés.

3 Dans un wok préchauffé avec de l'huile, faites frire le tofu afin qu'il soit croustillant.

4 Égouttez sur du papier absorbant. Ajoutez de l'huile dans le wok et faites frire les chips de crevettes, 2 ou 3 à la fois. Réservez sur du papier absorbant.

5 Disposez tous les légumes cuits sur un plat avec le concombre, les œufs durs et les dés de tofu. À la dernière minute, aspergez de jus de citron et garnissez de rondelles d'oignon frites.

6 Servez accompagné de sauce aux cacahuètes et proposez les chips de crevettes à part.

Beignets de courgettes et salsa thaïlandaise

La délicieuse salsa thaïlandaise servie avec les beignets de courgettes accompagne également très bien des plats de saumon ou de bœuf sauté.

INGRÉDIENTS

Pour 2 à 4 personnes

10 ml/2 c. à thé de graines de cumin
10 ml/2 c. à thé de graines de coriandre
450 g/1 lb de courgettes
120 g/4 oz de farine de pois chiches
2,5 ml/½ c. à thé bicarbonate de soude
120 ml/4 oz/½ tasse d'huile d'arachide
sel et poivre noir moulu
feuilles de menthe fraîche, pour le service

La salsa thaïlandaise

½ concombre coupé en dés
3 ciboules hachées
6 radis coupés en dés
30 ml/2 c. à soupe de menthe fraîche hachée
1 racine de gingembre fraîche de
  2 à 3 cm/1 po de long, épluchée et râpée
45 ml/3 c. à soupe de jus de citron vert
30 ml/2 c. à soupe de sucre en poudre
3 gousses d'ail écrasées

1 Faites chauffer un wok, puis mettez à griller les graines de cumin et de coriandre à sec. Laissez-les refroidir avant de les broyer dans un mortier.

CONSEIL

Les radis ronds employés dans la salsa peuvent éventuellement être remplacés par du *mooli*, également appelé radis blanc.

2 Coupez les courgettes en bâtonnets de 7 à 8 cm/3 po et réservez-les.

3 Mixez la farine de pois chiches, le bicarbonate de soude, les épices, du sel et du poivre. Ajoutez 120 ml/4 oz d'eau chaude, 15 ml/1 c. à soupe d'huile d'arachide, puis mixez encore cette pâte à frire.

4 Enduisez les bâtonnets de courgettes et laissez reposer 10 minutes.

5 Pour préparer la salsa, mélangez dans un saladier le concombre, les ciboules, les radis, la menthe, le gingembre et le jus de citron vert. Incorporez le sucre et l'ail.

6 Chauffez le wok avant d'y verser le reste d'huile. Lorsqu'elle est chaude, faites frire les bâtonnets de courgettes par petites quantités. Égouttez sur du papier absorbant et servez chaud avec la salsa.

Légumes aux épices et au lait de coco

On peut servir ce plat de légumes sautés en entrée ou en faire un repas végétarien pour deux personnes. À déguster avec couteau et fourchette et une bonne provision de pain aux céréales, pour profiter du lait de coco jusqu'à la dernière goutte.

INGRÉDIENTS

Pour 2 à 4 personnes

1 piment rouge
1 bulbe de fenouil
2 grosses carottes
6 branches de céleri
30 ml/2 c. à soupe d'huile de pépins de raisins
1 racine de gingembre fraîche de 2 à 3 cm/
    1 po de long, épluchée et râpée
1 gousse d'ail écrasée
3 ciboules coupées en rondelles
400 ml/14 oz de lait de coco en boîte
15 ml/1 c. à soupe de coriandre
    fraîche hachée
sel et poivre noir moulu
branches de coriandre fraîche,
    pour le service

REMARQUE PRATIQUE

Lorsque vous achetez du fenouil, il faut toujours choisir les bulbes les plus arrondis, car un bulbe aplati est le signe d'un légume trop jeune, qui n'aura pas toute la saveur anisée du fenouil. Les bulbes doivent être blancs, pas trop secs et recouverts de couches striées se chevauchant.

1 Coupez le piment en deux, épépinez-le et hachez-le finement.

2 Détaillez les carottes et le céleri en fines tranches, en diagonale.

3 Taillez grossièrement le bulbe de fenouil à l'aide d'un couteau bien aiguisé.

4 Faites chauffer le wok, puis versez l'huile. Lorsqu'elle est chaude, mettez le piment, le fenouil, les carottes, le céleri, le gingembre, l'ail et les ciboules à revenir, pendant 2 minutes.

5 Incorporez le lait de coco et portez à ébullition.

6 Tout en remuant, ajoutez la coriandre, du sel et du poivre. Décorez de branches de coriandre avant de servir.

Pak choi et champignons sautés

Procurez-vous de nombreuses sortes de champignons pour cette recette, notamment des champignons parfumés et exotiques ou, à défaut, des pleurotes, girolles, cèpes, etc.

INGRÉDIENTS

Pour 4 personnes

4 champignons noirs chinois séchés
150 ml/¼ pinte/⅔ tasse d'eau chaude
450 g/1 lb de *pak choi*
50 g/2 oz de champignons shiitake
   (ou d'autres champignons exotiques)
50 g/2 oz de champignons parfumés
15 ml/1 c. à soupe d'huile végétale
1 gousse d'ail écrasée
30 ml/2 c. à soupe de sauce d'huître

1 Mettez les champignons noirs à tremper dans de l'eau chaude pendant 15 minutes, pour les ramollir.

REMARQUE PRATIQUE

Le *pak choi*, connu également sous les noms de *bok choi*, *pok choi*, ou chou en cuillère, est une variété de chou assez particulière, aux longues tiges blanches et molles et aux feuilles vert foncé. Son goût agréable n'évoque en rien celui du chou.

2 Déchirez avec les doigts le *pak choi* en petits morceaux faciles à cuire.

3 Coupez en deux les champignons exotiques trop gros.

4 Égouttez les champignons parfumés. Dans un wok préchauffé avec l'huile, mettez à revenir l'ail jusqu'à ce qu'il ait ramolli, sans le brunir.

5 Ajoutez le *pak choi* et faites-le revenir 1 minute. Incorporez tous les légumes et laissez-les cuire 1 minute.

6 Versez la sauce d'huître sur les légumes et remuez bien avant de servir.

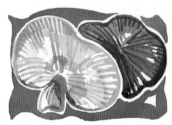

Tofu rouge aux champignons chinois

On appelle «rouges» les plats chinois dont la coloration provient de l'emploi d'une sauce de soja foncée. Ce délicieux mets peut être servi en entrée ou en plat principal.

INGRÉDIENTS

Pour 4 personnes

230 g/8 oz de tofu compact bien ferme
45 ml/3 c. à soupe de sauce de soja foncée
30 ml/2 c. à soupe de vin de riz chinois
   (ou de Xérès sec)
10 ml/2 c. à thé de sucre brun
1 gousse d'ail écrasée
15 ml/1 c. à soupe de gingembre frais râpé
2,5 ml/½ c. à thé de poudre
   cinq-épices chinoise
1 pincée de grains de poivre du Sichuan
   grillés et moulus
6 champignons noirs chinois séchés
5 ml/1 c. à thé de Maïzena
30 ml/2 c. à soupe d'huile d'arachide
5 ou 6 ciboules en morceaux de 2 à 3 cm/
   1 po, parties blanches et vertes séparées
petites feuilles de basilic frais et nouilles
   de riz, pour le service

2 Laissez tremper les champignons noirs dans de l'eau chaude pendant 20 à 30 minutes, pour les ramollir. Égouttez-les bien et réservez 90 ml/ 6 c. à soupe du liquide obtenu. Jetez les pieds des champignons et coupez les chapeaux en tranches. Dans un bol, mélangez la Maïzena avec la marinade et le liquide des champignons.

1 Séchez le tofu avec du papier absorbant et découpez-le en dés de 2 à 3 cm/1 po de côté dans une assiette creuse. Mélangez dans un bol la sauce de soja, le vin chinois (ou le Xérès), le sucre, l'ail, le gingembre, la poudre cinq-épices et le poivre du Sichuan. Versez ce mélange sur le tofu et remuez bien avant de laisser mariner. Au bout de 30 minutes, égouttez le tofu et réservez la marinade.

4 Mettez les champignons et la partie blanche des ciboules dans le wok à revenir, pendant 2 minutes. Recouvrez de la préparation à base de marinade et remuez 1 minute, pour épaissir.

5 Remettez le tofu dans le wok, avec la partie verte des ciboules. Laissez mijoter 1 à 2 minutes. Servez rapidement, garni de feuilles de basilic et accompagné de nouilles de riz.

3 Faites chauffer un wok avant d'y verser l'huile, en l'étalant uniformément. Ajoutez les dés de tofu et faites-les sauter pendant 2 à 3 minutes, jusqu'à ce qu'ils soient complètement dorés. Retirez-les du wok et réservez.

Crêpes fourrées aux légumes sautés

Chaque convive verse quelques
gouttes de sauce *hoi-sin* sur
une crêpe avant d'y étaler
une portion de légumes sautés
et de l'enrouler. Un régal!

INGRÉDIENTS

Pour 4 personnes

3 œufs
30 ml/2 c. à soupe d'eau
60 ml/4 c. à soupe d'huile d'arachide
25 g/1 oz de champignons noirs chinois
25 g/1 oz de champignons parfumés, séchés
10 ml/2 c. à thé de Maïzena
30 ml/2 c. à soupe de sauce de soja claire
30 ml/2 c. à soupe de vin de riz chinois
   (ou de Xérès sec)
10 ml/2 c. à thé d'huile de sésame
2 gousses d'ail finement hachées
1 racine de gingembre fraîche de 1,5 cm/
   ½ po de long, coupée en fines lanières
75 g/3 oz de pousses de bambou en boîte,
   rincées et égouttées
175 g/6 oz de germes de soja
4 ciboules coupées en fines lanières
sel et poivre noir moulu
crêpes chinoises
sauce *hoi-sin*, pour le service

1 Battez ensemble le mélange œufs,
eau, sel et poivre dans un bol. Faites
chauffer 15 ml/1 c. à soupe d'huile, en
l'étalant bien dans le wok. Versez les
œufs battus et penchez le wok pour les
répartir uniformément. Laissez cuire à
grand feu pendant 2 minutes, jusqu'à ce
que l'omelette soit prête, et laissez-la
refroidir. Découpez-la ensuite en fines
lamelles. Essuyez bien le wok.

CONSEIL

Vous trouverez les crêpes chinoises dans
toutes les épiceries asiatiques. Il suffira
de les réchauffer à la vapeur (dans une
marmite en bambou) avant de les servir.

2 Placez les champignons noirs et les
champignons parfumés dans des bols
séparés et recouvrez-les d'eau chaude.
Laissez tremper 20 à 30 minutes pour les
ramollir. Égouttez les champignons et
conservez le jus obtenu. Séchez bien les
champignons.

3 Retirez les tiges dures avant de couper les champignons noirs en fines
lanières. Coupez de la même manière
les champignons parfumés. Réservez.
Filtrez le jus des champignons dans un
pot, puis réservez 120 ml/4 oz/½ tasse
de ce liquide. Mélangez dans un saladier
la Maïzena avec le jus réservé, la sauce de
soja, le vin de riz (ou le Xérès) et l'huile
de sésame.

4 Chauffez le wok à feu moyen, puis
versez le reste d'huile d'arachide.
Mettez à revenir les champignons parfumés et les champignons noirs pendant
2 minutes. Ajoutez l'ail, le gingembre,
les pousses de bambou et les germes de
soja et laissez cuire encore 1 à 2 minutes.

5 Versez la sauce à base de Maïzena sur
les légumes et laissez cuire 1 minute,
sans cesser de remuer, jusqu'à épaississement du mélange. Ajoutez les ciboules
et les lamelles d'omelette, puis remuez
doucement. Goûtez pour ajouter éventuellement sel, poivre ou sauce de soja.
Garnissez de légumes les crêpes chinoises chaudes et servez aussitôt avec la
sauce *hoi-sin*.

Légumes sautés et omelette à la coriandre

Le wok est l'ustensile idéal pour cuire une omelette, car la chaleur y est répartie uniformément sur une large surface. La pellicule qui recouvre les légumes leur donne un bel aspect luisant, mais il ne s'agit pas à proprement parler d'une sauce. Cette recette fera le bonheur des végétariens.

INGRÉDIENTS

Pour 3 à 4 personnes

L'omelette

2 œufs
30 ml/2 c. à soupe d'eau
45 ml/3 c. à soupe de coriandre
    fraîche moulue
sel et poivre noir moulu
15 ml/1 c. à soupe d'huile d'arachide

Les légumes laqués

15 ml/1 c. à soupe de Maïzena
30 ml/2 c. à soupe de vin de Xérès sec
15 ml/1 c. à soupe de sauce au piment doux
120 ml/4 oz/½ tasse de bouillon de légumes
30 ml/2 c. à soupe d'huile d'arachide
5 ml/1 c. à thé de gingembre frais râpé
6 à 8 ciboules coupées en rondelles
120 g/4 oz de haricots mange-tout
1 poivron jaune évidé et coupé en fines tranches
120 g/4 oz de champignons de Paris
120 g/4 oz de châtaignes d'eau en boîte,
    rincées et égouttées
120 g/4 oz de germes de soja
½ chou chinois grossièrement coupé
    en lanières

CONSEIL

Les légumes employés pour cette recette peuvent se décliner à l'infini selon la saison et les préférences de chacun. Il suffit de les couper en julienne bien homogène.

1 Dans un petit saladier, battez ensemble les œufs, l'eau, la coriandre, le sel et le poivre. Mettez l'huile à chauffer dans un wok. Versez les œufs en les étalant bien dans le wok. Cuisez à grand feu jusqu'à ce que les bords de l'omelette soient légèrement croustillants.

2 Retournez l'omelette à l'aide d'une spatule et faites cuire l'autre face 30 secondes. Déposez l'omelette sur une planche à découper et laissez-la refroidir. Lorsqu'elle est froide, enroulez-la sur elle-même et coupez-la en fines tranches. Essuyez bien le wok.

3 Dans un saladier, mélangez le Xérès, la Maïzena, la sauce au piment et le bouillon de légumes. Réservez.

4 Faites chauffer un wok avant d'y verser l'huile en l'étalant uniformément. Mettez à revenir le gingembre et les ciboules quelques secondes, pour parfumer l'huile. Ajoutez les haricots, le poivron, les champignons et les châtaignes d'eau et laissez cuire 3 minutes.

5 Mettez les germes de soja et le chou chinois à revenir 2 minutes.

6 Versez sur les légumes le glaçage réservé. Remuez pendant 1 minute, jusqu'à ce que le glaçage épaississe et forme une pellicule sur les légumes. Transférez le tout sur un plat chaud et garnissez avec les lanières d'omelette. Servez très rapidement.

Brocolis à la sauce d'huître

Lorsque l'on cuit le brocoli dans un wok, ses bouquets conservent non seulement leur intense couleur et leur texture croquante, mais également l'essentiel de leurs vitamines et de leurs minéraux. Les végétariens préféreront remplacer la sauce d'huître par une sauce *hoi-sin*.

INGRÉDIENTS

Pour 4 personnes

450 g/1 lb de brocolis
45 à 60 ml/3 à 4 c. à soupe d'huile végétale
2,5 ml/½ c. à thé de sel
2,5 ml/½ c. à thé de sucre roux
30 à 45 ml/2 à 3 c. à soupe de bouillon de légumes (ou d'eau)
30 ml/2 c. à soupe de sauce d'huître

1 Séparez les brocolis en bouquets, en jetant l'écorce dure des queues. Coupez les bouquets en diagonale pour obtenir des morceaux en forme de losange.

2 Chauffez l'huile dans un wok préchauffé, ajoutez le sel, puis faites revenir les brocolis 2 minutes. Incorporez le sucre et le bouillon de légumes (ou l'eau) et laissez revenir 1 minute, en remuant. Pour finir, ajoutez la sauce d'huître, remuez bien et servez.

CONSEIL

Choisissez toujours des brocolis bien frais, aux tiges fermes et ne paraissant ni trop dures ni trop striées. Leurs bouquets doivent être serrés, leurs couleurs vives et ne virant pas au jaune. Il est conseillé de manger le brocoli peu de temps après l'avoir acheté – ou, mieux encore, cueilli – car il perd rapidement ses vitamines lorsqu'il est entreposé.

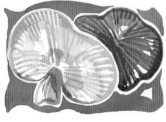

Rondelles d'oignons frites

Les rondelles d'oignons frites, ou *Bawang goreng*, accompagnent traditionnellement de nombreux plats indonésiens. On peut les acheter tout prêts dans les épiceries orientales, mais il est facile d'en préparer soi-même avec des oignons frais. Choisissez de petits oignons rouges, excellents en friture car ils sont moins gorgés d'eau que les autres.

INGRÉDIENTS

Pour 500 g/1 lb environ de friture

500 g/1 lb de petits oignons rouges
huile de friture

1 Épluchez les oignons et coupez-les en rondelles aussi fines et régulières que possible.

2 Étalez, sans qu'elles se chevauchent, les rondelles d'oignons sur du papier absorbant. Laissez sécher à l'air libre, entre 1 et 2 heures.

3 Chauffez l'huile dans un wok à 190 °C/375 °F. Faites frire les rondelles d'oignons par poignées, en remuant constamment, jusqu'à ce qu'elles soient dorées et croustillantes. Égouttez sur du papier absorbant et laissez refroidir.

CONSEIL

Pour réussir des oignons frits chez soi très facilement, on peut utiliser des oignons pré-frits surgelés, vendus en sachets. Il suffit de les faire revenir dans de l'huile végétale ou, dans certains cas, de les réchauffer au four. Il est possible de préparer et frire de l'ail de la même façon. Des rondelles d'ail frites apportent une dimension supplémentaire à la saveur des nombreux plats qu'ils peuvent garnir.

Pousses de bambou et champignons chinois

On donne également à cette recette le joli nom de «Légumes jumeaux de l'hiver», car les pousses de bambou, comme les champignons chinois, sont par nature des légumes associés à cette saison.

INGRÉDIENTS

Pour 4 personnes

50 g/2 oz de champignons chinois séchés
275 g/10 oz de pousses de bambou d'hiver
45 ml/3 c. à soupe d'huile végétale
1 ciboule coupée en petits morceaux
30 ml/2 c. à soupe de sauce de soja claire
(ou de sauce d'huître)
15 ml/1 c. à soupe de vin de riz chinois
(ou de Xérès sec)
2,5 ml/½ c. à thé de sucre roux
10 ml/2 c. à thé de pâte de Maïzena
(voir p. 10)
quelques gouttes d'huile de sésame

1 Laissez tremper les champignons au moins 3 heures. Pressez-les bien pour les égoutter et ôtez les pieds qui semblent durs. Réservez le jus. Coupez les champignons en deux ou en quatre, selon leur taille.

2 Rincez et égouttez les pousses de bambou, avant de les détailler en petits morceaux.

3 Chauffez l'huile dans un wok préchauffé, puis faites revenir les champignons et les pousses de bambou 1 minute environ. Ajoutez la ciboule, la sauce de soja (ou d'huître), le vin de riz (ou le Xérès), le sucre et 30 à 45 ml/2 à 3 c. à soupe du jus réservé des champignons. Portez à ébullition et braisez 1 à 2 minutes. Incorporez la pâte de Maïzena. Aspergez d'huile de sésame et servez.

Œufs, tomates et concombres sautés

On peut, au choix, remplacer le concombre par du poivron vert ou de l'aubergine.

INGRÉDIENTS

Pour 4 personnes

175 g/6 oz de tomates fermes pelées
½ concombre
4 œufs
5 ml/1 c. à thé de sel
1 ciboule finement hachée
60 ml/4 c. à soupe d'huile végétale
10 ml/2 c. à thé de vin de riz chinois
ou de Xérès sec (facultatif)

1 Coupez le ½ concombre et les tomates en deux, puis en petits morceaux. Dans un saladier, battez les œufs en ajoutant 1 pincée de sel et quelques morceaux de ciboule hachée.

2 Chauffez la moitié de l'huile environ dans un wok préchauffé, avant d'y verser les œufs. Faites-les brouiller légèrement à feu modéré, jusqu'à ce qu'ils prennent mais sans être trop secs. Retirez-les du wok et réservez au chaud.

3 Versez l'huile restante dans le wok et faites-la chauffer à grand feu. Faites sauter les légumes 1 minute. Assaisonnez du reste de sel, avant d'incorporer les œufs brouillés (et le vin, le cas échéant). Servez rapidement.

Mooli, betterave et carotte sautés

Cette sélection de légumes
croquants compose un plat
coloré et parfumé.

INGRÉDIENTS

Pour 4 personnes

25 g/1 oz/¼ tasse de pignons de pin
115 g/4 oz de mooli épluché
115 g/4 oz de betterave crue épluchée
1 grosse carotte épluchée
25 ml/1½ c. à soupe d'huile végétale
le jus d'1 orange
30 ml/2 c. à soupe de coriandre
  fraîche ciselée
sel et poivre noir du moulin

1 Faites dorer les pignons de pin
dans un wok préchauffé. Retirez-les
et réservez.

2 Détaillez le mooli, la betterave et
la carotte en longs bâtonnets.

3 Dans le wok, faites revenir les
légumes pendant 2 à 3 minutes dans
l'huile chaude. Retirez-les et réservez.

4 Versez le jus d'orange dans le wok et
laissez frémir 2 minutes. Retirez-le
et gardez-le au chaud.

5 Disposez les légumes sur une assiette
chaude, saupoudrez-les de coriandre, salez et poivrez.

6 Arrosez de jus d'orange et parsemez
de pignons de pin avant de servir.

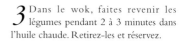

Pak choi au citron vert

Dans cette recette thaïe, les
végétariens peuvent remplacer
la sauce de poisson par une
sauce aux champignons.
Attention aux piments rouges !

INGRÉDIENTS

Pour 4 personnes

6 ciboules
2 *pak choi*
3 piments rouges frais
  détaillés en fines lanières
30 ml/2 c. à soupe d'huile
4 gousses d'ail finement émincées
15 ml/1 c. à soupe de cacahuètes écrasées

L'assaisonnement

15 à 30 ml/1 à 2 c. à soupe de sauce
  de poisson
30 ml/2 c. à soupe de jus de citron vert
250 ml/8 oz/1 tasse de lait de coco

1 Pour préparer la sauce, mélangez la
sauce de poisson et le jus de citron,
puis versez le lait de coco.

2 Épluchez les ciboules, coupez-les
en petits morceaux, en diagonale,
y compris les extrémités des pousses.
Séparez le blanc du vert.

3 Détaillez le *pak choi* en julienne
avec un grand couteau bien affûté.

4 Dans un wok préchauffé, faites
revenir les piments 2 à 3 minutes
dans l'huile chaude, puis posez-les sur
une assiette avec une écumoire. Laissez
blondir l'ail pendant 30 à 60 secondes,
mettez-le également sur l'assiette. Faites
sauter le blanc des ciboules pendant 2 à
3 minutes, puis incorporez le vert et
laissez cuire encore 1 minute. Ajoutez
sur l'assiette.

5 Plongez le *pak choi* dans une grande
casserole d'eau bouillante salée.
Remuez deux fois, puis égouttez-le
aussitôt. Mettez-le dans un grand saladier, versez l'assaisonnement au coco
et mélangez bien. Dressez sur un plat,
saupoudrez de cacahuètes et de préparation aux piments avant de servir.

Légumes sautés aux pâtes

Les pâtes remplacent les
habituelles nouilles dans
ce plat coloré d'inspiration
chinoise, facile à préparer.

INGRÉDIENTS

Pour 4 personnes

1 carotte moyenne
175 g/6 oz de petites courgettes
175 g/6 oz de haricots verts
175 g/6 oz de petits épis de maïs
450 g/1 lb de pâtes plates (tagliatelles)
30 ml/2 c. à soupe d'huile de maïs,
    plus quelques gouttes pour les pâtes
1 cm/½ po de gingembre frais haché menu
2 gousses d'ail finement hachées
90 ml/6 c. à soupe de pâte de soja jaune
6 ciboules détaillées en sections
    de 2,5 cm/1 po de long
30 ml/2 c. à soupe de Xérès sec
5 ml/1 c. à thé de graines de sésame grillées
sel

1 Coupez la carotte et les courgettes
en rondelles. Détaillez les haricots
en diagonale. Partagez les épis de maïs
en deux, en diagonale.

2 Faites cuire les pâtes selon les instructions du fabricant. Égouttez-les,
puis rincez-les sous l'eau chaude. Mélangez-les avec un peu d'huile pour éviter
qu'elles collent.

3 Dans un wok préchauffé ou une
poêle, avec 30 ml/2 c. à soupe
d'huile, faites revenir le gingembre et
l'ail 30 secondes. Ajoutez les carottes,
les haricots, le maïs et les courgettes.

4 Remuez pendant 3 à 4 minutes,
avant d'incorporer la pâte de soja
jaune, puis, 2 minutes après, les ciboules,
le Xérès et les pâtes. Laissez chauffer
1 minute. Saupoudrez de graines de
sésame et servez aussitôt.

Légumes sautés à la chinoise

Ce plat de légumes sautés est typiquement chinois. Le chou chinois, qui s'apparente au chou ou à une laitue croquante, offre une délicieuse saveur poivrée.

INGRÉDIENTS

Pour 4 personnes

45 ml/3 c. à soupe d'huile de tournesol
15 ml/1 c. à soupe d'huile de sésame
1 gousse d'ail hachée
225 g/8 oz de bouquets de brocolis séparés
115 g/4 oz de pois gourmands
1 chou chinois d'environ 450 g/1 lb
4 ciboules hachées menu
30 ml/2 c. à soupe de sauce de soja
30 ml/2 c. à soupe de vin de riz chinois
  ou de Xérès sec
30 à 45 ml/2 à 3 c. à soupe d'eau
15 ml/1 c. à soupe de graines de sésame
  légèrement grillées

1 Faites chauffer l'huile de tournesol et l'huile de sésame dans un wok préchauffé ou une grande poêle. Laissez blondir l'ail pendant 30 secondes.

2 Incorporez les brocolis, remuez 3 minutes. Mélangez les pois gourmands et faites chauffer 2 minutes. Ajoutez enfin le chou chinois, les ciboules, et laissez cuire encore 2 minutes.

3 Versez la sauce de soja, le vin de riz ou le Xérès, l'eau, puis poursuivez la cuisson pendant 4 minutes, jusqu'à ce que les légumes soient tendres. Saupoudrez de graines de sésame avant de servir chaud.

Pommes de terre à l'indonésienne

De simples frites s'enrichissent d'oignons frits et d'un assaisonnement à base de piment et de sauce de soja. Le *Kentang gula* peut se déguster chaud ou froid comme encas.

INGRÉDIENTS

Pour 6 personnes

3 grosses pommes de terre
   d'environ 225 g/8 oz chacune, épluchées
   et coupées en forme de frites
huile de tournesol ou d'arachide,
   pour la friture
2 oignons finement émincés
sel

L'assaisonnement

1 à 2 piments rouges frais épépinés
   et broyés
45 ml/3 c. à soupe de sauce de soja foncée

1 Rincez les frites, puis essuyez-les soigneusement avec du papier absorbant. Faites-les cuire dans l'huile chaude, jusqu'à ce qu'elles soient dorées et croustillantes.

2 Mettez les frites dans un plat, salez-les et gardez-les au chaud. Faites dorer les oignons dans l'huile chaude. Posez-les sur du papier absorbant, puis ajoutez-les aux frites.

3 Mélangez les piments et la sauce de soja avant de les chauffer doucement.

4 Versez sur les frites et servez.

VARIANTE

Vous pouvez aussi faire cuire les pommes de terre à l'eau, dans leur peau. Après les avoir égouttées et laissées refroidir, coupez-les et dorez-les à l'huile. Préparez les oignons et l'assaisonnement comme ci-dessus.

Courgettes aux nouilles

Des courgettes ou d'autres variétés de courges peuvent être utilisées dans la préparation du *Oseng oseng*. Ce plat s'inspire d'une spécialité de Malaisie, pays lié à l'Indonésie par sa cuisine.

INGRÉDIENTS

Pour 4 à 6 personnes

450 g/1 lb de courgettes coupées en rondelles
1 oignon finement émincé
1 gousse d'ail hachée menu
30 ml/2 c. à soupe d'huile de tournesol
2,5 ml/½ c. à thé de curcuma en poudre
2 tomates concassées
45 ml/3 c. à soupe d'eau
115 g/4 oz de crevettes cuites décortiquées
   (facultatif)
25 g/1 oz de nouilles cellophane
sel

1 Pelez les courgettes à l'aide d'un épluche-légumes. Détaillez-les en rondelles, puis réservez. Faites revenir l'oignon et l'ail dans l'huile chaude, sans laisser dorer.

2 Ajoutez le curcuma, les courgettes, les tomates, l'eau et les crevettes.

3 Couvrez les nouilles d'eau bouillante, dans une casserole, laissez-les 1 minute, puis égouttez-les. Coupez-les en sections de 5 cm/2 po de long avant de les incorporer aux légumes.

4 Faites cuire 2 à 3 minutes à couvert. Remuez délicatement, salez, puis servez très chaud.

Aubergines farcies au poulet et au sésame

Les Japonais apprécient la saveur délicate des légumes nouveaux. Dans cette recette, de petites aubergines sont farcies de poulet.

INGRÉDIENTS

Pour 4 personnes

175 g/6 oz de blancs ou de cuisses de poulet
   sans la peau
les pousses vertes d'1 ciboule
   finement hachées
15 ml/1 c. à soupe de sauce de soja foncée
15 ml/1 c. à soupe de mirin ou
   de Xérès doux
2,5 ml/½ c. à thé d'huile de sésame
2,5 ml/½ c. à thé de sel
4 petites aubergines d'environ
   10 cm/4 po de long
15 ml/1 c. à soupe de graines de sésame
15 ml/1 c. à soupe de farine
huile végétale, pour la friture

La sauce d'accompagnement

60 ml/4 c. à soupe de sauce de soja foncée
60 ml/4 c. à soupe de *dashi*
   ou de bouillon de légumes
45 ml/3 c. à soupe de mirin
   ou de Xérès doux

3 Pour préparer la sauce d'accompagnement, mélangez la sauce de soja, le *dashi* ou le bouillon et le mirin ou le Xérès. Versez dans un bol et réservez.

4 Chauffez l'huile végétale dans un wok ou une friteuse à 190 °C/385 °F. Cuisez les aubergines 2 par 2 pendant 3 à 4 minutes. Retirez-les avec une écumoire et posez-les sur du papier absorbant. Servez avec la sauce d'accompagnement.

1 Séparez la chair du poulet des os, puis mixez finement pendant 1 à 2 minutes dans un mixer. Ajoutez la ciboule, la sauce de soja, le mirin ou le Xérès, l'huile de sésame et le sel.

2 Taillez 4 fentes dans chaque aubergine, de manière à ce qu'elles restent assemblées au niveau de la tige. Remplissez de préparation au poulet, en ouvrant légèrement. Roulez l'extrémité arrondie dans les graines de sésame, puis saupoudrez de farine. Réservez.

Pommes de terre chinoises aux haricots

Dans cette rencontre entre
Orient et Occident, un plat
d'inspiration américaine
se rehausse d'une savoureuse
sauce à tonalité chinoise.

INGRÉDIENTS

Pour 4 personnes

4 pommes de terre moyennes
    coupées en gros morceaux
30 ml/2 c. à soupe d'huile de tournesol
    ou d'arachide
3 ciboules émincées
1 gros piment rouge frais épépiné et émincé
2 gousses d'ail écrasées
400 g/14 oz de haricots rouges
    en boîte, égouttés
30 ml/2 c. à soupe de sauce de soja
15 ml/1 c. à soupe d'huile de sésame
sel et poivre noir du moulin
15 ml/1 c. à soupe de graines de sésame,
    coriandre ou persil frais ciselés,
    pour le service

1 Faites bouillir les pommes de terre jusqu'à ce qu'elles soient tendres. Égouttez-les et réservez.

2 Faites chauffer l'huile de tournesol ou d'arachide dans une poêle pré-chauffée. Mélangez les ciboules et le piment pendant 1 minute, puis ajoutez l'ail et laissez cuire quelques secondes supplémentaires.

3 Incorporez les pommes de terre, en remuant bien, puis les haricots, la sauce de soja et l'huile de sésame.

4 Assaisonnez, puis faites cuire jusqu'à ce que les légumes soient bien chauds. Saupoudrez de graines de sésame et de coriandre ou de persil avant de servir.

Champignons farcis à la chinoise

Riche en protéines et peu
calorique, le tofu est un aliment
sain, très utile pour des
préparations rapides ou
des encas comme celui-ci.

INGRÉDIENTS

Pour 4 personnes

8 gros champignons
3 ciboules émincées
1 gousse d'ail écrasée
30 ml/2 c. à soupe de sauce d'huître
275 g/10 oz de tofu mariné coupé
    en petits dés
200 g/7 oz d'épis de maïs en boîte, égouttés
10 ml/2 c. à thé d'huile de sésame
sel et poivre noir du moulin

1 Hachez finement les queues des
champignons avant de les mélanger
avec les ciboules, l'ail et la sauce d'huître.

2 Incorporez le tofu et le maïs, salez,
poivrez, puis remplissez les champignons de cette préparation.

3 Badigeonnez le bord des champignons d'huile de sésame. Disposez
les champignons farcis dans un plat
à four et faites cuire 12 à 15 minutes
dans le four préchauffé à 200 °C/400 °F,
jusqu'à ce qu'ils soient tendres. Servez
aussitôt.

CONSEIL

Vous pouvez remplacer la sauce d'huître
par de la sauce de soja claire.

Légumes sautés

Les ingrédients d'une préparation au wok doivent être sélectionnés judicieusement, de manière à créer une heureuse harmonie de couleurs et de textures.

INGRÉDIENTS

Pour 4 personnes

225 g/8 oz de chou chinois
115 g/4 oz de petits épis de maïs
115 g/4 oz de brocolis
1 carotte moyenne ou 2 petites
60 ml/4 c. à soupe d'huile végétale
5 ml/1 c. à thé de sel
5 ml/1 c. à thé de sucre roux
bouillon clair *(voir p. 16)* ou eau, si besoin
15 ml/1 c. à soupe de sauce de soja claire
quelques gouttes d'huile de sésame
   (facultatif)

2 Faites chauffer l'huile dans un wok préchauffé, ajoutez les légumes et remuez pendant 2 minutes.

3 Incorporez le sel, le sucre, un peu de bouillon ou d'eau, si besoin, puis faites revenir 1 minute. Versez la sauce de soja et l'huile de sésame. Mélangez intimement avant de servir.

1 Détaillez les légumes en morceaux de formes et tailles identiques, sauf les épis de maïs que vous laissez entiers.

Curry rouge de tofu et de haricots verts

Dans ce curry simple à réaliser,
vous pouvez remplacer
les haricots verts par des
aubergines, des brocolis
ou des pousses de bambou.

INGRÉDIENTS

Pour 4 à 6 personnes

600 ml/1 pinte/2½ tasses de lait de coco
15 ml/1 c. à soupe de pâte de curry rouge
45 ml/3 c. à soupe de sauce de poisson
10 ml/2 c. à thé de sucre de palme
225 g/8 oz de champignons de Paris
115 g/4 oz de haricots verts épluchés
175 g/6 oz de tofu rincé et détaillé
   en cubes de 2 cm/¾ po
4 feuilles de lime ciselées
2 piments rouges émincés
quelques feuilles de coriandre,
   pour le service

1 Versez un tiers du lait de coco dans
un wok ou une casserole. Faites-le
chauffer jusqu'à ce qu'il commence à se
séparer et présente un aspect luisant.

2 Ajoutez la pâte de curry, la sauce de
poisson et le sucre, puis mélangez
intimement.

3 Incorporez les champignons et
faites cuire 1 minute.

4 Versez le reste du lait de coco et
portez à ébullition.

5 Mélangez les haricots verts, le tofu,
puis laissez frémir 4 à 5 minutes.

6 Ajoutez enfin les feuilles de lime et
les piments, puis servez décoré de
feuilles de coriandre.

Chou chinois et mooli aux noix de Saint-Jacques

Dans cette préparation facile au wok, le chou chinois et le mooli apportent leur texture croquante. Tous les ingrédients doivent être prêts avant d'entamer la cuisson.

INGRÉDIENTS

Pour 4 personnes

10 noix de Saint-Jacques préparées
75 ml/5 c. à soupe d'huile végétale
3 gousses d'ail, finement hachées
1 cm/½ po de gingembre frais finement émincé
4 à 5 ciboules coupées dans la longueur
  en sections de 2,5 cm/1 po
30 ml/2 c. à soupe de vin de riz chinois
  ou de Xérès sec
½ mooli débité en tranches de 1 cm/½ po
1 chou chinois coupé en julienne
  dans la longueur
60 ml/4 c. à soupe d'eau

La marinade

5 ml/1 c. à thé de Maïzena
1 blanc d'œuf légèrement battu
1 pincée de poivre blanc

La sauce

5 ml/1 c. à thé de Maïzena
60 ml/4 c. à soupe d'eau
45 ml/3 c. à soupe de sauce d'huitre

1 Rincez les noix de Saint-Jacques, puis séparez le corail de la chair blanche. Taillez chaque noix en deux et coupez le corail en petits morceaux. Posez sur deux plats séparés. Pour préparer la marinade, mélangez la Maïzena, le blanc d'œuf et le poivre. Versez-en la moitié sur la chair blanche, le reste sur le corail, puis laissez reposer 10 minutes.

2 Pour préparer la sauce, délayez la Maïzena dans l'eau et la sauce d'huître, puis réservez.

3 Faites chauffer 30 ml/2 c. à soupe d'huile dans un wok préchauffé. Faites revenir pendant 30 secondes la moitié de l'ail, puis la moitié du gingembre et des ciboules. Mélangez ensuite les noix de Saint-Jacques (sans le corail) pendant 1 minute, jusqu'à ce qu'elles deviennent opaques. Réduisez le feu et versez 15 ml/1 c. à soupe de vin de riz ou de Xérès. Laissez chauffer, puis mettez les noix et le jus de cuisson dans un saladier et réservez.

4 Faites chauffer encore 30 ml/2 c. à soupe d'huile dans le wok et lais-sez blondir le reste de l'ail, du gingembre et des ciboules pendant 1 minute. Ajoutez le corail et ce qui reste de vin de riz ou de Xérès, remuez, puis posez sur un plat.

5 Faites revenir le mooli pendant 30 secondes dans le reste d'huile chaude. Ajoutez le chou et laissez rissoler 30 secondes. Versez ensuite la sauce et l'eau. Laissez frémir un peu avant d'incorporer les noix et le corail avec le jus. Faites chauffer brièvement.

Tofu aux épices

Choisissez des légumes à cuisson
rapide pour cette préparation
au wok – pois mange-tout ou
gourmands, poireaux ou carottes.

INGRÉDIENTS

Pour 4 personnes

10 ml/2 c. à thé de cumin en poudre
15 ml/1 c. à soupe de paprika
5 ml/1 c. à thé de gingembre en poudre
1 bonne pincée de poivre de Cayenne
15 ml/1 c. à soupe de sucre en poudre
275 g/10 oz de tofu ferme
huile de friture
2 gousses d'ail écrasées
1 botte de ciboules émincées
1 poivron rouge épépiné et émincé
1 poivron jaune épépiné et émincé
225 g/8 oz de champignons de Paris roses
    coupés en deux ou en quatre
1 grosse courgette émincée
115 g/4 oz de haricots verts fins coupés
    en deux
50 g/2 oz de pignons de pin
15 ml/1 c. à soupe de jus de citron vert
15 ml/1 c. à soupe de miel liquide
sel et poivre noir du moulin

3 Ajoutez un peu d'huile dans le
wok, puis faites blondir l'ail et les
ciboules pendant 3 minutes. Incorporez
le reste des légumes et laissez rissoler
pendant 6 minutes à feu moyen, jusqu'à
ce qu'ils commencent à dorer et à
ramollir. Assaisonnez.

4 Remettez le tofu dans le wok avec
les pignons de pin, le jus de citron
et le miel. Faites chauffer et servez.

1 Mélangez le cumin, le paprika, le
gingembre, le poivre de Cayenne, le
sucre, salez et poivrez généreusement.
Détaillez le tofu en cubes, puis enrobez-
le de préparation aux épices.

2 Dans un wok préchauffé, faites
revenir le tofu à feu vif pendant
3 à 4 minutes dans l'huile chaude.
Retournez-le de temps en temps, sans
casser les morceaux. Retirez-le avec une
écumoire. Essuyez le wok avec du
papier absorbant.

Choux de Bruxelles à la chinoise

Pour varier la saveur des choux
de Bruxelles, préparez-les selon
cette recette, avec un peu d'huile.

INGRÉDIENTS

Pour 4 personnes

450 g/1 lb de choux de Bruxelles
5 ml/1 c. à thé d'huile de sésame
  ou de tournesol
2 ciboules émincées
2,5 ml/½ c. à thé de cinq-épices
15 ml/1 c. à soupe de sauce de soja claire

1 Épluchez les choux de Bruxelles,
puis détaillez-les finement avec un
couteau bien affûté ou dans un mixer.

2 Faites chauffer l'huile dans un wok
ou une poêle. Ajoutez les choux
de Bruxelles, les ciboules, et faites-les
revenir 2 minutes, sans les laisser dorer.

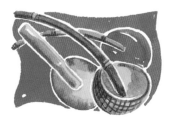

3 Incorporez le cinq-épices, la sauce
de soja et poursuivez la cuisson
pendant 2 à 3 minutes.

4 Servez chaud, avec de la viande,
du poisson grillé, ou d'autres mets
asiatiques.

CONSEIL

Ce mode de cuisson est idéal pour
préserver la vitamine C contenue dans
les choux de Bruxelles. Il convient
aussi parfaitement au chou.

LES SALADES

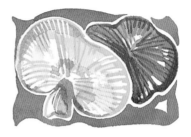

*Les salades asiatiques ne se réduisent
pas à quelques lanières de chou chinois
et à des germes de soja. Les recettes
qui suivent proposent des salades tièdes
à déguster en toute saison, des mélanges
étonnants de fruits et légumes crus,
des alliances subtiles de parfums et de
saveurs sucrés et épicés, des associations
de textures croquantes et fondantes.
Essayez la* Salade thaïlandaise
de fruits et de légumes, *la* Salade
chaude de crevettes et de papaye,
la Salade de nouilles au sésame
et aux cacahuètes *ou la* Salade
piquante de poulet.

Salade au tofu et au concombre

Le *Tahu goreng ketjap* est une salade fort nourrissante, que l'on accompagne d'une vinaigrette aigre-douce piquante. Elle est très appréciée lors d'un buffet.

INGRÉDIENTS

Pour 4 à 6 personnes

1 petit concombre
huile de friture
1 morceau de tofu frais ou 120 g/4 oz de tofu
    en sachet
120 g/4 oz de germes de soja taillés et rincés
sel

La vinaigrette

1 petit oignon râpé
2 gousses d'ail écrasées
2,5 ml/½ c. à thé de poudre de piment
30 à 45 ml/2 à 3 c. à soupe de sauce
    de soja brune
15 à 30 ml/1 à 2 c. à soupe de vinaigre de riz
10 ml/2 c. à thé de sucre brun
sel
feuilles de céleri, pour le service

1 Taillez les extrémités du concombre avant de le couper en dés. Saupoudrez de sel et réservez.

CONSEIL

Les germes de soja sont issus des haricots mungo. Vous pouvez en faire germer facilement chez vous, sur du coton humide par exemple. Il faut impérativement les consommer frais. Vérifiez toujours qu'ils soient croquants et ne commencent pas à brunir ou ramollir. Les germes de soja ne se conservent que 1 ou 2 jours.

---

2 Coupez le tofu en dés. Chauffez un peu d'huile dans une poêle et faites revenir le tofu, jusqu'à ce qu'il soit bien doré. Égouttez sur du papier absorbant.

3 Pour préparer la vinaigrette, mélangez l'oignon, l'ail et la poudre de piment. Tout en remuant, ajoutez la sauce de soja, le vinaigre, le sucre et le sel.

4 Avant de servir, rincez les morceaux de concombre à l'eau froide, puis égouttez-les et séchez-les bien. Mélangez ensemble le concombre, le tofu et les germes de soja dans un saladier. Versez la vinaigrette sur la salade. Garnissez de feuilles de céleri et servez.

Salade de légumes, sauce aux cacahuètes

La délicieuse sauce aux cacahuètes de cette recette permet d'apprécier les performances du wok en cuisson avec ou sans matière grasse.

INGRÉDIENTS

Pour 4 à 6 personnes

2 pommes de terre épluchées
175 g/6 oz de haricots verts équeutés

La sauce aux cacahuètes

150 g/5 oz de cacahuètes
15 ml/1 c. à soupe d'huile végétale
2 échalotes (ou 1 petit oignon)
  finement hachées
1 gousse d'ail écrasée
1 ou 2 petits piments épépinés
  et finement hachés
15 ml/1 c. à soupe de sauce de poisson
  ou 1 morceau de pâte de crevettes
  (facultatif)
30 ml/2 c. à soupe de sauce de tamarin
100 ml/4 oz/½ tasse de lait de coco en boîte
15 ml/1 c. à soupe de miel

La salade

175 g/6 oz de chou chinois coupé en lanières
feuilles de laitues ou de romaine
175 g/6 oz de germes de soja lavés
½ concombre coupé en bâtonnets
150 g/5 oz de gros radis blancs
  coupés en lamelles
3 ciboules coupées
230 g/8 oz de tofu coupé en gros dés
3 œufs durs coupés en quartiers

1 Cuisez les pommes de terre dans de l'eau salée, 20 minutes. Cuisez de même les haricots verts 3 à 4 minutes. Rafraîchissez les pommes de terre et les haricots à l'eau froide et égouttez-les.

2 Pour confectionner la sauce aux cacahuètes, grillez les cacahuètes à sec dans un wok ou sous le gril d'un four. Versez-les ensuite sur une serviette propre, refermez-la et frottez pour que la peau des cacahuètes se détache. Enfin, broyez les cacahuètes dans un mixer, pendant 2 minutes.

3 Chauffez l'huile dans un wok et faites revenir les échalotes (ou l'oignon), l'ail et les piments sans les laisser se colorer. Ajoutez la sauce de tamarin, le lait de coco et le miel, ainsi que la sauce de poisson ou la pâte de crevettes (facultatif). Laissez mijoter brièvement, puis versez dans le mixer sur les cacahuètes. Mixez pour obtenir une sauce épaisse.

4 Disposez tous les ingrédients de la salade, les pommes de terre et les haricots sur un grand plateau et servez avec un bol de sauce à la cacahuète.

Salade thaïlandaise aux fruits de mer

Cette salade assaisonnée au piment, à la citronnelle et à la sauce de poisson est à la fois très légère et rafraîchissante.

INGRÉDIENTS

Pour 4 personnes

230 g/8 oz de calmars préparés
230 g/8 oz de grosses crevettes crues
8 coquilles Saint-Jacques
230 g/8 oz de filets de poisson blanc ferme
30 à 45 ml/2 à 3 c. à soupe d'huile d'olive
petites feuilles de laitue et branches
   de coriandre, pour le service

La vinaigrette

2 petits piments rouges épépinés et hachés
1 branche de citronnelle de 5 cm/2 po
   de long, finement hachée
2 feuilles de lime de Cafre fraîche,
   coupées en lanières
30 ml/2 c. à soupe de sauce de poisson
   thaïlandaise *(nam pla)*
2 échalotes coupées en fines rondelles
30 ml/2 c. à soupe de jus de citron vert
30 ml/2 c. à soupe de vinaigre de riz
10 ml/2 c. à thé de sucre en poudre

1 Préparez les fruits de mer : ouvrez les calmars, entaillez leur chair avec un petit couteau aiguisé, puis coupez-les en dés. Si nécessaire, coupez en deux les tentacules. Décortiquez les crevettes. Retirez la barbe et le muscle dur des coquilles Saint-Jacques. Détaillez le poisson blanc en dés.

CONSEIL

Afin d'éviter le risque que
les crevettes soient porteuses de germes,
il est primordial de bien les cuire.

2 Étalez l'huile dans un wok chaud. Faites revenir les crevettes 2 à 3 minutes, afin qu'elles rosissent, et transférez-les dans un grand saladier. Faites sauter les calmars et les noix de Saint-Jacques 1 à 2 minutes. Ajoutez-les aux crevettes. Mettez à revenir le poisson blanc 2 à 3 minutes et ajoutez-le aux fruits de mer. Conservez les jus obtenus.

3 Versez dans un bol les ingrédients de la vinaigrette, ainsi que les jus de cuisson réservés. Mélangez bien.

4 Versez la vinaigrette sur les fruits de mer et remuez avec précaution. Disposez des feuilles de salade et des branches de coriandre sur 4 assiettes. Couvrez de fruits de mer et servez.

Salade de chou

Une préparation au chou simple et délicieuse, pouvant s'adapter à d'autres légumes tels que brocolis, chou-fleur, germes de soja ou chou chinois.

INGRÉDIENTS

Pour 4 à 6 personnes

30 ml/2 c. à soupe de sauce de poisson
zeste râpé de 1 citron vert non traité
30 ml/2 c. à soupe de jus de citron vert
120 ml/4 oz/½ tasse de lait de coco
30 ml/2 c. à soupe d'huile végétale
2 gros piments rouges épépinés
    et coupés en fines lanières
6 gousses d'ail grossièrement hachées
6 échalotes coupées en fines rondelles
1 petit chou blanc coupé en lanières
30 ml/2 c. à soupe de cacahuètes grillées
    grossièrement hachées, pour le service

1 Préparez la vinaigrette en mélangeant la sauce de poisson, le jus et le zeste de citron et le lait de coco. Réservez.

2 Chauffez l'huile dans un wok et faites revenir les piments, l'ail et les échalotes, jusqu'à ce que ces dernières soient dorées et croustillantes. Réservez.

3 Faites blanchir le chou en le plongeant dans de l'eau bouillante salée pendant 2 à 3 minutes environ. Égouttez bien avant de le verser dans un saladier.

4 Arrosez le chou de vinaigrette. Mélangez bien. Transférez ensuite sur un grand plat. Versez en pluie sur la salade de chou le mélange d'échalotes, d'ail et de piments, ainsi que les cacahuètes grillées.

Salade piquante de poulet

INGRÉDIENTS

Pour 4 à 6 personnes

2 escalopes de poulet sans la peau
1 petit piment rouge épépiné
 et finement haché
1 cm/½ po de gingembre frais, épluché
 et finement haché
1 gousse d'ail hachée
15 ml/1 c. à soupe de beurre de cacahuètes
30 ml/2 c. à soupe de feuilles
 de coriandre hachées
5 ml/1 c. à thé de sucre
2,5 ml/½ c. à thé de sel
15 ml/1 c. à soupe de vinaigre de riz
 (ou de vinaigre de vin blanc)
60 ml/4 c. à soupe d'huile végétale
10 ml/2 c. à thé de sauce de poisson (facultatif)
120 g/4 oz de germes de soja
1 chou chinois coupé en lanières
2 carottes moyennes coupées
 en fines lamelles
1 oignon rouge coupé en fines rondelles
2 gros cornichons coupés en lamelles

1 Découpez les escalopes de poulet en fines tranches et réservez dans un saladier. Broyez ensemble le piment, le gingembre et l'ail dans un mortier. Incorporez le beurre de cacahuètes, la coriandre, le sucre et le sel.

2 Ajoutez le vinaigre, 30 ml/2 c. à soupe d'huile et, éventuellement, la sauce de poisson. Mélangez bien et versez sur le poulet, en l'enduisant entièrement. Laissez mariner au moins 2 à 3 heures.

3 Faites chauffer le reste de l'huile (30 ml/2 c. à soupe) dans un wok préchauffé. Mettez à cuire le poulet pendant 10 à 12 minutes, en retournant les morceaux de temps à autre. Dans le même temps, disposez sur un plat les germes de soja, le chou chinois, les carottes, les rondelles d'oignon et les lamelles de cornichon. Servez ensuite les morceaux de poulet sur cette salade très décorative.

Salade de luzerne au crabe et aux nouilles frites

INGRÉDIENTS

Pour 4 à 6 personnes

huile de friture végétale
50 g/2 oz de nouilles de riz chinoises
2 crabes préparés (ou 150 g/5 oz de chair
 de crabe blanc surgelée, décongelée)
120 g/4 oz de germes de luzerne
1 petite scarole
4 branches de coriandre fraîche hachées
1 tomate pelée, évidée et coupée
4 feuilles de menthe fraîche
 grossièrement hachées

La vinaigrette au sésame

45 ml/3 c. à soupe d'huile végétale
15 ml/1 c. à soupe d'huile de sésame
½ piment rouge épépiné et haché
1 morceau de gingembre confit au sirop,
 coupé en lamelles
10 ml/2 c. à thé de sirop de gingembre
10 ml/2 c. à thé de sauce de soja
le jus d'½ citron vert

1 Pour la vinaigrette, mélangez les huiles dans un bol. Incorporez le piment, le gingembre confit, le sirop de gingembre, la sauce de soja et le jus de citron.

2 Dans un wok préchauffé avec l'huile à 190 °C/375 °F, faites frire les nouilles par poignées, afin qu'elles soient croustillantes. Égouttez sur du papier absorbant.

3 Émiettez le crabe dans un saladier et mélangez-le bien aux germes de luzerne. Dans un plat de service creux, disposez la scarole, la coriandre, la tomate et la menthe, et remuez délicatement. Posez dessus un petit nid de nouilles frites et terminez en surmontant l'ensemble de germes de luzerne et de crabe.

Salade de nouilles et poulet au sésame

INGRÉDIENTS

Pour 4 à 6 personnes

400 g/14 oz de nouilles chinoises aux œufs
1 carotte coupée en fine julienne
50 g/2 oz de haricots mange-tout équeutés,
    coupés en fines lanières et blanchis
115 g/4 oz de germes de soja, blanchis
30 ml/2 c. à soupe d'huile d'olive
230 g/8 oz d'escalopes de poulet,
    sans la peau, coupées en fines lamelles
30 ml/2 c. à soupe de graines
    de sésame grillées
sel et poivre noir fraîchement moulu
2 ciboules coupées en fines rondelles
    et quelques feuilles de coriandre,
    pour le service

La vinaigrette

45 ml/3 c. à soupe de vinaigre de Xérès
75 ml/5 c. à soupe de sauce de soja
60 ml/4 c. à soupe d'huile de sésame
90 ml/6 c. à soupe d'huile d'olive légère
1 gousse d'ail finement hachée
5 ml/1 c. à thé de gingembre râpé
1 pincée de sel

1 Pour préparer la vinaigrette, mélangez ensemble tous ses ingrédients dans un bol.

2 Cuisez les nouilles dans une grande casserole d'eau bouillante. Remuez de temps en temps pour les séparer. Attention à ne pas les laisser cuire trop longtemps. Égouttez et rincez à l'eau froide, puis égouttez à nouveau et versez dans un saladier.

3 Disposez les légumes sur les nouilles et arrosez de la moitié de la vinaigrette. Mélangez bien. Salez et poivrez à votre goût.

4 Chauffez l'huile dans un wok. Faites revenir le poulet 3 minutes, jusqu'à ce qu'il soit doré et bien cuit. Retirez du feu. Ajoutez les graines de sésame et un peu de la vinaigrette restante.

5 Disposez les nouilles sur des assiettes individuelles, en formant un puits au centre de chacune d'elles. Déposez les morceaux de poulet au milieu et garnissez de rondelles de ciboule et de feuilles de coriandre. Servez accompagné du reste de vinaigrette.

Salade aux pommes de terre et vermicelles

INGRÉDIENTS

Pour 4 personnes

2 pommes de terre moyennes, épluchées
    et coupées en 8 morceaux
175 g/6 oz de vermicelles transparents,
    ramollis dans de l'eau chaude
60 ml/4 c. à soupe d'huile végétale
1 oignon coupé en fines rondelles
5 ml/1 c. à thé de curcuma moulu
60 ml/4 c. à soupe de farine de pois chiches
5 ml/1 c. à thé de zeste râpé de citron
    non traité
60 à 75 ml/4 à 5 c. à soupe de jus de citron
45 ml/3 c. à soupe de sauce de poisson
4 ciboules coupées en petites rondelles
sel et poivre noir moulu

1 Plongez les pommes de terre dans une casserole d'eau salée et faites-les bouillir 15 minutes environ, jusqu'à ce qu'elles soient tendres mais fermes. Égouttez et laissez refroidir.

2 Pendant que les pommes de terre refroidissent, faites cuire les vermicelles – préalablement égouttés – dans une casserole d'eau bouillante pendant 3 minutes. Égouttez et rincez à l'eau froide. Égouttez à nouveau.

3 Dans un wok préchauffé avec l'huile, faites revenir l'oignon et le curcuma 5 minutes, jusqu'à ce que l'oignon soit doré. Égouttez l'oignon et réservez l'huile.

4 Mettez la farine de pois chiches à cuire 4 minutes dans une petite poêle chaude. Remuez constamment, jusqu'à ce que la farine dore légèrement.

5 Dans un grand saladier, mélangez les pommes de terre, les vermicelles et l'oignon frit. Ajoutez l'huile réservée, ainsi que la farine de pois chiches, le zeste et le jus de citron, la sauce de poisson et les rondelles de ciboule. Remuez bien. Salez et poivrez. Servez aussitôt.

Salade de vermicelles de riz et porc au curry

Le porc sauté ajoute une note croustillante à cette salade.

INGRÉDIENTS

Pour 4 personnes

230 g/8 oz d'escalope de porc
2 gousses d'ail finement hachées
5 à 10 ml/1 à 2 c. à thé de gingembre frais finement haché
30 à 45 ml/2 à 3 c. à soupe de vin de riz chinois (ou de Xérès sec)
45 ml/3 c. à soupe d'huile végétale
2 branches de citronnelle hachées
10 ml/2 c. à thé de curry en poudre
175 g/6 oz de germes de soja
230 g/8 oz de vermicelles de riz ramollis dans de l'eau chaude
½ laitue coupée en lanières
30 ml/2 c. à soupe de feuilles de menthe
jus de citron et sauce de poisson, à discrétion
sel et poivre noir moulu
2 ciboules hachées, 25 g/1 oz de cacahuètes grillées et hachées, petites fritures de porc (facultatif), pour le service

1 Coupez l'escalope de porc en fines lamelles et mélangez avec la moitié de l'ail et du gingembre. Salez, poivrez et versez dessus 30 ml/2 c. à soupe de vin de riz. Laissez mariner au moins 1 heure.

2 Chauffez l'huile dans un wok et faites revenir quelques secondes le reste d'ail et de gingembre. En remuant, ajoutez le porc et sa marinade, puis la citronnelle et le curry en poudre. Laissez revenir jusqu'à ce que le porc soit doré et bien cuit. Ajoutez du vin de riz si le mélange est trop sec.

3 Versez les germes de soja dans une passoire en inox et plongez la passoire dans une casserole d'eau bouillante pendant 1 minute. Égouttez et passez sous l'eau froide. Égouttez de nouveau. Dans la même eau bouillante, faites cuire les vermicelles 3 à 5 minutes. Rincez à l'eau froide avant de les égoutter et de les transférer dans un saladier.

4 Ajoutez aux vermicelles les germes de soja, les lanières de laitue et la menthe. Assaisonnez de jus de citron et de sauce de poisson. Salez, poivrez et remuez.

5 Préparez des portions individuelles en créant un nid de vermicelles sur chaque assiette. Déposez au centre le mélange à base de porc. Garnissez de ciboule hachée, de cacahuètes grillées et, éventuellement, de fritures de porc.

Salade larp de Chiang Mai

Chiang Mai est une petite ville du nord-est de la Thaïlande. Elle est célèbre notamment pour sa salade de poulet, appelée *larp* (ou *laap*). Le poulet peut être remplacé par du canard, du bœuf ou du porc.

INGRÉDIENTS

Pour 4 à 6 personnes

450 g/1 lb d'émincé de poulet
1 branche de citronnelle
   finement hachée
3 feuilles de lime de Cafre hachées
4 piments rouges épépinés et hachés
60 ml/4 c. à soupe de jus de citron vert
30 ml/2 c. à soupe de sauce de poisson
15 ml/1 c. à soupe de riz concassé grillé
2 ciboules hachées
30 ml/2 c. à soupe de feuilles
   de coriandre
quelques feuilles de menthe,
   feuilles de salades mélangées,
   rondelles de concombre et de tomate,
   pour le service

1 Chauffez un wok ou une grande poêle antiadhésive. Mettez à cuire l'émincé de poulet avec un peu d'eau.

CONSEIL

Pour préparer le riz concassé grillé, choisissez de préférence un riz gluant. Grillez le riz à sec jusqu'à ce qu'il soit bien doré. Broyez-le ensuite dans un mixer ou dans un mortier, pour le réduire en poudre. Ce riz concassé se conservera dans un bocal en verre, à condition d'être entreposé dans un endroit frais et sec.

2 Remuez constamment jusqu'à cuisson complète, environ 7 à 10 minutes.

3 Versez le poulet cuit dans un grand saladier et ajoutez les autres ingrédients. Mélangez bien.

4 Servez la préparation de poulet sur un lit de salades mélangées. Garnissez de rondelles de concombre et de tomate et décorez de quelques feuilles de menthe.

Salade de poulet chinoise

Cette délicieuse salade est un chef-d'œuvre de saveurs subtiles et de textures contrastées.

INGRÉDIENTS

Pour 4 personnes

700 g/1½ lb de blancs de poulet
   coupés en morceaux
60 ml/4 c. à soupe de sauce de soja foncée
1 pincée de c. à thé de cinq-épices
le jus d'1 citron
½ concombre pelé et détaillé en bâtonnets
5 ml/1 c. à thé de sel
45 ml/3 c. à soupe d'huile de tournesol
30 ml/2 c. à soupe d'huile de sésame
15 ml/1 c. à soupe de graines de sésame
30 ml/2 c. à soupe de vin de riz chinois
   ou de Xérès sec
2 carottes coupées en julienne
8 ciboules coupées en fines lanières
75 g/3 oz de germes de soja

La sauce

60 ml/4 c. à soupe de beurre de cacahuètes
10 ml/2 c. à thé de jus de citron
10 ml/2 c. à thé d'huile de sésame
1,5 ml/¼ c. à thé de poudre de piment
1 ciboule hachée menu

1 Disposez les morceaux de poulet dans une grande casserole et couvrez d'eau. Ajoutez 15 ml/1 c. à soupe de sauce de soja, le cinq-épices, le jus de citron, couvrez et portez à ébullition, puis laissez frémir 20 minutes.

2 Pendant ce temps, mettez les morceaux de concombre dans une passoire, saupoudrez-les de sel et couvrez-les avec une assiette. Laissez-les dégorger 30 minutes, en plaçant la passoire dans un saladier.

3 Sortez le poulet avec une écumoire et laissez-le refroidir. Retirez et jetez la peau. Écrasez légèrement le poulet avec un rouleau à pâtisserie pour l'attendrir. Détaillez-le en lanières et réservez.

4 Faites chauffer l'huile de tournesol et l'huile de sésame dans un wok préchauffé. Faites revenir les graines de sésame pendant 30 secondes, versez le reste de sauce de soja et le vin de riz ou le Xérès.

5 Ajoutez les carottes et faites rissoler pendant 2 à 3 minutes. Retirez du feu et réservez.

6 Rincez soigneusement le concombre, essuyez-le avec du papier absorbant, puis mettez-le dans un saladier. Incorporez les ciboules, les germes de soja, les carottes, le jus de cuisson, le poulet, et mélangez. Mettez sur un plat. Couvrez et laissez 1 heure au frais, en remuant une ou deux fois.

7 Pour préparer la sauce, travaillez le beurre de cacahuètes avec le jus de citron, l'huile de sésame et la poudre de piment, en mouillant avec un peu d'eau chaude pour former une pâte. Ajoutez la ciboule. Dressez la préparation au poulet sur un plat et servez avec la sauce.

Salade de nouilles et de crevettes aux herbes

Vous pouvez remplacer
les crevettes par des calmars,
des noix de Saint-Jacques,
des moules ou du crabe.

INGRÉDIENTS

Pour 4 personnes

115 g/4 oz de nouilles cellophane, ramollies
   après avoir trempé dans de l'eau chaude
16 crevettes cuites décortiquées
1 petit poivron vert épépiné
   et coupé en julienne
½ concombre coupé en julienne
1 tomate détaillée en fins morceaux
2 échalotes finement émincées
sel et poivre noir du moulin
quelques feuilles de coriandre, pour le service

L'assaisonnement

15 ml/1 c. à soupe de vinaigre de riz
30 ml/2 c. à soupe de sauce de poisson
30 ml/2 c. à soupe de jus de citron vert
1 pincée de sel
2,5 ml/½ c. à thé de gingembre frais râpé
1 tige de citronnelle finement hachée
1 piment rouge épépiné et finement émincé
30 ml/2 c. à soupe de menthe
   grossièrement ciselée
quelques branches d'estragon
   grossièrement ciselées
15 ml/1 c. à soupe de ciboule ciselée

1 Pour préparer l'assaisonnement, mélangez les ingrédients avec un fouet dans un petit saladier.

2 Égouttez les nouilles, puis ébouillantez-les 1 minute dans une casserole. Égouttez-les, rincez-les sous l'eau froide, et égouttez-les de nouveau.

3 Réunissez dans un grand saladier les nouilles, les crevettes, le poivron, le concombre, la tomate et les échalotes. Salez et poivrez légèrement, puis mélangez avec l'assaisonnement.

4 Répartissez les nouilles sur des assiettes de service, disposez les crevettes dessus. Décorez de feuilles de coriandre et servez aussitôt.

> ――――――― CONSEIL ―――――――
> Les crevettes sont souvent vendues cuites,
> parfois décortiquées. Pour les cuire
> vous-même, pochez-les 5 minutes dans
> l'eau bouillante. Laissez-les refroidir
> dans le jus de cuisson, puis retirez
> délicatement la carapace au niveau
> de la queue et arrachez la tête.

Salade de poulet chaude

Les salades chaudes sont de plus
en plus prisées car elles sont à la
fois délicieuses et nourrissantes.
Dressez les feuilles de salade
à l'avance sur les assiettes,
de manière à servir rapidement
dessus la garniture chaude.

INGRÉDIENTS

Pour 4 personnes

450 g/1 lb de blancs de poulet sans la peau
quelques grandes branches d'estragon frais
5 cm/2 po de gingembre pelé
    et finement haché
45 ml/3 c. à soupe de sauce de soja claire
15 ml/1 c. à soupe de sucre
15 ml/1 c. à soupe d'huile de tournesol
1 laitue chinoise
½ laitue frisée coupée en chiffonnade
2 grosses carottes détaillées en julienne
115 g/4 oz/1 tasse de noix de cajou
    non salées
sel et poivre noir du moulin

1 Séparez les feuilles d'estragon des
tiges, puis hachez les feuilles.

2 Débitez le poulet en fine lamelles
et mettez-les dans un plat.

3 Pour préparer la marinade, mélangez dans un saladier l'estragon, le
gingembre, la sauce de soja, le sucre et
l'assaisonnement.

4 Versez la marinade sur le poulet
et réservez 2 à 4 heures dans un
endroit frais.

5 Égouttez le poulet et réservez la
marinade. Dans un wok préchauffé,
faites rissoler le poulet 3 minutes dans
l'huile chaude. Versez la marinade et
laissez frémir 2 à 3 minutes.

6 Détaillez la laitue chinoise en chiffonnade et dressez sur un plat avec
la frisée. Mélangez les carottes et les
noix de cajou au poulet, posez sur le lit
de laitue et servez aussitôt.

Salade de bœuf thaïlandaise

Une salade nourrissante à base
de bœuf, rehaussée d'une sauce
au piment et au citron vert.

INGRÉDIENTS

Pour 4 personnes

2 steaks de 225 g/8 oz chacun
1 oignon rouge finement émincé
½ concombre détaillé en julienne
1 tige de citronnelle finement hachée
30 ml/2 c. à soupe de ciboules hachées
le jus de 2 citrons verts
15 à 30 ml/1 à 2 c. à soupe de sauce
    de poisson
2 à 4 piments rouges finement émincés,
    de la coriandre fraîche et quelques feuilles
    de cresson et de menthe, pour le service

1 Faites cuire les steaks à point, à la
poêle ou sur le gril. Laissez reposer
10 à 15 minutes.

2 Coupez-les en tranches fines et
mettez-les dans un grand saladier.

3 Ajoutez l'oignon, le concombre et
la citronnelle.

4 Incorporez les ciboules. Remuez,
puis arrosez de jus de citron et de
sauce de poisson. Servez à température
ambiante ou froid, décoré de piments,
de coriandre, de cresson et de menthe.

Salade piquante au poulet

Très représentative de la cuisine thaïe, cette salade fraîche et colorée est idéale comme entrée ou pour un déjeuner léger.

INGRÉDIENTS

Pour 4 à 6 personnes

4 blancs de poulet sans la peau
2 gousses d'ail grossièrement hachées
30 ml/2 c. à soupe de sauce de soja
30 ml/2 c. à soupe d'huile végétale
120 ml/4 oz/½ tasse de crème de coco
30 ml/2 c. à soupe de sauce de poisson
le jus d'1 citron vert
30 ml/2 c. à soupe de sucre de palme
115 g/4 oz de châtaignes d'eau émincées
50 g/2 oz de noix de cajou grillées
4 échalotes coupées finement
4 feuilles de lime ciselées
1 tige de citronnelle finement émincée
5 ml/1 c. à thé de *galanga* haché
1 gros piment rouge épépiné
    et finement émincé
2 ciboules finement émincées
10 à 12 feuilles de menthe ciselées
quelques branches de coriandre, 1 piment
    rouge épépiné et émincé, et 1 laitue,
    pour le service

2 Faites cuire le poulet 3 à 4 minutes de chaque côté, à la poêle ou sur le gril. Retirez-le et laissez refroidir.

3 Faites chauffer dans une casserole la crème de coco, la sauce de poisson, le jus de citron et le sucre de palme. Remuez jusqu'à dissolution du sucre, puis retirez du feu.

4 Coupez le poulet en fines tranches, et mélangez-le aux châtaignes d'eau, noix de cajou, échalotes, feuilles de lime, ciboules, feuilles de menthe, *galanga*, piment rouge et à la citronnelle.

1 Parez les blancs de poulet avant de les disposer dans un grand plat. Saupoudrez-les d'ail, arrosez-les de sauce de soja et d'15 ml/1 c. à soupe d'huile. Laissez mariner 1 à 2 heures.

5 Versez la sauce à la noix de coco sur le poulet et remuez délicatement. Présentez le poulet sur un lit de laitue, décoré de coriandre et de piment.

Nouilles à l'ananas, au gingembre et au piment

INGRÉDIENTS

Pour 4 personnes

275 g/10 oz de nouilles *udon* sèches
½ ananas épluché, évidé et coupé en tranches
45 ml/3 c. à soupe de sucre roux
60 ml/4 c. à soupe de jus de citron vert
60 ml/4 c. à soupe de lait de coco
30 ml/2 c. à soupe de sauce de poisson
30 ml/2 c. à soupe de gingembre frais râpé
2 gousses d'ail finement hachées
1 mangue mûre ou 2 pêches coupées en dés
sel et poivre noir du moulin
1 ciboule finement émincée, 1 piment
    rouge épépiné et finement détaillé,
    et quelques feuilles de menthe,
    pour le service

1 Faites cuire les nouilles dans une grande casserole d'eau bouillante, suivant les instructions du fabricant. Égouttez-les, rincez-les sous l'eau froide, puis égouttez-les de nouveau.

2 Disposez les tranches d'ananas sur un plat à four, saupoudrez-les de 30 ml/2 c. à soupe de sucre roux et faites-les dorer 5 minutes sous le gril. Laissez-les refroidir légèrement avant de les détailler en dés.

3 Mélangez le jus de citron, le lait de coco et la sauce de poisson dans un saladier. Ajoutez le reste de sucre, le gingembre, l'ail, et fouettez vigoureusement. Incorporez les nouilles et l'ananas.

4 Incorporez la mangue ou les pêches et assaisonnez. Parsemez de ciboule, de piment et de feuilles de menthe.

Nouilles de sarrasin au saumon fumé

La saison des pousses de pois étant limitée, vous pouvez les remplacer par du cresson, des poireaux nouveaux, votre légume vert ou votre herbe préférés.

INGRÉDIENTS

Pour 4 personnes

225 g/8 oz de nouilles *soba* ou de sarrasin
15 ml/1 c. à soupe de sauce d'huître
le jus d'½ citron
30 à 45 ml/2 à 3 c. à soupe d'huile d'olive
115 g/4 oz de saumon fumé,
    détaillé en fines lanières
115 g/4 oz de pousses de pois
2 tomates mûres pelées, épépinées
    et détaillées en lanières
15 ml/1 c. à soupe de ciboule ciselée
sel et poivre noir du moulin

1 Faites cuire les nouilles dans une grande casserole d'eau bouillante, en suivant les instructions du fabricant. Égouttez-les, puis rincez-les sous l'eau froide, et égouttez-les de nouveau.

2 Mettez les nouilles dans un grand saladier. Ajoutez la sauce d'huître et le jus de citron. Poivrez et arrosez d'huile d'olive.

3 Incorporez le saumon fumé, les pousses de pois, les tomates et la ciboule. Mélangez avant de servir.

Salade de nouilles et de canard au sésame

Cette salade peut constituer un délicieux déjeuner estival. La marinade réunit de délicates saveurs épicées.

INGRÉDIENTS

Pour 4 personnes

2 magrets de canard
15 ml/1 c. à soupe d'huile végétale
150 g/5 oz de pois gourmands
2 carottes détaillées en bâtonnets
  de 7,5 cm/3 po
225 g/8 oz de nouilles moyennes aux œufs
6 ciboules émincées
1 pincée de sel
quelques feuilles de coriandre fraîche,
  pour le service

La marinade

15 ml/1 c. à soupe d'huile de sésame
5 ml/1 c. à thé de coriandre en poudre
5 ml/1 c. à thé de cinq-épices

L'assaisonnement

15 ml/1 c. à soupe de vinaigre à l'ail
5 ml/1 c. à thé de sucre roux
5 ml/1 c. à thé de sauce de soja
15 ml/1 c. à soupe de graines
  de sésame grillées
45 ml/3 c. à soupe d'huile de tournesol
30 ml/2 c. à soupe d'huile de sésame
poivre noir du moulin

1 Coupez les magrets en fines tranches et mettez-les dans un plat. Mélangez tous les ingrédients de la marinade, versez sur le canard et enrobez-le soigneusement. Couvrez, puis laissez 30 minutes dans un endroit frais.

2 Faites chauffer l'huile dans un wok préchauffé ou une grande poêle, ajoutez le canard et laissez-le rissoler 3 à 4 minutes. Réservez.

3 Portez à ébullition une casserole d'eau salée. Mettez les pois gourmands et les carottes dans un cuiseur qui s'adapte sur la casserole. Lorsque l'eau bout, jetez les nouilles dans la casserole, posez le cuiseur dessus et faites cuire le tout 10 à 15 minutes.

4 Préparez l'assaisonnement en mélangeant le vinaigre, le sucre, la sauce de soja et les graines de sésame dans un bol. Poivrez généreusement, puis incorporez l'huile de tournesol et l'huile de sésame en fouettant.

5 Réservez les légumes cuits. Égouttez les nouilles, rincez-les sous l'eau froide, puis égouttez-les de nouveau. Mettez-les dans un grand saladier chaud.

6 Versez l'assaisonnement sur les nouilles et mélangez bien. Ajoutez les pois gourmands, les carottes, les ciboules, le canard, puis remuez délicatement. Saupoudrez de feuilles de coriandre avant de servir.

Salade de canard à l'avocat et à la framboise

Cuits au four avec un glaçage au miel et à la sauce de soja, ces magrets de canard se servent chauds accompagnés de framboises et d'avocat. Une succulente sauce au goût de framboise et de groseille les rehausse de sa saveur aigre-douce.

INGRÉDIENTS

Pour 4 personnes

4 petits magrets de canard
  ou 2 gros coupés en deux
15 ml/1 c. à soupe de miel liquide
15 ml/1 c. à soupe de sauce de soja foncée
60 ml/4 c. à soupe d'huile d'olive
15 ml/1 c. à soupe de vinaigre de framboises
15 ml/1 c. à soupe de gelée de groseilles
des feuilles de salades variées (laitue,
  chicorée rouge, frisée)
2 avocats dénoyautés, pelés
  et coupés en morceaux
115 g/4 oz de framboises
sel et poivre noir du moulin

1 Piquez la peau des magrets avec une fourchette. Mélangez le miel et la sauce de soja dans un bol, puis humectez-en la peau.

2 Posez les magrets sur une grille, dans la lèchefrite, salez et poivrez. Faites cuire 15 à 20 minutes dans le four préchauffé à 220 °C/425 °F, jusqu'à ce que la peau soit croustillante.

3 Pendant ce temps, préparez la sauce en fouettant vigoureusement l'huile, le vinaigre, la gelée de groseilles, le sel et le poivre dans un petit saladier.

4 Coupez les magrets en tranches et dressez-les sur des assiettes avec les feuilles de salades, les avocats et les framboises. Arrosez de sauce avant de servir.

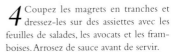

Nouilles épicées à la sichuanaise

INGRÉDIENTS

Pour 4 personnes

350 g/12 oz de nouilles épaisses
175 g/6 oz de poulet cuit détaillé en lamelles
50 g/2 oz de noix de cajou grillées

L'assaisonnement

4 ciboules hachées
30 ml/2 c. à soupe de coriandre ciselée
2 gousses d'ail écrasées
30 ml/2 c. à soupe de beurre de cacahuètes
30 ml/2 c. à soupe de sauce de piment doux
15 ml/1 c. à soupe de sauce de soja
15 ml/1 c. à soupe de vinaigre de Xérès
15 ml/1 c. à soupe d'huile de sésame
30 ml/2 c. à soupe d'huile d'olive
30 ml/2 c. à soupe de bouillon de volaille
   ou d'eau
10 grains de poivre du Sichuan grillés
   et moulus

1 Cuisez les nouilles suivant les instructions du fabricant. Égouttez-les, rincez-les sous l'eau froide, puis égouttez-les de nouveau.

3 Ajoutez les nouilles, le poulet, les noix de cajou, remuez délicatement et rectifiez l'assaisonnement. Servez.

2 Pendant la cuisson des nouilles, réunissez tous les ingrédients de l'assaisonnement dans un grand saladier, puis mélangez-les avec un fouet.

— VARIANTE —
Vous pouvez remplacer le poulet
par de la dinde ou du porc.

Nouilles au sésame et aux ciboules

Frugale mais savoureuse, cette salade chaude se prépare en quelques minutes.

INGRÉDIENTS

Pour 4 personnes

2 gousses d'ail grossièrement hachées
30 ml/2 c. à soupe de pâte de sésame chinoise
15 ml/1 c. à soupe d'huile de sésame
30 ml/2 c. à soupe de sauce de soja
30 ml/2 c. à soupe de vin de riz
15 ml/1 c. à soupe de miel
1 pincée de cinq-épices
350 g/12 oz de nouilles *soba* ou de sarrasin
4 ciboules finement émincées
sel et poivre noir du moulin
50 g/2 oz de germes de soja,
   ¼ de concombre détaillé en julienne,
   et des graines de sésame grillées,
   pour le service

1 Hachez dans un mixer l'ail, la pâte de sésame, l'huile, la sauce de soja, le vin de riz, le miel et le cinq-épices avec du sel et du poivre, jusqu'à obtention d'une consistance lisse.

2 Faites cuire les nouilles dans une casserole d'eau bouillante, en suivant les instructions du fabricant. Égouttez-les aussitôt, puis renversez-les dans un saladier.

3 Mélangez les nouilles chaudes avec l'assaisonnement et les ciboules. Garnissez de germes de soja, de morceaux de concombre et de graines de sésame avant de servir.

— VARIANTE —
Vous pouvez remplacer la pâte
de sésame chinoise par du tahini
ou du beurre de cacahuètes.

Salade aigre-douce de fruits et de légumes

Cet *Acar bening* aux saveurs contrastées et aux couleurs éclatantes accompagne parfaitement de nombreux mets épicés. Les restes de la salade, tout indiquée pour un buffet, peuvent se conserver deux jours au réfrigérateur.

INGRÉDIENTS

Pour 8 personnes

1 petit concombre
1 oignon
1 petit ananas mûr ou 400 g/15 oz
   de tranches d'ananas en boîte
1 poivron vert épépiné et finement émincé
3 tomates fermes coupées en morceaux
25 g/1 oz de sucre roux
45 à 60 ml/3 à 4 c. à soupe de vinaigre de
   cidre ou de vinaigre de vin blanc
100 ml/4 oz/½ tasse d'eau
sel

2 Épluchez l'ananas frais, en retirant les particules dures. Coupez-le en tranches fines, puis évidez-les et détaillez-les en petits morceaux. Si vous utilisez de l'ananas en conserve, coupez les tranches en morceaux réguliers. Incorporez-les dans le saladier, avec le poivron vert et les tomates.

3 Faites chauffer le sucre, le vinaigre et l'eau jusqu'à dissolution du sucre. Retirez du feu et laissez refroidir. Salez avant de verser sur les fruits et les légumes. Couvrez et laissez au frais jusqu'au moment de servir.

1 Pelez le concombre et partagez-le en deux dans la longueur. Ôtez les graines avec une petite cuillère, avant de le détailler en morceaux de taille identique. Saupoudrez-le de sel. Émincez finement l'oignon et salez-le également. Laissez dégorger les deux légumes quelques minutes. Rincez-les, essuyez-les, puis mélangez-les dans un saladier.

Rouleaux de salade aux vermicelles de riz

Le *Goi curo* est une salade de nouilles dans des galettes de riz. Ces rouleaux de salade conviennent parfaitement pour un pique-nique.

INGRÉDIENTS

Pour 8 personnes

50 g/2 oz de vermicelles de riz, ramollis après avoir trempé dans de l'eau chaude
1 grosse carotte détaillée en julienne
15 ml/1 c. à soupe de sucre
15 à 30 ml/1 à 2 c. à soupe de sauce de poisson
8 galettes de riz de 20 cm/8 po de diamètre
8 grosses feuilles de laitue épluchées
350 g/12 oz de rôti de porc coupé en tranches
115 g/4 oz de germes de soja
quelques feuilles de menthe
8 grosses crevettes cuites décortiquées et sans les veines, coupées en deux
½ concombre détaillé en fins bâtonnets
quelques feuilles de coriandre, pour le service

La sauce aux cacahuètes

3 gousses d'ail finement hachées
1 à 2 piments rouges finement hachés
5 ml/1 c. à thé de concentré de tomates
15 ml/1 c. à soupe d'huile végétale
120 ml/4 oz/½ tasse d'eau
15 ml/1 c. à soupe de beurre de cacahuètes
30 ml/2 c. à soupe de sauce *hoi-sin*
2,5 ml/½ c. à thé de sucre
le jus d'1 citron vert
50 g/2 oz de cacahuètes grillées moulues

1 Égouttez les nouilles. Faites-les cuire 2 à 3 minutes dans une casserole d'eau bouillante. Égouttez-les, rincez-les sous l'eau froide, puis égouttez-les de nouveau. Mettez-les dans un saladier, avec la carotte, le sucre et la sauce de poisson.

2 Préparez les rouleaux un par un. Plongez 1 galette de riz dans un saladier d'eau chaude, puis étalez-la sur un plan de travail. Garnissez d'1 feuille de laitue, d'1 à 2 cuillerées de nouilles, de quelques tranches de porc, de germes de soja et de feuilles de menthe.

3 Enroulez la moitié de la galette, repliez les deux côtés vers le centre et posez 2 morceaux de crevette sur le pli.

4 Ajoutez quelques bâtonnets de concombre et des feuilles de coriandre. Continuez à enrouler en serrant bien. Posez le rouleau sur une assiette et couvrez-le avec un torchon humide pour qu'il ne sèche pas pendant la confection des autres.

5 Pour préparer la sauce aux cacahuètes, faites revenir l'ail, les piments et le concentré de tomates 1 minute dans l'huile chaude, dans une casserole. Versez l'eau et portez à ébullition, puis incorporez le beurre de cacahuètes, la sauce *hoi-sin*, le sucre et le jus de citron. Mélangez intimement. Réduisez le feu et laissez frémir 3 à 4 minutes. Versez la sauce dans un saladier, ajoutez les cacahuètes et laissez refroidir.

6 Pour servir, coupez chaque rouleau en deux et nappez d'1 cuillerée de sauce aux cacahuètes.

Gado-gado de fruits et légumes

Pour présenter cette préparation
de manière décorative,
vous pouvez la dresser sur
une feuille de bananier.

INGRÉDIENTS

Pour 6 personnes

2 poires vertes pelées au dernier moment
1 à 2 pommes
le jus d'½ citron
3 tranches d'ananas frais évidées
    et coupées en morceaux
½ concombre épépiné, émincé et salé,
    ayant dégorgé 15 minutes, puis rincé
    et égoutté
6 petites tomates coupées en morceaux
1 petite laitue croquante
    coupée en chiffonnade
3 œufs de poule ou 12 œufs de caille
    durs et écalés
175 g/6 oz de nouilles aux œufs cuites,
    refroidies et coupées
oignons frits, pour le service

La sauce aux cacahuètes

2 à 4 piments rouges frais épépinés
    et moulus
300 ml/½ pinte/1¼ tasses de lait de coco
350 g/12 oz de beurre de cacahuètes
15 ml/1 c. à soupe de sauce de soja foncée
    ou de sucre roux
5 ml/1 c. à thé de jus de tamarin (obtenue
    à partir de pulpe ayant trempé dans
    45 ml/3 c. à soupe d'eau chaude,
    puis filtrée)
quelques cacahuètes grossièrement hachées
sel

1 Pour préparer la sauce aux cacahuètes, réunissez les piments et le
lait de coco dans une casserole. Ajoutez
le beurre de cacahuètes et faites chauffer
doucement, en remuant, jusqu'à dispari-
tion des grumeaux.

2 Laissez frissonner jusqu'à ce que la
sauce épaississe, puis ajoutez la sauce
de soja ou le sucre et le jus de tamarin.
Salez, versez dans un saladier et saupoudrez de cacahuètes.

3 Pour préparer la salade, pelez et évidez les poires et les pommes. Coupez-
les en tranches et arrosez-les de jus de
citron. Disposez les fruits et les légumes
de manière décorative sur une feuille de
bananier ou un lit de salade.

4 Ajoutez les œufs coupés en rondelles
ou en quartiers (ou les œufs de caille
entiers) et les nouilles détaillées en morceaux, et décorez avec les oignons frits.

5 Servez aussitôt, accompagné de la
sauce aux cacahuètes.

Salade de nouilles au sésame et aux cacahuètes

Dans cette salade d'inspiration orientale associant des légumes croquants et une sauce au soja, les cacahuètes chaudes se marient parfaitement avec les nouilles froides.

INGRÉDIENTS

Pour 4 personnes

350 g/12 oz de nouilles aux œufs
2 carottes détaillées en julienne
½ concombre pelé, épépiné
   et détaillé en dés de 1 cm/½ po
115 g/4 oz de céleri-rave épluché
   et détaillé en julienne
6 ciboules finement émincées
8 châtaignes d'eau en boîte, égouttées
   et finement émincées
175 g/6 oz de germes de soja
1 petit piment vert frais épépiné
   et finement haché
30 ml/2 c. à soupe de graines de sésame
   et 115 g/4 oz/1 tasse de cacahuètes,
   pour le service

L'assaisonnement

15 ml/1 c. à soupe de sauce de soja foncée
15 ml/1 c. à soupe de sauce de soja claire
15 ml/1 c. à soupe de miel liquide
15 ml/1 c. à soupe de vin de riz chinois
   ou de Xérès sec
15 ml/1 c. à soupe d'huile de sésame

1 Faites cuire les nouilles dans de l'eau bouillante, en suivant les instructions du fabricant.

2 Égouttez les nouilles, rincez-les sous l'eau froide, puis égouttez-les de nouveau. Mélangez-les avec tous les légumes préparés.

3 Réunissez les ingrédients de l'assaisonnement dans un bol, mélangez bien puis incorporez à la préparation aux nouilles et aux légumes. Répartissez la salade sur les assiettes.

4 Posez les graines de sésame et les cacahuètes sur des plaques de cuisson séparées, puis enfournez à 200° C/400 °F. Retirez les graines de sésame au bout de 5 minutes, les cacahuètes 5 minutes plus tard.

5 Saupoudrez chaque assiette de graines de sésame et de cacahuètes et servez aussitôt.

Salade thaïlandaise de fruits et de légumes

Généralement servie avec le plat principal, cette salade adoucit la saveur relevée du curry thaï.

INGRÉDIENTS

Pour 4 à 6 personnes

1 petit ananas
1 petite mangue pelée, dénoyautée
  et coupée en tranches
1 pomme verte évidée
  et coupée en tranches
6 *ramboutans* ou litchis pelés et dénoyautés
115 g/4 oz de haricots verts coupés en deux
1 oignon rouge moyen émincé
1 petit concombre détaillé en bâtonnets
115 g/4 oz de germes de soja
2 ciboules émincées
1 tomate mûre coupée en quatre
225 g/8 oz de feuilles de laitue
  coupées en chiffonnade
sel

La sauce à la noix de coco

90 ml/6 c. à soupe de crème de coco
30 ml/2 c. à soupe de sucre
75 ml/5 c. à soupe d'eau bouillante
1,5 ml/¼ de c. à thé de sauce au piment
15 ml/1 c. à soupe de sauce de poisson
le jus d'1 citron vert

1 Pour préparer la sauce d'accompagnement, réunissez la crème de coco, le sucre et l'eau bouillante dans un bocal hermétique. Ajoutez la sauce au piment, la sauce de poisson, le jus de citron, puis secouez pour mélanger. Réservez.

2 Coupez les deux extrémités de l'ananas avec un couteau-scie, puis retirez l'écorce. Évidez la partie centrale avec un vide-pomme, ou divisez l'ananas en quatre par le milieu et évidez-le avec un couteau. Détaillez grossièrement l'ananas, puis réservez avec les autres fruits.

3 Faites cuire les haricots 3 à 4 minutes dans de l'eau bouillante, légèrement salée. Refroidissez-les sous l'eau courante et réservez. Pour servir, disposez les fruits, les légumes et les feuilles de laitue en tas séparés sur un plat de service, autour de la sauce.

REMARQUE PRATIQUE

Apparenté au litchi et d'origine malaise, le *ramboutan* se cultive désormais dans presque tout le Sud-Est asiatique et aux États-Unis.
Il présente une peau rugueuse foncée, brun-rouge, une pulpe sucrée et transparente, et contient un noyau non comestible.
Il mesure environ 5 cm/2 po de diamètre.

Salade aux pousses de bambou

Pour préparer cette salade piquante, originaire du nord-est de la Thaïlande, choisissez de préférence des pousses de bambou fraîches.

INGRÉDIENTS

Pour 4 personnes

400 g/14 oz de pousses de bambou entières, fraîches ou en boîte, rincées et égouttées
25 g/1 oz de riz gluant
30 ml/2 c. à soupe d'échalotes hachées
15 ml/1 c. à soupe d'ail haché
45 ml/3 c. à soupe d'oignons hachés
30 ml/2 c. à soupe de sauce de poisson
30 ml/2 c. à soupe de jus de citron vert
5 ml/1 c. à thé de sucre
2,5 ml/½ c. à thé de piments séchés en flocons
20 à 25 petites feuilles de menthe
15 ml/1 c. à soupe de graines de sésame grillées

3 Mettez dans un saladier le riz, l'ail, les échalotes, les oignons, la sauce de poisson, le jus de citron, le sucre, la moitié des feuilles de menthe et les piments.

4 Mélangez intimement, puis versez sur les pousses de bambou et remuez. Servez saupoudré de graines de sésame et du reste de menthe.

1 Émincez finement les pousses de bambou et réservez-les.

2 Faites dorer le riz dans une poêle non graissée. Broyez-le finement dans un mortier avec un pilon.

Légumes variés et petites crêpes

Pour consommer cet encas, les Indonésiens garnissent les crêpes à leur gré et les rehaussent de diverses sauces.

INGRÉDIENTS

Pour 4 à 6 personnes

2 œufs
2,5 ml/½ c. à thé de sel
5 ml/1 c. à thé d'huile végétale,
   plus quelques gouttes pour la friture
115 g/4 oz/1 tasse de farine
300 ml/½ pinte/1¼ tasses d'eau
crevettes cuites et décortiquées,
   quelques feuilles de laitue coupées
   en chiffonnade, germes de soja,
   morceaux de concombre, quelques
   ciboules émincées, 1 à 2 branches
   de coriandre, pour le service

La garniture

1 cm/½ po de gingembre frais haché
1 gousse d'ail écrasée
1 piment rouge frais épépiné
   et finement haché
45 ml/3 c. à soupe d'huile végétale
15 ml/1 c. à soupe de vinaigre de riz
   ou de vinaigre de vin blanc
10 ml/2 c. à thé de sucre
115 g/4 oz de mooli râpé
1 carotte moyenne râpée
115 g/4 oz de chou chinois émincé
   en julienne
2 échalotes ou 1 petit oignon rouge
   finement émincés

1 Cassez les œufs dans un saladier, incorporez le sel, l'huile et la farine, sans trop mélanger. Versez l'eau peu à peu, puis filtrez dans un pichet. Laissez la pâte reposer 15 à 20 minutes.

2 Graissez une petite poêle à fond antiadhésif et faites chauffer. Versez un peu de pâte de manière à couvrir le fond, puis faites cuire 30 secondes. Retournez et laissez cuire de l'autre côté. Empilez les crêpes sur une assiette, couvrez-les et gardez-les au chaud.

3 Pour préparer la garniture, faites revenir le gingembre, l'ail et le piment 1 à 2 minutes dans un wok préchauffé avec de l'huile. Ajoutez le vinaigre, le sucre, le mooli, la carotte, le chou et les échalotes ou l'oignon. Faites cuire 3 à 4 minutes. Servez avec les crêpes, les crevettes et les légumes.

Légumes verts à la menthe et à la noix de coco

Ce plat accompagne traditionnellement des spécialités de viande à Singapour et en Malaisie.

INGRÉDIENTS

Pour 4 à 6 personnes

115 g/4 oz de pois mange-tout coupés
   en deux
115 g/4 oz de haricots verts coupés en deux
½ concombre pelé, coupé en deux,
   puis en morceaux fins
115 g/4 oz de chou chinois détaillé en julienne
115 g/4 oz de germes de soja
sel
feuilles de laitue, pour le service

L'assaisonnement

1 gousse d'ail écrasée
1 petit piment vert frais épépiné
   et finement haché
10 ml/2 c. à thé de sucre
45 ml/3 c. à soupe de crème de coco
75 ml/5 c. à soupe d'eau bouillante
10 ml/2 c. à thé de sauce de poisson
45 ml/3 c. à soupe d'huile végétale
le jus d'1 citron vert
30 ml/2 c. à soupe de menthe fraîche ciselée

1 Faites bouillir une casserole d'eau légèrement salée. Blanchissez les pois mange-tout, les haricots verts et le concombre pendant 4 minutes. Égouttez-les, puis refroidissez-les sous l'eau courante. Égouttez-les de nouveau et réservez.

2 Pour l'assaisonnement, écrasez l'ail, le piment et le sucre. Ajoutez la crème de coco, l'eau bouillante, la sauce de poisson, l'huile, le jus de citron et la menthe. Mélangez soigneusement.

3 Disposez les légumes, le chou et les germes de soja sur un lit de laitue, dans un panier. Versez l'assaisonnement dans un bol et servez.

Salade d'aubergines à l'œuf et aux crevettes

Une salade insolite et
appétissante que vous
aurez plaisir à préparer.

INGRÉDIENTS

Pour 4 à 6 personnes

2 aubergines
30 ml/2 c. à soupe de crevettes séchées,
   trempées dans de l'eau et égouttées
15 ml/1 c. à soupe d'ail grossièrement haché
15 ml/1 c. à soupe d'huile
30 ml/2 c. à soupe de jus de citron
5 ml/1 c. à thé de sucre de palme
30 ml/2 c. à soupe de sauce de poisson
1 œuf dur écalé et haché
4 échalotes détaillées en anneaux
quelques feuilles de coriandre
   et 1 piment rouge épépiné et émincé,
   pour le service

───── VARIANTE ─────
Vous pouvez utiliser des œufs de cane
ou de caille, coupés en deux.

1 Grillez les aubergines afin qu'elles soient noires et tendres.

2 Lorsqu'elles sont froides, ôtez la peau et coupez la chair en rondelles.

3 Dans une petite poêle préchauffée avec de l'huile, faites dorer les crevettes et l'ail. Retirez et réservez.

4 Pour préparer l'assaisonnement, réunissez le jus de citron, le sucre de palme et la sauce de poisson dans un petit saladier, puis fouettez le tout vigoureusement.

5 Pour servir, dressez les aubergines sur un plat. Garnissez d'œuf, d'échalotes et de crevettes. Arrosez de sauce, décorez de coriandre et de piment.

Salade chaude de crevettes et de papaye

Cette spécialité thaïe peut accompagner des plats de bœuf et de poulet, ou constituer un déjeuner léger en été.

INGRÉDIENTS

Pour 4 à 6 personnes

225 g/8 oz de crevettes crues ou cuites,
    décortiquées et sans les veines
2 papayes mûres
225 g/8 oz de feuilles de salades mélangées
    (laitue, romaine, ou chou chinois, épinards)
1 tomate ferme épépinée et concassée
3 ciboules détaillées en lamelles
1 petit botte de coriandre fraîche ciselée,
    et 1 gros piment frais émincé,
    pour le service

L'assaisonnement

15 ml/1 c. à soupe de crème de coco
30 ml/2 c. à soupe d'eau bouillante
90 ml/6 c. à soupe d'huile végétale
le jus d'1 citron vert
2,5 ml/½ c. à thé de sauce
    de piment forte
10 ml/2 c. à thé de sauce
    de poisson (facultatif)
5 ml/1 c. à thé de sucre

2 Si vous utilisez des crevettes crues, mettez-les dans une casserole et couvrez-les d'eau. Portez à ébullition, puis laissez frémir 2 minutes. Égouttez-les et réservez. Lavez les différentes salades et mettez-en quelques feuilles dans un saladier. Réservez.

3 Coupez les papayes en deux dans la hauteur et ôtez les pépins noirs avec une cuillère. Pelez-les, puis détaillez la pulpe en petits morceaux dans le saladier. Ajoutez les autres ingrédients, nappez de l'assaisonnement et servez, décoré de coriandre et de piment.

1 Commencez par préparer l'assaisonnement. Mettez la crème de coco dans un bocal hermétique et versez l'eau bouillante. Ajoutez l'huile, le jus de citron, la sauce de piment, la sauce de poisson et le sucre. Secouez vigoureusement et réservez à température ambiante.

Salade aux fruits de mer

INGRÉDIENTS

Pour 4 à 6 personnes

250 ml/8 oz/1 tasse de bouillon de poisson
  ou d'eau
350 g/12 oz de calmars nettoyés et coupés
  en rondelles
12 grosses crevettes roses crues,
  décortiquées
12 noix de Saint-Jacques
50 g/2 oz de nouilles de soja trempées
  30 minutes dans de l'eau tiède
½ concombre coupé en fins bâtonnets
1 tige de citronnelle finement hachée
2 feuilles de kaffir finement hachées
2 échalotes finement émincées
le jus d'1 ou 2 citrons
30 ml/2 c. à soupe de sauce de poissons
30 ml/2 c. à soupe de ciboule hachée
30 ml/2 c. à soupe de feuilles de coriandre
12 à 15 feuilles de menthe grossièrement
  déchirées
4 piments rouges émincés
brins de coriandre, pour le service

1 Versez le bouillon ou l'eau dans une casserole moyenne et portez à ébullition sur feu vif.

2 Faites cuire chaque sorte de fruits de mer séparément quelques minutes dans le bouillon. Retirez et réservez.

3 Égouttez les nouilles de soja et coupez-les en tronçons de 5 cm/ 2 po. Mélangez les nouilles avec les fruits de mer cuits.

4 Ajoutez tous les ingrédients restants, mélangez bien et servez garni de brins de coriandre.

Salade de pomelo

Le pomelo est un gros fruit qui ressemble à un pamplemousse. Sa chair est plus dure et plus sèche.

INGRÉDIENTS

Pour 4 à 6 personnes

Pour la sauce
30 ml/2 c. à soupe de sauce de poisson
15 ml/1 c. à soupe de sucre de palmier
30 ml/2 c. à soupe de jus de citron vert

Pour la salade
30 ml/2 c. à soupe d'huile
4 échalotes finement émincées
2 gousses d'ail finement émincées
1 gros pomelo
120 g/4 oz de crevettes cuites décortiquées
120 g/4 oz de chair de crabe cuite
15 ml/1 c. à soupe de cacahuètes grillées
10 à 12 petites feuilles de menthe
2 ciboules finement émincées
2 piments rouges épépinés
  et finement émincés
feuilles de coriandre et noix de coco
  fraîche en filaments (facultatif),
  pour le service

1 Fouettez la sauce de poisson avec le sucre et le jus de citron. Réservez.

2 Chauffez l'huile dans une petite poêle, ajoutez les échalotes et l'ail et faites dorer. Retirez de la poêle et réservez.

3 Épluchez le pomelo et détachez la pulpe en petits morceaux, en prenant soin de retirer toutes les membranes.

4 Écrasez grossièrement les cacahuètes et mélangez avec la pulpe du pomelo, les crevettes, le crabe, les feuilles de menthe et le mélange d'échalotes. Ajoutez la sauce et tournez. Servez saupoudré de ciboules, piments verts, feuilles de coriandre et éventuellement de noix de coco.

LES
NOUILLES

Les nouilles se consomment en toutes occasions, du mariage à l'enterrement, dans l'Asie entière. Il en existe de nombreuses variétés, servies chaudes ou froides, cuites avec des légumes, de la viande, de la volaille, du poisson et des fruits de mer. Elles peuvent être braisées, frites, poêlées, préparées en galettes ou en nid, constituer un repas complet ou un simple accompagnement. Nouilles de Singapour, Chow Mein spécial, Nouilles sautées végétariennes *et* Boulettes de porc aux nouilles, *font partie des recettes proposées.*

Nouilles orientales aux légumes

Vous pouvez remplacer les nouilles
aux œufs orientales par des pâtes
italiennes, fraîches ou sèches.

INGRÉDIENTS

Pour 6 personnes

500 g/1¼ lb de *tagliarini* fins
1 oignon rouge
115 g/4 oz de champignons shiitake
45 ml/3 c. à soupe d'huile de sésame
45 ml/3 c. à soupe de sauce de soja foncée
15 ml/1 c. à soupe de vinaigre balsamique
10 ml/2 c. à thé de sucre en poudre
1 pincée de sel
quelques feuilles de céleri, pour le service

1 Faites cuire les *tagliarini* dans une
grande casserole d'eau bouillante
salée, selon les instructions du fabricant.

2 Émincez finement l'oignon et les
champignons.

3 Dans un wok préchauffé avec 15 ml/
1 c. à soupe d'huile de sésame, faites
revenir l'oignon et les champignons
pendant 2 minutes.

4 Égouttez les *tagliarini*, avant de les
mettre dans le wok avec la sauce de
soja, le vinaigre, le sucre et le sel. Mélangez pendant 1 minute, puis versez le
reste d'huile de sésame et servez, décoré
de feuilles de céleri.

Nouilles aux cacahuètes

Choisissez les légumes
en fonction de ce dont vous
disposez pour composer
un repas simple et rapide.
Vous pourrez aussi augmenter
la proportion de piment,
si vous aimez les saveurs fortes !

INGRÉDIENTS

Pour 4 personnes

200 g/7 oz de nouilles moyennes aux œufs
30 ml/2 c. à soupe d'huile d'olive
2 gousses d'ail écrasées
1 gros oignon grossièrement haché
1 poivron rouge épépiné
  et grossièrement haché
1 poivron jaune épépiné
  et grossièrement haché
350 g/12 oz de courgettes
  grossièrement hachées
150 g/5 oz/1¼ tasses de cacahuètes non
  salées grillées et grossièrement hachées

L'assaisonnement

50 ml/2 oz/¼ tasse d'huile d'olive
le zeste râpé et le jus d'1 citron
1 piment rouge frais épépiné
  et finement haché
60 ml/4 c. à soupe de ciboules hachées
15 à 30 ml/1 à 2 c. à soupe
  de vinaigre balsamique
sel et poivre noir du moulin

1 Faites tremper les nouilles selon les instructions du fabricant, puis égouttez-les soigneusement.

2 Dans le même temps, faites chauffer l'huile dans un wok préchauffé ou une grande poêle. Laissez blondir l'ail et l'oignon pendant 3 minutes. Ajoutez les poivrons, les courgettes, et faites dorer à feu moyen 15 minutes. Incorporez les cacahuètes et poursuivez la cuisson encore 1 minute.

3 Pour l'assaisonnement, mélangez l'huile d'olive, le zeste de citron, 45 ml/3 c. à soupe de jus de citron, le piment, 45 ml/3 c. à soupe de ciboules, le vinaigre, du sel et du poivre.

4 Incorporez les nouilles aux légumes et faites chauffer. Versez l'assaisonnement, remuez et servez aussitôt, agrémenté du reste de ciboules.

Nouilles frites

Cette préparation très simple peut servir d'accompagnement à un plat, ou permettre d'improviser rapidement un repas. Pour l'enrichir de protéines, il suffit d'y ajouter 1 œuf. Elle peut également se rehausser de sauce d'huître et d'1 cuillerée de sauce de haricots noirs au piment.

INGRÉDIENTS

Pour 4 à 6 personnes

350 g/12 oz de nouilles aux œufs sèches
30 ml/2 c. à soupe d'huile végétale
30 ml/2 c. à soupe de ciboules hachées menu
15 ml/1 c. à soupe de sauce de soja
sel et poivre noir du moulin

1 Faites cuire les nouilles en suivant les instructions du fabricant. Égouttez-les, rincez-les sous l'eau froide, puis égouttez-les de nouveau soigneusement.

2 Faites chauffer l'huile dans un wok. Ajoutez les ciboules et remuez pendant 30 secondes. Incorporez les nouilles, en les séparant.

3 Réduisez le feu et laissez chauffer les nouilles, jusqu'à ce qu'elles soient dorées et croustillantes à l'extérieur, mais tendre à l'intérieur.

4 Assaisonnez de sauce de soja, de sel et de poivre. Servez aussitôt.

Nouilles frites aux œufs

La pâte de soja jaune relève agréablement ce plat de nouilles.

INGRÉDIENTS

Pour 4 à 6 personnes

350 g/12 oz de nouilles moyennes aux œufs
60 ml/4 c. à soupe d'huile végétale
4 ciboules coupées en tronçons
    de 1 cm/½ po
le jus d'1 citron vert
15 ml/1 c. à soupe de sauce de soja
2 gousses d'ail finement hachées
175 g/6 oz de blancs de poulet sans la peau
    coupés en tranches
175 g/6 oz de crevettes crues décortiquées
    et sans les veines
175 g/6 oz de calmars nettoyés
    et détaillés en anneaux
15 ml/1 c. à soupe de pâte de soja jaune
15 ml/1 c. à soupe de sauce de poisson
15 ml/1 c. à soupe de sucre roux
2 œufs
quelques feuilles de coriandre,
    pour le service

1 Faites cuire les nouilles dans une grande casserole d'eau bouillante, puis égouttez-les et réservez.

2 Faites chauffer l'huile dans un wok ou une grande poêle. Ajoutez les ciboules et laissez-les blondir 2 minutes. Incorporez ensuite les nouilles, le jus de citron, la sauce de soja, et remuez pendant 2 à 3 minutes. Versez dans un saladier et gardez au chaud.

3 Faites sauter l'ail, le poulet, les crevettes et les calmars à feu vif dans le reste d'huile chaude.

4 Ajoutez la pâte de soja jaune, la sauce de poisson, le sucre, puis cassez les œufs dans la préparation, en remuant doucement jusqu'à ce qu'ils soient cuits.

5 Remettez les nouilles et faites-les chauffer. Servez décoré de feuilles de coriandre.

Nouilles au sésame dans des feuilles de laitue

INGRÉDIENTS

Pour 4 personnes

15 ml/1 c. à soupe d'huile végétale
2 magrets de canard d'environ
    225 g/8 oz chacun, parés
60 ml/4 c. à soupe de saké
60 ml/4 c. à soupe de sauce de soja
30 ml/2 c. à soupe de mirin
15 ml/1 c. à soupe de sucre
½ concombre coupé en deux,
    épépiné et finement détaillé
30 ml/2 c. à soupe d'oignon rouge haché
2 piments rouges épépinés et hachés menu
30 ml/2 c. à soupe de vinaigre de riz
115 g/4 oz de vermicelles de riz, ramollis
    après avoir trempé dans de l'eau chaude
15 ml/1 c. à soupe d'huile de sésame
15 ml/1 c. à soupe de graines
    de sésame grillées
quelques feuilles de coriandre
12 à 16 grandes feuilles rouges
    ou vertes de salade
quelques feuilles de menthe
sel et poivre noir du moulin

1 Faites chauffer l'huile dans une grande poêle. Ajoutez les magrets, la peau en dessous, et laissez-les dorer. Retournez-les pour faire dorer l'autre côté. Retirez les magrets, rincez-les sous l'eau chaude, puis égouttez-les.

2 Mélangez le saké, la sauce de soja, le mirin et le sucre dans une casserole suffisamment grande pour contenir les deux magrets côte à côte. Portez à ébullition et ajoutez le canard, la peau en dessous. Laissez mijoter 3 à 5 minutes, en fonction de la grosseur des magrets. Retirez du feu et laissez refroidir dans le jus de cuisson.

3 Posez les magrets sur une planche, puis coupez-les en tranches fines. Faites chauffer le jus de cuisson à feu doux, jusqu'à ce qu'il réduise et prenne la consistance d'une sauce. Réservez.

4 Réunissez dans un saladier l'oignon, le concombre, les piments et le vinaigre, puis réservez.

5 Faites cuire les nouilles 3 minutes dans une casserole d'eau bouillante. Égouttez-les et rincez-les sous l'eau froide. Égouttez-les de nouveau, puis renversez-les dans un saladier et mélangez-les avec l'huile et les graines de sésame. Salez et poivrez.

6 Disposez la sauce, les feuilles de coriandre et de menthe séparément, à côté des nouilles et de la préparation au concombre. Dressez les feuilles de salade et le canard sur des assiettes.

7 Pour servir, posez sur une feuille de laitue quelques tranches de canard, des nouilles, du concombre, des herbes et nappez de sauce. Enroulez et nouez.

Nouilles de Singapour

Des champignons chinois séchés enrichissent de leur saveur intense ce plat légèrement épicé.

INGRÉDIENTS

Pour 4 personnes

20 g/¾ oz de champignons shiitake séchés
225 g/8 oz de nouilles fines aux œufs
10 ml/2 c. à thé d'huile de sésame
45 ml/3 c. à soupe d'huile d'arachide
2 gousses d'ail écrasées
1 petit oignon haché
1 piment vert frais épépiné
    et finement émincé
10 ml/2 c. à thé de poudre de curry
115 g/4 oz de haricots verts coupés en deux
115 g/4 oz de chou chinois détaillé
    en julienne
4 ciboules émincées
30 ml/2 c. à soupe de sauce de soja
115 g/4 oz de crevettes cuites décortiquées
    et sans les veines
sel

1 Mettez les champignons shiitake dans un saladier, couvrez-les d'eau chaude et laissez-les tremper 30 minutes. Égouttez-les, en réservant 2 cuillerées à soupe de l'eau, puis détaillez-les finement.

2 Faites cuire les nouilles dans une casserole d'eau bouillante salée, selon les instructions du fabricant. Égouttez-les, renversez-les dans un saladier et mélangez-les avec l'huile de sésame.

VARIANTES

Variez le choix de légumes en incorporant des pois mange-tout, des brocolis, des poivrons ou même des épis de maïs. Vous pouvez également remplacer les crevettes par du jambon ou du poulet.

3 Chauffez l'huile d'arachide dans un wok préchauffé. Faites blondir l'ail, l'oignon et le piment pendant 3 minutes. Ajoutez la poudre de curry et laissez cuire 1 minute. Incorporez les champignons, les haricots, les ciboules et le chou, puis faites sauter pendant 3 à 4 minutes, jusqu'à ce que les légumes soient tendres, mais croquants.

4 Incorporez les nouilles, la sauce de soja, l'eau des champignons et les crevettes. Laissez chauffer encore 2 à 3 minutes en remuant.

Champignons chinois aux nouilles cellophane

La pâte de soja rouge rehausse ce plat végétarien consistant. Offrant une couleur rouge brique et une saveur prononcée, elle est à base de pâte de soja (tofu) que l'on fait fermenter avec du sel, du riz rouge et du vin de riz. Elle se vend en boîtes de conserve ou en bocaux dans les épiceries asiatiques.

INGRÉDIENTS

Pour 4 personnes

115 g/4 oz de champignons chinois séchés
25 g/1 oz de champignons noirs séchés
115 g/4 oz de tofu séché
30 ml/2 c. à soupe d'huile végétale
2 gousses d'ail finement hachées
2 tranches de gingembre frais
   hachées menu
10 grains de poivre du Sichuan écrasés
15 ml/1 c. à soupe de pâte de soja rouge
½ gousse d'anis étoilé
1 pincée de sucre
15 à 30 ml/1 à 2 c. à soupe de sauce de soja
50 g/2 oz de nouilles cellophane, ramollies
   après avoir trempé dans de l'eau chaude
sel

2 Égouttez les champignons chinois. Exprimez-en le maximum de liquide, que vous réservez, puis jetez les queues. Coupez les chapeaux en deux s'ils sont gros.

5 Versez le liquide réservé dans la poêle, en ajoutant si besoin de l'eau pour couvrir les champignons. Incorporez l'anis étoilé, le sucre, la sauce de soja, puis laissez frémir 30 minutes à couvert.

6 Ajoutez les champignons noirs et le tofu reconstitué. Couvrez et laissez cuire 10 minutes.

7 Égouttez les nouilles cellophane, mélangez-les à la préparation et poursuivez la cuisson 10 minutes, en mouillant si besoin avec du liquide des champignons. Salez et servez.

1 Mettez à tremper les champignons chinois et les champignons noirs séparément dans de l'eau chaude pendant 30 minutes. Coupez le tofu en petits morceaux et laissez-le tremper dans l'eau, selon les instructions du fabricant.

3 Les champignons noirs doivent être cinq fois plus gros qu'à l'origine. Égouttez-les, rincez-les bien, puis égouttez-les de nouveau. Jetez les parties dures, puis détaillez chacun en 2 ou 3 morceaux.

4 Dans une poêle préchauffée avec l'huile, faites revenir l'ail, le gingembre et les grains de poivre quelques secondes, puis incorporez les champignons chinois et la pâte de soja rouge. Mélangez et laissez chauffer 5 minutes.

CONSEIL

Vous pouvez remplacer le poivre du Sichuan par des grains de poivre noir ordinaire.

Nouilles thaïes aux ciboules

Cette recette nécessite une préparation assez longue, mais la cuisson est très rapide. Le plat doit être servi dès qu'il est prêt.

INGRÉDIENTS

Pour 4 personnes

350 g/12 oz de nouilles de riz sèches
1 cm/½ po de gingembre frais râpé
30 ml/2 c. à soupe de sauce de soja claire
45 ml/3 c. à soupe d'huile végétale
225 g/8 oz de *quorn* coupé en petits cubes
2 gousses d'ail écrasées
1 gros oignon coupé en petits morceaux
115 g/4 oz de tofu frit coupé
   en tranches fines
1 piment vert frais épépiné
   et finement émincé
175 g/6 oz de germes de soja
115 g/4 oz de ciboules détaillées
   en tronçons de 5 cm/2 po
50 g/2 oz de cacahuètes grillées moulues
30 ml/2 c. à soupe de sauce de soja foncée
quelques feuilles de coriandre fraîche,
   pour le service

1 Mettez les nouilles dans un grand saladier, couvrez-les d'eau chaude et laissez-les tremper 20 à 30 minutes, puis égouttez-les. Mélangez dans un saladier le gingembre, la sauce de soja claire et 15 ml/1 c. à soupe d'huile. Ajoutez le *quorn* et laissez reposer pendant 10 minutes. Égouttez, en réservant la marinade.

2 Faites chauffer 15 ml/1 c. à soupe d'huile dans un wok préchauffé ou une poêle, puis laissez blondir l'ail pendant quelques secondes. Incorporez le *quorn* et faites revenir 3 à 4 minutes. Réservez sur une assiette.

CONSEIL

Le *quorn* donne à ce plat une note
végétarienne, mais vous pouvez
le remplacer par du porc ou du poulet
émincés que vous ferez d'abord rissoler
pendant 4 à 5 minutes.

---

3 Chauffez le reste d'huile dans le wok ou la poêle, et mettez l'oignon à dorer 3 à 4 minutes. Incorporez le tofu et le piment, remuez avant d'ajouter les nouilles. Faites revenir encore 4 à 5 minutes.

4 Mélangez les germes de soja, les ciboules et presque toutes les cacahuètes moulues – gardez-en juste un peu pour la décoration. Ajoutez la préparation au *quorn*, la sauce de soja fon-cée et la marinade.

5 Laissez chauffer, puis dressez sur des assiettes et décorez de cacahuètes et de coriandre.

Marmite de nouilles udon

INGRÉDIENTS

Pour 4 personnes

350 g/12 oz de nouilles *udon* sèches
1 grosse carotte coupée en morceaux
225 g/8 oz de blancs de poulet sans la peau
coupés en petits morceaux
8 grosses crevettes décortiquées
et sans les veines
4 à 6 feuilles de chou chinois
détaillées en petits morceaux
8 champignons shiitake équeutés
50 g/2 oz de pois mange-tout épluchés
1,5 1/2½ pintes/6¼ tasses de bouillon de
volaille ou de bouillon instantané de bonite
30 ml/2 c. à soupe de mirin
15 ml/1 c. à soupe de sauce de soja
1 botte de ciboules finement hachées,
30 ml/2 c. à soupe de gingembre frais râpé,
quelques quartiers de citron et de la sauce
de soja, pour le service

1 Faites cuire les nouilles en suivant les instructions du fabricant. Égouttez-les, rincez-les sous l'eau froide, puis égouttez-les de nouveau. Ébouillantez la carotte 1 minute, puis égouttez-la.

3 Faites bouillir le bouillon dans une casserole. Ajoutez le mirin et la sauce de soja. Versez ensuite dans la cocotte. Couvrez, portez à ébullition, puis laissez frémir 5 à 6 minutes, jusqu'à ce que les ingrédients soient cuits.

2 Mettez les nouilles et les morceaux de carotte dans une cocotte. Ajoutez le blanc de poulet, les crevettes, le chou, les champignons shiitake et les pois mange-tout.

4 Servez avec les ciboules, le gingembre, les quartiers de citron et un peu de sauce de soja.

Chow Mein de porc et de fruits de mer

INGRÉDIENTS

Pour 4 à 6 personnes

450 g/1 lb de nouilles épaisses aux œufs
2 gousses d'ail hachées
2 ciboules détaillées en petites sections
45 ml/3 c. à soupe d'huile végétale
50 g/2 oz de filet de porc coupé en tranches,
ou de rôti de porc chinois
coupé en lamelles
50 g/2 oz de foie de porc émincé
75 g/3 oz de crevettes crues décortiquées
et sans les veines
50 g/2 oz de calmars préparés
et détaillés en anneaux
50 g/2 oz de coques ou de moules
115 g/4 oz de feuilles de cresson
2 piments rouges épépinés
et finement émincés
30 à 45 ml/2 à 3 c. à soupe de sauce de soja
15 ml/1 c. à soupe d'huile de sésame
sel et poivre noir du moulin

1 Faites cuire les nouilles dans une grande casserole d'eau bouillante, puis égouttez-les soigneusement.

3 Incorporez le cresson, les piments, et poursuivez la cuisson pendant 3 à 4 minutes, jusqu'à ce que la viande soit cuite.

2 Dans un wok préchauffé avec l'huile, faites revenir l'ail et les ciboules 30 secondes. Ajoutez le foie, les crevettes, les calmars, les coques ou les moules et le filet de porc si c'est le cas. Laissez rissoler 2 minutes à feu vif.

4 Mélangez délicatement les nouilles, puis éventuellement le rôti de porc chinois. Assaisonnez de sauce de soja, de sel et de poivre, et chauffez encore quelques minutes. Versez l'huile de sésame, remuez et servez.

Nouilles cellophane au porc

Contrairement à d'autres variétés de nouilles, celles-ci peuvent se réchauffer.

INGRÉDIENTS

Pour 3 à 4 personnes

115 g/4 oz de nouilles cellophane
4 champignons noirs séchés
225 g/8 oz de porc maigre désossé
30 ml/2 c. à soupe de sauce de soja foncée
30 ml/2 c. à soupe de vin de riz chinois ou de Xérès sec
2 gousses d'ail écrasées
15 ml/1 c. à soupe de gingembre frais râpé
5 ml/1 c. à thé d'huile au piment
45 ml/3 c. à soupe d'huile d'arachide
4 à 6 ciboules hachées
5 ml/1 c. à thé de Maïzena délayée dans 200 ml/6 oz/¾ tasse de bouillon de volaille ou d'eau
30 ml/2 c. à soupe de coriandre fraîche ciselée
sel et poivre noir du moulin
quelques feuilles de coriandre fraîche, pour le service

1 Mettez les nouilles et les champignons dans des saladiers séparés et couvrez-les d'eau chaude. Laissez-les tremper 15 à 20 minutes, puis égouttez-les soigneusement. Coupez les nouilles en sections de 12,5 cm/5 po avec des ciseaux ou un couteau. Exprimez l'eau des champignons, jetez les queues et hachez finement les chapeaux.

2 Détaillez le porc en petits cubes dans un saladier. Ajoutez la sauce de soja, le vin de riz ou le Xérès sec, l'ail, le gingembre et l'huile au piment, puis mélangez. Laissez mariner 15 minutes, puis égouttez, en réservant la marinade.

3 Faites chauffer l'huile d'arachide dans un wok préchauffé. Mettez à rissoler le porc et les champignons pendant 3 minutes. Incorporez les ciboules et remuez 1 minute. Ajoutez la pâte de Maïzena et la marinade. Assaisonnez et laissez chauffer encore 1 minute.

4 Incorporez les nouilles, puis remuez 2 minutes, jusqu'à ce qu'elles absorbent en partie le liquide et que le porc soit cuit. Parsemez de coriandre ciselée et servez aussitôt, décoré de feuilles de coriandre.

Nouilles au poulet, aux crevettes et au jambon

Les nouilles aux œufs peuvent être cuites 24 heures à l'avance et conservées dans de l'eau froide.

INGRÉDIENTS

Pour 4 à 6 personnes

275 g/10 oz de nouilles sèches aux œufs
15 ml/1 c. à soupe d'huile végétale
1 oignon moyen haché
1 gousse d'ail écrasée
2,5 cm/1 po de gingembre frais haché
50 g/2 oz de châtaignes d'eau en boîte,
    égouttées et émincées
15 ml/1 c. à soupe de sauce de soja claire
30 ml/2 c. à soupe de sauce de poisson
    ou de bouillon de volaille
175 g/6 oz de blancs de poulet cuits
    coupés en tranches
150 g/5 oz de jambon en tranches
    détaillé en petits morceaux
225 g/8 oz de crevettes cuites décortiquées
    et sans la tête
175 g/6 oz de germes de soja
200 g/7 oz de petits épis de maïs
    en boîte, égouttés
quelques quartiers de citron vert et 1 botte
    de coriandre ciselée, pour le service

1 Faites cuire les nouilles, selon les instructions du fabricant. Égouttez-les soigneusement et réservez.

2 Dans un wok préchauffé avec l'huile, faites revenir le gingembre, l'oignon et l'ail 3 minutes, sans laisser dorer. Ajoutez les châtaignes d'eau, le poulet, le jambon, les crevettes, la sauce de soja, la sauce de poisson ou le bouillon de volaille.

3 Incorporez les nouilles, les germes de soja, les épis de maïs et laissez chauffer pendant 6 à 8 minutes, en remuant. Dressez sur un plat de service chaud, décorez de quartiers de citron et de coriandre avant de servir.

Chow mein de fruits de mer

Cette recette peut être adaptée en choisissant des ingrédients différents pour la garniture.

INGRÉDIENTS

Pour 4 personnes

75 g/3 oz de calmars nettoyés
75 g/3 oz de crevettes crues
3 à 4 noix de Saint-Jacques fraîches
½ blanc d'œuf
15 ml/1 c. à soupe de pâte de Maïzena
250 g/9 oz de nouilles aux œufs
75 à 90 ml/5 à 6 c. à soupe d'huile végétale
50 g/2 oz de pois mange-tout
2,5 ml/½ c. à thé de sel
2,5 ml/½ c. à thé de sucre roux
15 ml/1 c. à soupe de vin de riz chinois
    ou de Xérès sec
30 ml/2 c. à soupe de sauce de soja claire
2 ciboules, détaillées en lanières
bouillon clair, si besoin *(voir p. 16)*
quelques gouttes d'huile de sésame

2 Décortiquez les crevettes, retirez les veines et coupez-les en deux.

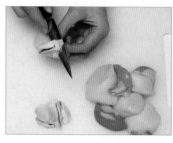

3 Détaillez les Saint-Jacques en 4 morceaux. Mélangez avec les crevettes, le blanc d'œuf et la pâte de Maïzena.

4 Faites cuire les nouilles dans de l'eau bouillante, selon les instructions du fabricant. Égouttez-les et rincez-les sous l'eau froide. Mélangez-les avec 15 ml/ 1 c. à soupe d'huile.

5 Dans un wok préchauffé avec 30 à 45 ml/2 à 3 c. à soupe d'huile, faites sauter les pois mange-tout, les calmars et la préparation aux crevettes pendant 2 minutes. Ajoutez le sel, le sucre, le vin de riz ou le Xérès, la moitié de la sauce de soja et les ciboules. Mélangez et mouillez si besoin avec du bouillon. Retirez du wok et maintenez au chaud.

6 Chauffez le reste d'huile dans le wok pour y réchauffer les nouilles avec le reste de sauce de soja 2 à 3 minutes. Dressez sur un grand plat de service, nappez de garniture et arrosez d'huile de sésame. Servez chaud ou froid.

1 Ouvrez les calmars et incisez l'intérieur en croisillons avec un couteau tranchant. Détaillez-les en petits morceaux, puis laissez-les tremper dans un saladier d'eau chaude jusqu'à ce qu'ils se recroquevillent. Rincez-les sous l'eau froide et égouttez-les.

Chow mein spécial

Les saucisses *lap cheong* peuvent s'acheter dans la plupart des épiceries chinoises. Vous pourrez éventuellement les remplacer par des dés de jambon, de chorizo ou de salami.

INGRÉDIENTS

Pour 4 à 6 personnes

45 ml/3 c. à soupe d'huile végétale
2 gousses d'ail coupées en rondelles
5 ml/1 c. à thé de gingembre frais haché
2 piments rouges hachés
2 saucisses *lap cheong* de 75 g/3 oz chacune,
   rincées et coupées en rondelles
1 escalope de poulet coupée
   en fines lamelles
16 grosses crevettes crues décortiquées,
   avec la queue gardée intacte
120 g/4 oz de haricots verts
220 g/8 oz de germes de soja
50 g/2 oz de civette
450 g/1 lb de nouilles aux œufs,
   cuites dans de l'eau bouillante
   jusqu'à ce qu'elles soient tendres
30 ml/2 c. à soupe de sauce de soja
15 ml/1 c. à soupe de sauce d'huître
sel et poivre noir du moulin
15 ml/1 c. à soupe d'huile de sésame
15 ml/1 c. à soupe de feuilles de coriandre
   et 2 ciboules coupées en lanières,
   pour le service

1 Chauffez 15 ml/1 c. à soupe d'huile dans un wok ou une grande poêle et mettez à revenir l'ail, le gingembre et les piments. Ajoutez les saucisses, le poulet, les crevettes et les haricots verts. Faites sauter à grand feu 2 minutes jusqu'à cuisson complète du poulet et des crevettes. Versez dans un saladier et réservez.

2 Chauffez le reste de l'huile dans le wok. Faites revenir les germes de soja et la civette pendant 1 à 2 minutes.

3 Incorporez les nouilles et mélangez bien. Ajoutez la sauce de soja, la sauce d'huître, du sel et du poivre.

4 Versez dans le wok le mélange de saucisses, de poulet et de haricots. Réchauffez, en remuant bien, et ajoutez l'huile de sésame. Garnissez de lanières de ciboules et de feuilles de coriandre avant de servir.

Chow mein au poulet

Le *Chow mein* est sans doute le plat de nouilles asiatique le plus connu en Occident. Les nouilles sont sautées avec de la viande, des fruits de mer ou des légumes.

INGRÉDIENTS

Pour 4 personnes

350 g/12 oz de nouilles
230 g/8 oz d'escalopes de poulet sans la peau
45 ml/3 c. à soupe de sauce de soja
15 ml/1 c. à soupe de vin de riz chinois
  (ou de Xérès sec)
15 ml/1 c. à soupe d'huile de sésame foncée
60 ml/4 c. à soupe d'huile végétale
2 gousses d'ail finement hachées
50 g/2 oz de haricots mange-tout équeutés
120 g/4 oz de germes de soja
50 g/2 oz de jambon coupé en fines lanières
4 ciboules finement hachées
sel et poivre noir du moulin

1 Faites cuire les nouilles dans de l'eau bouillante. Rincez à l'eau froide et égouttez.

2 Coupez le poulet en fines lanières de 5 cm/2 po de long environ. Versez dans un petit saladier avec 10 ml/2 c. à thé de sauce de soja, le vin chinois (ou le Xérès) et l'huile de sésame.

3 Chauffez la moitié de l'huile végétale dans un wok ou une large poêle à grand feu. Lorsqu'elle commence à fumer, ajoutez la préparation au poulet et faites revenir 2 minutes. Disposez ensuite le poulet sur un plat et réservez au chaud.

4 Chauffez le reste d'huile dans le wok. Mettez à revenir l'ail, les haricots, les germes de soja et le jambon 1 minute avant d'incorporer les nouilles.

5 Laissez revenir le tout jusqu'à ce que les nouilles soient totalement cuites. Arrosez du reste de sauce de soja (selon son goût). Salez et poivrez. Versez dans le mélange le poulet réservé au chaud et ce qu'il reste de jus. Incorporez les ciboules hachées et remuez une dernière fois. Servez rapidement.

Nouilles de riz au bœuf et aux haricots noirs

Le bœuf est relevé d'une sauce
pimentée et s'enrichit de nouilles
de riz à la texture lisse.

INGRÉDIENTS

Pour 4 personnes

450 g/1 lb de nouilles de riz fraîches
60 ml/4 c. à soupe d'huile végétale
1 oignon finement émincé
2 gousses d'ail finement hachées
2 tranches de gingembre frais
  finement hachées
225 g/8 oz de poivrons mélangés épépinés
  et détaillés en lanières
350 g/12 oz de rumsteck coupé
  en tranches fines
45 ml/3 c. à soupe de haricots noirs
  fermentés, ayant trempé dans de l'eau
  chaude, égouttés et hachés
30 ml/2 c. à soupe de sauce de soja
30 ml/2 c. à soupe de sauce d'huître
15 ml/1 c. à soupe de sauce de haricots noirs
  au piment
15 ml/1 c. à soupe de Maïzena
100 ml/4 oz/½ tasse de bouillon ou d'eau
sel et poivre noir du moulin
2 ciboules finement hachées, et 2 piments
  rouges épépinés et finement émincés,
  pour le service

1 Rincez les nouilles à l'eau chaude,
puis égouttez-les soigneusement.
Faites chauffer la moitié de l'huile dans
un wok ou une grande poêle, en l'étalant bien. Ajoutez l'oignon, l'ail, le gingembre et les poivrons. Remuez pendant 3 à 5 minutes, puis retirez avec une
écumoire et gardez au chaud.

2 Faites chauffer le reste d'huile dans
le wok. Ajoutez le bœuf, les haricots
noirs fermentés, et laissez cuire pendant
5 minutes à feu vif.

3 Mélangez dans un petit saladier la
sauce de soja, la sauce d'huître, la
sauce de haricots noirs au piment, la
Maïzena, le bouillon ou l'eau. Versez
dans le wok, puis ajoutez la préparation
à l'oignon et laissez chauffer pendant
1 minute, en remuant.

4 Incorporez les nouilles et réchauf-
fez-les à feu moyen. Rectifiez si
besoin l'assaisonnement. Servez aussitôt,
décoré de ciboules et de piments.

Nouilles de crevettes à la sauce au gingembre

Les crevettes font partie
intégrante du répertoire culinaire
japonais. Elles sont présentées ici
dans des nouilles croustillantes.

INGRÉDIENTS

Pour 4 à 6 personnes

75 g/3 oz de nouilles *somen* ou de vermicelles
3 feuilles de *nori*
12 queues de grosses crevettes crues
    décortiquées et sans les veines
huile végétale, pour la friture

La sauce d'accompagnement

90 ml/6 c. à soupe de sauce de soja
30 ml/2 c. à soupe de sucre
2 cm/¾ po de gingembre frais râpé

1 Laissez tremper les nouilles *somen*
1 à 2 minutes dans de l'eau
bouillante. Égouttez-les, puis posez-les
sur du papier absorbant. Détaillez-les en
sections de 7,5 cm/3 po. Si vous avez
choisi des vermicelles, faites-les ramollir
1 à 2 minutes dans l'eau bouillante.
Égouttez-les et réservez. Coupez les
feuilles de *nori* en bandes de 1 × 5 cm/
½ × 2 po, puis réservez.

2 Pour préparer la sauce, portez à
ébullition la sauce de soja dans une
casserole avec le sucre et le gingembre.
Laissez frémir 2 à 3 minutes. Filtrez et
laissez refroidir.

3 Alignez les nouilles ou les vermicelles sur une planche à découper.
Enfilez une brochette de bambou dans
la longueur de chaque crevette. Roulez
les crevettes dans les nouilles ou les
vermicelles.

4 Mouillez une extrémité des bandes
de *nori*, puis enroulez-les autour de
l'extrémité large des crevettes. Réservez.

5 Faites chauffer l'huile à 180 °C/
350 °F dans un wok préchauffé
muni d'une grille, ou dans une friteuse.
Mettez à frire les crevettes 2 par 2,
jusqu'à ce que les nouilles ou les
vermicelles soient dorés et croustillants.

6 Entaillez les bandes de *nori* avec un
couteau pointu, pour laisser apparaître nettement les crevettes. Posez sur
du papier absorbant et présentez la sauce
d'accompagnement séparément.

Bouillon de coco aux nouilles et aux crevettes

Cette préparation se compose d'un bouillon chaud à la noix de coco accompagnant un plat de crevettes, de poisson et de nouilles. Les convives choisissent à leur gré les ingrédients qu'ils plongent dans le bouillon.

INGRÉDIENTS

Pour 4 à 6 personnes

25 g/1 oz/¼ tasse de noix de cajou crues
3 échalotes ou 1 oignon moyen émincés
5 cm/2 po de citronnelle détaillée en lamelles
2 gousses d'ail écrasées
150 g/5 oz de nouilles *laksa* (nouilles de riz
   de la taille de spaghetti) ayant trempé
   10 minutes dans de l'eau
30 ml/2 c. à soupe d'huile végétale
1 cm/½ po de pâte de crevettes
   ou 15 ml/1 c. à soupe de sauce de poisson
15 ml/1 c. à soupe de pâte de curry douce
400 ml/14 oz de lait de coco en boîte
½ cube de bouillon de volaille
3 feuilles de curry (facultatif)
450 g/1 lb de filets de poisson blanc
   (cabillaud, haddock ou merlan)
225 g/8 oz de queues de crevettes crues
   ou cuites décortiquées
1 laitue romaine coupée en chiffonnade
115 g/4 oz de germes de soja
3 ciboules détaillées en lamelles
½ concombre coupé en bâtonnets
des beignets de crevettes, pour le service

1 Broyez les noix de cajou avec les échalotes ou l'oignon, la citronnelle et l'ail dans un mortier ou un mixer. Faites cuire les nouilles selon les instructions du fabricant.

2 Dans un wok préchauffé avec l'huile, faites sauter la préparation précédente pendant 1 à 2 minutes, jusqu'à ce que les noix commencent à dorer.

3 Incorporez la pâte de crevettes ou la sauce de poisson et la pâte de curry, puis le lait de coco, le bouillon et les feuilles de curry. Laissez frémir 10 minutes.

4 Détaillez le poisson en petits morceaux. Ajoutez-le ainsi que les crevettes dans le bouillon, puis poursuivez la cuisson à feu doux 3 à 4 minutes.

5 Garnissez un grand plat de service de feuilles de laitue. Disposez en tas les germes de soja, le concombre, les ciboules, le poisson, les nouilles et les beignets de crevettes. Servez le bouillon séparément, dans un poêlon en terre.

CONSEIL

Pour cuire plus facilement le poisson
et les crevettes, vous pouvez les mettre
dans un panier à friture avant de
les plonger dans le bouillon.

Nouilles sautées à la mode de Singapour

Mee goreng est sans doute
la spécialité la plus connue
de Singapour. Elle réunit
de nombreux ingrédients.

INGRÉDIENTS

Pour 4 à 6 personnes

275 g/10 oz de nouilles aux œufs
150 g/5 oz de blancs de poulet sans la peau
115 g/4 oz de porc maigre
175 g/6 oz de queues de crevettes crues
  ou cuites décortiquées
30 ml/2 c. à soupe d'huile végétale
4 échalotes ou 1 oignon moyen hachés
2 cm/¾ po de gingembre frais
  finement éminé
2 gousses d'ail écrasées
45 ml/3 c. à soupe de sauce de soja claire
5 à 10 ml/1 à 2 c. à thé de sauce de piment
15 ml/1 c. à soupe de vinaigre de riz
  ou de vinaigre de vin blanc
5 ml/1 c. à thé de sucre
2,5 ml/½ c. à thé de sel
115 g/4 oz de chou chinois détaillé
  en julienne
115 g/4 oz d'épinards détaillés en lanières
3 ciboules détaillées en lanières

1 Faites cuire les nouilles dans une
grande casserole d'eau bouillante
salée, selon les instructions du fabricant.
Égouttez-les et réservez. Laissez durcir,
mais non congeler, le poulet et le porc
pendant 30 minutes dans le congélateur.

2 Détaillez la viande en tranches fines.
Dans un wok préchauffé avec l'huile,
faites rissoler les crevettes, le poulet et
le porc pendant 2 à 3 minutes. Ajoutez
les échalotes ou l'oignon, l'ail et le gingembre, et remuez 2 à 3 minutes, sans
laisser dorer.

3 Incorporez la sauce de soja, la sauce
de piment, le vinaigre, le sucre et le
sel. Laissez frissonner avant d'y mélanger
le chou, les épinards et les ciboules.
Faites cuire 3 à 4 minutes à couvert.
Ajoutez les nouilles, laissez chauffer
encore un peu et servez.

Boulettes de porc aux nouilles

Ces boulettes de viande, décorées de nouilles croustillantes, sont très faciles à confectionner.

INGRÉDIENTS

Pour 4 personnes

400 g/14 oz de porc haché
2 gousses d'ail finement hachées
30 ml/2 c. à soupe de coriandre
    fraîche ciselée
15 ml/1 c. à soupe de sauce d'huître
30 ml/2 c. à soupe de chapelure
1 œuf battu
175 g/6 oz de nouilles fines aux œufs fraîches
huile de friture
sel et poivre noir du moulin
quelques feuilles de coriandre fraîche,
    feuilles d'épinards et sauce au piment
    ou sauce tomate, pour le service

1 Mélangez le porc, l'ail, la coriandre, la sauce d'huître, la chapelure et l'œuf. Salez et poivrez.

2 Travaillez la préparation jusqu'à ce qu'elle devienne collante, puis façonnez-la sous forme de boulettes de la taille de noix.

3 Ébouillantez les nouilles pendant 2 à 3 minutes. Égouttez-les, rincez-les sous l'eau froide, puis égouttez-les de nouveau.

4 Enroulez 3 à 5 nouilles autour de chaque boulette, en formant des croisillons.

5 Chauffez l'huile dans une friteuse ou un wok préchauffé. Mettez à frire les boulettes en plusieurs fois jusqu'à ce qu'elles soient dorées et cuites jusqu'au centre. Retirez-les avec une écumoire, puis posez-les sur du papier absorbant. Servez chaud sur des feuilles d'épinards et décorez de feuilles de coriandre. Présentez séparément la sauce au piment ou la sauce tomate.

Bouillon piquant au poulet et aux crevettes

Cette spécialité indonésienne rassemble divers ingrédients que les convives sélectionnent selon leur envie, pour composer un repas complet.

INGRÉDIENTS

Pour 8 personnes

2 oignons coupés en quatre
2,5 cm/1 po de gingembre frais émincé
2 gousses d'ail
8 amandes
1 à 2 piments frais épépinés et émincés
2 tiges de citronnelle émincées sur 5 cm
   à la base
5 cm/2 po de curcuma frais pelé et émincé,
   ou 5 ml/1 c. à thé de curcuma en poudre
15 ml/1 c. à soupe de graines
   de coriandre grillées
60 ml/4 c. à soupe d'huile de tournesol
400 ml/14 oz de lait de coco en boîte
1,5 l/2½ pintes/6¼ tasses de bouillon
   de poulet
350 g/12 oz de nouilles de riz, ayant trempé
   dans de l'eau froide
350 g/12 oz de crevettes décortiquées
   et sans les veines
sel et poivre noir du moulin

La garniture

4 œufs durs écalés et coupés en quatre
225 g/8 oz de poulet cuit haché
225 g/8 oz de germes de soja
1 botte de ciboules coupées en lanières
1 oignon finement émincé et frit

1 Réunissez les oignons, le gingembre, l'ail, les amandes, les piments, la citronnelle et le curcuma dans un mixer. Hachez jusqu'à obtention d'une pâte, ou broyez tous les ingrédients dans un mortier avec un pilon. Écrasez grossièrement les graines de coriandre avant de les ajouter dans la pâte.

2 Dans un wok préchauffé ou une poêle avec l'huile, faites chauffer la pâte épicée, sans la laisser dorer, jusqu'à ce qu'elle libère ses parfums. Versez le lait de coco et le bouillon. Assaisonnez, puis laissez frémir 5 à 10 minutes.

3 Pendant ce temps, égouttez les nouilles et ébouillantez-les pendant 2 minutes dans de l'eau salée. Égouttez-les, rincez-les sous l'eau froide, puis égouttez-les de nouveau. Incorporez les crevettes dans la soupe juste avant de servir et laissez chauffer 1 à 2 minutes.

4 Disposez les différentes garnitures dans des plats séparés. Chaque convive se sert une portion de nouilles, les arrose de soupe, et choisit sa garniture à son gré – œufs, poulet ou germes de soja –, avant de saupoudrer de lanières de ciboules et d'oignon frit.

Soupe aux nouilles

Les Chinois consomment plus volontiers les nouilles sous forme de soupe que sautées.

INGRÉDIENTS

Pour 4 personnes

225 g/8 oz de blancs de poulet sans la peau, ou de filet de porc

3 à 4 champignons chinois séchés, ayant trempé dans de l'eau

115 g/4 oz de pousses de bambou en boîte, égouttées et émincées

115 g/4 oz de feuilles d'épinards, de cœurs de laitue ou de chou chinois

2 ciboules

375 g/12 oz de nouilles sèches aux œufs

600 ml/1 pinte/2½ tasses de bouillon clair *(voir p. 16)*

30 ml/2 c. à soupe d'huile végétale

5 ml/1 c. à thé de sel

2,5 ml/½ c. à thé de sucre roux

15 ml/1 c. à soupe de sauce de soja claire

10 ml/2 c. à thé de vin de riz chinois ou de Xérès sec

quelques gouttes d'huile de sésame

1 Détaillez la viande en fines lanières. Exprimez le liquide des champignons et jetez les queues. Coupez finement le chapeau des champignons, les pousses de bambou, les épinards, les cœurs de laitue ou le chou chinois et les ciboules. Faites un tas avec la viande, un second avec les ciboules et un troisième réunissant tous les autres ingrédients.

2 Cuisez les nouilles selon les instructions du fabricant, égouttez-les, rincez-les sous l'eau froide et égouttez. Mettez-les dans un saladier de service.

3 Portez le bouillon à ébullition et versez-le sur les nouilles. Réservez au chaud.

4 Dans un wok préchauffé avec l'huile, faites sauter les ciboules et la viande pendant 1 minute.

5 Incorporez les champignons, les pousses de bambou, les épinards, la laitue ou le chou. Remuez 1 minute, jusqu'a ce que la viande soit cuite.

6 Assaisonnez de sel, de sucre, de sauce de soja, de vin de riz ou de Xérès et d'huile de sésame, puis mélangez intimement. Versez la garniture sur les nouilles et servez.

Rubans de nouilles et de légumes

Servez ce plat très coloré accompagné d'une salade verte, afin d'en faire un repas léger ou une entrée pour six à huit convives.

INGRÉDIENTS

Pour 4 personnes

1 grosse carotte épluchée
2 courgettes
50 g/2 oz de beurre
15 ml/1 c. à soupe d'huile d'olive
6 champignons exotiques frais (shiitake, par exemple), coupés en fines tranches
50 g/2 oz de petits pois surgelés décongelés
350 g/12 oz de nouilles aux œufs en rubans larges
10 ml/2 c. à thé d'un mélange d'herbes hachées (marjolaine, ciboulette et basilic, par exemple)
sel et poivre noir du moulin
25 g/1 oz de parmesan (facultatif)

1 À l'aide d'un épluche-légumes, découpez soigneusement la carotte et les courgettes en rubans très fins.

2 Faites fondre le beurre avec l'huile d'olive dans un wok. Mettez à revenir les rubans de carotte et les champignons 2 minutes. Ajoutez les rubans de courgettes et les petits pois, et laissez revenir jusqu'à ce que les courgettes soient cuites, mais croquantes. Salez et poivrez.

3 Dans le même temps, faites cuire les nouilles dans une grande casserole d'eau bouillante, jusqu'à ce qu'elles soient tendres. Égouttez-les bien avant de les verser dans un saladier. Ajoutez les légumes et remuez le tout.

4 Saupoudrez d'herbes fraîches. Salez et poivrez à votre goût. Râpez éventuellement du parmesan sur les nouilles, remuez et servez.

Nouilles de sarrasin au fromage de chèvre

Les cuisiniers pressés seront ravis de la rapidité de préparation de ce succulent plat, à servir au dîner. La saveur rustique du sarrasin (blé noir) s'accorde parfaitement avec le goût poivré de la roquette, compensé par un fromage de chèvre bien crémeux.

INGRÉDIENTS

Pour 4 personnes

350 g/12 oz de nouilles de sarrasin (blé noir)
50 g/2 oz de beurre
2 gousses d'ail finement hachées
4 échalotes coupées en rondelles
75 g/3 oz de noisettes légèrement grillées et grossièrement hachées
1 poignée de feuilles de roquette
175 g/6 oz de fromage de chèvre
sel et poivre noir du moulin

1 Cuisez les nouilles dans une grande casserole d'eau bouillante, jusqu'à ce qu'elles soient tendres. Égouttez bien.

2 Faites fondre le beurre dans un wok. Mettez l'ail et les échalotes à revenir 2 à 3 minutes, en remuant, jusqu'à ce que les échalotes aient ramolli.

3 Ajoutez les noisettes et les faire sauter 1 minute environ. Recouvrez des feuilles de roquette et attendez qu'elles se fanent pour remuer les nouilles. Laissez cuire encore quelques minutes.

4 Salez et poivrez. Émiettez le fromage de chèvre sur le plat et servez.

Nouilles de Shanghai aux saucisses lap cheong

On trouve les *lap cheong*, saucisses de porc fumées à l'aspect huileux, dans les épiceries asiatiques. Elles s'emploient dans diverses recettes de riz, de poulet et de porc, ou bien avec des omelettes ou des légumes.

INGRÉDIENTS

Pour 4 personnes

30 ml/2 c. à soupe d'huile végétale
120 g/4 oz de lard maigre sans la couenne,
  coupé en morceaux
2 saucisses *lap cheong*, rincées à l'eau
  chaude, égouttées et coupées
  en fines rondelles
2 gousses d'ail finement hachées
2 ciboules grossièrement hachées
230 g/8 oz de légumes verts chinois
  (ou d'épinards en branches coupés
  en petits morceaux)
450 g/1 lb de nouilles de Shanghai fraîches
30 ml/2 c. à soupe de sauce d'huître
30 ml/2 c. à soupe de sauce de soja
poivre noir du moulin

1 Chauffez la moitié de l'huile dans un wok. Ajoutez le lard et les saucisses avec l'ail et les ciboules. Faites revenir quelques minutes. À l'aide d'une écumoire, sortez le mélange du wok et réservez au chaud.

2 Versez le reste d'huile dans le wok. Lorsqu'elle est chaude, faites sauter les légumes verts (ou les épinards) pendant 3 minutes à grand feu, jusqu'à ce qu'ils commencent à faner.

3 Ajoutez les nouilles, puis la préparation à base de saucisses dans le wok. Assaisonnez avec la sauce d'huître, la sauce de soja et le poivre. Laissez revenir jusqu'à cuisson complète des nouilles.

> CONSEIL
>
> On trouve souvent le lard tout prêt, découpé en petites tranches. Pour couper la couenne qui entoure les tranches de lard frais, il est conseillé de se servir de ciseaux de cuisine.

Nouilles à la tomate et aux sardines

Ce plat simple à préparer peut être servi chaud ou à température ambiante.

INGRÉDIENTS

Pour 4 personnes

350 g/12 oz de nouilles aux œufs, assez larges
60 ml/4 c. à soupe d'huile d'olive
30 ml/2 c. à soupe de jus de citron
15 ml/1 c. à soupe de moutarde à l'ancienne
1 gousse d'ail finement hachée
230 g/8 oz de tomates mûres
  grossièrement hachées
1 petit oignon rouge finement haché
1 poivron vert évidé et coupé en dés
60 ml/4 c. à soupe de persil haché
230 g/8 oz de sardines en boîte, égouttées
sel et poivre noir du moulin
croûtons, pour le service (facultatif)

1 Cuisez les nouilles dans une grande casserole d'eau bouillante, 5 à 8 minutes, afin qu'elles soient tendres.

2 Pendant ce temps, battez ensemble dans un bol l'huile, le jus de citron, la moutarde et l'ail. Salez et poivrez.

3 Égouttez les nouilles et versez-les dans un grand saladier. Remuez en ajoutant l'assaisonnement. Incorporez les tomates, l'oignon, le poivron vert, le persil et les sardines. Remuez délicatement. Salez et poivrez à votre goût et servez avec des petits croûtons (facultatif).

Nouilles sautées végétariennes

Lorsqu'on prépare ce plat pour des non-végétariens, on peut y ajouter du *blacan* (pâte de crevettes compacte). Un morceau de la taille d'un cube de bouillon, écrasé dans la pâte de piment, apportera une délicieuse note aromatique.

INGRÉDIENTS

Pour 4 personnes

2 œufs
5 ml/1 c. à thé de poudre de piment
5 ml/1 c. à thé de curcuma
60 ml/4 c. à soupe d'huile végétale
1 gros oignon coupé en fines rondelles
2 piments rouges épépinés
   et coupés en fines rondelles
15 ml/1 c. à soupe de sauce de soja
2 grosses pommes de terre cuites
   et coupées en petits dés
6 pains de tofu frits coupés en lamelles
230 g/8 oz de germes de soja
120 g/4 oz de haricots verts blanchis
350 g/12 oz de nouilles fraîches aux œufs
sel et poivre noir du moulin
ciboules coupées en rondelles,
   pour le service

1 Battez légèrement les œufs dans un bol. Chauffez à peine une poêle et versez la moitié des œufs, de manière à couvrir le fond de la poêle d'une fine pellicule. Lorsque l'omelette commence à prendre, retournez-la pour cuire l'autre face rapidement. Déposez-la sur une assiette et séchez-la avec du papier absorbant avant de l'enrouler et de la couper en fines lanières. Procédez de même avec le reste des œufs et réservez.

REMARQUE PRATIQUE

Attention lorsque vous manipulez des piments : évitez de porter vos mains à vos yeux, car le piment les piquera. Lavez-vous les mains après chaque utilisation.

2 Dans une tasse, mélangez le piment et la poudre de curcuma avec un peu d'eau pour faire une pâte.

3 Chauffez l'huile dans un wok ou une poêle. Faites ramollir l'oignon. Réduisez le feu et ajoutez la pâte de piment, les rondelles de piments rouges et la sauce de soja. Laissez cuire 2 à 3 minutes.

4 Faites revenir les pommes de terre 2 minutes, en mélangeant bien avec les piments. Ajoutez le tofu, les germes de soja, les haricots verts et les nouilles.

5 Laissez cuire en remuant délicatement, jusqu'à ce que les nouilles soient bien imprégnées et tendres. Salez, poivrez, puis garnissez de lanières d'omelette et de rondelles de ciboules. Servez bien chaud.

Nouilles transparentes sautées

INGRÉDIENTS

Pour 4 personnes

175 g/6 oz de nouilles transparentes
ou «cellophane»

45 ml/3 c. à soupe d'huile végétale

3 gousses d'ail finement hachées

120 g/4 oz de crevettes cuites décortiquées

2 saucisses *lap cheong* rincées, égouttées
et coupées en fines rondelles

2 œufs

2 branches de céleri, avec les feuilles,
coupées en dés

120 g/4 oz de germes de soja

120 g/4 oz d'épinards coupés
en gros morceaux

2 ciboules hachées

15 à 30 ml/1 à 2 c. à soupe de sauce de poisson

5 ml/1 c. à thé d'huile de sésame

15 ml/1 c. à soupe de graines de sésame
grillées, pour le service

1 Laissez tremper les nouilles dans de l'eau chaude pendant 10 minutes, afin qu'elles ramollissent. Égouttez et coupez en morceaux de 10 cm/4 po de long.

2 Chauffez l'huile dans un wok et mettez à dorer l'ail. Ajoutez les crevettes et les saucisses, et laisser revenir 2 à 3 minutes. Incorporez les nouilles et faites cuire 2 minutes supplémentaires.

3 Creusez un puits au centre de la préparation. Cassez les œufs dedans et remuez jusqu'à ce qu'ils prennent.

--- VARIANTE ---

Cette recette est très souple :
vous pourrez facilement utiliser d'autres
légumes ou remplacer les saucisses par
du jambon, du salami ou du chorizo.

4 Incorporez le céleri, les germes de soja, les épinards et la ciboule. Assaisonnez avec la sauce de poisson et l'huile de sésame. Laissez revenir jusqu'à ce que tous les ingrédients soient cuits, en mélangeant bien.

5 Transférez le tout sur un plat et garnissez de graines de sésame. Servez rapidement.

Vermicelles croustillants aux légumes

Dans cette recette, on fait frire des vermicelles de riz avant de les mélanger à un assortiment de légumes sautés.

INGRÉDIENTS

Pour 4 personnes

2 grosses carottes
2 courgettes
4 ciboules
120 g/4 oz de haricots verts
120 g/4 oz de vermicelles de riz (ou
   de nouilles transparentes) séché(e)s
huile d'arachide pour friture
2 à 3 cm/1 po de gingembre frais
   coupé en lanières
1 piment rouge frais coupé en rondelles
120 g/4 oz de champignons de Paris
   coupés en tranches épaisses
quelques feuilles de chou chinois
   coupées en lanières
75 g/3 oz de germes de soja
30 ml/2 c. à soupe de sauce de soja claire
30 ml/2 c. à soupe de vin de riz chinois
   (ou de Xérès sec)
5 ml/1 c. à thé de sucre en poudre
30 ml/2 c. à soupe de feuilles de coriandre
   fraîches grossièrement coupées

— REMARQUE PRATIQUE —

Les vermicelles de riz, très fins et friables, ressemblent à des cheveux blancs. Leur cuisson dans un liquide chaud est quasiment instantanée, à condition de les avoir préalablement trempés dans de l'eau chaude. Il est également possible de les frire. Les nouilles transparentes sont fabriquées à partir de graines de soja moulues. Leur aspect évoque un peu celui de la barbe à papa. Séchées, elles ont une couleur blanc opaque. Il suffit de les laisser tremper pour les voir gonfler et devenir translucides. Ces nouilles sont parfois appelées «fils de haricots» ou «nouilles cellophane». Il convient de les laisser tremper environ 5 minutes dans l'eau chaude avant la cuisson.

1 Détaillez les carottes, les courgettes et les ciboules en julienne très fine. Équeutez les haricots verts avant de les couper de façon identique.

2 Coupez les vermicelles de riz (ou les nouilles) en morceaux de 7 à 8 cm/3 po de long. Remplissez un wok d'huile à mi-hauteur et chauffez à 180 °C/350 °F. Faites frire les nouilles par poignées, 1 à 2 minutes, afin qu'elles soient gonflées et croustillantes. Égouttez sur du papier absorbant.

3 Ne gardez que 30 ml/2 c. à soupe d'huile dans le wok et réchauffez-la avant d'y faire revenir les haricots pendant 2 à 3 minutes.

4 Ajoutez le gingembre, le piment rouge, les champignons, les carottes et les courgettes et laissez cuire 1 à 2 minutes. Incorporez le chou chinois, les germes de soja et les ciboules. Faites revenir 1 minute avant d'ajouter la sauce de soja, le vin de riz (ou le Xérès) et le sucre. Cuisez 30 secondes en remuant.

5 Incorporez les nouilles et la coriandre, et remuez bien, en prenant soin de ne pas trop écraser les nouilles. Disposez le tout sur un plat et servez.

Nouilles aux boulettes de viande

Le *Mie rebus* est un repas complet
très populaire en Asie, servi
en restauration rapide.

INGRÉDIENTS

Pour 6 personnes

450 g/1 lb de préparation pour boulettes
   de viande épicées
350 g/12 oz de nouilles aux œufs séchées
45 ml/3 c. à soupe d'huile de tournesol
1 gros oignon coupé en fines rondelles
2 gousses d'ail écrasées
1 racine de gingembre frais de 2 à 3 cm/1 po
   de long, épluchée et coupée en allumettes
1,2 1/2 pintes/5 tasses de bouillon
30 ml/2 c. à soupe de sauce de soja brune
2 branches de céleri coupées en petits
   morceaux, en réservant les feuilles
6 feuilles de chou chinois en morceaux
1 poignée de haricots mange-tout
   (ou de cocos plats) coupés en lanières
sel et poivre noir du moulin

1 Façonnez des boulettes de viande
d'assez petite taille et réservez.

2 Faites cuire les nouilles dans une
grande casserole d'eau bouillante,
pendant 3 à 4 minutes, jusqu'à ce qu'elles
soient tendres. Égouttez et rincez abondamment à l'eau froide. Réservez.

3 Dans une casserole avec l'huile, faites
revenir l'oignon, l'ail et le gingembre,
sans les laisser brunir. Versez le bouillon,
la sauce de soja, et portez à ébullition.

4 Ajoutez les boulettes de viande.
Recouvrez à moitié et laissez mijoter jusqu'à ce qu'elles soient cuites, soit
5 à 8 minutes. Ajoutez le céleri et, au
bout de 2 minutes, les haricots mange-
tout (ou les cocos) et les feuilles de chou
chinois. Salez et poivrez.

5 Répartissez les nouilles, les boulettes et les légumes dans des bols à
soupe, puis recouvrez de soupe. Garnissez avec les feuilles de céleri réservées.

Nouilles de riz sautées au poulet et aux crevettes

Les crustacés s'harmonisent très bien avec la viande et la volaille. Cette recette le prouve en associant poulet et crevettes, pour lui donner une saveur aigre-douce très caractéristique.

INGRÉDIENTS

Pour 4 personnes

230 g/8 oz de nouilles de riz plates séchées
120 ml/4 oz/½ tasse d'eau
60 ml/4 c. à soupe de sauce de poisson
15 ml/1 c. à soupe de sucre en poudre
15 ml/1 c. à soupe de jus de citron vert
5 ml/1 c. à thé de paprika
1 pincée de poivre de Cayenne
45 ml/3 c. à soupe d'huile
2 gousses d'ail finement hachées
1 escalope de poulet, sans peau,
   coupée en fines tranches
8 crevettes crues décortiquées
   et coupées en deux
1 œuf
50 g/2 oz de cacahuètes grillées
   grossièrement hachées
3 ciboules coupées en petits morceaux
175 g/6 oz de germes de soja
feuilles de coriandre et 1 citron vert
   non traité en quartiers, pour le service

1 Dans un grand saladier rempli d'eau chaude, laissez tremper les nouilles de riz pendant 30 minutes pour les ramollir. Égouttez.

2 Dans un bol, mélangez l'eau, la sauce de poisson, le sucre, le jus de citron vert, le paprika et le poivre. Réservez.

3 Chauffez l'huile dans un wok. Faites dorer l'ail 30 secondes avant d'ajouter le poulet et les crevettes. Laissez revenir pendant 3 à 4 minutes, jusqu'à cuisson complète.

4 Repoussez ces ingrédients vers les bords du wok et cassez l'œuf au centre. Remuez rapidement pour briser le jaune, et laissez cuire à feu moyen jusqu'à ce que l'œuf soit légèrement brouillé.

5 Ajoutez les nouilles égouttées et le mélange à base de sauce de poisson. Mélangez bien. Incorporez la moitié des cacahuètes hachées et laissez cuire, tout en remuant, jusqu'à ce que les nouilles aient ramolli et que le liquide se soit presque entièrement évaporé.

6 Ajoutez les ciboules et la moitié des germes de soja. Laissez cuire 1 minute en remuant. Disposez sur un plat et garnissez du reste de cacahuètes et de germes de soja, de la coriandre et du citron.

Nouilles sautées à la thaïlandaise

Le *Phat thai*, considéré comme l'une des recettes nationales de la Thaïlande, présente une saveur et une texture inoubliables.

INGRÉDIENTS

Pour 4 à 6 personnes

350 g/12 oz de nouilles de riz
45 ml/3 c. à soupe d'huile végétale
15 ml/1 c. à soupe d'ail haché
16 grosses crevettes crues décortiquées,
   avec la queue gardée intacte
2 œufs légèrement battus
15 ml/1 c. à soupe de petites crevettes
   séchées et rincées
30 ml/2 c. à soupe de condiment
   de radis blanc
50 g/2 oz de tofu frit coupé
   en petits morceaux
2,5 ml/½ c. à thé de piment séché
   finement haché
120 g/4 oz de civette coupée
   en morceaux de 5 cm/2 po
230 g/8 oz de germes de soja
50 g/2 oz de cacahuètes grillées
   grossièrement hachées
5 ml/1 c. à thé de sucre en poudre
15 ml/1 c. à soupe de sauce de soja brune
30 ml/2 c. à soupe de sauce de poisson
30 ml/2 c. à soupe de jus de tamarin
30 ml/2 c. à soupe de feuilles de coriandre
   et 1 lime de Cafre, pour le service

1 Faites tremper les nouilles dans de l'eau chaude 20 à 30 minutes et égouttez-les.

2 Chauffez 15 ml/1 c. à soupe d'huile dans un wok ou une grande poêle et faites dorer l'ail. Mettez les grosses crevettes à revenir 1 à 2 minutes, jusqu'à ce qu'elles rosissent, en les faisant sauter de temps en temps. Réservez.

3 Chauffez encore 15 ml/1 c. à soupe d'huile dans le wok. Versez les œufs en les étalant bien en une fine pellicule. Remuez jusqu'à obtenir des œufs brouillés, cassés en petits morceaux. Réservez avec les crevettes.

4 Chauffez le reste d'huile dans le wok et versez les petites crevettes séchées, le condiment de radis, le tofu et le piment séché. Ajoutez les nouilles et faites revenir 5 minutes.

5 Incorporez la civette, ainsi que la moitié des germes de soja et des cacahuètes. Assaisonnez avec le sucre, les sauces de soja et de poisson et le jus de tamarin. Mélangez et laissez cuire jusqu'à ce que les nouilles soient bien chaudes.

6 Versez les crevettes et les œufs réservés et mélangez avec les nouilles. Garnissez du reste des germes de soja et des cacahuètes, des feuilles de coriandre et de la lime.

Bamie goreng

Ce plat de nouilles sautées se marie très bien avec toutes sortes d'ingrédients. Vous pouvez lui ajouter différents légumes, tels que brocolis, poireaux, champignons ou germes de soja. À l'instar des plats de riz sauté, le *Bamie goreng* vous permettra de faire jouer votre imagination, à condition de ne jamais perdre de vue l'indispensable équilibre entre les saveurs, les textures… et les couleurs.

INGRÉDIENTS

Pour 6 à 8 personnes

450 g/1 lb de nouilles aux œufs séchées
1 escalope de poulet sans peau
120 g/4 oz de filet de porc
120 g/4 oz de foie de veau (facultatif)
2 œufs battus
90 ml/6 c. à soupe d'huile
25 g/1 oz de beurre (ou de margarine)
2 gousses d'ail écrasées
120 g/4 oz de crevettes cuites décortiquées
120 g/4 oz d'épinards (ou de chou chinois)
2 branches de céleri en petits morceaux
4 ciboules coupées en lanières
60 ml/4 c. à soupe de bouillon de volaille
sauce de soja brune et sauce de soja claire
sel et poivre noir du moulin
rondelles d'oignon frites *(voir p. 329)*,
    feuilles de céleri, salade aigre-douce
    de fruits et de légumes (facultatif,
    voir p. 370), pour le service

1 Faites cuire les nouilles dans de l'eau bouillante salée 3 à 4 minutes. Égouttez, rincez à l'eau froide et égouttez de nouveau. Réservez.

2 Coupez le poulet, le porc et le foie de veau (facultatif) en fines tranches.

3 Salez et poivrez les œufs. Faites fondre le beurre (ou la margarine) avec 5 ml/1 c. à thé d'huile dans une petite poêle, et mettez les œufs à cuire en remuant. Réservez les œufs brouillés.

4 Chauffez le reste d'huile dans un wok et faites revenir l'ail avec le poulet, le porc et le foie 2 à 3 minutes, jusqu'à ce qu'ils changent de couleur. Ajoutez les crevettes, les épinards (ou le chou chinois), le céleri et les ciboules. Remuez bien.

5 Ajoutez les nouilles et mélangez tous les ingrédients. Arrosez de bouillon de volaille et assaisonnez de sauce de soja claire et de sauce de soja brune à votre goût. Incorporez ensuite les œufs brouillés. Salez et poivrez.

6 Garnissez de rondelles d'oignon frites et de feuilles de céleri. Servez éventuellement avec une salade aigre-douce de fruits et de légumes.

Nouilles somen aux courgettes

Une recette colorée et riche en saveurs. Il est possible de remplacer les courgettes par du potiron.

INGRÉDIENTS

Pour 4 personnes

2 courgettes jaunes
2 courgettes vertes
45 ml/3 c. à soupe de pignons de pin
60 ml/4 c. à soupe d'huile d'olive vierge
2 échalotes finement hachées
2 gousses d'ail finement hachées
2 c. à soupe de câpres rincées
4 tomates séchées à l'huile, en bocal ou en boîte, égouttées et coupées en lamelles
300 g/11 oz de nouilles somen
60 ml/4 c. à soupe d'un mélange d'herbes hachées (ciboulette, thym et estragon, par exemple)
1 zeste de citron non traité râpé
50 g/2 oz de parmesan très finement râpé
sel et poivre noir du moulin

1 Coupez les courgettes en diagonale, pour obtenir des rondelles de la même épaisseur que les nouilles. Coupez ensuite les rondelles en allumettes. Faites dorer les pignons de pin à feu moyen dans une poêle, sans matière grasse.

2 Chauffez la moitié de l'huile dans un wok ou une grande poêle. Mettez à revenir les échalotes et l'ail jusqu'à ce qu'ils libèrent leur arôme. Repoussez-les sur le côté, versez le reste d'huile au centre et faites revenir les courgettes.

3 Remuez pour enduire les courgettes d'ail et d'échalote, puis ajoutez les câpres, les tomates séchées et les pignons de pin. Retirez du feu.

4 Faites cuire les nouilles dans une grande casserole d'eau bouillante salée, pour les attendrir (suivant le temps de cuisson indiqué sur le sachet). Égouttez bien et mélangez aux courgettes. Incorporez les herbes, le zeste de citron et le parmesan. Salez, poivrez et servez rapidement.

Nouilles primavera

INGRÉDIENTS

Pour 4 personnes

230 g/8 oz de nouilles de riz séchées
120 g/4 oz de bouquets de brocolis
1 carotte coupée en fines tranches
230 g/8 oz d'asperges coupées en morceaux de 5 cm/2 po
1 poivron rouge ou jaune évidé et coupé en lamelles
50 g/2 oz de mini-épis de maïs doux
50 g/2 oz de pois gourmands équeutés
45 ml/3 c. à soupe d'huile d'olive
15 ml/1 c. à soupe de gingembre frais haché
2 gousses d'ail hachées
2 ciboules finement hachées
450 g/1 lb de tomates hachées
1 poignée de feuilles de roquette
sauce de soja, à discrétion
sel et poivre noir du moulin

1 Plongez les nouilles dans de l'eau chaude 30 minutes environ. Égouttez.

2 Faites blanchir séparément les brocolis, la carotte, les asperges, les lamelles de poivron, les mini-épis de maïs et les pois gourmands, dans de l'eau bouillante salée. À chaque fois, égouttez et rincez à l'eau froide, puis égouttez de nouveau et réservez.

3 Chauffez l'huile d'olive dans une poêle. Faites revenir le gingembre, l'ail et la ciboule 30 secondes, puis ajoutez les tomates. Laissez cuire 2 à 3 minutes.

4 Ajoutez les nouilles et laissez revenir 3 minutes. Incorporez les légumes et la roquette. Assaisonnez avec la sauce de soja. Salez, poivrez et faites cuire jusqu'à ce que les légumes soient tendres.

Nouilles aux œufs et sauce tomate au thon

Voici une façon simple et rapide de composer un plat succulent à partir d'ingrédients très faciles à réunir.

INGRÉDIENTS

Pour 4 personnes

45 ml/3 c. à soupe d'huile d'olive
2 gousses d'ail finement hachées
2 piments rouges séchés, épépinés et hachés
1 gros oignon rouge très finement coupé
175 g/6 oz de thon au naturel, en boîte, égoutté
120 g/4 oz d'olives noires dénoyautées
400 g/14 oz de tomates en boîte, hachées ou réduites en purée
30 ml/2 c. à soupe de persil haché
350 g/12 oz de nouilles aux œufs d'épaisseur moyenne
sel et poivre noir du moulin

1 Chauffez l'huile dans un wok. Faites revenir quelques secondes l'ail et les piments séchés avant d'ajouter l'oignon. Laissez cuire 5 minutes environ, tout en remuant, afin que l'oignon ramollisse.

2 Ajoutez le thon et les olives noires, et mélangez bien. Incorporez les tomates et leur jus. Portez à ébullition. Salez, poivrez et saupoudrez de persil. Réduisez le feu et laissez mijoter.

3 Faites cuire les nouilles dans de l'eau bouillante jusqu'à ce qu'elles soient tendres, selon le temps de cuisson indiqué sur le sachet. Égouttez bien. Mélangez les nouilles avec la sauce et servez.

Nouilles sautées aux champignons sauvages

Cette recette sera d'autant plus intéressante qu'on aura réussi à multiplier les sortes de champignons sauvages qui entrent dans sa composition. À défaut de champignons sauvages, on se contentera d'autres variétés.

INGRÉDIENTS

Pour 4 personnes

350 g/12 oz de nouilles aux œufs plates
45 ml/3 c. à soupe d'huile végétale
120 g/4 oz de lardons sans la couenne
230 g/8 oz de champignons sauvages, taillés et coupés en deux
120 g/4 oz de civette coupée en morceaux
230 g/8 oz de germes de soja
15 ml/1 c. à soupe de sauce d'huître
15 ml/1 c. à soupe de sauce de soja
sel et poivre noir du moulin

1 Attendrissez les nouilles dans une grande casserole d'eau bouillante pendant 3 à 4 minutes. Égouttez, rincez à l'eau froide et égouttez de nouveau.

2 Chauffez 15 ml/1 c. à soupe d'huile dans un wok. Faites revenir les lardons jusqu'à ce qu'ils soient bien dorés.

3 Sortez les lardons à l'aide d'une écumoire et réservez-les dans un bol.

4 Versez le reste de l'huile dans le wok. Laissez réchauffer avant de mettre à revenir les champignons pendant 3 minutes. Incorporez la civette et les germes de soja. Laissez cuire 3 minutes avant d'ajouter les nouilles.

5 Assaisonnez avec la sauce de soja, la sauce d'huître, du sel et du poivre. Laissez revenir jusqu'à ce que les nouilles soient bien cuites. Garnissez de lardons croustillants et servez.

Nouilles aux tomates séchées et aux crevettes

INGRÉDIENTS

Pour 4 personnes

350 g/12 oz de nouilles somen
45 ml/3 c. à soupe d'huile d'olive
20 grosses crevettes crues décortiquées
2 gousses d'ail finement hachées
45 à 60 ml/3 à 4 c. à soupe de pâte
  de tomates séchées
sel et poivre noir du moulin
1 poignée de feuilles de basilic et 30 ml/
  2 c. à soupe de tomates séchées à l'huile,
  égouttées et coupées en lamelles,
  pour le service

CONSEIL

Vous trouverez facilement de la pâte de
tomates séchées toute prête, mais vous
pourrez aussi en fabriquer vous-même en
mixant simplement des tomates séchées en
bocal avec leur huile. Ajoutez éventuellement
quelques câpres ou filets d'anchois.

1 Faites cuire les nouilles dans une grande casserole d'eau bouillante selon le temps de cuisson indiqué sur le sachet. Égouttez.

2 Chauffez la moitié de l'huile dans un wok. Faites revenir les crevettes avec l'ail pendant 3 à 5 minutes à feu moyen, jusqu'à ce qu'elles soient devenues roses et fermes au toucher.

3 Incorporez 15 ml/1 c. à soupe de pâte de tomates séchées et mélangez bien. Transférez les crevettes dans un saladier à l'aide d'une écumoire et réservez.

4 Réchauffez l'huile restée dans le wok et complétez avec l'huile et la pâte de tomates restantes. Remuez bien et versez un peu d'eau si le mélange est trop épais.

5 Lorsque le mélange commence à grésiller, ajoutez les nouilles. Salez et poivrez. Mélangez bien.

6 Incorporez les crevettes réservées et faites sauter le tout. Garnissez de feuilles de basilic et de lamelles de tomates séchées. Servez rapidement.

Nouilles de riz garnies

Une succulente recette de nouilles rehaussée par de l'avocat et une garniture de crevettes.

INGRÉDIENTS

Pour 4 personnes

15 ml/1 c. à soupe d'huile de tournesol
1 racine de gingembre fraîche de 2 à 3 cm/
   1 po de long, épluchée et râpée
2 gousses d'ail écrasées
45 ml/3 c. à soupe de sauce de soja brune
230 g/8 oz de petits pois (frais, ou surgelés
   et décongelés)
450 g/1 lb de nouilles de riz
450 g/1 lb d'épinards sans les branches
30 ml/2 c. à soupe de beurre de cacahuètes
30 ml/2 c. à soupe de tahini
150 ml/¼ pinte/⅔ tasse de lait
1 avocat mûr épluché et dénoyauté
cacahuètes grillées et crevettes cuites
   décortiquées, pour le service

1 Chauffez l'huile dans un wok préchauffé. Faites revenir le gingembre et l'ail 30 secondes. Versez 15 ml/1 c. à soupe de sauce de soja et 150 ml/¼ pinte/⅔ tasse de lait.

CONSEIL
N'épluchez pas, ni ne dénoyautez ou découpez l'avocat trop tôt, car sa chair se noircit rapidement. Quelques gouttes de citron vous permettront néanmoins d'éviter cela.

2 Ajoutez les petits pois et les nouilles et laissez cuire 3 minutes. Incorporez les épinards. Égouttez les légumes et les nouilles. Réservez au chaud.

3 Dans le wok, faites mijoter le beurre de cacahuètes, le reste de sauce de soja, le tahini et le lait 1 minute.

4 Réintégrez les légumes et les nouilles. Découpez l'avocat et ajoutez-le immédiatement au mélange. Remuez bien. Disposez sur des assiettes individuelles. Versez un peu de sauce sur chaque portion, et garnissez de cacahuètes grillées et de crevettes avant de servir.

Nouilles aux asperges, crème au safran

Une recette estivale agréablement parfumée par la crème au safran.

INGRÉDIENTS

Pour 4 personnes

450 g/1 lb de jeunes asperges
1 pincée de safran
25 g/1 oz de beurre
2 échalotes finement hachées
30 ml/2 c. à soupe de vin blanc
250 ml/8 oz/1 tasse de crème fraîche épaisse
zeste et jus d'½ citron non traité
120 g/4 oz de petits pois
350 g/12 oz de nouilles somen
½ botte de cerfeuil grossièrement haché
sel et poivre noir du moulin
parmesan râpé (facultatif)

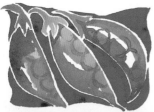

1 Coupez les pointes d'asperges, puis détaillez le reste en petites rondelles. Mettez le safran à tremper dans une tasse d'eau bouillante.

2 Faites fondre le beurre dans une casserole. Ajoutez les échalotes et les laisser revenir à feu doux, pendant 3 minutes, pour les ramollir. Arrosez du vin blanc, de la crème fraîche et de l'infusion de safran. Portez à ébullition, puis réduisez le feu et laissez mijoter 5 minutes, pour que la sauce épaississe. Incorporez le zeste et le jus de citron. Salez et poivrez à votre goût.

3 Portez à ébullition une grande casserole d'eau légèrement salée. Faites blanchir les pointes d'asperges, puis retirez-les à l'aide d'une écumoire et ajoutez-les à la sauce. Procédez de même avec les petits pois et les rondelles d'asperges.

4 Dans l'eau encore bouillante, faites cuire les nouilles somen selon le temps de cuisson indiqué sur le sachet. Égouttez et disposez les nouilles sur un grand plat. Arrosez de sauce.

5 Remuez les nouilles avec la sauce et les légumes. Parsemez de cerfeuil. Salez et poivrez si nécessaire. Saupoudrez éventuellement de parmesan et servez bien chaud.

Nouilles aux germes de soja et aux asperges

La texture des nouilles sautées contraste avec le croquant des asperges et des germes de soja.

INGRÉDIENTS

Pour 4 personnes

120 g/4 oz de nouilles aux œufs séchées
60 ml/4 c. à soupe d'huile végétale
1 petit oignon haché
1 racine de gingembre fraîche de 2 à 3 cm/
   1 po de long, épluchée et râpée
2 gousses d'ail écrasées
175 g/6 oz de pointes de jeunes
   asperges taillées
120 g/4 oz de germes de soja
4 ciboules coupées en petits morceaux
45 ml/3 c. à soupe de sauce de soja
sel et poivre noir du moulin

1 Cuisez les nouilles dans une casserole d'eau bouillante salée 2 à 3 minutes. Égouttez-les et faites-les sauter dans 30 ml/2 c. à soupe d'huile.

2 Chauffez le reste d'huile dans un wok préchauffé. Mettez à revenir l'oignon, le gingembre et l'ail pendant 2 à 3 minutes. Ajoutez les asperges et faites sauter encore 2 à 3 minutes.

3 Incorporez les nouilles et les germes de soja et laissez cuire le tout encore 2 minutes.

4 Tout en remuant, ajoutez les ciboules et la sauce de soja. Assaisonnez à votre goût, sans trop de sel car la sauce de soja en comporte déjà. Faites revenir encore 1 minute et servez rapidement.

Nouilles au gingembre et à la coriandre

Ce plat de nouilles accompagne très bien la plupart des plats asiatiques. Il peut aussi constituer un encas pour deux à trois personnes.

INGRÉDIENTS

Pour 4 à 6 personnes

1 poignée de branches de coriandre fraîches
230 g/8 oz de nouilles aux œufs séchées
45 ml/3 c. à soupe d'huile d'arachide
1 racine de gingembre fraîche de 5 cm/2 po de long, coupée en fines lanières
6 à 8 ciboules coupées en lanières
30 ml/2 c. à soupe de sauce de soja claire
sel et poivre noir du moulin

REMARQUE PRATIQUE

Les nouilles aux œufs séchées se présentent généralement par couches empilées, vendues en sachet. Une couche correspond à peu près à 1 portion, en plat principal.

1 Détachez les feuilles des branches de coriandre et hachez-les grossièrement, à l'aide d'un couperet, sur une planche à découper.

2 Faites cuire les nouilles selon le temps de cuisson indiqué sur le sachet. Rincez à l'eau froide et égouttez. Arrosez d'15 ml/1 c. à soupe d'huile et remuez.

3 Chauffez un wok puis versez l'huile restante, en l'étalant régulièrement. Faites revenir le gingembre quelques secondes, puis ajoutez les nouilles et les ciboules. Laissez sauter 3 à 4 minutes, jusqu'à cuisson complète.

4 Aspergez de sauce de soja. Garnissez de feuilles de coriandre hachées. Salez, poivrez et remuez avant de servir.

Tofu sauté aux germes de soja et aux nouilles

Un plat très consistant, à la fois savoureux et facile à préparer.

INGRÉDIENTS

Pour 4 personnes

230 g/8 oz de tofu bien ferme
huile d'arachide pour friture
175 g/6 oz de nouilles aux œufs
    de taille moyenne
15 ml/1 c. à soupe d'huile de sésame
5 ml/1 c. à thé de Maïzena
30 ml/2 c. à soupe de sauce de soja brune
30 ml/2 c. à soupe de vin de riz chinois
    (ou de Xérès sec)
5 ml/1 c. à thé de sucre en poudre
6 à 8 ciboules coupées en diagonale
    en morceaux de 3 cm/1 po environ
3 gousses d'ail hachées
1 piment vert frais épépiné et coupé
    en rondelles
120 g/4 oz de feuilles de chou chinois
    coupées en lanières
50 g/2 oz de germes de soja
50 g/2 oz de noix de cajou grillées,
    pour le service

1 Égouttez le tofu et le sécher avec du papier absorbant. Coupez-le en dés de 2 à 3 cm/1 po de côté. Remplissez un wok à mi-hauteur d'huile d'arachide et chauffez à 180 °C/350 °F. Faites frire le tofu par poignées pendant 1 à 2 minutes, jusqu'à ce qu'il soit doré et croustillant. Égouttez sur du papier absorbant. Videz le wok pour n'y laisser que 30 ml/2 c. à soupe d'huile.

2 Faites cuire les nouilles en suivant les indications du sachet. Rincez-les ensuite à l'eau froide et égouttez-les bien. Arrosez de 10 ml/2 c. à thé d'huile de sésame en remuant et réservez. Mélangez dans un bol la Maïzena avec la sauce de soja, le vin de riz (ou le Xérès), le sucre et le reste d'huile de sésame.

3 Réchauffez l'huile d'arachide restée dans le wok, puis mettez à revenir les ciboules, l'ail, le piment, le chou chinois et les germes de soja 1 à 2 minutes.

4 Ajoutez les nouilles, le tofu et la sauce. Laissez cuire 1 minute environ, en remuant, afin que les ingrédients soient bien mélangés. Garnissez de noix de cajou et servez rapidement.

Nouilles sautées aux fruits de mer

INGRÉDIENTS

Pour 4 à 6 personnes

350 g/12 oz de nouilles épaisses aux œufs
60 ml/4 c. à soupe d'huile végétale
3 rondelles de gingembre frais râpées
2 gousses d'ail très finement hachées
230 g/8 oz de moules (ou de clams)
230 g/8 oz de crevettes crues décortiquées
230 g/8 oz de calmars coupés en rondelles
120 g/4 oz de gâteaux de poisson frits,
   coupés en tranches
1 poivron rouge épépiné
   et coupé en rondelles
50 g/2 oz de pois gourmands équeutés
30 ml/2 c. à soupe de sauce de soja
2,5 ml/½ c. à thé de sucre en poudre
120 ml/4 oz/½ tasse de bouillon (ou d'eau)
15 ml/1 c. à soupe de Maïzena
5 à 10 ml/1 à 2 c. à thé d'huile de sésame
sel et poivre noir du moulin
2 ciboules coupées en morceaux
   et 2 piments rouges épépinés
   et coupés en rondelles, pour le service

1 Faites cuire les nouilles dans une grande casserole d'eau bouillante jusqu'à ce qu'elles soient juste tendres. Rincez à l'eau froide et égouttez bien.

2 Chauffez l'huile dans un wok ou une grande poêle. Faites revenir l'ail et le gingembre 30 secondes. Ajoutez les moules (ou les clams), les crevettes et les calmars et laissez revenir 4 à 5 minutes en remuant. Ajoutez les tranches de gâteaux de poisson, le poivron et les pois gourmands, et remuez.

3 Dans un saladier, mélangez la sauce de soja, le sucre, le bouillon (ou l'eau) et la Maïzena. Incorporez ce mélange aux fruits de mer et portez à ébullition. Ajoutez les nouilles et laissez cuire jusqu'à ce qu'elles soient bien chaudes.

4 Arrosez d'huile de sésame. Salez et poivrez à votre goût. Servez rapidement, garni de ciboules et de rondelles de piment rouge.

Nouilles et sauce piquante à la viande

INGRÉDIENTS

Pour 4 à 6 personnes

30 ml/2 c. à soupe d'huile végétale
2 piments rouges séchés hachés
5 ml/1 c. à thé de gingembre frais râpé
2 gousses d'ail finement hachées
15 ml/1 c. à soupe de pâte
   de haricots pimentée
450 g/1 lb d'émincé de bœuf (ou de porc)
450 g/1 lb de nouilles aux œufs,
   larges et plates
15 ml/1 c. à soupe d'huile de sésame
2 ciboules hachées, pour le service

La sauce

1 pincée de sel
5 ml/1 c. à thé de sucre
15 ml/1 c. à soupe de sauce de soja
5 ml/1 c. à thé de ketchup aux champignons
15 ml/1 c. à soupe de Maïzena
250 ml/8 oz/1 tasse de bouillon de volaille
5 ml/1 c. à é de vin *shaohsing*
   (ou de Xérès sec)

1 Chauffez l'huile dans une grande casserole. Mettez à revenir les piments séchés, le gingembre et l'ail, puis incorporez progressivement la pâte de haricots pimentée.

2 Ajoutez l'émincé de bœuf ou de porc, en séparant les morceaux à l'aide d'une spatule ou d'une cuillère en bois. Faites cuire à grand feu jusqu'à ce que la viande change de couleur et que tout le liquide se soit évaporé.

3 Mélangez tous les ingrédients de la sauce dans un pichet. Creusez un puits au centre de la préparation à la viande et versez la sauce en mélangeant. Laissez mijoter 10 à 15 minutes.

4 Pendant ce temps, faites cuire les nouilles dans une grande casserole d'eau bouillante pendant 5 à 7 minutes. Égouttez-les et faites-les sauter en les aspergeant d'huile de sésame. Servez avec la sauce à la viande, garnie de ciboules.

Nouilles à la tomate et aux œufs frits

INGRÉDIENTS

Pour 4 personnes

350 g/12 oz de nouilles séchées,
   d'épaisseur moyenne
60 ml/4 c. à soupe d'huile végétale
2 gousses d'ail très finement hachées
4 échalotes hachées
2,5 ml/½ c. à thé de poudre de piment
5 ml/1 c. à thé de paprika
2 carottes coupées en petits dés
120 g/4 oz de champignons de Paris
   coupés en quartiers
50 g/2 oz de petits pois
15 ml/1 c. à soupe de ketchup
10 ml/2 c. à thé de concentré de tomates
sel et poivre noir du moulin
beurre pour la cuisson
4 œufs

1 Faites cuire les nouilles dans une casserole d'eau bouillante jusqu'à ce qu'elles soient tendres. Égouttez, rincez à l'eau froide et égouttez de nouveau.

2 Chauffez l'huile dans un wok ou une grande poêle et mettez à revenir l'ail, les échalotes, la poudre de piment et le paprika pendant 1 minute, en remuant. Ajoutez les dés de carottes, les champignons et les petits pois. Laissez revenir jusqu'à cuisson complète des légumes.

3 Incorporez le ketchup et le concentré de tomates. Mettez les nouilles à réchauffer à feu moyen, jusqu'à ce qu'elles prennent un peu de la couleur du paprika et de la tomate.

4 Pendant ce temps, faites frire les œufs avec du beurre dans une poêle. Salez et poivrez les nouilles, avant de les répartir sur 4 assiettes et de les surmonter d'1 œuf.

Nouilles sautées au curry

Le tofu seul n'a quasiment aucun goût, mais il a la propriété de capter merveilleusement les saveurs qui l'accompagnent, en particulier celle du curry.

INGRÉDIENTS

Pour 4 personnes

60 ml/4 c. à soupe d'huile végétale
30 à 45 ml/2 à 3 c. à soupe de pâte de curry
230 g/8 oz de tofu fumé coupé
   en dés de 2 à 3 cm/1 po de côté
230 g/8 oz de haricots verts, coupés
   en morceaux de 2 à 3 cm/1 po environ
1 poivron rouge évidé et coupé
   en fines lanières
350 g/12 oz de vermicelles de riz ramollis
   dans de l'eau chaude
15 ml/1 c. à soupe de sauce de soja
sel et poivre noir du moulin
2 ciboules coupées en fines rondelles,
   2 piments rouges épépinés et hachés et
   1 citron vert en quartiers, pour le service

1 Chauffez la moitié de l'huile dans un wok ou une grande poêle. Faites revenir la pâte de curry pendant quelques minutes, puis mettez les dés de tofu à dorer. Sortez le tofu à l'aide d'une écumoire et réservez.

2 Versez le reste d'huile dans le wok ou la poêle. Lorsqu'elle est chaude, mettez à revenir les haricots verts et le poivron rouge jusqu'à ce qu'ils soient cuits. Ajoutez éventuellement un peu d'eau en cours de cuisson.

3 Égouttez les vermicelles avant de les verser sur les légumes. Laissez revenir jusqu'à ce que les vermicelles soient bien chauds, puis ajoutez la préparation de tofu au curry. Salez, poivrez et arrosez de sauce de soja selon son goût.

4 Transférez le mélange sur un plat. Garnissez de piments et de rondelles de ciboule, et servez avec les quartiers de citron vert à part.

LES PLATS
DE RIZ

Le riz est l'aliment de base de la plus
grande partie des pays asiatiques. Le riz
simplement cuit à l'eau se marie avec
une grande variété de plats mais il est
également facile de l'associer avec
des légumes, des œufs et toutes sortes
de parfums et d'épices pour créer un plat
particulier. Chaque pays et chaque région
possèdent leurs recettes originales, dont
la saveur et le parfum différent. Essayez
le Riz sauté à la chinoise, *le* Sushi
japonais *ou le* Riz thaï au lait de coco.
Pensez aussi aux Beignets de riz à la
noix de coco, *délice sucré des Philippines.*

Riz nature

Utilisez du riz à grains longs
ou du riz parfumé thaïlandais.
Comptez 50 g/2 oz de riz cru
par personne. Ne salez pas
le riz parfumé.

INGRÉDIENTS

Pour 4 personnes

225 g/8 oz/1⅛ tasses de riz
environ 250 ml/8 oz/1 tasse d'eau
1 pincée de sel
2,5 ml/½ c. à thé d'huile végétale

2 Portez à ébullition, ajoutez le sel et
l'huile, puis remuez pour que le riz
n'attache pas au fond de la casserole.
Réduisez à très petit feu, couvrez et
faites cuire pendant 15 à 20 minutes.

3 Retirez du feu et laissez reposer
10 minutes avec le couvercle. Aérez
le riz avec une fourchette ou une cuillère juste avant de servir.

1 Lavez et rincez le riz. Mettez-le
dans une casserole et versez l'eau.
Il ne doit pas y avoir plus de 2 cm/¾ po
d'eau au-dessus du riz.

Riz aux œufs

Choisissez pour cette recette un
riz ferme, et faites-le tremper un
peu, si possible, avant de le cuire.

INGRÉDIENTS

Pour 4 personnes

3 œufs
5 ml/1 c. à thé de sel
2 ciboules finement hachées
30 à 45 ml/2 à 3 c. à soupe d'huile végétale
450 g/1 lb de riz cuit
115 g/4 oz de petits pois surgelés

1 Battez les œufs légèrement dans un
saladier avec une pincée de sel et
quelques morceaux de ciboules.

2 Chauffez l'huile dans un wok
préchauffé, puis mettez à cuire la
préparation en remuant de manière à
obtenir des œufs brouillés.

3 Ajoutez le riz cuit et remuez pour
séparer les grains. Incorporez le reste
de sel et de ciboules et les petits pois.
Mélangez bien, laissez chauffer et servez.

Riz sauté à la chinoise

Cette recette associe à du riz un savoureux mélange de poulet, de crevettes et de légumes.

INGRÉDIENTS

Pour 4 personnes

175 g/6 oz/⅞ tasse de riz blanc à grains longs
45 ml/3 c. à soupe d'huile d'arachide
350 ml/12 oz/1½ tasses d'eau
1 gousse d'ail écrasée
4 ciboules finement hachées
115 g/4 oz de poulet cuit coupé en dés
115 g/4 oz de crevettes cuites décortiquées
50 g/2 oz de petits pois surgelés
1 œuf légèrement battu
50 g/2 oz de laitue coupée en chiffonnade
30 ml/2 c. à soupe de sauce de soja claire
1 pincée de sucre en poudre
sel et poivre noir du moulin
15 ml/1 c. à soupe de noix de cajou grillées hachées, pour le service

1 Rincez le riz deux ou trois fois dans l'eau chaude pour en retirer l'amidon, puis égouttez-le soigneusement.

2 Mettez le riz dans une casserole, ajoutez 15 ml/1 c. à soupe d'huile et l'eau. Couvrez, portez à ébullition et remuez une fois. Couvrez de nouveau et laissez frémir 12 à 15 minutes, jusqu'à absorption presque totale de l'eau. Laissez reposer 10 minutes hors du feu, avec le couvercle. Aérez le riz avec une fourchette et laissez-le refroidir.

3 Faites chauffer le reste d'huile dans un wok préchauffé ou une poêle, puis laissez blondir l'ail et les ciboules pendant 30 secondes.

4 Ajoutez le poulet, les crevettes, les petits pois, et faites sauter pendant 1 à 2 minutes. Incorporez ensuite le riz et poursuivez la cuisson 2 minutes. Versez l'œuf et remuez jusqu'à ce qu'il soit cuit. Mélangez la laitue, la sauce de soja, le sucre et l'assaisonnement.

5 Dressez dans un saladier chaud, saupoudrez de noix de cajou et servez aussitôt.

Œufs Fu-Yung

Cette préparation ingénieuse permet d'improviser un repas pour quatre personnes avec des restes de riz.

INGRÉDIENTS

Pour 4 personnes

3 œufs battus
1 pincée de cinq-épices (facultatif)
45 ml/3 c. à soupe d'huile d'arachide
 ou de tournesol
4 ciboules émincées
1 gousse d'ail écrasée
1 petit poivron vert épépiné et haché
115 g/4 oz de germes de soja
225 g/8 oz de riz blanc cuit
45 ml/3 c. à soupe de sauce de soja claire
15 ml/1 c. à soupe d'huile de sésame
sel et poivre noir du moulin

1 Salez et poivrez les œufs, ajoutez le cinq-épices.

2 Faites chauffer 15 ml/1 c. à soupe d'huile dans un wok préchauffé ou une grande poêle, puis versez les œufs. Faites-les cuire comme une omelette.

3 Lorsque l'omelette est bien cuite, renversez-la sur une assiette. Détaillez-la en lanières et réservez.

4 Chauffez le reste d'huile, puis mettez à sauter les ciboules, l'ail, le poivron et les germes de soja 2 minutes, en remuant sans arrêt.

5 Ajoutez le riz cuit et laissez chauffer, en remuant. Incorporez la sauce de soja et l'huile de sésame, puis mélangez délicatement l'œuf. Servez aussitôt.

Riz sauté à la mode de Malacca

Ce plat confectionné avec des restes de riz donne lieu à diverses interprétations à travers l'Asie. Les ingrédients peuvent varier en fonction de ce dont vous disposez, mais ils comprennent généralement des crevettes.

INGRÉDIENTS

Pour 4 à 6 personnes

2 œufs
45 ml/3 c. à soupe d'huile végétale
4 échalotes ou 1 oignon moyen
finement hachés
5 ml/1 c. à thé de gingembre frais
finement haché
1 gousse d'ail écrasée
225 g/8 oz de queues de crevettes crues
ou cuites décortiquées et sans les veines
5 à 10 ml/1 à 2 c. à thé de sauce
au piment (facultatif)
les pousses de 3 ciboules
grossièrement hachées
225 g/8 oz de petits pois surgelés
225 g/8 oz de tranches de rôti de porc
coupées en dés
45 ml/3 c. à soupe de sauce de soja claire
350 g/12 oz/1⅔ tasses de riz à grains
longs cuit
sel et poivre noir du moulin

2 Chauffez le reste d'huile dans un wok préchauffé, ajoutez les échalotes ou l'oignon, le gingembre, l'ail et les crevettes, puis faites sauter pendant 1 à 2 minutes, sans laisser brûler l'ail.

3 Incorporez la sauce au piment, les ciboules, les petits pois, le porc et la sauce de soja. Remuez avant d'ajouter le riz. Faites revenir 6 à 8 minutes à feu moyen. Dressez sur un plat et décorez avec l'omelette en lanières.

1 Battez les œufs dans un saladier, salez et poivrez-les. Chauffez 15 ml/ 1 c. à soupe d'huile dans une grande poêle antiadhésive, versez les œufs et faites-les cuire 30 secondes, sans les remuer. Enroulez l'omelette, détaillez-la en fines lanières et réservez.

Riz à l'asiatique

Encore une idée astucieuse pour utiliser des restes de riz cuit. Il doit être bien froid avant d'être cuisiné, sinon il devient collant. Certains supermarchés vendent du riz cuit surgelé.

INGRÉDIENTS

Pour 4 à 6 personnes

75 ml/5 c. à soupe d'huile
115 g/4 oz d'échalotes coupées en deux
   et finement émincées
3 gousses d'ail écrasées
1 piment rouge épépiné et finement haché
6 ciboules finement hachées
1 poivron rouge épépiné et finement haché
225 g/8 oz de chou blanc détaillé en lanières
175 g/6 oz de concombre
   coupé en petits morceaux
50 g/2 oz de petits pois surgelés, décongelés
3 œufs battus
5 ml/1 c. à thé de concentré de tomates
30 ml/2 c. à soupe de jus de citron vert
1,5 ml/¼ c. à thé de Tabasco
700 g/1½ lb de riz blanc cuit froid
115 g/4 oz de noix de cajou
   grossièrement hachées
sel et poivre noir du moulin
30 ml/2 c. à soupe de coriandre fraîche
   ciselée, plus quelques feuilles,
   pour le service

1 Chauffez l'huile dans un wok préchauffé ou une poêle antiadhésive, puis mettez à dorer les échalotes jusqu'à ce qu'elles deviennent croustillantes. Retirez-les avec une écumoire et posez-les sur du papier absorbant.

2 Faites revenir l'ail et le piment dans le wok ou la poêle 1 minute, avant d'incorporer les ciboules et le poivron. Laissez cuire pendant 3 à 4 minutes, jusqu'à ce que les ciboules commencent à ramollir.

REMARQUE PRATIQUE
---
700 g/1½ lb de riz cuit équivalent
à 250 g/8 oz de riz non cuit.

3 Incorporez le chou, le concombre et les petits pois, et poursuivez la cuisson pendant 2 minutes.

4 Formez un creux au milieu des ingrédients pour y verser les œufs. Faites cuire comme des œufs brouillés, puis mélangez-les aux légumes.

5 Ajoutez le concentré de tomates, le jus de citron, le Tabasco, et remuez soigneusement.

6 Augmentez le feu avant d'incorporer le riz cuit, les noix de cajou et la coriandre. Assaisonnez généreusement et faites sauter le tout encore 3 à 4 minutes. Servez décoré d'échalotes frites et de coriandre.

Sushi japonais

INGRÉDIENTS

Pour 8 à 10 sushi

Les sushi au thon

3 feuilles de *nori* (feuilles d'algues très fines)
150 g/5 oz de filet de thon frais
   coupé en bâtonnets
5 ml/1 c. à thé de *wasabi* (raifort japonais)
6 jeunes carottes blanchies
450 g/1 lb/6 tasses de riz japonais cuit

Les sushi au saumon

2 œufs
2,5 ml/½ c. à thé de sel
10 ml/2 c. à thé de sucre
5 feuilles de *nori*
450 g/1 lb/6 tasses de riz japonais cuit
150 g/5 oz de filet de saumon frais
   coupé en bâtonnets
5 ml/1 c. à thé de *wasabi*
½ petit concombre détaillé
   en fins bâtonnets

1 Pour confectionner les sushi au thon, étalez la moitié d'une feuille de *nori* sur un set de table en bambou, garnissez-la de morceaux de thon sur toute la longueur et assaisonnez de *wasabi* allongé d'eau. Posez les carottes à côté, puis enroulez en serrant bien. Soudez le bord en mouillant avec de l'eau.

2 Posez un carré de papier sulfurisé humide sur le set en bambou, puis recouvrez-le de riz. Placez dessus le rouleau de thon et enroulez en enfermant bien le *nori* à l'intérieur. Retirez le papier et découpez en rouleaux avec un couteau humide.

3 Pour confectionner les sushi au saumon, préparez une omelette en battant les œufs avec le sel et le sucre. Chauffez une poêle antiadhésive, versez la préparation aux œufs et faites-la cuire. Laissez refroidir sur un torchon propre.

4 Posez une feuille de *nori* sur un set en bambou, couvrez-la avec l'omelette et taillez-la aux dimensions voulues. Étalez une épaisseur de riz sur l'omelette et disposez des lanières de saumon dans la largeur. Assaisonnez le saumon de *wasabi* allongé d'eau, avant de poser le concombre à côté. Pliez le set de bambou en deux, puis découpez en rouleaux avec un couteau humide.

Riz aux champignons shiitake

Les champignons shiitake
se distinguent par leur parfum
et leur saveur prononcés. Cette
préparation, simple à réaliser,
peut être un accompagnement
ou un plat unique.

INGRÉDIENTS

Pour 4 personnes

2 œufs
15 ml/1 c. à soupe d'eau
45 ml/3 c. à soupe d'huile végétale
350 g/12 oz de champignons shiitake
8 ciboules émincées dans la diagonale
1 gousse d'ail écrasée
½ poivron vert épépiné et haché
25 g/1 oz/2 c. à soupe de beurre
200 g/6 à 8 oz/1 tasse de riz à grains
    longs cuit
15 ml/1 c. à soupe de Xérès
30 ml/2 c. à soupe de sauce de soja foncée
15 ml/1 c. à soupe de coriandre
    fraîche ciselée
sel

1 Battez les œufs avec l'eau, puis salez.

2 Chauffez 15 ml/1 c. à soupe d'huile
dans un wok préchauffé, versez les
œufs et faites-les cuire en omelette.
Soulevez les bords de l'omelette et penchez le wok pour que la partie liquide
passe en dessous et cuise à son tour.
Enroulez l'omelette, puis détaillez-la en
fines lanières.

3 Jetez les pieds des champignons,
s'ils sont durs. Émincez finement
les chapeaux.

4 Chauffez 15 ml/1 c. à soupe de
l'huile restante dans le wok, puis
faites sauter les ciboules et l'ail pendant
3 à 4 minutes, sans laisser dorer. Posez
sur une assiette avec une écumoire,
et réservez.

5 Faites revenir le poivron pendant
2 à 3 minutes, avant d'ajouter le
beurre et le reste d'huile. Lorsque le
beurre commence à grésiller, incorporez les champignons et laissez rissoler à
feu moyen pendant 3 à 4 minutes.

6 Séparez les grains de riz au maximum. Versez le Xérès sur les champignons, puis ajoutez le riz.

7 Faites chauffer le riz à feu moyen,
sans cesser de remuer pour qu'il
n'attache pas. S'il est trop sec, versez un
peu d'huile. Incorporez les ciboules,
l'ail, les morceaux d'omelette, la sauce
de soja et la coriandre. Laissez cuire
quelques minutes et servez.

Beignets de riz à la noix de coco

Cette succulente spécialité en provenance des Philippines se sert à tout moment de la journée, notamment pour accompagner le café ou le chocolat chaud.

INGRÉDIENTS

Pour 28 beignets

150 g/5 oz/⅔ tasse de riz à grains longs cuit
30 ml/2 c. à soupe de lait de coco en poudre
45 ml/3 c. à soupe de sucre
2 jaunes d'œufs
le jus d'½ citron
75 g/3 oz de noix de coco râpée
huile de friture
sucre glace, pour le service

1 Pilez 75 g/3 oz de riz cuit dans un mor-tier ou mixez-le dans un mixer jusqu'à obtention d'une pâte lisse et collante. Mélangez-la dans un saladier avec le reste de riz, le lait de coco en poudre, le sucre, les jaunes d'œufs et le jus de citron.

2 Étalez la noix de coco râpée sur un plat. Avec les mains légèrement humides, divisez la préparation au riz en petites portions, puis roulez-la dans la noix de coco en façonnant des boulettes.

3 Faites chauffer l'huile dans un wok ou une friteuse à 180 °C/350 °F. Faites frire 3 ou 4 boulettes à la fois pendant 1 à 2 minutes, jusqu'à ce qu'elles soient dorées. Posez-les sur une assiette et sau-poudrez-les de sucre glace. Piquez un bâtonnet de bois dans chaque beignet et servez-les comme encas.

CONSEIL

Pour préparer le chocolat chaud, les Philippins confectionnent d'abord un sirop avec 30 ml/2 c. à soupe de sucre et 120 ml/4 oz/½ tasse d'eau, puis ils laissent fondre dedans 115 g/4 oz de chocolat noir. Enfin, ils incorporent à feu doux 200 ml/7 oz/⅞ tasse de lait. Ces proportions conviennent pour 2 personnes.

Gâteau de riz au poulet

Ce plat se consomme souvent au petit déjeuner, parfois avec du poulet simplement. Les gros mangeurs arrosent le gâteau de riz de sauce de soja et l'enrichissent de crevettes, d'ail et de piment, le tout complété d'un œuf au plat et décoré de feuilles de céleri et d'oignon frit.

INGRÉDIENTS

Pour 6 personnes

1 poulet d'1 kg/2¼ lb coupé en 4 morceaux
1,75 l/3 pintes/7½ tasses d'eau
1 gros oignon coupé en quatre
2,5 cm/1 po de gingembre frais coupé en
    deux et écrasé
350 g/12 oz de riz thaï rincé
sel et poivre noir du moulin
quelques crevettes cuites décortiquées,
    1 piment coupé en lanières, 1 oignon frit,
    et feuilles de céleri, pour le service
    (facultatif)

2 Filtrez et mesurez le bouillon de poulet réservé. Ajoutez de l'eau pour obtenir 1,75 l/3 pintes/7½ tasses de liquide, puis transvasez dans une casserole propre.

3 Versez le riz et portez-le à ébullition, en remuant sans arrêt. Baissez le feu, puis laissez frémir doucement pendant 20 minutes. Remuez, couvrez et poursuivez la cuisson encore 20 minutes, en tournant de temps en temps, jusqu'à ce que le riz soit tendre.

4 Incorporez le poulet et laissez chauffer 5 minutes. Servez tel, ou avec les garnitures suggérées.

1 Mettez le poulet dans une grande casserole avec l'eau, l'oignon et le gingembre. Salez, poivrez, portez à ébullition, puis laissez frémir 45 à 50 minutes, jusqu'à ce que le poulet soit tendre. Retirez le poulet de la casserole et réservez le bouillon. Enlevez la peau des morceaux de poulet. Détachez la chair, puis détaillez-la en petits morceaux.

Riz thaï au lait de coco

Ce plat riche se sert avec une salade piquante à la papaye.

INGRÉDIENTS

Pour 4 à 6 personnes

450 g/1 lb/2 tasses de riz thaï
250 ml/8 oz/1 tasse d'eau
500 ml/16 oz/2 tasses de lait de coco
2,5 ml/½ c. à thé de sel
30 ml/2 c. à soupe de sucre
quelques lanières de noix de coco fraîche,
   pour le service (facultatif)

1 Lavez le riz plusieurs fois jusqu'à ce que l'eau devienne claire. Mélangez l'eau, le lait de coco, le sel et le sucre dans une cocotte.

2 Versez le riz, couvrez et portez à ébullition. Réduisez le feu et laissez frémir 15 à 20 minutes, jusqu'à ce que le riz soit cuit.

3 Laissez reposer 5 à 10 minutes dans la cocotte, hors du feu. Aérez le riz avec des baguettes.

4 Servez le riz décoré de lanières de noix de coco.

Riz sauté à l'ananas

Choisissez un ananas parfumé, à peau jaune marron. S'il est mûr, il doit sonner creux lorsque vous tapez sur la base, et la chair doit s'enfoncer légèrement quand vous appuyez dessus.

INGRÉDIENTS

Pour 4 à 6 personnes

1 ananas
30 ml/2 c. à soupe d'huile végétale
1 petit oignon finement haché
2 piments verts épépinés et hachés
225 g/8 oz de porc maigre coupé
   en petits dés
115 g/4 oz de crevettes cuites décortiquées
675 à 900 g/1½ à 2 lb/3 à 4 tasses de riz
   cuit froid
50 g/2 oz de noix de cajou grillées
2 ciboules hachées
30 ml/2 c. à soupe de sauce de poisson
15 ml/1 c. à soupe de sauce de soja
10 à 12 feuilles de menthe, 2 piments
   rouges et 1 piment vert émincés,
   pour le service

1 Coupez l'ananas en deux dans la longueur et retirez la chair. Réservez les deux moitiés évidées. Prélevez 115 g/4 oz de chair que vous hachez, et gardez le reste pour un dessert.

2 Dans un wok ou une grande poêle avec l'huile préchauffée, faites revenir l'oignon et les piments pendant 3 à 5 minutes. Ajoutez le porc et laissez dorer de tous les côtés.

CONSEIL

Cette préparation, présentée de manière originale, fera impression et pourra servir à fêter un événement particulier.

3 Incorporez les crevettes, le riz, puis remuez soigneusement, jusqu'à ce que le riz soit chaud.

4 Mélangez les morceaux d'ananas, les noix de cajou et les ciboules. Assaisonnez de sauce de poisson et de sauce de soja.

5 Remplissez les moitiés d'ananas évidées de cette préparation. Parsemez de feuilles de menthe, et des piments rouges et vert.

Riz thaï aux germes de soja

Délicatement parfumé, le riz thaï peut se servir chaud ou froid.

INGRÉDIENTS

Pour 6 personnes

225 g/8 oz/1 tasse de riz thaï
30 ml/2 c. à soupe d'huile de sésame
30 ml/2 c. à soupe de jus de citron frais
1 petit piment rouge épépiné et haché
1 gousse d'ail écrasée
10 ml/2 c. à thé de gingembre frais râpé
30 ml/2 c. à soupe de sauce de soja claire
5 ml/1 c. à thé de miel liquide
45 ml/3 c. à soupe de jus d'ananas
15 ml/1 c. à soupe de vinaigre de vin
2 ciboules émincées
2 tranches d'ananas en boîte
   coupées en morceaux
150 g/5 oz/1¼ tasses de germes de soja
   ou de lentilles
1 petit poivron rouge émincé
1 bâton de céleri émincé
50 g/2 oz/½ tasse de noix de cajou hachées
30 ml/2 c. à soupe de graines
   de sésame grillées
sel et poivre noir du moulin

1 Faites tremper le riz 20 minutes, et rincez-le dans plusieurs eaux. Égouttez-le, puis faites-le bouillir 10 à 12 minutes dans de l'eau salée. Égouttez-le et réservez.

2 Mélangez dans un grand saladier l'huile de sésame, le jus de citron, le piment, l'ail, le gingembre, la sauce de soja, le miel, le jus d'ananas et le vinaigre de vin. Incorporez le riz.

3 Ajoutez les ciboules, les morceaux d'ananas, les germes de soja ou de lentilles, le poivron, le céleri, les noix de cajou et les graines de sésame. Mélangez intimement. Si le riz colle en refroidissant, remuez avec une cuillère en métal. Ce plat, qui peut se servir chaud ou froid, accompagne à merveille les viandes et poissons grillés.

CONSEIL

L'huile de sésame offre un parfum de noisette soutenu. On l'utilise en assaisonnement et en marinade davantage que pour cuisiner. Elle peut être mélangée à des huiles plus légères pour atténuer son arôme.

Boulettes de riz épicées aux cacahuètes

Vous présenterez ces boulettes de riz indonésiennes avec une salade verte et une sauce, comme le *Sambal à la tomate* (voir p. 500).

INGRÉDIENTS

Pour 16 boulettes

1 gousse d'ail écrasée
1 cm/½ po de gingembre frais
 finement haché
1,5 ml/¼ de c. à thé de curcuma en poudre
5 ml/1 c. à thé de sucre
2,5 ml/½ c. à thé de sel
5 ml/1 c. à thé de sauce au piment
10 ml/2 c. à thé de sauce de poisson
 ou de sauce de soja
30 ml/2 c. à soupe de coriandre
 fraîche ciselée
le jus d'½ citron vert
115 g/4 oz de riz à grains longs cuit
75 g/3 oz de cacahuètes crues hachées
huile de friture

1 Broyez l'ail, le gingembre et le curcuma dans un mortier ou un mixer. Ajoutez le sucre, le sel, la sauce au piment, la sauce de poisson ou de soja, la coriandre et le jus de citron.

2 Incorporez 75 g/3 oz de riz cuit et malaxez pour obtenir une consistance lisse et collante. Mélangez intimement la préparation au reste de riz, puis façonnez 16 boulettes avec les mains légèrement humides.

3 Étalez les cacahuètes sur un plat et roulez les boulettes dedans pour les en enrober. Réservez.

4 Dans un wok ou une poêle préchauffés avec l'huile, faites frire les boulettes, 3 par 3, jusqu'à ce qu'elles soient dorées et croustillantes. Posez-les sur du papier absorbant, puis servez.

Riz aux graines et aux épices

Cette préparation nous change du riz bouilli et offre un accompagnement coloré aux curries et aux viandes grillées.

INGRÉDIENTS

Pour 4 personnes

5 ml/1 c. à thé d'huile de tournesol
2,5 ml/½ c. à thé de curcuma moulu
6 gousses de cardamome
  légèrement écrasées
5 ml/1 c. à thé de graines de coriandre
  légèrement écrasées
1 gousse d'ail écrasée
200 g/7 oz/1 tasse de riz basmati
400 ml/14 oz/1⅔ tasses de bouillon
120 g/4 oz/½ tasse de yaourt nature
15 ml/1 c. à soupe de graines
  de tournesol grillées
15 ml/1 c. à soupe de graines
  de sésame grillées
sel et poivre noir du moulin
feuilles de coriandre, pour le service

1 Chauffez l'huile dans un wok ou une poêle antiadhésive et faites revenir les épices et l'ail 1 minute, en remuant.

2 Ajoutez le riz et le bouillon et portez à ébullition. Couvrez et laissez mijoter pendant 15 minutes, jusqu'à ce que le riz soit tendre.

3 Incorporez le yaourt, ainsi que les graines de sésame et de tournesol grillées. Salez, poivrez et servez chaud, garni de feuilles de coriandre.

Nasi goreng

Voici l'un des plats indonésiens les plus connus. Il donne l'occasion de réutiliser les restes de riz, de volaille et de viande (notamment le porc). Le riz doit être froid et ses grains bien séparés avant d'ajouter les autres ingrédients. Pour cette raison, on le cuira de préférence la veille.

INGRÉDIENTS

Pour 4 à 6 personnes

350 g/12 oz (poids sec) de riz long grain
    tel que le riz basmati (le riz est cuit
    et laissé à refroidir)
2 œufs
30 ml/2 c. à soupe d'eau
105 ml/7 c. à soupe d'huile
230 g/8 oz d'escalope de porc
    (ou de filet de bœuf)
120 g/4 oz de crevettes cuites décortiquées
200 à 230 g/6 à 8 oz de blanc de poulet cuit
    et coupé en morceau
2 ou 3 piments rouges frais, épépinés
    et coupés en rondelles
1,5 cm/½ po de *terasi* en cube
2 gousses d'ail écrasées
1 oignon coupé en morceaux
30 ml/2 c. à soupe de sauce de soja brune
    (ou 45 à 60 ml/3 à 4 c. à soupe
    de ketchup)
sel et poivre noir du moulin
feuilles de céleri, rondelles d'oignon frites
    (voir p. 329) et feuilles de coriandre,
    pour le service

1 Lorsque le riz est cuit et totalement refroidi, séparez les grains à l'aide d'une fourchette. Réservez dans une casserole couverte.

2 Battez les œufs avec l'eau, du sel et du poivre et faites-les cuire en 2 ou 3 omelettes, dans une poêle, avec très peu d'huile. Roulez chaque omelette pour la couper en lanières. Réservez.

3 Tranchez le porc (ou le bœuf) en lamelles. Mettez la viande, les crevettes et le blanc de poulet dans des saladiers séparés. Coupez 1 piment en lanières et réservez-le pour la garniture.

4 Mixez le *terasi*, l'ail, l'oignon et le reste de piments en une pâte fine, ou broyez-les dans un mortier.

5 Faites revenir la pâte obtenue dans l'huile restante, sans la laisser brunir. Mettez le porc ou le bœuf à sauter en l'enduisant entièrement. Laissez cuire 2 minutes en remuant, puis ajoutez les crevettes. Laissez cuire encore 2 minutes avant d'incorporer le riz froid, le poulet, la sauce de soja (ou le ketchup), du sel et du poivre. Remuez constamment pour empêcher le riz de coller.

6 Servez dans un plat chaud, garni de lanières d'omelette, de feuilles de céleri, de rondelles d'oignon frites, de feuilles de coriandre et de lanières de piment.

Riz sauté à la thaïlandaise

Ce plat piquant est très facile
à préparer et constitue à lui seul
un repas complet.

INGRÉDIENTS

Pour 4 personnes

230 g/8 oz de riz thaïlandais parfumé
45 ml/3 c. à soupe d'huile végétale
1 oignon haché
1 petit poivron rouge évidé et coupé
   en dés de 2 cm/¾ po de côté
350 g/12 oz d'escalopes de poulet, sans peau,
   coupées en dés de 2 cm/¾ po de côté
1 gousse d'ail écrasée
15 ml/1 c. à soupe de pâte de curry doux
2,5 ml/½ c. à thé de paprika
2,5 ml/½ c. à thé de curcuma moulu
30 ml/2 c. à soupe de sauce de poisson
   thaïlandaise *(nam pla)*
2 œufs battus
sel et poivre noir du moulin
feuilles de basilic sautées à la poêle,
   pour le service

2 Chauffez un wok et versez 30 ml/
2 c. à soupe d'huile en l'étalant
régulièrement. Faites revenir l'oignon et
le poivron rouge pendant 1 minute.

5 Creusez un puits au centre du riz
pour y verser l'huile restante. Lorsqu'elle est chaude, ajoutez les œufs battus et laissez cuire 2 minutes avant de
remuer pour les incorporer au riz.

3 Ajoutez les dés de poulet, l'ail, la
pâte de curry et les épices. Laissez
cuire le tout pendant 2 à 3 minutes.

6 Décorez de feuilles de basilic sautées et servez rapidement.

1 Versez le riz dans une grande passoire (ou un «chinois») et lavez-le
bien à l'eau froide. Transférez-le dans une
casserole à fond très épais et recouvrez
de 1,5 l/2½ pintes/6¼ tasses d'eau
bouillante. Une fois l'eau revenue à
ébullition, laissez mijoter, sans couvrir,
pendant 8 à 10 minutes. Égouttez bien le
riz. Versez en pluie les grains de riz sur
un grand plateau et laissez refroidir.

4 Réduisez le feu, puis ajoutez le riz
refroidi et la sauce de poisson. Salez,
poivrez et faites revenir à feu moyen
jusqu'à ce que le riz soit très chaud.

> ── REMARQUE PRATIQUE ──
>
> De toutes les variétés de riz connues,
> le riz parfumé thaïlandais est certainement
> l'une des plus populaires, notamment dans
> les recettes thaïlandaises, vietnamiennes et
> certaines préparations du Sud-Est asiatique.
> Son parfum très particulier en fait
> l'accompagnement idéal des repas de fête.

Riz chinois aux cinq ornements

Ce plat de riz, aux ingrédients variés et colorés, peut faire un repas complet.

INGRÉDIENTS

Pour 4 personnes

350 g/12 oz de riz long grain
45 ml/3 c. à soupe d'huile végétale
1 oignon grossièrement haché
120 g/4 oz de jambon cuit coupé en dés
175 g/6 oz de crabe blanc en boîte
75 g/3 oz de châtaignes d'eau en boîte, égouttées et coupées en dés
4 champignons noirs chinois, égouttés et coupés en dés
120 g/4 oz de petits pois (frais, ou surgelés et décongelés)
30 ml/2 c. à soupe de sauce d'huître
5 ml/1 c. à thé de sucre en poudre
sel

1 Rincez le riz et faites-le cuire 10 à 12 minutes, à couvert, dans 700 à 900 ml/1¼ à 1½ pintes/3 à 3¾ tasses d'eau bouillante salée. Rafraîchissez ensuite le riz à l'eau froide. Chauffez 15 ml/1 c. à soupe d'huile dans un wok préchauffé et mettez à revenir le riz pendant 3 minutes. Sortez le riz et réservez.

2 Versez l'huile restante dans le wok. Lorsqu'elle est chaude, mettez à revenir l'oignon, mais sans le dorer.

3 Ajoutez tous les autres ingrédients et laissez sauter 2 minutes.

4 Remettez le riz dans le wok et mélangez aux autres ingrédients. Laissez revenir, tout en remuant, pendant 3 minutes. Servez bien chaud.

Riz sauté à l'indonésienne

Ce plat de riz sauté peut
être servi en plat principal
ou en accompagnement.

INGRÉDIENTS

Pour 4 à 6 personnes

4 échalotes grossièrement hachées
1 piment rouge frais épépiné et haché
1 gousse d'ail hachée
petits éclats de pâte de crevettes séchées
45 ml/3 c. à soupe d'huile végétale
230 g/8 oz d'escalope de porc
  coupée en fines lamelles
180 g/6 oz de riz blanc long grain, bouilli
  et laissé à refroidir
3 ou 4 ciboules coupées en
  petites rondelles
120 g/4 oz de crevettes cuites décortiquées
30 ml/2 c. à soupe de sauce de soja sucrée
  (kecap manis)
coriandre fraîche hachée et fines lanières
  de concombre, pour le service

1 Dans un mortier, pilez ensemble
l'ail, les échalotes, le piment et la
pâte de crevettes jusqu'à obtenir une
pâte. Réservez.

> ── REMARQUE PRATIQUE ──
> La pâte de crevettes, qu'on appelle parfois
> pâte de crevettes séchées, est fabriquée
> à partir de crevettes fermentées, ce qui
> lui confère un arôme particulier et
> une odeur prenante. Les cuisines asiatiques
> en font grand usage. Ne l'employez
> qu'en très petites quantités à la fois.

2 Chauffez un wok et versez 30 ml/
2 c. à soupe d'huile en l'étalant
uniformément. Faites revenir le porc 2 à
3 minutes, puis réservez-le au chaud.

3 Versez l'huile restante dans le wok.
Lorsqu'elle est suffisamment chaude,
mettez à revenir la pâte aux épices réservée, pendant 30 secondes environ.

4 Réduisez le feu. Incorporez le riz,
les rondelles de ciboules et les
crevettes. Laissez cuire 2 à 3 minutes.
Remettez le porc et aspergez de sauce
de soja. Faites sauter le tout pendant
1 minute. Garnissez de coriandre fraîche
hachée et de lanières de concombre, et
servez rapidement.

Riz de fête

Ce plat de *Nasi kuning* est réservé aux grandes occasions : mariages, naissances… ou repas d'adieu.

INGRÉDIENTS

Pour 4 personnes

450 g/1 lb de riz parfumé thaïlandais
60 ml/4 c. à soupe d'huile
2 gousses d'ail écrasées
2 oignons coupés en fines rondelles
5 cm/2 po de curcuma frais, épluché et réduit en purée
750 ml/1¼ pintes/3 tasses d'eau
400 ml/14 oz de lait de coco en boîte
1 à 2 branches de citronnelle froissée(s)
1 à 2 feuilles de *pandan* (facultatif)
sel
lanières d'omelette, 2 piments rouges frais coupés en lanières, quartiers de tomate, morceaux de concombre, rondelles d'oignon frites *(voir p. 329)* et crackers aux crevettes, pour le service

1 Lavez plusieurs fois le riz à l'eau froide. Égouttez bien.

2 Chauffez l'huile dans un wok et mettez à revenir à feu doux l'ail écrasé, les rondelles d'oignons et le curcuma frais, sans les laisser brunir.

CONSEIL

La coutume veut que le riz soit toujours présenté moulé en forme de cône (censé représenter un volcan) et entouré des autres ingrédients.

3 Ajoutez le riz et remuez bien afin que tous les grains soient imprégnés. Versez l'eau et le lait de coco, puis incorporez la citronnelle, du sel et, éventuellement, les feuilles de *pandan*.

4 Portez à ébullition tout en remuant. Couvrez et laissez cuire à feu moyen 15 à 20 minutes, jusqu'à absorption totale du liquide.

5 Placez hors du feu. Recouvrez d'une serviette, puis d'un couvercle et laissez reposer au chaud 15 minutes. Retirez la citronnelle et les feuilles de *pandan* du wok.

6 Disposez sur un plat et garnissez des ingrédients d'accompagnement.

Riz cantonais

Voici le plat de riz le plus connu, et l'un des plus nourrissants, qui constitue presque un repas complet à lui tout seul.

INGRÉDIENTS

Pour 4 personnes

450 g/1 lb de riz cuit
50 g/2 oz de crevettes cuites décortiquées
50 g/2 oz de jambon cuit
120 g/4 oz de petits pois
3 œufs
5 ml/1 c. à thé de sel
2 ciboules finement hachées
60 ml/4 c. à soupe d'huile végétale
15 ml/1 c. à soupe de sauce de soja claire
15 ml/1 c. à soupe de vin de riz chinois
   (ou de Xérès sec)

1 Séchez le riz avec du papier absorbant. Découpez le jambon en petits dés, de la même taille que les petits pois.

2 Battez légèrement les œufs dans un bol, en ajoutant 1 pincée de sel et quelques morceaux de ciboule.

3 Chauffez environ la moitié de l'huile dans un wok préchauffé. Faites revenir les petits pois, les crevettes et les dés de jambon pendant 1 minute, puis ajoutez la sauce de soja et le vin de riz (ou le Xérès). Retirez les ingrédients du wok et réservez-les au chaud.

4 Chauffez le reste d'huile dans le wok et brouillez légèrement les œufs. Incorporez le riz et remuez en séparant bien les grains. Ajoutez le reste de sel et de ciboule, ainsi que les crevettes, le jambon et les petits pois. Mélangez bien et servez chaud ou froid.

Riz au jasmin

Le riz long grain blanc au jasmin, naturellement riche en arôme, est l'aliment de base de nombreux repas thaïlandais.

INGRÉDIENTS

Pour 4 à 6 personnes

450 g/1 lb/2 tasses de riz au jasmin
750 ml/1¼ pintes/3 tasses d'eau fraîche

--- REMARQUE PRATIQUE ---

Il existe des cuiseurs électriques pour le riz, permettant également de le garder au chaud. La version haut de gamme est un modèle antiadhésif, très coûteux, dont l'achat est néanmoins un bon investissement pour l'amateur de riz qui se respecte.

1 Rincez le riz au moins trois fois à l'eau froide. Après le dernier rinçage, l'eau doit être totalement claire.

2 Versez le riz dans un wok ou dans une casserole à fond très épais et ajoutez l'eau. Portez à ébullition, sans couvercle, sur feu maximum. Remuez et réduisez le feu.

3 Couvrez et laissez mijoter à feu doux pendant 20 minutes, jusqu'à ce que toute l'eau ait été absorbée. Retirez le wok ou la casserole du feu et laissez reposer 10 minutes.

4 Retirez le couvercle et remuez doucement le riz à l'aide d'une cuillère en bois ou d'une paire de baguettes, afin de séparer les grains.

Riz au jasmin aux crevettes et au basilic thaï

Le basilic thaïlandais *(bai grapao)*, connu parfois sous l'appellation «basilic sacré», possède une saveur à la fois épicée et âpre, qui le rend inimitable. La plupart des épiceries asiatiques en vendent.

INGRÉDIENTS

Pour 4 à 6 personnes

45 ml/3 c. à soupe d'huile végétale
1 œuf battu
1 oignon haché
15 ml/1 c. à soupe d'ail haché
15 ml/1 c. à soupe de pâte de crevettes
1 kg/2¼ lb/4 tasses de riz au jasmin cuit
350 g/12 oz de crevettes cuites décortiquées
50 g/2 oz de petits pois
sauce d'huître, à discrétion
2 ciboules hachées
15 à 20 feuilles de basilic thaïlandais
grossièrement coupées et 1 branche
de basilic entière, pour le service

1 Chauffez 15 ml/1 c. à soupe d'huile dans un wok ou une poêle. Ajoutez l'œuf battu et étalez-le bien pour former une pellicule homogène.

2 Faites cuire l'omelette afin qu'elle soit juste dorée. Transférez-la sur une planche et découpez-la en fines lanières.

3 Chauffez le reste d'huile dans le wok. Faites revenir l'ail et l'oignon pendant 2 à 3 minutes. Tout en remuant, incorporez la pâte de crevettes.

4 Ajoutez le riz, les crevettes et les petits pois. Continuez à remuer jusqu'à ce que tous les ingrédients soient réchauffés.

5 Assaisonnez avec la sauce d'huître à votre goût (évitez de trop en mettre, car la pâte de crevettes est déjà très salée). Ajoutez les ciboules et les feuilles de basilic et transférez sur un plat. Garnissez de lanières d'omelette. Décorez d'une petite branche de basilic et servez.

Riz sauté au porc

Si vous le souhaitez, vous pouvez garnir ce plat de lanières d'omelette de la même manière que pour la recette précédente.

INGRÉDIENTS

Pour 4 à 6 personnes

45 ml/3 c. à soupe d'huile végétale
1 oignon haché
15 ml/1 c. à soupe d'ail haché
120 g/4 oz de porc coupé en petits dés
2 œufs battus
1 kg/2¼ lb/4 tasses de riz cuit
30 ml/2 c. à soupe de sauce de poisson
15 ml/1 c. à soupe de sauce de soja brune
2,5 ml/½ c. à thé de sucre en poudre
4 ciboules et 2 piments rouges en rondelles,
    1 citron vert en quartiers et 1 omelette
    en lanières (facultatif), pour le service

1 Chauffez l'huile dans un wok ou une grande poêle. Mettez à revenir l'ail et l'oignon pendant 2 minutes environ, pour les ramollir.

2 Ajoutez le porc et laissez-le cuire jusqu'à ce qu'il change de couleur et soit complètement cuit.

3 Ajoutez les œufs et remuez jusqu'à ce qu'ils forment de petits morceaux.

4 Incorporez le riz et continuez à faire revenir, en remuant, les divers ingrédients. Le riz doit être bien imprégné.

5 Versez la sauce de poisson, la sauce de soja et le sucre en mélangeant. Poursuivez la cuisson jusqu'à ce que le riz soit complètement cuit. Garnissez de rondelles de ciboules et de piments rouges, et de quartiers de citron vert. Décorez éventuellement de quelques lanières d'omelette au sommet et servez.

Riz sauté rouge

L'attrait de ce plat provient autant
de sa couleur vive, due à l'oignon,
au poivron et aux tomates cerise,
qu'à la saveur de leur association.

INGRÉDIENTS

Pour 2 personnes

120 g/4 oz de riz basmati
30 ml/2 c. à soupe d'huile d'arachide
1 petit oignon rouge haché
1 poivron rouge coupé en morceaux
230 g/8 oz de tomates cerise coupées
   en deux
2 œufs battus
sel et poivre noir du moulin

1 Lavez le riz à plusieurs reprises à
l'eau froide. Égouttez bien. Faites-le
cuire dans une grande casserole d'eau
bouillante salée, 10 à 12 minutes, jusqu'à
ce qu'il soit devenu tendre.

2 Dans le même temps, chauffez l'huile
dans un wok. Mettez à revenir l'oignon et le poivron rouge pendant 2 à
3 minutes. Ajoutez les tomates cerise et
laissez cuire, tout en remuant, 2 minutes
supplémentaires.

3 Incorporez les œufs battus en une
seule fois. Laissez cuire 30 secondes
sans remuer, puis brisez l'omelette en train
de se former et brouillez délicatement.

4 Égouttez bien le riz cuit et versez-
le dans le wok. Faites sauter tous les
ingrédients pendant encore 3 minutes.
Salez et poivrez le riz sauté à votre goût
et servez.

Baguettes de riz aux épices et aux crevettes

Cette recette bien connue trouve son origine dans le *Pad thai*, un plat de nouilles traditionnel. Très populaire dans toute la Thaïlande, on le consomme matin, midi et soir.

INGRÉDIENTS

Pour 4 personnes

15 g/½ oz de crevettes séchées
15 ml/1 c. à soupe de pulpe de tamarin
45 ml/3 c. à soupe de sauce de poisson thaïlandaise *(nam pla)*
15 ml/1 c. à soupe de sucre en poudre
2 gousses d'ail hachées
2 piments rouges frais épépinés et hachés
45 ml/3 c. à soupe d'huile d'arachide
2 œufs battus
230 g/8 oz de baguettes de riz séchées, trempées dans de l'eau chaude pendant 30 minutes, puis rafraîchies à l'eau froide et égouttées
230 g/8 oz de grosses crevettes cuites décortiquées
3 ciboules en morceaux de 2 à 3 cm/1 po
75 g/3 oz de germes de soja
30 ml/2 c. à soupe de cacahuètes sans sel, grillées et grossièrement hachées
30 ml/2 c. à soupe de coriandre hachée rondelles de citron vert, pour le service

1 Versez les crevettes séchées dans un petit saladier et recouvrez d'eau chaude. Laissez tremper 30 minutes, jusqu'à ce qu'elles aient ramolli.

2 Versez la pulpe de tamarin dans un saladier avec 60 ml/4 c. à soupe d'eau chaude. Mélangez, puis filtrez à travers une passoire pour extraire 30 ml/2 c. à soupe d'eau au tamarin. Mêlez ce liquide à la sauce de poisson et au sucre.

3 Pilez l'ail et les piments dans un mortier pour obtenir une pâte. Réservez. Chauffez un wok à feu moyen et versez 15 ml/1 c. à soupe d'huile. Brouillez les œufs pendant 1 à 2 minutes. Réservez au chaud.

— VARIANTE —

Pour faire de ce plat une recette végétarienne, il suffit de supprimer les crevettes séchées et de remplacer les grosses crevettes par du tofu frit coupé en dés.

4 Réchauffez le wok avant d'y verser le reste d'huile. Mettez à revenir la pâte au piment réservée et les crevettes séchées, pendant 1 minute. Ajoutez les baguettes de riz et le mélange au tamarin. Laissez cuire 3 à 4 minutes.

5 Incorporez les œufs brouillés, les crevettes, les ciboules, les germes de soja, les cacahuètes et la coriandre. Faites sauter 2 minutes, jusqu'à ce que les ingrédients soient bien mélangés. Garnissez chaque portion de citron vert et servez.

Riz sauté aux épices

Ce plat, très peu relevé, convient bien en accompagnement d'un curry. Les épices entières qu'il contient (clous de girofle, cardamome, feuille de laurier, cannelle, grains de poivre et de cumin) ne sont pas destinées à être mangées.

INGRÉDIENTS

Pour 3 à 4 personnes

175 g/6 oz de riz basmati
2,5 ml/½ c. à thé de sel
15 ml/1 c. à soupe de *ghee* ou de beurre
8 clous de girofle
4 gousses de cardamome verte
  légèrement écrasées
1 feuille de laurier
7 à 8 cm/3 po de bâton de cannelle
5 ml/1 c. à thé de grains de poivre noir
5 ml/1 c. à thé de grains de cumin

1 Lavez le riz plusieurs fois abondamment à l'eau froide, jusqu'à ce que l'eau filtrée soit claire. Transférez-le dans un saladier et recouvrez de 600 ml/ 1 pinte/2½ tasses d'eau fraîche. Laissez tremper 30 minutes, puis égouttez bien.

CONSEIL

Vous pouvez ajouter 2,5 ml/½ c. à thé de curcuma moulu au cours de l'étape 2, pour donner au riz une couleur jaune.

2 Versez le riz dans une casserole à fond épais. Ajoutez 600 ml/1 pinte/ 2½ tasses d'eau et le sel. Portez à ébullition, puis couvrez et laissez mijoter 10 minutes. Le riz devra être cuit mais rester un peu croquant. Égouttez l'eau restante et remuez avec une fourchette pour séparer les grains de riz. Étalez le riz sur un plateau et laissez-le refroidir.

3 Faites fondre le *ghee* ou le beurre dans un wok et mettez à revenir toutes les épices 1 minute.

4 Ajoutez le riz refroidi et faites-le sauter pendant 3 à 4 minutes, jusqu'à ce qu'il soit bien chaud. Servez immédiatement.

Riz aux trois noix et aux champignons sautés

Cette recette très consistante fera un délicieux plat à servir au dîner, chaud ou froid, accompagné de salades.

INGRÉDIENTS

Pour 4 à 6 personnes

350 g/12 oz de riz long grain, basmati
   de préférence
45 ml/3 c. à soupe d'huile de tournesol
1 petit oignon (ou 1 échalote)
   grossièrement haché(e)
230 g/8 oz de champignons des bois
   en tranches
50 g/2 oz de noisettes grossièrement hachées
50 g/2 oz de noix de pécan
   grossièrement hachées
50 g/2 oz d'amandes grossièrement hachées
60 ml/4 c. à soupe de persil frais haché
sel et poivre noir du moulin

1 Rincez le riz avant de le faire cuire 10 à 12 minutes, à couvert, dans 700 à 900 ml/1¼ à 1½ pintes/3 à 3¾ tasses d'eau salée. Rafraîchissez ensuite le riz à l'eau froide. Chauffez le wok avant d'y verser la moitié de l'huile. Faites revenir le riz 2 à 3 minutes, puis réservez-le dans un saladier.

--- REMARQUE PRATIQUE ---
De toutes les variétés de riz long grain, le basmati est le plus apprécié. Il est cultivé en Inde, où l'arôme que dégagent ses grains très fins lui a valu son nom (basmati peut se traduire par «parfumé»). Rincez-le à l'eau froide et laissez-le tremper 10 minutes avant cuisson.

2 Versez le reste d'huile dans le wok et mettez à revenir l'oignon (ou l'échalote) pendant 2 minutes, sans lui laisser prendre de couleur. Ajoutez les champignons et faites-les sauter 2 minutes.

3 Incorporez les noix, les noisettes et les amandes et faites revenir encore 1 minute. Remettez le riz et laissez cuire 3 minutes supplémentaires. Salez et poivrez. Saupoudrez de persil et servez.

LES DESSERTS

Surprenez votre famille avec ces exquis desserts de tous les pays d'Asie. La Salade de fruits exotiques vietnamienne est tout aussi délicieuse à déguster que ravissante à regarder. Personne ne peut résister aux savoureuses Friandises aux patates douces et aux marrons. La Thaïlande nous offre une variante originale de la Crème de coco à la vapeur, tandis que le mélange de pâte croustillante et de fruits chauds et moelleux des Bananes frites est tout simplement un régal.

Salade de fruits chinoise

Une salade de fruits originale
aux accents asiatiques se compose
d'un mélange de fruits exotiques,
arrosé d'un sirop acidulé
au citron et aux litchis, et
saupoudré de graines de sésame.

INGRÉDIENTS

Pour 4 personnes

115 g/4 oz/½ tasse de sucre en poudre
300 ml/½ pinte/1¼ tasses d'eau
le zeste finement détaillé
    et le jus d'1 citron vert
400 g/14 oz de litchis au sirop en boîte
1 mangue mûre pelée, dénoyautée et
    coupée en tranches
1 pomme évidée et coupée en tranches
2 bananes coupées en rondelles
1 carambole coupée en tranches (facultatif)
5 ml/1 c. à thé de graines de sésame grillées

1 Réunissez dans une casserole le
sucre, l'eau et le zeste de citron.
Chauffez doucement jusqu'à dissolution
du sucre, puis augmentez le feu et faites
frémir 7 à 8 minutes. Laissez refroidir
hors du feu.

2 Égouttez les litchis et réservez le
jus. Versez celui-ci dans le sirop
froid, avec le jus de citron. Mélangez
tous les fruits dans un saladier et arrosez-les de sirop. Laissez 1 heure au frais.
Saupoudrez de graines de sésame juste
avant de servir.

CONSEIL

Pour préparer une mangue, coupez le fruit
en deux dans la longueur, à 1 cm/½ po
de part et d'autre du noyau. Dégagez les
2 moitiés avec un couteau pointu. Incisez
la chair en croisillons. Prenez une moitié
avec les deux mains, recourbez-la
au maximum, puis retirez les cubes
de chair avec une cuillère. Procédez
de même avec l'autre moitié.

Raviolis aux dattes et aux noix

Ce savoureux dessert est une version sucrée de raviolis frits.

INGRÉDIENTS

Pour 15 raviolis

25 à 30 dattes sèches dénoyautées
50 g/2 oz/½ tasse de noix
30 ml/2 c. à soupe de sucre roux
1 pincée de cannelle en poudre
30 carrés de pâte à raviolis
1 œuf battu
huile de friture
menthe fraîche et sucre glace,
    pour le service

1 Hachez grossièrement les dattes et les noix. Mettez-les dans un saladier, puis ajoutez le sucre et la cannelle. Mélangez bien.

2 Déposez 1 cuillerée de garniture sur un carré de pâte, humectez les bords d'œuf battu et recouvrez avec un autre carré. Soudez les bords en appuyant légèrement dessus. Procédez de même avec le reste de la pâte et de la garniture.

3 Faites chauffer l'huile à 180 °C/350 °F dans un wok ou une friteuse. Mettez à frire les raviolis en plusieurs fois jusqu'à ce qu'ils soient dorés. Retirez-les avec une écumoire et posez-les sur du papier absorbant. Servez chaud, décoré de menthe et saupoudré de sucre glace.

Crêpes fines

Les crêpes fines ne sont pas difficiles à confectionner. Elles exigent seulement un peu de pratique et de patience. Les restaurants les achètent souvent surgelées dans les supermarchés asiatiques. Si vous utilisez des crêpes toutes prêtes, achetées ou fabriquées par vos soins, faites-les réchauffer 5 minutes à la vapeur, ou 1 à 2 minutes au four à micro-ondes à 650 watts.

INGRÉDIENTS

Pour 24 à 30 crêpes

450 g/1 lb/4 tasses de farine
environ 300 ml/½ pinte/1¼ tasses
  d'eau bouillante
5 ml/1 c. à thé d'huile végétale

1 Tamisez la farine dans un bol, puis versez très lentement l'eau bouillante, en remuant. Mélangez avec l'huile et pétrissez jusqu'à obtention d'une pâte ferme. Couvrez d'un torchon humide, puis laissez reposer 30 minutes.

2 Farinez un plan de travail. Pétrissez la pâte pendant 5 à 8 minutes, jusqu'à ce qu'elle devienne lisse, puis divisez-la en 3 portions égales. Roulez chaque portion en forme de boudin que vous détaillez en 8 à 10 morceaux, puis façonnez-les en boules. Aplatissez-les avec la paume de la main, avant de les étaler en cercles de 15 cm/6 po de diamètre avec un rouleau à pâtisserie.

3 Faites chauffer vivement une poêle non graissée, baissez le feu et mettez les crêpes l'une après l'autre dans la poêle. Retirez lorsque des taches brunes apparaissent sur le dessous. Gardez sous un torchon humide jusqu'à ce que toutes les crêpes soient cuites.

Crêpes à la pâte de haricots rouges

Vous pouvez remplacer la pâte de haricots rouges par de la crème de marrons ou des dattes écrasées.

INGRÉDIENTS

Pour 4 personnes

120 ml/8 c. à soupe de pâte
  de haricots rouges
8 crêpes fines
30 à 45 ml/2 à 3 c. à soupe d'huile végétale
sucre en poudre, pour le service

1 Étalez environ 15 ml/1 c. à soupe de pâte de haricots rouges sur chaque crêpe en couvrant les trois quarts de la surface, puis enroulez.

2 Faites chauffer l'huile dans un wok préchauffé ou une poêle, et mettez à dorer les crêpes roulées, en les retournant une fois.

3 Coupez chaque crêpe en 3 ou 4 morceaux et saupoudrez-les de sucre avant de servir.

Gelée de fruits à l'amande

Pour réaliser ce dessert, vous pouvez remplacer l'*agar-agar* par de la gélatine.

INGRÉDIENTS

Pour 4 à 6 personnes

10 g/¼ oz d'*agar-agar*
    ou 25 g/1 oz de gélatine
environ 600 ml/1 pinte/2½ tasses d'eau
60 ml/4 c. à soupe de sucre en poudre
300 ml/½ pinte/1¼ tasses de lait
5 ml/1 c. à thé d'essence d'amande
salade de fruits frais ou en conserve avec
    le jus, pour le service

1 Diluez l'*agar-agar* à feu doux dans la moitié de l'eau, pendant environ 10 minutes. Si vous utilisez de la gélatine, suivez les instructions figurant sur le paquet.

2 Faites fondre le sucre dans le reste d'eau, à feu moyen, dans une autre casserole. Ajoutez l'essence d'amande, le lait, et remuez délicatement, sans laisser bouillir.

3 Mélangez le lait sucré avec l'*agar-agar* ou la gélatine, dans un saladier. Lorsque la préparation est froide, laissez durcir 2 à 3 heures au réfrigérateur.

4 Pour servir, détaillez la préparation en petits cubes et mettez-la dans un saladier ou des coupelles. Versez dessus la salade de fruits avec le jus et servez.

Citrouille au lait de coco

Les Thaïlandais sont très friands de fruits cuits en dessert. Vous pouvez accommoder de la même manière des bananes, des melons, des grains de maïs ou des légumes secs comme les haricots mungo et les haricots noirs.

INGRÉDIENTS

Pour 4 à 6 personnes

1 kg/2¼ lb de citrouille *kabocha*
750 ml/1¼ pinte/3 tasses de lait de coco
175 g/6 oz de sucre en poudre
1 pincée de sel
quelques feuilles de menthe et des graines de citrouille grillées, pour le service

1 Lavez l'écorce de la citrouille et retirez-la partiellement. Enlevez les graines.

2 Détaillez la chair de citrouille en morceaux d'environ 5 cm/2 po de long et 2 cm/¾ po d'épaisseur.

3 Faites bouillir le lait de coco avec le sucre et le sel dans une casserole.

4 Ajoutez la citrouille et laissez frémir 10 à 15 minutes, jusqu'à ce qu'elle soit tendre. Servez chaud. Décorez chaque portion d'1 feuille de menthe et de quelques graines de citrouille grillées.

> — CONSEIL —
>
> Vous pouvez utiliser n'importe quelle variété de citrouille à texture ferme pour confectionner ce dessert. Celles de la Jamaïque ou de Nouvelle-Zélande peuvent remplacer la citrouille *kabocha*.

Gâteau de fête

Ce gâteau irrésistible est préparé avec du riz parfumé thaïlandais recouvert d'une délicieuse crème acidulée. Vous le décorerez de fruits frais ou écrirez dessus un message en chocolat fondu.

INGRÉDIENTS

Pour 8 à 10 personnes

225 g/8 oz/1⅛ tasses de riz parfumé thaï
1 l/1¾ pintes/4 tasses de lait
115 g/4 oz de sucre en poudre
6 gousses de cardamome écrasées
2 feuilles de laurier
300 ml/½ pinte/1¼ tasses de crème fraîche
6 œufs, blancs et jaunes séparés

La garniture

300 ml/½ pinte/1¼ tasses de crème fraîche
200 g/7 oz/⅞ tasse de fromage blanc
5 ml/1 c. à thé d'essence de vanille
le zeste râpé d'1 citron
30 g/1½ oz/3 c. à soupe de sucre en poudre
quelques fruits rouges et 1 kiwi
  ou 1 carambole coupés en tranches,
  pour le service

2 Remettez le riz dans la casserole avec le lait, 115 g/4 oz/⅝ tasse de sucre, la carda-mome et le laurier. Portez à ébullition, puis baissez le feu et laissez frémir pendant 20 minutes, en remuant de temps en temps.

3 Laissez refroidir, puis retirez le laurier et les gousses de cardamome. Transvasez le riz au lait dans un grand saladier. Incorporez la crème fraîche, puis les jaunes d'œufs.

4 Battez les blancs d'œufs en neige ferme, puis incorporez-les à la préparation. Versez dans le moule et faites cuire 45 à 50 minutes dans le four préchauffé à 180 °C/350 °F, jusqu'à ce que le gâteau soit levé et doré. Le centre doit être légèrement mou – il durcira en refroidissant.

5 Laissez refroidir toute la nuit dans le moule. Le lendemain, démoulez le gâteau sur un grand plat de service.

6 Pour préparer la garniture, fouettez vivement la crème fraîche, puis ajoutez le fromage blanc, l'essence de vanille, le zeste de citron et le sucre. Nappez de crème le dessus et les côtés du gâteau, de manière décorative. Parsemez-le de fruits.

1 Graissez et chemisez un moule rond et profond de 25 cm/10 po de dia-mètre. Faites bouillir le riz 3 minutes dans de l'eau non salée, puis égouttez-le soigneusement.

CONSEIL

Pour vous faciliter la tâche, vous pouvez poser les fruits sur le gâteau, après l'avoir démoulé, et servir la crème séparément, en l'allongeant avec un peu de lait.

Crème de coco à la vapeur

Le *Srikaya* est un dessert aussi répandu en Asie du Sud-Est que la crème caramel l'est en Europe.

INGRÉDIENTS

Pour 8 personnes

400 ml/14 oz de lait de coco en boîte
75 ml/5 c. à soupe d'eau
25 g/1 oz de sucre
3 œufs battus
25 g/1 oz de nouilles cellophane, ayant
    trempé 5 minutes dans de l'eau chaude
4 bananes mûres épluchées
    et coupées en petits morceaux
sel
glace à la vanille, pour le service (facultatif)

1 Réunissez le lait de coco, l'eau, le sucre et les œufs battus et fouettez vigoureusement.

2 Filtrez dans un moule à soufflé de 1,75 l/3 pintes/7½ tasses de contenance.

3 Égouttez soigneusement les nouilles et coupez-les en petits morceaux avec des ciseaux. Ajoutez-les dans la préparation, ainsi que les morceaux de bananes, puis salez.

4 Couvrez le moule de papier aluminium et faites cuire 1 heure dans un cuiseur à vapeur. Pour vérifier la cuisson, enfoncez un couteau au centre. Servez chaud ou froid, éventuellement avec de la glace à la vanille.

Friandises aux patates douces et aux marrons

Les Japonais offrent traditionnellement avec le thé des friandises à base de pâte de soja. Leur goût sucré contraste à merveille avec l'amertume du thé. Ces gourmandises peuvent également être servies en dessert.

INGRÉDIENTS

Pour 18 bouchées

450 g/1 lb de patates douces épluchées
   et coupées en morceaux
1 pincée de sel
2 jaunes d'œufs
200 g/7 oz/1 cup de sucre
60 ml/4 c. à soupe d'eau
75 ml/5 c. à soupe de farine de riz ou de blé
5 ml/1 c. à thé d'eau de rose
   ou de fleur d'oranger (facultatif)
200 g/7 oz de marrons au sirop
   en boîte, égouttés
45 ml/3 c. à soupe de sucre en poudre
2 morceaux d'angélique confite
10 ml/2 c. à thé de confiture de prunes
   ou d'abricots
3 à 4 gouttes de colorant alimentaire rouge

1 Mettez les patates douces dans une casserole, couvrez-les d'eau froide et salez. Portez à ébullition et laissez frémir 20 à 25 minutes, jusqu'à ce qu'elles soient tendres. Égouttez-les, puis remettez-les dans la casserole. Écrasez-les en purée. Réunissez dans un saladier les jaunes d'œufs, le sucre, l'eau, la farine et l'eau de rose ou de fleur d'oranger. Ajoutez la purée de patates douces et remuez à feu doux pendant 3 à 4 minutes. Laissez refroidir sur une plaque.

2 Pour façonner les friandises, posez 10 ml/2 c. à thé de préparation au centre d'un mouchoir en coton humide. Fermez le mouchoir et entortillez-le en forme de noix. Le mouchoir doit être suffisamment humide pour que la préparation ne colle pas.

3 Pour préparer les marrons, essuyez-les soigneusement. Roulez-les dans le sucre en poudre et décorez de morceaux d'angélique. Pour terminer la confection des friandises à la patate douce, teintez la confiture de prunes ou d'abricots avec le colorant rouge, puis décorez chaque bonbon d'une tache de couleur.

CONSEIL

Les marrons enrobés de sucre se conservent 5 jours à température ambiante, dans une boîte fermée. Les friandises à la patate douce se gardent au réfrigérateur, dans un récipient hermétique.

Gâteau de riz thaïlandais

Le riz gluant noir se distingue par ses longs grains noirs et son goût de noisette, comparable à celui du riz complet. Ce gâteau de riz cuit au four vous surprendra par sa saveur insolite.

INGRÉDIENTS

Pour 4 à 6 personnes

175 g/6 oz de riz gluant noir ou blanc
30 ml/2 c. à soupe de sucre roux
500 ml/16 oz/2 tasses de lait de coco
250 ml/8 oz/1 tasse d'eau
3 œufs
30 ml/2 c. à soupe de sucre

1 Réunissez dans une casserole le riz gluant, le sucre roux, la moitié du lait de coco et toute l'eau.

2 Portez à ébullition et laissez frémir 15 à 20 minutes, jusqu'à absorption presque totale du liquide, en remuant de temps en temps. Préchauffez le four à 150 °C/300 °F.

3 Mettez le riz dans un grand plat à four ou répartissez-le dans des ramequins individuels. Mélangez les œufs, le reste de lait de coco et le sucre dans un saladier.

4 Filtrez et versez la préparation sur le riz.

5 Posez le plat (ou les ramequins) dans un plat plus grand que vous remplissez d'eau bouillante à mi-hauteur.

6 Couvrez le gâteau de papier aluminium et faites-le cuire 35 minutes à 1 heure au four. Servez chaud ou froid.

Mangue au riz gluant

Le parfum délicat, la saveur aigre-douce et la pulpe veloutée de la mangue créent un accord parfait avec le riz au coco. Ce dessert doit être préparé la veille.

INGRÉDIENTS

Pour 4 personnes

115 g/4 oz de riz gluant blanc
200 ml/6 oz/¾ tasse de lait de coco épais
45 ml/3 c. à soupe de sucre cristallisé
1 pincée de sel
2 mangues mûres
quelques zestes de citron vert,
   pour le service

1 Rincez soigneusement le riz plusieurs fois à l'eau froide, puis laissez-le tremper toute la nuit dans un saladier d'eau fraîche.

2 Égouttez et étalez le riz régulièrement dans un cuiseur garni d'une mousseline. Couvrez et laissez-le cuire 20 minutes à la vapeur.

3 Dans le même temps, réservez 45 ml/ 3 c. à soupe du dessus du lait de coco, et portez le reste à ébullition dans une casserole, avec le sucre et le sel, en remuant jusqu'à dissolution du sucre. Transvasez dans un saladier et laissez refroidir un peu.

4 Mettez le riz dans un saladier et recouvrez de la préparation au coco. Remuez, puis laissez reposer 10 à 15 minutes.

5 Pelez les mangues et détaillez la pulpe en tranches. Disposez-les sur le riz, puis arrosez du lait de coco réservé. Décorez de zestes de citron.

Petits pains briochés

Ces délicieux petits pains révèlent l'influence espagnole sur la cuisine des Philippines. Ils clôtureront agréablement un repas ou se serviront avec le thé.

INGRÉDIENTS

Pour 10 petits pains

350 g/12 oz/3 tasses de farine
5 ml/1 c. à thé de sel
15 ml/1 c. à soupe de sucre en poudre
5 ml/1 c. à thé de levure sèche de boulanger
150 ml/¼ pinte/⅔ tasse d'eau chaude
3 jaunes d'œufs
50 g/2 oz/4 c. à soupe de beurre ramolli
75 g/3 oz/¾ tasse de gruyère râpé
30 ml/2 c. à soupe de beurre fondu
50 g/2 oz/⅜ tasse de sucre

1 Tamisez la farine, le sel et le sucre en poudre dans le bol d'un mixer. Creusez une fontaine au milieu. Délayez la levure dans l'eau chaude, puis versez dans la fontaine. Ajoutez les jaunes d'œufs et laissez reposer quelques minutes, jusqu'à la formation de bulles à la surface.

2 Mixez le tout 30 à 45 secondes afin d'obtenir une pâte ferme. Incorporez le beurre ramolli et malaxez de nouveau pendant 2 à 3 minutes, jusqu'à obtention d'une pâte lisse. Mettez-la dans un saladier fariné, couvrez et laissez lever dans un endroit chaud jusqu'à ce qu'elle double de volume.

3 Posez la pâte sur une surface farinée et divisez-la en 10 pâtons. Éparpillez le fromage sur le plan de travail. Roulez les pâtons dans le fromage, en façonnant des boudins de 12,5 cm/ 5 po. Enroulez-les en forme d'escargots, puis posez-les sur une plaque graissée de 30 × 20 cm/12 × 8 po.

4 Couvrez de film alimentaire et laissez 45 minutes dans un endroit chaud, jusqu'à ce que les pains doublent de volume. Faites-les cuire 20 à 25 minutes dans le four préchauffé à 190 °C/ 375 °F. Humectez-les de beurre fondu, saupoudrez-les de sucre et laissez-les refroidir. Séparez les pains avant de servir.

Salade de fruits exotiques

Vous choisirez les fruits en fonction du marché pour ce dessert vietnamien. Mandarines, carambole, papaye et fruits de la passion seront les bienvenus.

INGRÉDIENTS

Pour 4 à 6 personnes

75 g/3 oz/⅜ tasse de sucre
300 ml/½ pinte/1¼ tasses d'eau
30 ml/2 c. à soupe de sirop de gingembre
2 gousses d'anis étoilé
1 bâton de cannelle de 2,5 cm/1 po de long
1 clou de girofle
le jus d'½ citron
2 branches de menthe fraîche
1 mangue
2 bananes coupées en rondelles
8 litchis frais ou en boîte
225 g/8 oz de fraises équeutées et coupées en deux
2 morceaux de gingembre détaillés en bâtonnets
1 ananas moyen

1 Portez à ébullition dans une casserole le sucre, le sirop de gingembre, l'eau, l'anis étoilé, la cannelle, le clou de girofle, le jus de citron et la menthe, puis laissez frémir 3 minutes. Filtrez dans un saladier et laissez refroidir.

2 Coupez les deux extrémités de la mangue et retirez la peau. Posez le fruit sur une extrémité et détachez la chair en 2 morceaux à partir du noyau. Détaillez en tranches, puis incorporez au sirop précédent. Ajoutez les bananes, les litchis, les fraises et le gingembre.

3 Coupez l'ananas en deux dans la hauteur. Évidez chaque moitié avec un couteau-scie. Détaillez la chair en morceaux et mélangez aux autres fruits.

4 Garnissez les moitiés d'ananas évidées de salade de fruits et servez sur un grand plat. Vous pourrez les remplir de nouveau avec le reste de salade.

Entremets au riz gluant noir

Ce surprenant entremets au riz,
dénommé *Bubor pulot hitam*,
est tout à fait délicieux. Une fois
cuit, le riz noir conserve son
enveloppe et offre une texture
croustillante. Vous le servirez
dans des coupelles, avec
un peu de crème de coco.

INGRÉDIENTS

Pour 6 personnes

115 g/4 oz de riz gluant noir
500 ml/16 oz/2 tasses d'eau
1 cm/½ po de gingembre frais pelé et écrasé
50 g/2 oz de sucre roux
50 g/2 oz de sucre en poudre
300 ml/½ pinte/1¼ tasses de lait ou de crème
   de coco, pour le service

1 Versez le riz dans un tamis et rincez-le soigneusement sous l'eau
froide. Égouttez-le, puis mettez-le dans
une grande casserole, avec l'eau. Portez à
ébullition et remuez pour que le riz
n'attache pas au fond. Couvrez et laissez
cuire 30 minutes.

2 Ajoutez le gingembre, le sucre roux
et le sucre en poudre. Poursuivez
la cuisson 15 minutes, en mouillant si
besoin avec de l'eau, jusqu'à ce que le
riz soit bien cuit. Retirez le gingembre
et servez chaud, dans des coupelles, avec
un peu de lait ou de crème de coco.

Beignets de bananes

Ces savoureux beignets de
bananes appelés *Pisang goreng* se
cuisent juste avant d'être servis,
de manière à être croustillants
à l'extérieur, mais tendres
et chauds à l'intérieur.

INGRÉDIENTS

Pour 8 personnes

115 g/4 oz de farine avec 1 sachet de levure
   incorporée
40 g/1½ oz de farine de riz
2,5 ml/½ c. à thé de sel
200 ml/7 oz/⅞ tasse d'eau
un peu de zeste de citron finement
   râpé (facultatif)
8 petites bananes
huile de friture
sucre et 1 citron vert coupé en quartiers,
   pour le service

1 Tamisez les 2 farines et le sel dans
un saladier. Versez la quantité d'eau
nécessaire pour obtenir une pâte lisse
et liquide. Mélangez intimement avant
d'ajouter éventuellement le zeste de
citron.

2 Pelez les bananes et plongez-les
deux ou trois fois dans la pâte.

3 Faites chauffer l'huile à 190 °C/
375 °F (un morceau de pain rassis
doit y dorer en 30 secondes). Faites frire
les bananes jusqu'à ce qu'elles soient
dorées et croustillantes. Égouttez-les et
servez-les chaudes, saupoudrées de sucre
et accompagnées de quartiers de citron.

Crème de coco thaïlandaise

Ce dessert traditionnel,
cuit au four ou à la vapeur,
s'accompagne souvent
de riz gluant et de fruits
comme la mangue.

INGRÉDIENTS

Pour 4 à 6 personnes

4 œufs
75 g/3 oz de sucre roux
250 ml/8 oz/1 tasse de lait de coco
5 ml/1 c. à thé d'extrait de vanille, de rose
  ou de jasmin
quelques feuilles de menthe et sucre glace,
  pour le service

1 Préchauffez le four à 150 °C/300 °F.
Battez les œufs et le sucre dans un
saladier. Ajoutez le lait de coco et l'extrait,
puis mélangez intimement.

2 Filtrez la préparation avant de la
verser dans des ramequins ou un
moule à gâteau.

3 Posez les ramequins ou le moule
dans un plat à four. Remplissez ce
dernier d'eau chaude à mi-hauteur des
ramequins ou du moule.

4 Faites cuire 35 à 40 minutes au four,
jusqu'à ce que les crèmes soient solides. Vérifiez la cuisson avec un couteau.

5 Laissez refroidir hors du four.
Démoulez sur des assiettes et servez
avec des tranches de fruits. Décorez de
feuilles de menthe et de sucre glace.

Pommes et framboises au sirop de rose

Ce dessert asiatique délicieusement parfumé et rapide à préparer marie les subtiles saveurs de la pomme et de la framboise à l'arôme raffiné d'un thé à la rose.

INGRÉDIENTS

Pour 4 personnes

5 ml/1 c. à thé de thé *pouchong* à la rose
5 ml/1 c. à thé d'eau de rose (facultatif)
50 g/2 oz/¼ tasse de sucre
5 ml/1 c. à thé de jus de citron
5 pommes
175 g/6 oz/1½ tasses de framboises fraîches

1 Chauffez une grande théière. Ajoutez 900 ml/1½ pintes/3¾ tasses d'eau bouillante, le thé à la rose et éventuellement l'eau de rose. Laissez infuser 4 minutes.

2 Réunissez le sucre et le jus de citron dans une casserole en inox. Versez le thé dessus en le filtrant et remuez pour dissoudre le sucre.

3 Pelez et évidez les pommes, puis coupez-les en quartiers.

4 Faites pocher les pommes dans le sirop précédent pendant 5 minutes.

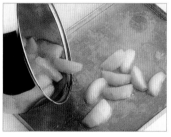

5 Versez les pommes et le sirop sur une plaque métallique, et laissez refroidir à température ambiante.

6 Transférez les pommes au sirop dans un saladier, ajoutez les framboises et mélangez. Répartissez dans des coupelles et servez aussitôt.

Crêpes fourrées à la noix de coco

La couleur vert pâle qui caractérise la pâte des *Dadar gulung* s'obtenait traditionnellement en pressant le jus de feuilles de *pandan*, processus très laborieux. On emploie aujourd'hui des colorants verts naturels, pour un résultat instantané.

INGRÉDIENTS

Pour 12 à 15 crêpes

175 g/6 oz de sucre brun
450 ml/15 oz/1⅞ tasses d'eau
1 feuille de *pandan* tailladée avec une
    fourchette et enroulée en un nœud
175 g/6 oz de noix de coco séchée
    en poudre
huile de friture
1 pincée de sel

La pâte à crêpes

230 g/8 oz de farine tamisée
2 œufs
2 gouttes de colorant alimentaire vert
quelques gouttes d'extrait de vanille
450 ml/15 oz/1⅞ tasses d'eau
45 ml/3 c. à soupe d'huile d'arachide

1 Dans une casserole d'eau, dissolvez à feu doux le sucre et la feuille de *pandan*, en remuant. Augmentez le feu et laissez bouillir doucement pendant 3 à 4 minutes, jusqu'à ce que le mélange devienne légèrement sirupeux. Ne le laissez pas se caraméliser.

2 Versez la noix de coco dans un wok avec le sel. Ajoutez le sirop préparé et laissez cuire à feu très doux, en remuant de temps en temps, pour que la préparation devienne presque sèche. Cela prendra environ 5 à 10 minutes. Transférez dans un récipient et réservez.

3 Préparez la pâte à crêpes en mélangeant (au fouet ou dans un mixer) la farine, les œufs, le colorant, l'extrait de vanille, l'eau et l'huile.

4 Huilez une poêle à frire de 20 cm/ 7 po de diamètre environ. Préparez 12 à 15 crêpes en les réservant au chaud au fur et à mesure. Garnissez-les d'1 bonne cuillerée de préparation à la noix de coco, puis enroulez-les. Servez chaud.

Beignets aux pommes caramélisés

Cette préparation donne
également d'excellents résultats
avec des bananes ou de l'ananas.

INGRÉDIENTS

Pour 4 personnes

4 pommes fermes (golden, par exemple)
120 g/4 oz de farine
environ 120 ml/4 oz/½ tasse d'eau
1 œuf
huile végétale pour friture, dont
    30 ml/2 c. à soupe pour le caramel
120 g/4 oz de sucre en poudre

1 Épluchez et évidez les pommes.
Coupez-les en 8 morceaux. Saupoudrez d'un peu de farine chaque morceau.

2 Versez le reste de farine dans un
petit saladier. Ajoutez progressivement l'eau, en remuant énergiquement, afin de former une pâte lisse. Incorporez l'œuf et continuez de remuer jusqu'à obtenir un mélange homogène.

3 Chauffez de l'huile de friture dans
un wok. Roulez les morceaux de pommes dans la pâte avant de les plonger dans l'huile. Laissez frire 3 minutes, pour les dorer. Égouttez sur du papier absorbant. Lorsque tous les morceaux auront été frits, videz l'huile du wok.

4 Chauffez dans le wok 30 ml/2 c. à
soupe d'huile. Mettez le sucre à caraméliser, en remuant continuellement. Passez rapidement les beignets de pommes dedans, pour les enduire de caramel. Plongez les beignets quelques secondes dans de l'eau froide, pour les faire durcir. Servez.

Mangue et noix de coco sautées

Choisissez une mangue bien mûre pour cette recette. Si elle ne l'est pas assez, il vous suffira de la laisser 1 ou 2 jours dans un endroit chaud avant de l'utiliser.

INGRÉDIENTS

Pour 4 personnes

½ noix de coco fraîche
1 grosse mangue mûre
le jus de 2 citrons verts non traités
les zestes des 2 citrons verts finement râpés
15 ml/1 c. à soupe d'huile de tournesol
15 g/½ oz de beurre
30 ml/2 c. à soupe de miel liquide
crème fraîche, pour le service

1 Pelez la chair de la ½ noix de coco fraîche, à l'aide d'un épluche-légumes, pour obtenir de petits copeaux.

2 Épluchez la mangue. Coupez-la en deux et retirez le noyau. Détaillez chaque moitié en fines tranches.

3 Mettez les tranches de mangue dans un saladier, ajoutez le jus et les zestes des citrons verts. Laissez mariner.

4 Pendant ce temps, chauffez un wok avec 10 ml/2 c. à thé d'huile. Lorsque l'huile est chaude, mettez le beurre à fondre. Faites revenir les copeaux de noix de coco jusqu'à ce qu'ils prennent une couleur dorée, puis retirez-les du wok et égouttez-les sur du papier absorbant. Essuyez le wok. Écrasez les tranches de mangue en filtrant leur jus. Réservez séparément.

5 Chauffez le wok et versez l'huile restante. Lorsqu'elle est chaude, faites revenir la mangue 1 à 2 minutes, avant d'incorporer son jus. Portez à ébullition et réduisez immédiatement le feu. Laissez cuire 1 minute, puis ajoutez le miel et les copeaux de noix de coco. Servez avec de la crème fraîche.

REMARQUE PRATIQUE

On trouve souvent en supermarché de la noix de coco dite « fraîche », déjà coupée et vendue en petits morceaux. Bien entendu, rien ne vaut la fraîcheur d'un fruit entier. Choisissez une noix de coco assez lourde par rapport à sa taille et secouez-la pour vérifier la présence du lait. La chair d'une noix de coco sèche est presque toujours rance. Pour ouvrir une noix de coco, on peut tout simplement la briser à l'aide d'un marteau (en prenant soin d'enfermer au préalable la noix dans un sac plastique). Il est souvent plus intéressant de percer les deux extrémités avec un clou pointu, de manière à pouvoir ensuite en extraire le lait et l'utiliser au moment voulu. Après avoir vidé la noix de coco, certains choisissent de chauffer le fruit au four jusqu'à ce qu'il se casse tout seul.

Wontons torsadés

Ces petites torsades font une délicieuse friandise à l'heure du thé ou du café.

INGRÉDIENTS

Pour 24 wontons

12 galettes pour wontons
1 œuf battu
15 ml/1 c. à soupe de graines
de sésame noires
huile de friture
sucre glace (facultatif)

1 Coupez en deux les galettes et pratiquez une entaille au centre de chacune, à l'aide d'un petit couteau.

VARIANTE

Vous pouvez remplacer les graines de sésame noires par des graines de sésame ordinaires.

---

2 Prenez les wontons 1 par 1, étirez-les, puis repliez une extrémité pour la faire passer à travers la fente.

3 Badigeonnez chaque torsade d'un peu d'œuf battu. Passez-les rapidement dans les graines de sésame pour qu'elles y adhèrent.

4 Chauffez l'huile à 190°C/375 °F dans une grande casserole ou une friteuse. Plongez les wontons par petites poignées. Faites-les frire 1 à 2 minutes de chaque côté, afin qu'ils soient croustillants et légèrement dorés. Égouttez sur du papier absorbant. Saupoudrez éventuellement de sucre glace avant de servir.

Wontons frits à la crème glacée

On peut considérer ce dessert comme la réponse chinoise aux fameux cookies américains à la crème glacée. Pour rendre le résultat encore plus impressionnant, servez les wontons accompagnés de fruits, frais ou confits.

INGRÉDIENTS

Pour 4 personnes

huile de friture
12 galettes pour wontons
8 boules de glace (parfum au choix)

CONSEIL

Choisissez de préférence 2 parfums de glace différents (chocolat et fraise, ou bien vanille et café, par exemple). Pour rendre ce dessert encore plus appétissant, arrosez-le d'1 cuillerée de votre liqueur préférée.

---

1 Chauffez l'huile à 190 °C/375°F dans une grande casserole ou une friteuse.

3 Égouttez les wontons sur du papier absorbant.

2 Plongez les wontons dans l'huile par petites quantités et laissez-les frire 1 à 2 minutes de chaque côté, jusqu'à ce qu'ils soient devenus dorés et croustillants.

4 Au moment de servir, déposez un wonton sur chaque assiette et surmontez-le d'une boule de crème glacée. Posez sur la glace un second wonton, puis de nouveau une boule de glace. Couvrez l'ensemble d'un troisième wonton. Servez aussitôt.

Pudding au tapioca

Ce pudding chaud au tapioca et au lait de coco est beaucoup plus léger que la version occidentale. Sucrez-le plus ou moins, selon votre goût. Servez-le avec des litchis ou des longanes, plus petits mais de goût semblable.

INGRÉDIENTS

Pour 4 personnes

120 g/4 oz de tapioca
500 ml/16 oz/2 tasses d'eau
180 g/6 oz de sucre
1 pincée de sel
250 ml/8 oz/1 tasse de lait de coco
250 g/9 oz de fruits exotiques préparés
le zeste d'1 citron, en fines lanières,
    et copeaux de noix de coco (facultatif),
    pour le service

1 Faites tremper le tapioca 1 heure dans de l'eau tiède pour qu'il gonfle. Égouttez bien.

2 Portez l'eau à ébullition dans une casserole. Incorporez le sucre et le sel.

3 Ajoutez le tapioca et le lait de coco et laissez frémir 10 minutes ou jusqu'à ce que le tapioca soit transparent.

4 Servez chaud avec des fruits exotiques. Décorez de zeste de citron et de copeaux de noix de coco (facultatif).

Bananes frites

Les enfants comme les adultes adorent ce délicieux dessert que l'on peut acheter jour et nuit à des vendeurs de rues. D'autres fruits, tels que l'ananas et la pomme conviennent également.

INGRÉDIENTS

Pour 4 personnes

120 g/4 oz de farine
2,5 ml/½ c. à thé de bicarbonate de soude
1 pincée de sel
30 ml/2 c. à soupe de sucre en poudre
1 œuf
90 ml/6 c. à soupe d'eau
30 ml/2 c. à soupe de noix de coco effilée
    ou 15 ml/1 c. à soupe de graines de sésame
4 bananes fermes
huile de friture
30 ml/2 c. à soupe de miel (facultatif)
    et brins de menthe, pour le service

1 Tamisez la farine, le bicarbonate et le sel dans une coupe. Additionnez de sucre en poudre. Incorporez l'œuf au fouet et versez quelques cuillerées d'eau pour obtenir une pâte assez liquide.

2 Ajoutez au fouet la noix de coco effilée ou les graines de sésame.

3 Épluchez les bananes. Coupez-les soigneusement en deux dans la longueur, puis en deux dans l'autre sens.

4 Chauffez l'huile dans un wok ou une poêle. Trempez les bananes dans la pâte, puis déposez-les dans l'huile, par petites quantités. Faites-les bien dorer.

5 Retirez du wok et égouttez sur du papier absorbant. Servez aussitôt avec du miel (facultatif) et décorez avec des brins de menthe.

LES SAUCES,
LES SAMBALS ET
LES CONDIMENTS

*Rouleaux de printemps, viandes,
poissons, salades et légumes sont souvent
accompagnés de sauces dans lesquelles
on les trempe. Elles apportent parfois
un contraste rafraîchissant aux saveurs
épicées mais le plus souvent, elles leur
ajoutent encore du piquant. Les sambals,
condiments pimentés originaires du sud
de l'Inde et aujourd'hui populaires dans
toute l'Asie du Sud-Est, comportent
souvent des légumes, de la volaille ou des
fruits de mer. Crus ou cuits, ils sont toujours
épicés. Enfin, aucun Balti ne serait complet
sans du paratha frais et du chutney épicé.*

Sambal goreng

Ce condiment se prépare traditionnellement avec du foie de veau, des foies de poulet, des haricots ou des œufs durs. Il est présenté ici dans une version occidentalisée.

INGRÉDIENTS

Pour 900 ml/1½ pintes/3¾ tasses

1 cube de *terasi* de 2,5 cm/1 po
2 oignons coupés en quatre
2 gousses d'ail écrasées
2,5 cm/1 po de *lengkuas* frais pelé et émincé
2 piments rouges frais épépinés et émincés
1,5 ml/¼ de c. à thé de sel
30 ml/2 c. à soupe d'huile
45 ml/3 c. à soupe de coulis de tomates
600 ml/1 pinte/2½ tasses de bouillon
   ou d'eau
350 g/12 oz de poulet cuit
50 g/2 oz de haricots verts cuits
60 ml/4 c. à soupe de jus de tamarin
1 pincée de sucre
45 ml/3 c. à soupe de lait ou de crème de
   coco

1 Broyez le *terasi*, les oignons et l'ail dans un mixer ou avec un mortier et un pilon, jusqu'à obtention d'une pâte. Ajoutez le *lengkuas*, les piments et le sel. Mixez ou écrasez finement.

2 Faites revenir la pâte dans l'huile chaude 1 à 2 minutes, sans laisser dorer, afin qu'elle libère ses parfums.

3 Versez le coulis de tomates, le bouillon ou l'eau, et laissez frémir 10 minutes. Ajoutez le poulet et les haricots verts cuits, ou l'un des ingrédients ci-dessous. Laissez mijoter 3 à 4 minutes, avant d'incorporer le jus de tamarin, le sucre et le lait ou la crème de coco juste avant de servir.

VARIANTES

Sambal goreng à la tomate : ajoutez 450 g/1 lb de tomates pelées, épépinées et concassées avant de verser le bouillon.

Sambal goreng à la crevette : ajoutez 350 g/ 12 oz de crevettes cuites décortiquées, et 1 poivron vert épépiné et haché.

Sambal goreng aux œufs : ajoutez 3 à 4 œufs durs écalés et hachés, et 2 tomates pelées, épépinées et concassées.

Sambal aigre-doux au gingembre

Ce sambal rehausse à merveille le poisson, le poulet, le porc, mais attention, il est très fort.

INGRÉDIENTS

Pour 90 ml6 c. à soupe

4 à 5 petits piments rouges frais
   épépinés et hachés
2 échalotes ou 1 petit oignon hachés
2 gousses d'ail
2 cm/¾ po de gingembre frais
30 ml/2 c. à soupe de sucre
1,5 ml/¼ de c. à thé de sel
45 ml/3 c. à soupe de vinaigre de riz
   ou de vinaigre de vin blanc

1 Pilez les piments et les échalotes ou l'oignon dans un mortier, ou hachez-les dans un mixer.

2 Ajoutez l'ail, le gingembre, le sel, le sucre, et continuez à piler ou à mixer jusqu'à obtention d'une consistance lisse. Versez le vinaigre et mélangez intimement.

CONSEIL

Ce sambal se conserve au réfrigérateur dans un bocal à fermeture hermétique.

Sauce satay

Il existe de nombreuses variantes de cette savoureuse sauce à la cacahuète. Celle-ci, très rapide à préparer, s'accorde parfaitement avec des brochettes de poulet. À l'occasion d'un buffet, vous pourrez piquer des bâtonnets de bois dans des morceaux de poulet que vous disposerez autour d'un bol de sauce chaude.

INGRÉDIENTS

Pour 4 personnes

200 ml/7 oz/⅞ tasse de crème de coco
60 ml/4 c. à soupe de beurre de cacahuètes
5 ml/1 c. à thé de sauce Worcestershire
quelques gouttes de Tabasco
un peu de noix de coco fraîche,
   pour le service (facultatif)

1 Versez la crème de coco dans une petite casserole et faites-la chauffer 2 minutes à feu doux.

2 Ajoutez le beurre de cacahuètes et mélangez intimement. Continuez à faire chauffer sans laisser bouillir.

3 Assaisonnez de sauce Worcestershire et de Tabasco avant de verser dans un saladier de service.

4 Râpez des copeaux de noix de coco fraîche. Parsemez-en la sauce et servez aussitôt.

Sauce vietnamienne

Vous présenterez cette sauce dans un bol pour accompagner des rouleaux de printemps ou des plats de viande.

INGRÉDIENTS

Pour 150 ml / ¹/₄ pinte / ²/₃ tasse

1 à 2 petits piments rouges frais épépinés et finement hachés
1 gousse d'ail écrasée
15 ml/1 c. à soupe de cacahuètes grillées
60 ml/4 c. à soupe de lait de coco
30 ml/2 c. à soupe de sauce de poisson
le jus d'1 citron vert
10 ml/2 c. à thé de sucre
5 ml/1 c. à thé de coriandre fraîche ciselée

1 Pilez les piments et l'ail avec un pilon dans un mortier.

2 Ajoutez les cacahuètes et écrasez-les. Incorporez le lait de coco, la sauce de poisson, le jus de citron, le sucre et la coriandre. Mélangez intimement.

Sauce thaïe

Le *Nam prik* est la sauce la plus répandue en Thaïlande. Elle doit être consommée avec modération en raison de sa saveur très forte.

INGRÉDIENTS

Pour 120 ml / 4 oz / ¹/₂ tasse

15 ml/1 c. à soupe d'huile végétale
1 cm/¹/₂ po de pâte de crevettes
ou 15 ml/1 c. à soupe de sauce de poisson
2 gousses d'ail finement émincées
2 cm/³/₄ po de gingembre frais finement haché
3 petits piments rouges frais épépinés et hachés
15 ml/1 c. à soupe de racine ou de tige de coriandre finement hachées
20 ml/4 c. à thé de sucre
45 ml/3 c. à soupe de sauce de soja foncée
le jus d'½ citron vert

1 Chauffez l'huile dans un wok préchauffé. Mettez à revenir la pâte de crevettes ou la sauce de poisson, l'ail, le gingembre, les piments, pendant 1 à 2 minutes, sans laisser dorer.

2 Retirez du feu pour incorporer la coriandre, le sucre, la sauce de soja et le jus de citron.

CONSEIL

Cette sauce se conserve 10 jours dans un bocal hermétique, au réfrigérateur.

Sauce hoi-sin

Cette sauce ne nécessitant aucune cuisson se prépare en quelques minutes. Elle accompagne à merveille les pâtés impériaux ou les beignets de crevettes.

INGRÉDIENTS

Pour 4 personnes

4 ciboules
4 cm/1½ po de gingembre frais
2 piments rouges frais
2 gousses d'ail
60 ml/4 c. à soupe de sauce *hoi-sin*
120 ml/4 oz/½ tasse de coulis de tomates
5 ml/1 c. à thé d'huile de sésame (facultatif)

1 Coupez et jetez les pousses vertes des ciboules. Émincez finement les parties blanches.

2 Pelez et hachez menu le gingembre. Hachez l'ail en petits morceaux.

3 Coupez les piments en deux, ôtez les graines et émincez-les finement.

4 Mélangez la sauce *hoi-sin*, le coulis de tomates, les ciboules, le gingembre, les piments, l'ail et l'huile de sésame. Laissez reposer 1 heure avant de servir.

Sambal au concombre

À la différence des autres sambals, cette sauce piquante ne contient pas de piment.

INGRÉDIENTS

Pour 150 ml/¼ pinte/⅔ tasse

1 gousse d'ail écrasée
5 ml/1 c. à thé de graines de fenouil
10 ml/2 c. à thé de sucre
2,5 ml/½ c. à thé de sel
2 échalotes ou 1 petit oignon
    finement émincés
120 ml/4 oz/½ tasse de vinaigre de riz
    ou de vinaigre de vin blanc
¼ de concombre coupé en petits dés

1 Pilez l'ail, les graines de fenouil, le sucre et le sel dans un mortier, ou hachez-les dans un mixer.

2 Incorporez les échalotes ou l'oignon, le vinaigre et le concombre, et laissez reposer au moins 6 heures pour permettre aux parfums de se mélanger.

Sambal à la tomate

Sambal tomaat, de Surabaya, peut servir de sauce, pour accompagner beignets ou amuse-gueules.

INGRÉDIENTS

Pour 300 ml/½ pinte/1¼ tasses de sauce envrion

2 grosses tomates, environ 400 g/14 oz, pelées de préférence
1 piment rouge frais épépiné ou
    2,5 ml/½ c. à thé de piment en poudre
2 ou 3 gousses d'ail
60 ml/4 c. à soupe de sucre roux
45 ml/3 c. à soupe d'huile de tournesol
15 ml/1 c. à soupe de jus de citron
    ou de citron vert
sel

1 Coupez les tomates en quartiers et retirez le cœur. Mettez dans le bol d'un mixer avec le piment ou le piment en poudre, l'ail, le sucre, salez à votre goût. Réduisez en purée.

2 Faites cuire la purée dans l'huile, en remuant constamment jusqu'à ce que le mélange épaississe. Ajoutez le jus de citron. Laissez refroidir et assaisonnez. Servez chaud ou froid.

Salade de carottes à la pomme

Cette simple salade croquante, la *Selada bortel*, est le parfait accompagnement pour les plats épicés de la cuisine indonésienne. Râpez la pomme au dernier moment et arrosez-la de jus de citron pour l'empêcher de noircir. Couvrez la salade d'un film plastique et gardez au frais jusqu'au moment de servir.

INGRÉDIENTS

Pour 6 personnes

3 grosses carottes
1 pomme verte
le jus d'1 citron
45 ml/3 c. à soupe d'huile de tournesol
5 ml/1 c. à thé de sucre
sel et poivre noir du moulin

1 Râpez grossièrement la carotte et réservez. Râpez la pomme avec la peau et arrosez de jus de citron pour l'empêcher de noircir. Travaillez légèrement avec les mains pour bien enrober la pomme du jus de citron.

2 Ajoutez l'huile de tournesol et le sucre au mélange précédent. Assaisonnez à votre goût de sel et de poivre, puis incorporez les carottes râpées.

3 Couvrez la salade d'un film plastique et mettez au réfrigérateur jusqu'au moment de servir.

_____ VARIANTE _____
Pour une recette plus acidulée, préférez
un jus de citron vert avec un peu de zeste.

Chutney à l'abricot

Les chutneys ajoutent du piquant à la plupart des repas et les cuisiniers pakistanais en servent souvent plusieurs sortes dans des petits bols.

INGRÉDIENTS

Pour 450 g/1 lb environ

450 g/1 lb d'abricots séchés, coupés
   en petits dés
5 ml/1 c. à thé de *garam masala*
275 g/10 oz de sucre roux
450 ml/¾ pinte/1⅞ tasses de vinaigre de malt
5 ml/1 c. à thé de pulpe de gingembre
5 ml/1 c. à thé de sel
75 g/3 oz/½ tasse de raisins secs de Smyrne
450 ml/¾ pinte/1⅞ tasse d'eau

1 Mettez tous les ingrédients dans une casserole moyenne et mélangez soigneusement.

2 Portez à ébullition puis baissez le feu et laissez frémir 30 à 35 minutes, en remuant de temps à autre.

3 Quand le chutney est assez épais, versez-le dans 2 ou 3 pots et laissez refroidir complètement. Couvrez et gardez au réfrigérateur.

Toasts épicés

Excellents pour un brunch le week-end, ces toasts croustillants sont particulièrement délicieux avec des tomates grillées.

INGRÉDIENTS

Pour 8 toasts

4 œufs
300 ml/½ pinte/1¼ tasses de lait
2 piments verts frais, finement hachés
30 ml/2 c. à soupe de coriandre
   fraîche hachée
75 g/3 oz de Cheddar ou
   de mozzarella, râpé(e)
4 tranches de pain
sel et poivre noir du moulin
huile de maïs, pour friture

1 Cassez les œufs dans un bol et battez-les. Versez lentement le lait et fouettez encore. Ajoutez les piments, la coriandre hachée et le fromage, assaisonnez de sel et de poivre.

2 Coupez les tranches de pain dans la diagonale et trempez-les, une par une, dans le mélange précédent.

3 Chauffez l'huile dans une poêle et faites dorer les triangles de pain, à feu moyen, en les retournant une ou deux fois. Ils doivent être bien dorés.

4 Retirez les toasts de la poêle en égouttant l'excès d'huile. Servez aussitôt.

Paratha

Le paratha est un pain non levé, à pâte riche et feuilletée. Le temps de préparation est assez long et comme les parathas sont meilleurs tout frais, vous devez organiser votre menu à l'avance. Vous pouvez les servir avec presque tous les plats Baltis.

INGRÉDIENTS

Pour environ 8 parathas

225 g/8 oz de farine *chapati* ou complète
   plus un peu pour fariner
2,5 ml/½ c. à thé de sel
200 ml/7 oz/⅞ tasse d'eau
115 g/4 oz de beurre végétal fondu

2 Divisez la pâte en 8 portions égales. Roulez chacune d'elles sur une surface légèrement farinée, en un rond de 10 cm/4 po de diamètre. Nappez le centre de chaque rond avec 2,5 ml/ ½ c. à thé de beurre végétal.

5 Chauffez une poêle à fond épais et posez un paratha. Déplacez-le dans la poêle pour qu'il cuise de façon uniforme. Retournez-le et nappez le dessus d'5 ml/1 c. à thé de beurre fondu.

1 Mettez la farine et le sel dans une grande jatte. Faites un puits au centre et ajoutez l'eau peu à peu, pour obtenir une pâte souple. Pétrissez bien pendant quelques minutes, puis couvrez et laissez reposer 1 heure environ.

3 Pliez chaque rond en deux et roulez pour former un tube.

6 Laissez cuire environ 1 minute, puis retournez-le à nouveau et faites cuire encore 30 secondes, en le déplaçant constamment.

7 Retirez de la poêle et gardez au chaud en l'enveloppant de papier d'aluminium. Faites cuire de même le reste des parathas. Servez chaud.

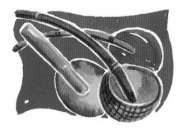

4 Aplatissez légèrement entre les paumes puis roulez autour du doigt. Étalez à nouveau pour former un rond de 18 cm/7 po de diamètre, en farinant légèrement si nécessaire.

INDEX

A

Agneau
Agneau à la menthe 229
Agneau au cinq-épices 231
Agneau caramélisé 225
Agneau épicé aux épinards 224
Agneau sauté aux ciboules 230
Balti d'agneau tikka 226
Émincé d'agneau aux ciboules 228
Keftas d'agneau haché, 232
Nouilles braisées à l'agneau 223
Satay d'agneau 98
Soupe à l'agneau et au concombre 36
Ailes de poulet au miel épicé 94
«Algues» croustillantes 88
Assiette de fruits de mer au gingembre 151
Aubergines
Aubergines à la sauce piquante 295
Aubergines à la sichuanaise 304
Aubergines farcies au poulet et au sésame 338
Salade d'aubergines à l'œuf et aux crevettes 378
Tempura de légumes 78
Aumônières dorées 74

B

Baguettes de riz aux épices et aux crevettes 462
Balti
Balti d'agneau tikka 226
Balti de coquelets à la sauce au tamarin 270
Balti de fruits de mer aux légumes, 120
Balti de *paneer* aux crevettes 142
Balti de poisson à la noix de coco 118

Balti de pommes de terre épicées 298
Balti de poulet aux lentilles 256
Balti de poulet Khara Masala 266
Bamie goreng 419
Bananes frites 492
Bar à la ciboule chinoise 106
Beignets
Beignets au crabe et au tofu 59
Beignets de bananes 482
Beignets de courgettes et salsa thaïlandaise 317
Beignets de crevettes 50
Beignets de maïs 92
Beignets de poisson, crevettes et légumes 133
Beignets aux pommes caramélisés 487
Beignets de riz à la noix de coco 444
Boemboe de poisson à la balinaise 117
Bœuf
Bœuf à l'orange et au gingembre 203
Bœuf au sésame 206
Bœuf braisé à la sauce de cacahuètes 209
Bœuf cantonais à la sauce d'huître 202
Bœuf grésillant et julienne de céleri 218
Bœuf grillé à la malaise 205
Bœuf oriental 215
Bœuf piquant au basilic 216
Bœuf sauté à la sauce d'huître 220
Bœuf sauté à la mode de Pékin 198
Bœuf sukiyaki 212
Boulettes de bœuf épicées 196
Boulettes de viande à la noix de coco 92
Boulettes de viande épicées 217
Chaussons carrés à la viande épicée 91
Curry de bœuf à la sauce de cacahuètes 204
Curry de bœuf aux aubergines thaïes 214
Curry de bœuf et d'aubergine 222

Émincé de bœuf aux brocolis 199
Émincé de bœuf aux pois mange-tout 208
Fondue japonaise au bœuf et aux légumes 210
Fricassée de bœuf aux navets croustillants 200
Lanières de bœuf sautées à sec 221
Nouilles de riz au bœuf et aux haricots noirs 400
Nouilles et sauce piquante à la viande 430
Salade de bœuf thaïlandaise 362
Satay de bœuf, sauce à la mangue 213
Soupe au bœuf et aux nouilles d'Hanoi 28
Soupe aux boulettes de viande 42
Soupe de nouilles au bœuf 26
Tofu épicé à la sichuanaise 296
Bouillon au crabe et aux nouilles 20
Bouillon clair 16
Bouillon de coco aux nouilles et aux crevettes 402
Bouillon piquant au poulet et aux crevettes 405
Boulettes
Boulettes de bœuf épicées 196
Boulettes de poisson aux légumes verts chinois 112
Boulettes de porc aux nouilles 404
Boulettes de poulet et de riz gluant 99
Boulettes de riz épicées aux cacahuètes 449
Boulettes de viande à la noix de coco 92
Boulettes de viande épicées 217
Boulettes de viande «têtes de lion» 190
Boulettes parfumées thaïlandaises 194
Brochettes de poulet laqué 97
Brocolis
Brocolis à la sauce d'huître 328
Crevettes sautées aux brocolis 144

Dinde sautée aux brocolis et aux champignons 286
Émincé de bœuf aux brocolis 199
Légumes sautés 341
Légumes sautés à la chinoise 335
Nouilles primavera 420
Poulet, jambon et brocolis sautés 254

C

Cailles laquées au miel et aux épices 289
Calmars
Calmars à la sauce de haricots noirs 171
Calmars de Madura 172
Calmars farcis à la vietnamienne 168
Calmars frits au cinq-épices 169
Calmars frits aux épices sel et poivre 69
Canard
Canard à l'aigre-douce aux mangues 284
Canard au crabe et aux noix de cajou 280
Canard au sésame et à la mandarine 275
Canard aux champignons et au gingembre 283
Canard croustillant aux aromates 278
Canard épicé à la balinaise 282
Canard laqué à la pékinoise 276
Chop suey de canard au gingembre 274
Nouilles au sésame dans des feuilles de laitue 388
Salade de canard à l'avocat et à la framboise 367

Salade de nouilles et de canard
  au sésame 366
Cassolette de coquillages
  au basilic 166
Champignons, 8
  Aumônières dorées 74
  Beignets de poisson, crevettes
    et légumes 133
  Bœuf sauté à la sauce d'huître
    220
  Bœuf sukiyaki 212
  Calmars farcis
    à la vietnamienne 168
  Calmars frits au cinq-épices
    169
  Canard aux champignons
    et au gingembre 283
  Champignons à la noix
    de coco 308
  Champignons chinois
    aux nouilles cellophane 390
  Champignons farcis
    à la chinoise 340
  Chips de légumes
    au sel pimenté 305
  Chou chinois sauté
    aux champignons 292
  Crêpes fourrées aux légumes
    sautés 324
  Curry rouge de tofu
    et de haricots verts 342
  Dinde sautée aux brocolis
    et aux champignons 286
  Fondue japonaise au bœuf
    et aux légumes 210
  Légumes chinois braisés 294
  Légumes sautés à la sauce
    de haricots noirs 310
  Légumes sautés et omelette
    à la coriandre 326
  Marmite de nouilles *udon* 392
  Nems croustillants chinois 56
  Nems thaïlandais 55
  Nems vietnamiens à la sauce
    nuoc cham 58
  Nouilles à la tomate
    et aux œufs frits 432
  Nouilles cellophane au porc
    394
  Nouilles de Singapour 389
  Nouilles orientales
    aux légumes 384

Nouilles sautées aux
  champignons sauvages 422
Pak choi et champignons
  sautés 320
Pâtés impériaux au crabe
  et aux champignons 71
Poisson braisé aux
  champignons 122
Porc aux œufs et aux
  champignons 182
Porc sauté aux légumes 193
Poulet aux légumes chinois
  244
Pousses de bambou et
  champignons chinois 330
Riz aux champignons shiitake
  443
Riz aux trois noix et
  aux champignons sautés 465
Rubans de nouilles
  et de légumes 408
Soupe au lait de coco
  et au poulet 46
Soupe au miso 23
Soupe aux « ailerons
  de requin » 22
Soupe aux boulettes
  de viande 42
Soupe aux crevettes
  et à la citronnelle 46
Soupe de nouilles au bœuf 26
Soupe piquante 33
Tofu aux épices 344
Tofu rouge aux champignons
  chinois 322
Chaussons au porc en demi-lune
  62
Chaussons aux fruits de mer 73
Chaussons carrés à la viande
  épicée 91
Chaussons de porc 188
Chips de légumes
  au sel pimenté 305
Chop suey de canard
  au gingembre 274
Chou
  « Algues » croustillantes 88
  Boulettes de viande « têtes
    de lion » 190
  Chou croustillant 300
  Chou sauce aigre-douce 86
  Gado-gado de légumes cuits
    316
  Lanières de chou karahi
    au cumin 297
  Riz à l'asiatique 441
  Salade de chou 351
  Tofu sauté 314

Chou chinois 8
  Chaussons au porc en
    demi-lune 62
  Chou chinois à la sauce
    d'huître 313
  Chou chinois et mooli aux
    noix de Saint-Jacques 343
  Chou chinois sauté
    aux champignons 292
  Curry de crevettes aux œufs
    de cailles 147
  Fondue japonaise au bœuf
    et aux légumes 210
  Légumes chinois braisés 294
  Légumes sautés 341
  Légumes sautés à la chinoise
    335
  Légumes sautés et omelette
    à la coriandre 326
  Légumes variés et petites
    crêpes 376
  Légumes verts à la menthe
    et à la noix de coco 377
  Légumes verts sautés 301
  Marmite de nouilles *udon* 392
  Marmite de poulet 268
  Nouilles de Singapour 389
  Nouilles sautées à la mode
    de Singapour 403
  Œufs brouillés aux épices 306
  Porc aux œufs et
    aux champignons 182
  Raviolis au porc et
    aux châtaignes d'eau 65
  Salade de légumes sauce
    piquante aux cacahuètes 349
  Soupe aux boulettes
    de viande 42
Chou-fleur braisé aux épices 306
Choux de Bruxelles
  à la chinoise 345
Chow mein au poulet 399
Chow mein de fruits de mer 396
Chow mein de porc 181
Chow mein de porc et de fruits
  de mer 392
Chow mein spécial 398
Chutney à l'abricot 502
Citrouille au lait de coco 473
Clams aux piments et à la sauce
  de haricots 84
Concombre aigre-doux 86
Condiment de légumes 309
Consommé de porc aux nouilles
  et aux crevettes 27
Courgettes
  Beignets de courgettes
    et salsa thaïlandaise 317

  Courgettes aux nouilles 336
  Crêpes fourrées aux légumes
    sautés 324
  Curry rouge de tofu
    et de haricots verts 342
  Légumes sautés aux pâtes 334
  Nouilles aux cacahuètes 385
  Nouilles somen
    aux courgettes 420
  Porc aux courgettes
    et aux tomates 190
  Poulet au gingembre
    et aux nouilles 237
  Poulet sauté aux épices 238
  Rubans de nouilles
    et de légumes 408
  Tempura de légumes 78
Crabes au piment 164
Crabe aux oignons
  et au gingembre 162
Crème de coco à la vapeur 476
Crème de coco thaïlandaise 484
Crêpes à la pâte de haricots
  rouges 470
Crêpes fines 470
Crêpes fourrées à la noix
  de coco 486
Crêpes fourrées aux légumes
  sautés 324
Crevettes 8
  Assiette de fruits de mer
    au gingembre 151
  Baguettes de riz aux épices
    et aux crevettes 462
  Balti de fruits de mer
    aux légumes 120
  Balti de *paneer* aux crevettes
    142
  Bamie goreng 419
  Beignets de crevettes 50
  Beignets de poisson, crevettes
    et légumes 133
  Bouillon de coco aux
    nouilles et aux
    crevettes 402
  Cassolette de coquillages
    au basilic 166
  Chaussons aux fruits de mer
    73
  Chow mein de fruits de mer
    396

Chow mein de porc
et de fruits de mer 392
Chow mein spécial 398
Consommé de porc aux
nouilles et aux crevettes 27
Crevettes à la citronnelle
et galette de nouilles 150
Crevettes à la sauce piquante
70
Crevettes au piment 152
Crevettes aux chayotes
et au curcuma 136
Crevettes Balti à la sauce
piquante 132
Crevettes épicées au lait
de coco 141
Crevettes et légumes Baltis 148
Crevettes *fu-yung* 122
Crevettes grillées au piment
50
Crevettes Karahi et fenugrec
140
Crevettes rouges et blanches
aux légumes verts 138
Crevettes sautées au beurre
de cacahuètes 146
Crevettes sautées au tamarin
145
Crevettes sautées aux brocolis
144
Curry d'ananas aux crevettes
et aux moules 160
Curry de crevettes au lait
de coco 160
Curry de crevettes aux œufs
de cailles 147
Curry vert de crevettes 134
Gâteaux de crevettes
au potiron 90
Marmite de nouilles *udon* 392
Nasi goreng 451
Nems thaïlandais 55
Nems vietnamiens à la sauce
nuoc cham 58
Nids de canards aux œufs 83
Nouilles aux tomates séchées
et aux crevettes 424
Nouilles de crevettes, sauce
au gingembre 401
Nouilles de riz sautées au
poulet et aux crevettes 417

Nouilles frites aux œufs 386
Nouilles sautées à la mode
de Singapour 403
Nouilles sautées à la
thaïlandaise 418
Nouilles sautées aux fruits
de mer 430
Nouilles transparentes sautées
413
Pains de crevettes frits
au sésame 88
Porc et crevettes à l'aigre-
douce 188
Raviolis de fruits de mer
à la coriandre 64
Riz au jasmin aux crevettes
et au basilic thaï 458
Riz cantonais 457
Riz sauté à l'ananas 446
Riz sauté à l'indonésienne
455
Riz sauté à la chinoise 438
Riz sauté à la mode
de Malacca 440
Rouleaux de salade
aux vermicelles de riz 371
Salade aux fruits de mer 380
Salade chaude de crevettes
et de papaye au coco 379
Salade d'aubergines à l'œuf
et aux crevettes 378
Salade de nouilles et de
crevettes aux herbes 359
Salade de pomelo 380
Salade thaïlandaise aux fruits
de mer 350
Sambal goreng à la crevette
496
Satay de crevettes 135
Soupe au potiron et à la noix
de coco 44
Soupe aux crevettes
et à la citronnelle 46
Soupe aux raviolis de poulet
et de crevettes 17
Soupe aux raviolis wonton 38
Soupe aux trois délices 36
Soupe de nouilles au porc
et aux pickles 24
Soupe piquante aux nouilles
et aux crevettes 402
Curry
Curry d'ananas aux crevettes
et aux moules 160
Curry de bœuf aux aubergines
thaïes 214
Curry de bœuf et d'aubergine
222

Curry de crevettes au lait
de coco 160
Curry de crevettes aux œufs
de cailles 147
Curry de poisson malais 128
Curry de poulet aux
vermicelles de riz 236
Curry de poulet thaïlandais
264
Curry rouge de tofu
et de haricots verts 342
Curry vert de crevettes 134

D

Dashi, 8
Dim sum 60
Dinde sautée aux brocolis
et aux champignons 286
Dinde sautée aux pois
mange-tout 288
Doedoeh de poisson 136

E

Émincé d'agneau aux ciboules
228
Émincé de bœuf aux brocolis
199
Émincé de bœuf aux pois
mange-tout 208
Émincé de poulet au céleri 244
Entremets au riz gluant noir
482
Épinards
Agneau à la menthe 229
Agneau épicé aux épinards
224
Bamie goreng 419
Épinards d'eau à la sauce
de haricots bruns 302
Épinards sautés à l'ail
et au sésame 312
Gado-gado de légumes cuits
316
Légumes verts sautés 301
Nouilles de riz garnies 425
Nouilles sautées à la mode
de Singapour 403
Nouilles transparentes sautées
413
Soupe aux épinards et au tofu
34
Soupe aux nouilles 406
Soupe de nouilles au
bœuf 26

Soupe de poulet aux nouilles
de sarrasin 40
Espadon au gingembre
et à la citronnelle 130

F

Filets de poisson épicés
à la chinoise 103
Foies de poulet à la thaïe 272
Fondue japonaise au bœuf
et aux légumes 210
Friandises aux patates douces
et aux marrons 477
Fricassée de porc aux légumes
187

G

Gado-gado de fruits
et de légumes 372
Gado-gado de légumes 316
Galettes de poisson au
concombre confit 77
Gambas panées en papillons 68
Gâteau de fête 474
Gâteaux de poisson thaïlandais
124
Gâteau de riz au poulet 445
Gâteau de riz thaïlandais 478
Gâteaux de crevettes au potiron
90
Gâteaux de riz à la sauce épicée
76
Gelée de fruits à l'amande 472
Germes de soja sautés 293

H-K

Homard aux haricots
noirs 165
Keftas d'agneau haché 232

L

Lanières de bœuf sautées à sec
221

Lanières de chou karahi
au cumin 297
Légumes au lait de coco 302
Légumes aux épices
et au lait de coco 318
Légumes chinois braisés 294
Légumes sautés 341
Légumes sautés à la chinoise
335
Légumes sautés à la sauce
de haricots noirs 310
Légumes sautés aux pâtes 334
Légumes sautés et omelette
à la coriandre 326
Légumes variés et petites crêpes
376
Légumes verts à la menthe
et à la noix de coco 377
Légumes verts sautés 301
Lotte aux vermicelles de riz 110

M

Mangue au riz gluant 478
Mangue et noix de coco sautées
488
Maquereau grillé au sel 109
Marmite de calmars au piment
170
Marmite de nouilles *udon* 392
Marmite de poulet 268
Mirin 8
Mooli, betterave et carotte sautés
332
Moules à la citronnelle
et au basilic 159
Moules aux herbes thaïes 163

N

Nasi goreng 451
Nems croustillants chinois 56
Nems thaïlandais 55
Nems vietnamiens à la sauce
nuoc cham 58
Nids de canards aux œufs 83
Noix de coco
Balti de poisson à la noix
de coco 118

Beignets de riz à la noix
de coco 444
Bouillon de coco aux nouilles
et aux crevettes 402
Boulettes de viande à la noix
de coco 92
Champignons à la noix
de coco 308
Citrouille au lait de coco 473
Crème de coco à la vapeur
476
Crème de coco thaïlandaise
484
Crêpes fourrées à la noix
de coco 486
Crevettes épicées au lait
de coco 141
Curry de crevettes au lait
de coco 160
Légumes au lait de coco 302
Légumes aux épices
et au lait de coco 318
Légumes verts à la menthe
et à la noix de coco 377
Mangue et noix de coco
sautées 488
Poulet au curry vert et au lait
de coco 241
Poulet au lait de coco 242
Riz thaï au lait de coco 446
Salade chaude de crevettes
et de papaye au coco 379
Soupe au lait de coco
et au poulet 46
Soupe au potiron et à la noix
de coco 44
Noix de Saint-Jacques
au concombre confit 154
au gingembre 152
croustillantes 66
épicées 158
sautées aux asperges 156
Nouilles, 8, 10
Bamie goreng 419
Bouillon au crabe
et aux nouilles 20
Bouillon de coco aux nouilles
et aux crevettes 402
Boulettes de porc aux nouilles
404
Champignons chinois aux
nouilles cellophane 390
Chow mein de fruits de mer
396
Chow mein de porc
et de fruits de mer 392
Consommé de porc aux
nouilles et aux crevettes 27

Crevettes à la citronnelle
et galette de nouilles 150
Gado-gado de fruits
et de légumes 372
Marmite de calmars
au piment 170
Marmite de nouilles *udon* 392
Nouilles à l'ananas, au
gingembre et au piment 364
Nouilles à la tomate
et aux œufs frits 432
Nouilles à la tomate
et aux sardines 410
Nouilles au gingembre
et à la coriandre 428
Nouilles au poulet, aux
crevettes et au jambon 395
Nouilles au sésame dans
des feuilles de laitue 388
Nouilles au sésame
et aux ciboules 368
Nouilles aux asperges,
crème au safran 426
Nouilles aux boulettes
de viande 416
Nouilles aux cacahuètes 385
Nouilles aux germes de soja
et aux asperges 427
Nouilles aux œufs et sauce
tomate au thon 422
Nouilles aux tomates séchées
et aux crevettes 424
Nouilles braisées à l'agneau
223
Nouilles cellophane au porc
394
Nouilles de crevettes, sauce
au gingembre 401
Nouilles de riz au bœuf
et aux haricots noirs 400
Nouilles de riz garnies 425
Nouilles de riz sautées au
poulet et aux crevettes 417
Nouilles de sarrasin au
fromage de chèvre 408
Nouilles de sarrasin
au saumon fumé 364
Nouilles de Shanghai
aux saucisses *lap cheong* 410
Nouilles de Singapour 389
Nouilles épicées
à la sichuanaise 368
Nouilles et sauce piquante
à la viande 430
Nouilles frites 386
Nouilles frites aux œufs 386
Nouilles orientales
aux légumes 384

Nouilles primavera 420
Nouilles sautées à la mode
de Singapour 403
Nouilles sautées
à la thaïlandaise 418
Nouilles sautées au curry 432
Nouilles sautées aux
champignons sauvages 422
Nouilles sautées aux fruits
de mer 430
Nouilles sautées végétariennes
412
Nouilles somen
aux courgettes 420
Nouilles thaïes aux ciboules
391
Nouilles transparentes sautées
413
Poulet au gingembre
et aux nouilles 237
Rubans de nouilles
et de légumes 408
Salade aux fruits de mer 380
Salade de nouilles au
sésame et aux
cacahuètes 373
Salade de nouilles aux œufs
et poulet au sésame 354
Salade de nouilles et
de canard au sésame 366
Salade de nouilles et
de crevettes aux herbes 359
Soupe aux « ailerons
de requin » 22
Soupe au bœuf et aux nouilles
d'Hanoi 28
Soupe au porc et aux feuilles
de moutarde 41
Soupe aux fruits de mer Laksa
39
Soupe aux nouilles 406
Soupe aux nouilles Chiang
Mai 45
Soupe de nouilles au
bœuf 26
Soupe de poulet aux nouilles
de sarrasin 40
Tofu sauté aux germes de soja
et aux nouilles 429

O

Okra à la mangue verte
et aux lentilles 298
Œufs
Œufs brouillés aux épices 306
Œufs du gendre, 84
Œufs *fu-yung* 439
Œufs, tomates et concombres
sautés 330
Omelette farcie
à la thaïlandaise 194

P

Pains de crevettes frits au sésame
88
Pak choi au citron vert 333
Pak choi et champignons sautés
320
Paratha 504
Pâtés impériaux à la sauce
pimentée 51
Pâtés impériaux au crabe 52
Pâtés impériaux au crabe
et aux champignons 71
Petits pains briochés 480
Petits pâtés impériaux 54
Pinces de crabes croquantes 74
Pinces de crabes épicées 72
Poissons
Bar à la ciboule chinoise 106
Boemboe de poisson
à la balinaise 117
Filets de poisson épicés
à la chinoise 103
Lotte aux vermicelles de riz
110
Poisson à la sauce aigre-douce
104
Poisson au gingembre
et aux ciboules 102
Poisson au gingembre
et aux noix de cajou 111
Poisson au sésame
et au gingembre 105
Poisson au vinaigre 129
Poisson aux tomates cerise 125

Poisson braisé aux
champignons 122
Poisson braisé, sauce piquante
à l'ail 119
Poisson chinois à la vapeur
107
Poisson cuit sur feuilles
de bananier 156
Poisson épicé 172
Poisson frit Balti 114
Poisson sauté à la thaïlandaise
116
Poivrons verts farcis 192
Pommes et framboises
au sirop de rose 485
Pommes de terre
Balti de pommes de terre
épicées 298
Bœuf braisé à la sauce
de cacahuètes 209
Boulettes de bœuf épicées 196
Crevettes et légumes Baltis 148
Curry de poulet thaïlandais 264
Gado-gado de légumes cuits
316
Nouilles sautées végétariennes
412
Pommes de terre
à l'indonésienne 336
Pommes de terre chinoises
aux haricots 339
Salade aux pommes de terre
et vermicelles 355
Salade de légumes sauce
piquante aux cacahuètes 349
Porc
Aubergines à la sauce piquante
295
Aumônières dorées 74
Bamie goreng 419
Bouillon clair 16
Boulettes de porc aux nouilles
404
Boulettes de viande «têtes
de lion» 190
Boulettes parfumées
thaïlandaises 194
Calmars farcis à la
vietnamienne 168
Chaussons de porc en
demi-lune 62
Chaussons de porc 188
Chow mein de porc 181
Chow mein de porc
et de fruits de mer 392
Consommé de porc aux
nouilles et aux crevettes 27
Dim sum 60

Fricassée de porc aux légumes
187
Gâteau de riz à la sauce épicée
76
Marmite de poulet 268
Nasi goreng 451
Nems thaïlandais 55
Nems vietnamiens à la sauce
nuoc cham 58
Nids de canards aux œufs 83
Nouilles cellophane au porc
394
Nouilles de Shanghai
aux saucisses *lap cheong* 410
Nouilles sautées à la mode
de Singapour 403
Nouilles transparentes sautées
413
Omelette farcie
à la thaïlandaise 194
Pâtés impériaux au crabe
et aux champignons 71
Poivrons verts farcis 192
Porc à la citronnelle 176
Porc à la sauce aigre-douce
184
Porc aux courgettes
et aux tomates 190
Porc aux œufs et
aux champignons 182
Porc chinois aigre-doux 186
Porc et crevettes à l'aigre-
douce 188
Porc sauté aux légumes 193
Porc thaïlandais à la sauce
aigre-douce 180
Raviolis au porc et
aux châtaignes d'eau 65
Riz sauté à l'ananas 446
Riz sauté à l'indonésienne
455
Riz sauté à la mode
de Malacca 440
Riz sauté au porc 460
Rouleaux de salade aux
vermicelles de riz 371
Salade de vermicelles
de riz et porc sauté
au curry 356
Satay de porc 95
Sauté de porc aux litchis 177
Soupe au porc et aux feuilles
de moutarde 41
Soupe aux nouilles 406
Soupe aux raviolis wonton 38
Soupe de nouilles au porc
et aux pickles 24
Soupe piquante 33

Travers de porc aux épices
sel et poivre 80
Travers de porc aux haricots
serpents 178
Travers de porc frits
aux épices 82
Travers de porc grillés 196
Poulet
Ailes de poulet au miel épicé
94
Aubergines farcies au poulet
et au sésame 338
Balti de poulet aux lentilles
256
Balti de poulet Khara Masala
266
Bamie goreng 419
Bouillon clair 16
Boulettes de poulet
et de riz gluant 99
Brochettes de poulet laqué 97
Chow mein au poulet 399
Chow mein spécial 398
Curry de poulet
aux vermicelles de riz 236
Curry de poulet thaïlandais
264
Émincé de poulet au céleri
244
Foies de poulet à la thaïe
272
Gâteau de riz au poulet 445
Légumes verts sautés 301
Marmite de nouilles *udon*
392
Marmite de poulet 268
Nasi goreng 451
Nouilles au poulet, aux
crevettes et au jambon 395
Nouilles de riz sautées au
poulet et aux crevettes 417
Nouilles épicées à la
sichuanaise 368
Nouilles frites aux œufs 386
Nouilles sautées à la mode
de Singapour 403
Petits pâtés impériaux 54
Poulet à la sauce piquante
250
Poulet à la sichuanaise 247

Poulet aromatique de Madura
258
Poulet au curcuma 259
Poulet au curry vert
et au lait de coco 241
Poulet au gingembre
et aux nouilles 237
Poulet au lait de coco 242
Poulet aux épices et à la sauce
de soja 263
Poulet aux légumes chinois
244
Poulet bon-bon à la sauce
au sésame 96
Poulet braisé au soja 262
Poulet épicé en cocotte 240
Poulet Fu-yung 246
Poulet grillé 272
Poulet, jambon et brocolis
sautés 254
Poulet sauté à l'aigre-douce
255
Poulet sauté à l'ananas 260
Poulet sauté au piment 260
Poulet sauté aux épices 238
Poulet sauté aux noix
de cajou 252
Poulet sauté aux piments
et au basilic 251
Poulet teriyaki 243
Riz sauté à la chinoise 438
Riz sauté à la thaïlandaise
452
Salade de nouilles aux œufs
et poulet au sésame 354
Salade de poulet amère
et piquante 352
Satay de poulet à
l'indonésienne 248
Salade de poulet chaude 360
Salade de poulet chinoise 358
Salade piquante de poulet
363
Soupe au maïs doux
et au poulet 30
Soupe aux nouilles 406
Soupe aux nouilles Chiang
Mai 45
Soupe aux raviolis de poulet
et de crevettes 17
Soupe aux trois délices 36

Soupe de poulet aux nouilles
de sarrasin 40
Soupe de poulet aux pointes
d'asperges 31
Soupe de poulet thaïlandaise
18
Soupe piquante 33
Pousses de bambou
Cassolette de coquillages
au basilic 166
Crêpes fourrées aux légumes
sautés 324
Dim sum 60
Fondue japonaise au bœuf
et aux légumes 210
Légumes chinois braisés 294
Nems croustillants chinois 56
Nems thaïlandais 55
Porc aux œufs et aux
champignons 182
Porc chinois aigre-doux 186
Poulet aux légumes chinois
244
Pousses de bambou et
champignons chinois 330
Salade aux pousses
de bambou 375
Soupe aux « ailerons
de requin » 22
Soupe aux nouilles 406
Soupe piquante 33
Pudding au tapioca 492

R

Raviolis à la sauce aigre-douce
67
Raviolis au porc et
aux châtaignes d'eau 65
Raviolis aux dattes et aux noix
469
Raviolis de fruits de mer
à la coriandre 64
Riz
Baguettes de riz aux épices
et aux crevettes 462
Beignets de riz à la noix
de coco 444
Boulettes de poulet et de riz
gluant 99
Boulettes de riz épicés
aux cacahuètes 449
Entremets au riz gluant noir
482
Gâteau de fête 474
Gâteau de riz à la sauce épicée
76

Gâteau de riz au poulet 445
Gâteau de riz thaïlandais 478
Mangue au riz gluant 478
Nasi goreng 451
Œufs fu-yung 439
Riz à l'asiatique 441
Riz au jasmin 458
Riz au jasmin aux crevettes
et au basilic thaï 458
Riz aux champignons shiitake
443
Riz aux graines et aux épices
450
Riz aux œufs 436
Riz aux trois noix et
aux champignons sautés
465
Riz cantonais 457
Riz chinois aux
cinq ornements 454
Riz de fête 456
Riz nature 436
Riz sauté à l'ananas 446
Riz sauté à la chinoise 438
Riz sauté à la mode
de Malacca 440
Riz sauté à la thaïlandaise 452
Riz sauté à l'indonésienne 455
Riz sauté au porc 460
Riz sauté aux épices 464
Riz sauté rouge 461
Riz thaï au lait de coco 446
Riz thaï aux germes de soja
448
Sushi japonais 442
Rondelles d'oignons frites 329
Rouleaux de salade
aux vermicelles de riz 371
Rubans de nouilles
et de légumes 408

S

Salades
Rouleaux de salade
aux vermicelles de riz 371
Salade aigre-douce de fruits
et de légumes 370
Salade au tofu
et au concombre 348
Salade aux fruits de mer 380
Salade aux pommes de terre
et vermicelles 355
Salade aux pousses
de bambou 375
Salade chaude de crevettes
et de papaye au coco 379

Salade d'aubergines à l'œuf
et aux crevettes 378
Salade de bœuf thaïlandaise
362
Salade de canard à l'avocat
et à la framboise 367
Salade de carottes à la pomme
500
Salade de chou 351
Salade de fruits chinoise 468
Salade de fruits exotiques 481
Salade de légumes sauce
aux cacahuètes 349
Salade de luzerne au crabe
et aux nouilles frites 352
Salade de nouilles au sésame
et aux cacahuètes 373
Salade de nouilles et poulet
au sésame 354
Salade de nouilles et
de canard au sésame 366
Salade de nouilles et
de crevettes aux herbes 359
Salade de pomelo 380
Salade de poulet piquante 352
Salade de poulet chaude 360
Salade de poulet chinoise 358
Salade de vermicelles de riz
et porc au curry 356
Salade larp de Chiang Mai 357
Salade piquante de poulet 363
Salade thaïlandaise aux fruits
de mer 350
Salade thaïlandaise de fruits
et de légumes 374
Sambal aigre-doux
au gingembre 497
Sambal à la tomate 500
Sambal au concombre 499
Sambal goreng 496
Sambal goreng à la tomate 496
Sambal goreng à la crevette 496
Sambal goreng aux œufs 496
Satay de bœuf, sauce
à la mangue 213
Satay de crevettes 135
Satay d'agneau 98
Satay de porc 95
Satay de poulet à l'indonésienne
248

Sauce *hoi-sin* 499
Sauce satay 497
Sauce thaïe 498
Sauce vietnamienne 498
Saumon sauté aux épices 126
Saumon teriyaki 108
Sauté de porc aux litchis 177
Sayur asam 29
Soja, 8
  Baguettes de riz aux épices
    et aux crevettes 462
  Chop suey de canard
    au gingembre 274
  Chow mein au poulet 399
  Chow mein de porc 181
  Chow mein spécial 398
  Crêpes fourrées aux légumes
    sautés 324
  Fondue japonaise au bœuf
    et aux légumes 210
  Gado-gado de légumes cuits
    316
  Germes de soja sautés 293
  Légumes sautés à la sauce
    de haricots noirs 310
  Légumes sautés et omelette
    à la coriandre 326
  Légumes verts à la menthe
    et à la noix de coco 377
  Nems croustillants chinois 56
  Nems thaïlandais 55
  Nouilles au poulet, aux
    crevettes et au jambon 395
  Nouilles aux germes de soja
    et aux asperges 427
  Nouilles de riz sautées au
    poulet et aux crevettes 417
  Nouilles sautées
    à la thaïlandaise 418
  Nouilles sautées aux
    champignons sauvages 422
  Nouilles sautées végétariennes
    412
  Nouilles thaïes aux ciboules
    391
  Nouilles transparentes sautées
    413
  Pâtés impériaux à la sauce
    pimentée 51
  Pâtés impérial au crabe 52
  Petits pâtés impériaux 54

Poulet sauté à l'aigre-douce
  255
Riz thaï aux germes de soja
  448
Salade au tofu et
  au concombre 348
Salade de nouilles au sésame
  et aux cacahuètes 373
Salade de poulet chinoise
  358
Salade thaïlandaise de fruits
  et de légumes 374
Sayur oelih 43
Soupe au bœuf et aux nouilles
  d'Hanoi 28
Soupe de nouilles au rouget
  et au tamarin 24
Tofu sauté 314
Tofu sauté aux germes de soja
  et aux nouilles 429
Soupes
  Bouillon au crabe
    et aux nouilles 20
  Bouillon de coco aux nouilles
    et aux crevettes 402
  Bouillon piquant au poulet
    et aux crevettes 405
  Consommé de porc aux
    nouilles et aux crevettes 27
  Porc et crevettes
    à l'aigre-douce 188
  Sayur asam 29
  Sayur oelih 43
  Soupe à l'agneau
    et au concombre 36
  Soupe au crabe et au maïs 32
  Soupe au lait de coco
    et au poulet 46
  Soupe au maïs doux
    et au poulet 30
  Soupe au miso 23
  Soupe au bœuf et aux nouilles
    d'Hanoi 28
  Soupe au porc et aux feuilles
    de moutarde 41
  Soupe au potiron et
    à la noix de coco 44
  Soupe aux «ailerons
    de requin» 22
  Soupe aux boulettes de viande
    42
  Soupe aux crevettes
    et à la citronnelle 46
  Soupe aux épinards et au tofu
    34
  Soupe aux fruits de mer Laksa
    39
  Soupe aux nouilles 406

Soupe aux nouilles Chiang
  Mai 45
Soupe aux raviolis de poulet
  et de crevettes 17
Soupe aux raviolis wonton 38
Soupe aux trois délices 36
Soupe chinoise au tofu
  et à la laitue 19
Soupe de nouilles au bœuf 26
Soupe de nouilles au porc
  et aux pickles 24
Soupe de nouilles au rouget
  et au tamarin 24
Soupe de poisson
  à la coriandre 34
Soupe de poulet aux nouilles
  de sarrasin, 40
Soupe de poulet aux pointes
  d'asperges 31
Soupe de poulet thaïlandaise
  18
Soupe piquante 33
Sushi japonais 442

T

Tempura de légumes 78
Toasts épicés 502
Tofu, 11
  Beignets au crabe et au tofu
    59
  Bœuf sukiyaki 212
  Champignons farcis
    à la chinoise 340
  Curry rouge de tofu
    et de haricots verts 342
  Gado-gado de légumes cuits
    316
  Légumes chinois braisés 294
  Nouilles sautées
    à la thaïlandaise 418
  Nouilles sautées au curry 432
  Nouilles sautées végétariennes
    412
  Nouilles thaïes aux ciboules
    391
  Salade au tofu
    et au concombre 348
  Soupe au miso 23
  Soupe aux épinards et au tofu
    34
  Soupe chinoise au tofu
    et à la laitue 19
  Soupe piquante 33
  Tofu aux épices 344
  Tofu épicé à la sichuanaise
296

Tofu rouge aux champignons
  chinois 322
Tofu sauté 314
Tofu sauté aux germes de soja
  et aux nouilles 429
Travers de porc aux épices sel
  et poivre 80
Travers de porc aux haricots
  serpents 178
Travers de porc frits aux épices
  82
Travers de porc grillés 196

V

Vermicelles croustillants
  aux légumes 414

W

Wontons frits à la crème glacée
  490
Wontons torsadés 490